Diogenes Taschenbuch 22830

John Vermeulen

Die Elster auf dem Galgen

Ein Roman aus der Zeit Pieter Bruegels

Aus dem Niederländischen von Susanne George

Diogenes

Titel der 1992 bei
Uitgeverij Het Spectrum B. V., Utrecht
erschienenen Originalausgabe:
»De Ekster op de galg«
Lizenzausgabe mit freundlicher Genehmigung
des Twenne Verlags Berlin
Die Übersetzung wurde unterstützt vom
Ministerie van de Vlaamse Gemeenschap

Umschlagillustration:
Pieter Bruegel d. A.,
›Die Elster auf dem Galgen‹, (1568)
(Ausschnitt)

Veröffentlicht als Diogenes Taschenbuch, 1995

80/96/36/2
ISBN 3 257 22830 9

Die Natur hat wunderbar ihren Mann gefunden und getroffen,
um wieder von ihm herrlich getroffen zu werden,
als sie in Brabant, in einem obskuren Dorf unter den Bauern,
um Bauern mit dem Pinsel wiederzugeben,
auswählte und zur Malerkunst erweckte unseren
dauernden niederländischen Ruhm, den sehr
geistreichen und humoristischen Pieter Bruegel...

Carel van Mander, 1604

Mein Dank gilt:
Martine Eeckhaut, Kunstkennerin, für die Beratung.
Willem Manteleers, Kunstkenner, aus demselben Grund.
Roberte Van Pract, die mich stets unterstützte.
Johan Vincent, Centrum voor Audio-Visuele Middelen (C.I.A.M.), für seine Ideen.
Paul Arren, Altertumswissenschaftler, für die Richtlinien.
Paul Cammermans, sah alles bereits in Filmbildern und dachte sich die Figur Jobbe, den Fischer, aus.
Het Prentencabinet van Antwerpen und dem Museum Het Steen, für die bereitwillig gegebenen Auskünfte.
Meiner Frau, Hilde, für ihre Geduld.

1

Behutsam schob der Junge das Schilfrohr zur Seite, das ihm die Sicht versperrte. Er hatte einige Zeit gebraucht, um durch den Sumpf kriechend so nah an das Nest der Wildenten heranzukommen. Aber nun, als sich der brütende Vogel schwankend erhob und mit unruhigen, ruckartigen Kopfbewegungen um sich blickte, konnte er sogar die Eier sehen.

Der Junge rührte sich nicht, er hielt selbst den Atem an, bis sich die Ente beruhigte und wieder niederließ, wobei sie den Bauch hin und her schob, um die richtige Position auf den wenigen Eiern zu finden, die nicht den Raubzügen von Ratten und gefräßigen Möwen zum Opfer gefallen waren.

Der Junge im Röhricht wartete, bis eine Brise die Schwertlilien um ihn herum zum Rascheln brachte. Erst dann nahm er vorsichtig das schöne blaue Papier, das sein Vater für ihn gekauft hatte, und einen feinen Bleigriffel. In schnellen Strichen zeichnete er das Entennest mit dem wachsamen Weibchen.

Es war Flut, und das steigende Wasser der Schelde strömte blubbernd und rauschend durch die gewundenen Gräben in den Sumpf, wo sich der Junge versteckt hielt. Er achtete jedoch weder auf die Feuchtigkeit, die durch Hose und Wams bis auf seine Haut drang, noch auf die stechende Frühlingssonne, die in seinem Nacken brannte, und die Insekten, die unablässig um seine Ohren schwirrten.

Seine Aufmerksamkeit wurde erst gestört, als die Ente auf dem Nest plötzlich erneut unruhig wurde. Das Tier streckte den Hals, schlug ein paarmal heftig mit den Flügeln, als wolle es ihre Tauglichkeit prüfen, und stieg dann mit kraftvollen Flügelschlägen auf. Entrüstet quakend flog die Ente geschwind zur Mitte des Flusses davon.

Erst jetzt hörte auch der Junge, was die Stille gestört hatte. Das Geräusch kam von jenseits des entfernt gelegenen Deiches: Hufschläge, Waffengeklirr, der Schrei eines Menschen, unverständliche Rufe in bellendem Ton.

Er fühlte, wie sein Herz vor Furcht und Neugier klopfte. Eilig stopfte er die Zeichensachen in die Tasche an seinem Gürtel, lief gebückt durch den sumpfigen Morast und kletterte auf allen vieren den Deich hoch. Als er flach auf dem Bauch in jungem, duftendem Unkraut lag, spähte er durch die noch kahlen Brombeersträucher über den sandigen Weg.

Von der Stadt her kamen etwa zwanzig spanische Reiter im Schritt angeritten. Zwischen den Pferden zogen sie an langen Stricken drei Bürger mit sich her, zwei Männer und eine Frau. Die Gefangenen konnten das Tempo der Pferde kaum halten, so daß sie immer wieder stolperten und taumelten. Wer hinfiel, wurde einfach an dem Strick über den Boden geschleift.

Etwa fünfzig Meter hinter den spanischen Soldaten folgte eine Schar von Männern, Frauen und Kindern. Es waren zumeist Bauern, die Parolen skandierten, die offenkundig nicht gegen die Soldaten, sondern gegen ihre Gefangenen gerichtet waren. Die Kinder rannten aufgeregt zwischen den Erwachsenen herum, rauften und schubsten sich und tanzten zwischendurch mitten auf dem staubigen Weg im Kreis herum, bis sie von den Erwachsenen zur Seite gestoßen wurden.

Der Junge wartete, bis alle vorbeigegangen waren, stand dann auf und folgte dem Zug.

Die Gefangenen sind wahrscheinlich Ketzer, dachte er. Sein älterer Bruder Dinus hatte ihm erzählt, daß jeder, der es wagte, öffentlich Kritik an der spanischen Regierung oder der katholischen Kirche zu äußern, sofort als Spion oder Ketzer gebrandmarkt wurde und in den Kerker, an den Galgen oder auf den Scheiterhaufen kam. Es gab sogar Bürger, die das richtig fanden.

Sein Vater hatte ihm wiederholt ans Herz gelegt, sich von Tumulten und Hinrichtungen fernzuhalten, aber die Neugier des Jungen war zu groß, so daß er der Menschenmenge folgte. Kurz darauf verließen die Reiter den Weg und ritten zwischen Bäumen und Sträuchern einen kleinen Abhang hinunter zu einer tiefer gelegenen Lichtung in einem Wäldchen. Noch einen Bogenschuß weiter lag ein großer Bauernhof mit einem Wasserrad, und in der Ferne zeichneten sich die düsteren Umrisse zweier Burgen gegen den blauen Himmel ab.

In der Mitte der Lichtung ragten auf einem großen Sandsteinblock ein Galgen und ein Holzkreuz empor, umgeben von einigen Gräbern. Die Stützbalken des Galgens waren von Wind und Wetter so verzogen, als würden sie dort schon seit langem stehen. Oben auf dem Galgen hockten zwei Elstern. Als die Soldaten näher kamen, flog einer der Vögel auf und setzte sich ein Stück weiter auf einen großen Stein. Die zweite Elster blieb, wo sie war, und schaute dem Treiben unter ihr interessiert zu.

Die Soldaten stiegen ab. Als einer von ihnen drei Stricke über den Galgen warf, flog die Elster kurz krächzend hoch, ließ sich jedoch sofort wieder auf ihrem alten Platz nieder. Die meisten Bürger stellten sich in einem großen ungeordneten Kreis um die Soldaten. Andere johlten und tanzten und führten sich auf, als hätten sie zuviel getrunken. Einige kleinere Gruppen standen abseits und schauten schweigend zu, manche von ihnen bekreuzigten sich.

Der Junge war auf einen Sandhügel geklettert, von dem aus er alles gut überblicken konnte. Er setzte sich hin, packte Zeichenheft und Griffel aus und begann zu skizzieren: die Bäume, die Burgen in der Ferne, die tanzenden Bauern, das Holzkreuz mit den verstreut liegenden Grabsteinen und den Galgen. Er zeichnete in schnellen, sicheren Zügen.

Ein Jubelgeschrei erhob sich, als die drei Gefangenen von den Soldaten unter den Galgen geschleppt wurden und man ihnen den Strick um den Hals knüpfte. Ein Mönch stieg ungelenk auf den Stein und schickte sich an, die Opfer zu segnen. Die Frau aber spuckte ihm mit solcher Verachtung ins Gesicht, daß der Mönch mit seinem Stab zum Schlag gegen sie ausholte. Die Soldaten hielten ihn zurück und führten ihn mit sanfter Gewalt vom Galgen weg.

Dann zogen drei Soldaten mit ihren Pferden die Stricke an. Die Gefangenen wurden langsam hochgezogen, um ihnen das Genick nicht zu brechen, so daß sie den langsamen und qualvollen Erstikkungstod erleiden mußten.

Ergriffen von der Tragödie des Augenblicks, hörte das Kind zu zeichnen auf und starrte auf die drei Unseligen, die verkrampft und zappelnd am Strick hingen, begleitet von dem Gejohle einiger Zuschauer. Ihm war, als würde eine kalte Hand seine Eingeweide zusammenpressen, die kalte Hand des Todes, die ihn auf dem Weg zu ihrem Werk dort unter dem Galgen streifte. Fast hätte er das Zeichenheft fallenlassen, aber er konnte es gerade noch festhalten. In dem Moment flog die Elster, aufgeschreckt durch diese kleine Bewegung inmitten des ganzen Tumults, vom Galgen hoch und verschwand schimpfend zwischen den umstehenden Bäumen.

Der Junge rutschte von seinem erhöhten Platz hinunter und landete mit einem Plumps auf der ebenen Erde. Er war noch damit beschäftigt, seine Zeichensachen in die Tasche zu packen, als er von einigen johlenden Kindern seines Alters fortgezogen wurde, die mit ihm »Papier, Stein oder Schere« spielen wollten. Verärgert über die unsanfte Störung seiner Gemütsstimmung, riß er sich los. Sie ließen ihn stehen und rannten weiter. Nur ein häßliches Mädchen mit roten Zöpfen drehte sich um und schnitt ihm eine Grimasse, bevor sie den anderen folgte.

Als der Junge dem Mädchen hinterherschaute, wanderte sein Blick wieder zu den Gehängten am Galgen, die nun regungslos an den Stricken baumelten. Ihre Gesichter waren zu grotesken Fratzen verzerrt, und die Zungen hingen ihnen weit aus dem Mund heraus. Die leblosen Augen der Frau waren genau auf ihn gerichtet. Ihr starrer Blick ließ den Jungen zurückweichen. Plötzlich fühlte er sich schuldig, weil er den Galgen gezeichnet hatte. Er war davon überzeugt, diese toten Augen sahen alle seine Sünden, er würde in die Hölle hinabgerissen, wenn er nicht schnell und weit genug flüchtete.

Als sich das Kind hastig umdrehte, stieß es gegen jemanden. Es erschrak beim Anblick des stämmigen Bauern, der es an den Schultern packte und auf Armeslänge von sich hielt.

»Ich wußte, daß ich dich hier finden würde«, sagte sein Vater in einem Ton, der nichts Gutes verhieß. »Habe ich dir nicht gesagt, daß du dich von solchen Aufführungen fernhalten sollst?«

»Es war Zufall«, versuchte sich der Junge zu verteidigen. »Sie sind vorbeigekommen, und ich bin ein Stück mitgelaufen und...«

Er verstummte, als er merkte, daß sein Vater nicht zuhörte. Er blickte über ihn hinweg zu den spanischen Soldaten, die gerade die Leichen von dem Galgen herunterließen. »Diese verdammten Spanier!« murmelte er undeutlich. »Die Erde sollte sich auftun unter den Stinkfüßen dieser dreckigen Teufelsboten des Papstes, damit sie geradewegs in ihre eigene Hölle stürzen!«

Der Junge zuckte zusammen und schaute sich ängstlich um, ob vielleicht jemand den Fluch gehört hatte. Sein Blick begegnete dem eines Mönchs, der ein paar Meter von ihnen entfernt stand. Der Mönch hatte mit verschränkten Armen unbewegt der Hinrichtung zugeschaut, doch nun schien er sich nur noch für das Kind und dessen Vater zu interessieren.

Der Junge fühlte einen schmerzhaften Krampf im Leib, als der Mönch sich ihnen langsam näherte, den Blick starr auf ihn geheftet.

Jetzt bemerkte auch sein Vater den Geistlichen. Er schob das Kind mit einer schützenden Bewegung hinter seinen Rücken und schaute den Mönch unfreundlich an. In einem Ton, der fast unverschämt klang, fragte er: »Was wollt Ihr von mir?«

»Von dir vorläufig nichts«, antwortete der Mönch, die Augen noch immer auf das verängstigte Kind gerichtet. »Ich möchte nur mal sehen, was dieser junge Mann da gerade so eifrig hingekritzelt hat.« Gebieterisch streckte er die Hand aus. »Zeig her!«

»Mein Sohn zeichnet alles mögliche. Er zeichnet die ganze Zeit, eigentlich tut er kaum etwas anderes.«

»Interessant«, sagte der Mönch. »Vielleicht ist mit deinem Sohn ein großer Künstler geboren. Vielleicht aber ...« – er wandte seinen Blick von dem Kind ab, um den Bauern forschend anzuschauen – »zeichnet er auch Dinge, die für Kirche und Obrigkeit eine Beleidigung sind, vielleicht *befiehlt* ihm auch jemand, solche Zeichnungen zu machen?«

Er hat es gehört! dachte der Junge, zitternd vor Angst. Er hat alles gehört, und jetzt werden sie uns auch aufhängen, oder verbrennen, wie sie es oft mit Ketzern machen!

Er schreckte hoch, als der Mönch befahl: »Gib diese Blätter her, zeig mir, was du treibst, Kunst, Kinderspiel oder Spionage.«

»Mach nur, Junge«, sagte sein Vater ermutigend. »Zeig sie ruhig, du hast nichts zu verbergen, du hast keine bösen Absichten.«

Mit unsicherer Hand nestelte der Junge an seiner Tasche. Als er sie vor lauter Aufregung nicht sofort aufbekam, sagte der Mönch ungeduldig: »Los, Junge, mach schon, ich habe nicht den ganzen Tag Zeit!« Er riß dem Kind das Zeichenheft aus der Hand und schlug ein

Blatt nach dem anderen um, wobei er jede Skizze mit einer Falte zwischen seinen buschigen Augenbrauen kurz studierte. »Kühe«, sagte er, »ein Bauer beim Säen, die Schelde bei Ebbe, die Schelde bei Flut, ein Fischer im Röhricht, ein Fischer, der sein Netz einholt, ein Fischer, der sein Boot vertäut...«

»Das ist Jobbe«, sagte der Junge. »Jobbe ist mein Freund, manchmal darf ich mitfahren...«

»Dein Sohn zeichnet sehr gut«, sagte der Mönch zu dem Bauern. »Er besitzt eine Gabe Gottes. Wie kommt es, daß ich in seinen Werken für dieses Geschenk des Allmächtigen kein bißchen Dankbarkeit erkennen kann?«

Er blätterte mit zusammengezogenen Augenbrauen weiter.

»Er ist doch noch ein Kind«, sagte der Bauer verteidigend. »Er weiß noch nicht viel von...«

»Aha, was haben wir denn da?« Der Mönch hielt das Blatt ein Stück von sich weg, als wolle er es sich besonders genau anschauen. »Der Galgen!« sagte er triumphierend. »Und wo sind die Soldaten und die Gehängten?«

»Mein Sohn zeichnet meistens Landschaften«, sagte der Bauer. »Die Natur und so, Menschen findet er nicht so wichtig. Wäre es nicht umgekehrt, wenn er schlechte Absichten hätte?«

»Menschen sind unwichtig«, gab der Mönch zu. »Aber ihre Seelen nicht. Ist der Körper nicht der Tempel der Seele?«

»Ich bitte um Vergebung«, sagte der Bauer, »aber mir fehlt es an Weisheit, um hierüber ein Gespräch führen zu können.«

»Hm...« Der Mönch spitzte die Lippen, betrachtete ein letztes Mal aufmerksam die Zeichnung und gab dann dem Jungen das ganze Heft mit einer verächtlichen Geste zurück. Zu seinem Vater sagte er: »Du würdest gut daran tun, die Gabe deines Sohnes in die richtige Bahn lenken zu lassen. Die Kirche könnte für eine gute Ausbildung sorgen.«

»Das kann ich nicht bezahlen, ich bin nur ein armer Bauer.«

»Ein armer Bauer?« Der Mönch gab ein herablassendes Lachen von sich. »Du, der du vom Reichtum der Äcker Gottes lebst?«

»Wir wohnen noch nicht lange hier, wir kommen aus der Gegend von Breda. Ich habe meinen ganzen Besitz verpfänden müssen, um ein Haus und Grund pachten zu können. Ich bin schon froh, daß ich mit Gottes Gnade die hungrigen Mäuler meiner Familie stopfen kann.«

»Aber das Geld, um für deinen Sohn teures Zeichenpapier zu kaufen, hast du?«

»Für ein Stück Speck bekommen«, sagte der Bauer mürrisch.

»Warum habt ihr denn die Gegend von Breda überhaupt verlassen?«

»Ich hatte gehört, daß das Leben hier besser sei.«

»Ja ja, die Verlockungen von Antwerpen haben schon viele Sünder angelockt.«

»Ich besitze weder Pfunde noch Dukaten, um den Verlockungen von Antwerpen nachzugeben, selbst wenn ich das wollte.«

Der Klerus und die spanischen Herrscher hatten diese Dukaten sehr wohl, doch die Anspielung schien dem Mönch zu entgehen. »Ich rate dir, nach Hause zu gehen und dich ruhig zu verhalten«, sagte er. »Hier gibt es jetzt nichts mehr zu sehen, auf jeden Fall nichts, das für einen phantasievollen Kopf wie den deines Sohnes gut ist.« Er blickte den Jungen unverwandt an. »Wie heißt du, Bursche?«

»Pieter Bruegel«, antwortete der Junge, der unter dem stechenden Blick des Mönchs wieder Angst bekam.

»Pieter Bruegel, hm...« Der Mönch schaute den Jungen kurz nachdenklich an und hob dann die Schultern, als würde er die Sache als erledigt betrachten. »Ich werde mir diesen Namen merken für den Fall, daß ich noch mal etwas von dir hören sollte, Gutes oder Schlechtes...« Er wandte sich um und ging mit verschränkten Armen weg. Kurz darauf war er zwischen den Leuten verschwunden, die noch immer aufgeregt bei dem Galgen und dem Kreuz standen, wo man die Gehängten nun verscharrte.

»Ich weiß nicht, wer die größeren Halunken sind, sie oder diese spanischen Pestbeulen«, sagte Pieters Vater. »Aber in einem Punkt hatte dieser scheinheilige Blutsauger auf jeden Fall recht: Das ist kein geeigneter Ort für Kinder, das ist für niemanden ein geeigneter Ort. Laß uns zu Mutter gehen.«

Nun, wo die Leichen fortgeschafft waren und der Mönch sich davongemacht hatte, war auch Pieters Angst so gut wie verschwunden. Er hörte kaum zu, was sein Vater sagte, sondern schaute auf die Zeichnung mit dem Galgen, die er in den Händen hielt. Etwas fehlte, fand er, etwas Wichtiges. Dann fiel ihm ein, was ihn zunächst mehr fasziniert hatte als die zum Tode verurteilten Opfer. Er hatte vergessen, die Elster auf dem Galgen zu zeichnen. Aber das hatte Zeit, bis sie zu Hause waren und er die Zeichnung fertigmachen konnte. Er hatte das Bild in allen Einzelheiten im Kopf.

Und sollte es sein Leben lang nicht vergessen.

2

Die große Scheune, die zu diesem Anlaß als Festsaal genutzt wurde, bebte vor lautem Gerede und Gelächter, gegen das die beiden Dudelsackspieler mit ihrer fröhlichen Musik kaum ankamen. Die Feiernden saßen an rohen Holztischen auf langen Bänken, und das Antwerpener Bier floß reichlich aus den Tonkrügen.

Mitten unter den Gästen, die von nah und fern herbeigekommen waren, saßen Dinus Bruegel und seine frischgebackene Ehefrau Clementine. Sie war die einzige Tochter van 't Ebbes, eines Bauern, der südlich der Stadt wohnte. Mit ihren zwanzig Jahren war Clementine bereits zweimal so umfangreich wie ihre Mutter, eine verlebte Vogelscheuche, die neben ihr saß und Reisbrei in sich hineinschlang. Außerdem erinnerte ihr Augenaufschlag an einen Karpfen auf dem Trockenen. Aber als einziges Kind eines wohlhabenden Bauern war sie eine gute Partie. Dinus maß materiellen Dingen viel größere Bedeutung bei als sein Bruder Pieter. Und weil er von harter Arbeit wenig hielt, suchte er andere Möglichkeiten, um seinen Status zu verbessern. Diese Heirat betrachtete er als einen Schritt in die richtige Richtung. Clementine mochte zwar nicht sehr schön sein, dafür war sie um so frommer und ergebener. Außerdem lief sie nicht mit lauter Grillen im Kopf herum wie diese närrischen Weiber aus der Stadt, mit denen sich Pieter, der vor kurzem zwanzig Jahre alt geworden war, gern vergnügte.

Pieter saß neben dem großen Scheunentor an einer Tischecke, umringt von einer Horde Bauernsöhne seines Alters. Anfangs hatte er etwas trübsinnig dabeigesessen, als könnte er sich über die Hochzeit seines Bruders nicht so recht freuen. Er hatte jedoch die Bierkrüge nicht unberührt an sich vorüberziehen lassen und war allmählich munterer geworden. In der letzten halben Stunde hatte er kaum geschwiegen, auch wenn er eigentlich nicht sehr gesprächig war. Abwechselnd erzählte er Gruselgeschichten und Witze, vor allem um Eindruck auf Greta zu machen, ein sechzehnjähriges Mädchen, deren Vater die Scheune verlassen hatte, um seine Notdurft zu verrichten, und an der hölzernen Stützwand des Misthaufens sitzend eingeschlafen war. Pieter genoß ihre kurzen Aufschreie des Entsetzens, wenn er seine Gespenster aufziehen ließ, und ihre Lacher hinter vorgehaltener Hand bei seinen zuweilen recht zotigen Witzen.

»Ich habe noch ein Rätsel«, rief er seinen begeisterten Zuhörern zu. »Wißt ihr, was zwei Spanier auf einem Stuhl sind?« Er wartete die Antwort gar nicht ab. »Ein Stuhl voller Scheiße«, sagte er lachend. »Und was sind zwanzig Spanier auf einem Stuhl?« Erwartungsvoll blickte er in die Runde.

»Ein großer Haufen Scheiße?« fragte jemand vorsichtig.

Pieter schüttelte den Kopf. »Ein Haufen Idioten, die nicht wissen, wohin mit ihrem Arsch«, sagte er grinsend. »Und alle Spanier zusammen in der Schelde, was bedeutet das?« Es kam keine Antwort. »Die einzige Lösung der ganzen Misere!« rief er so laut, daß es bis ans andere Ende des Tisches zu hören war. Die meisten schlugen sich vor Vergnügen auf die Schenkel, nur einer blickte besorgt in Richtung des offenen Scheunentores, wo in den einfallenden Strahlen der tiefstehenden Sonne Staubkörner und Insekten tanzten.

Da erschien plötzlich in der Türöffnung die gekrümmte Gestalt einer alten Frau. Sie ging an einem knorrigen Stock und trug einen roten Schal um den Kopf, wie die Zigeuner, die im Osten vor den Stadtmauern ihr Zeltlager aufgeschlagen hatten.

Eine ganze Weile stand sie bewegungslos da und schaute über die Festgesellschaft, bis sie dem Blick von Pieter Bruegel begegnete. Er stockte mitten im Satz und sah erstaunt und beunruhigt zu der Frau, die nun, gestützt auf ihren Stock, in seine Richtung kam, als hätte er sie herangewinkt.

Sie sieht aus wie eine Hexe, dachte er, als sie vor ihm stehenblieb und ihn ernst anschaute, während die Gespräche um ihn herum verstummten. Aber Hexen wurden meist nicht so alt, denn sie entgingen selten dem Scheiterhaufen.

Endlich fragte die Frau: »Wünscht Ihr etwas über Eure Zukunft zu erfahren, junger Mann?«

Pieter blickte kurz um sich. »Warum ich?«

Der ernsthafte Gesichtsausdruck der Alten blieb unverändert. »Das Schicksal webt sein Netz um jeden Menschen«, sagte sie. »Ich kann diese Fäden fühlen...«

»Ich habe kein Geld...« sagte Pieter zögernd.

»Ein bißchen Brot, mehr brauche ich nicht.« Sie hatte sehr helle Augen, die Pieter unverwandt anstarrten. »Darf ich Eure Hand haben, Meister?«

»Meister?« Pieter schaute ein wenig ratlos zu seinen Freunden, aber niemand lachte, so als wären sie alle in den Bann der alten Zigeunerin geraten. Unsicher hielt Pieter ihr seine rechte Handfläche hin.

Die Frau nahm seine Hand in ihre, doch ihr Blick ließ Pieter noch immer nicht los. Ohne hinzusehen, folgte sie mit dem Daumen sanft und leicht zitternd den Linien seiner Handfläche. Ruhig sagte sie: »Es ist außergewöhnlich viel Schönheit, aber auch Häßlichkeit in Euch, Herr. Erwartet sowohl tiefe Ekstase als auch große Schrecknisse. Eure Lebenslinie ist kurz, sehr kurz...« Ihr zitternder Daumen unterbrach kurz seine tastenden Bewegungen, und über ihr gegerbtes Gesicht huschte ein Zug von Mitleid. Kaum hörbar sagte sie: »*Zu* kurz...« Dann, indem sie sich wieder faßte, mit festerer Stimme: »Drei Frauen, drei Kinder und...« Sie stockte, schloß Pieters Hand und drückte sie kräftig. »Ein Schatten...« Sie schüttelte den Kopf, als würde sie ihren eigenen Gedankengang nicht verstehen. »Ein Schatten über Euch, aber auch *in* Euch...« Sie schwieg einen Moment. »... Nicht der Tod, der kündigt sich weniger hinterlistig an, nicht das Schicksal, sondern etwas Flüchtiges, etwas Vergängliches, ein stofflicher Körper...« Die Frau schloß die Augen, um sich besser konzentrieren zu können. »Er weigert sich, mir sein wahres Gesicht zu zeigen... Still!« ermahnte sie.

Pieter erschrak. Er fragte sich, wie sie mit geschlossenen Augen gewußt haben konnte, daß ihm eine neugierige Frage auf der Zunge lag.

Die Zigeunerin schaute Pieter wieder an. »Nicht alle Verborgenheiten des Lebens werden mir offenbart...« Sie öffnete seine Hand und schaute sich diesmal seine Handlinien an. »Das Netz Eures Schicksals wird durch eine große schöpferische Kraft erschüttert...« Langsam ließ sie den Blick über die Festgesellschaft schweifen, deren Lärm anschwoll und wieder verebbte. »Bald werdet Ihr dies alles verlassen...« Plötzlich hob sie den Kopf und ließ Pieters Hand los, als hätte sie sich vor etwas erschreckt, was nur sie hören konnte.

»Ich muß gehen!« Sie drehte sich um und verschwand, wie vom einfallenden Sonnenlicht verschluckt.

Jemand stieß Pieter an. »Gratuliere, Meister!« sagte er, die anderen lachten.

Pieter blickte ein wenig verstört vor sich hin, es dauerte eine Weile, bis er reagierte. Aber dann richtete er sich auf, als wolle er das seltsame Ereignis abschütteln. Er trank sein Bier aus und gab dem Knecht ein Zeichen, einen neuen Krug zu bringen. Als wäre nichts geschehen, sagte er: »Das ist ein schönes Hochzeitsfest, zumindest wenn einem der Anblick meiner neuen Schwägerin erspart bleibt. Diese Kuh glotzt so heilig, man könnte glatt denken, sie würde jeden Moment schweben.« Er prustete vor Lachen und nahm einen langen Zug aus seinem frischgefüllten Bierkrug. Dann holte er seine Zeichensachen heraus, die er in einer Gürteltasche immer mit sich trug. Schnell machte er eine Skizze von einer gen Himmel fahrenden Clementine. Bei näherem Hinsehen erkannte man, daß er ihr einen spanischen Küraß angepaßt hatte. Die Zeichnung hatte nur vage Ähnlichkeit, aber da jeder in Pieters Umgebung wußte, wer gemeint war, erntete er erneut lautes Lachen.

Plötzlich fiel Pieters Blick auf einen leeren Platz auf der Bank. Während er um sich schaute, fragte er: »Wo ist Greta?«

»Rausgegangen«, antwortete jemand. »Wahrscheinlich muß sie mal.«

Pieter warf die Zeichensachen auf den Tisch und stand auf. »Mal sehen, ob sie vielleicht Hilfe braucht«, rief er übermütig.

Gerade als er nach draußen schlüpfen wollte, hielt ihn sein Vater am Arm fest. Der Bauer schaute ihn eindringlich an, bevor er sagte: »Wenn ich du wäre, würde ich mich ein bißchen zurückhalten und nicht noch mehr Dinge sagen, die zu weit gehen.«

»Ach, wir machen doch nur Spaß.«

»Nimm dich vor Dinus in acht, Pieter, du weißt, wie er ist!«

»Dinus kann mich mal.«

»So spricht man nicht über seinen älteren Bruder!«

»Meinen Bruder soll der Teufel holen«, sagte Pieter. Sein Blick schweifte über den Hof auf der Suche nach Greta.

»Pieter!« rief der Bauer mehr erschrocken als böse. »Läßt dich das Bier so sprechen? Dann rate ich dir, mit dem Trinken aufzuhören!«

»Ich habe schon aufgehört«, sagte Pieter. »Kann ich jetzt?« Er zeigte zum Hof.

Der Bauer ließ Pieters Arm los. »Denk daran, daß noch ein Teil des Heus vom Feld muß, bevor das Wetter umschlägt«, sagte er in mahnendem Ton. »Wir haben also morgen keine Zeit zum Ausschlafen.«

»Aber ich wollte zum Steen und mir die Indianer angucken!«

Auf der Antwerpener Reede lagen drei spanische Kriegsschiffe mit einer Horde Rothäute aus Amerika an Bord, die man als Sklaven für die spanischen Würdenträger mitgebracht hatte. Vorläufig waren sie noch die Attraktion für jedermann, vor allem für Kinder.

»Erst das Heu, die Indianer bleiben bestimmt noch eine Weile.«

»In Ordnung«, seufzte Pieter. Statt sich sinnlos mit seinem Vater zu streiten, würde er lieber morgen versuchen, sich heimlich davonzumachen. Sein Vater war ein ruhiger Mensch, aber wenn es darauf ankam, war er so unbeugsam, wie es einem echten Bauern anstand. Dinus hatte ständig Streit mit ihm, Pieter dagegen hängte lieber sein Mäntelchen nach dem Wind. Außerdem stritten sich die beiden fast immer über Politik oder Religion, und das interessierte Pieter nicht im geringsten.

Pieter fand Greta am Rand des Weizenfeldes, wo sie, ihre Röcke bis über die Knie hochgeschoben, im Gras saß und die Wärme der Sonne auf ihren Beinen genoß.

Zur Begrüßung fragte sie: »Wo bist du so lange geblieben?« Von ihrer Schüchternheit kurz zuvor in der Scheune war nichts mehr zu merken.

Pieter hockte sich neben sie. »Ich wußte nicht, daß du auf mich wartest.«

»Ich will, daß du mich zeichnest«, sagte Greta. »So...« Sie zog ihre Röcke noch etwas höher und gewährte Pieter einen Blick auf ihre schneeweißen Schenkel.

»Ich habe meine Zeichensachen drinnen liegenlassen«, sagte Pieter. Er warf einen unruhigen Blick hinter sich.

»Mein Vater wird vorerst nicht aufwachen. Und du mußt mich auch nicht jetzt sofort zeichnen. Wenn du mich einmal gut anschaust, kannst du es später aus dem Kopf machen. Willst du mich nicht einmal genau anschauen?« Sie lachte herausfordernd und ließ eine Reihe makelloser Zähne sehen.

»Natürlich«, sagte Pieter schnell. »Ich weiß einen Ort, wo sie uns nicht stören werden.«

»Warum sollen wir uns denn verstecken? Ist es denn was Schlimmes, wenn man sich anschaut?«

»Oh!« sagte Pieter enttäuscht. »Ich dachte... Du hältst mich zum Narren!« sagte er, als sie über sein verdattertes Gesicht lachte.

Greta sprang auf. »Natürlich, du Dummkopf! Wo ist dieser Ort?«

»Mein Zimmer, da kommt keiner hin, solange drüben gefeiert wird.«

»Hast du wirklich ein Zimmer, ganz für dich allein?«

»Natürlich, wir haben ein großes Haus«, antwortete Pieter, der nicht sicher war, ob sie ihn nicht doch zum Narren hielt. Er hatte die ganze Zeit das Gefühl, daß sich Greta über ihn lustig machte. Vielleicht war ja der Hof ihres Vater zehnmal größer als ihrer, dachte er. Aber dann schweiften seine Gedanken wieder zu ihren weißen Schenkeln, so daß ihn Nebensächlichkeiten nicht mehr kümmerten.

»Was für Bilder!« sagte Greta, als sie unbemerkt seine Kammer im Bauernhaus erreicht hatten. Diesmal schien ihre Bewunderung aufrichtig zu sein. Mit unverhohlener Neugier schaute sie sich die vielen Skizzen und Zeichnungen an, die an der Wand hingen. »Gott, wie schön!« rief sie bei dem Bild einer Distel, die Pieter mit großer Detailgenauigkeit gezeichnet hatte.

»Das sind nur Kritzeleien«, sagte Pieter geschmeichelt. »Reine Zeitverschwendung, sagt Vater immer.«

»Kritzeleien? Du solltest damit auf den Markt gehen, ich wette, daß du Geld dafür kriegen würdest... Oh, wie düster! Wer zeichnet denn einen Galgen?«

»Der ist fünf Jahre alt«, sagte Pieter etwas unwillig. Er blickte über ihre Schulter auf die Skizze mit dem Galgen und einer kecken Elster darauf. Im Vordergrund stand ein Mönch, der mit bösem Blick in die Kammer starrte. Dieser Mönch mußte wieder weg, sah Pieter auf einmal. Sein Gesicht störte die Ausgewogenheit der Zeichnung. Pieter hielt die Ausgewogenheit der Komposition für besonders wichtig. Außerdem war der Mönch nicht wirklich von Bedeutung, sein Erscheinen hatte keinen bleibenden Eindruck hinterlassen.

»Ich war dabei«, sagte er. »Sie haben drei Leute gehängt, zwei Männer und eine Frau.« Er dachte an die Frau, deren toter Blick ihn wochenlang in seinen Alpträumen verfolgt hatte. »Das haben die Spanier getan, ich weiß nicht, warum. Vielleicht nur zum Spaß.« Er stellte sich hinter Greta und legte die Arme um sie. »Sollen wir über etwas anderes reden?« Seine Hände streichelten ihre Brüste durch den rauhen Stoff ihres Kleides.

Greta legte ihre Hände auf seine, ohne seine Bewegungen zu unterbrechen. »Wie wirst du mich zeichnen?« fragte sie.

»Das weiß ich noch nicht.« Sein Atem ging schneller. »Das kommt darauf an, welches Bild du in meiner Erinnerung zurücklassen wirst.«

»Willst du mehr von mir sehen?«

»Alles«, murmelte Pieter mit gepreßter Stimme in ihren Nacken. »Ich will alles von dir sehen...« Er griff unter ihren Röcken nach ihren weißen Schenkeln, die noch immer wie ein erregendes Bild auf seiner Netzhaut brannten.

»Bist du sicher, daß niemand kommen kann?«

»Es kommt niemand, selbst wenn du schreien würdest.« Pieters Berührungen wurden kühner.

Greta schnellte in die Höhe, als seine suchenden Finger ihr Ziel fanden. Mit einer Stimme, die auch nicht mehr fest klang, fragte sie: »Wieviele Mädchen hast du schon gehabt?«

»Keine einzige wie dich«, versicherte ihr Pieter. Er zog sie von der Wand weg in Richtung seines Bettes. »Und für wieviele Jungen hast du schon die Beine breit gemacht?«

»Was für eine unverschämte Frage!« rief Greta, ihren Unterleib an seiner Hand reibend. »So etwas fragt man eine Dame nicht!«

»Eine Dame nicht«, gab Pieter zu. Er drückte Greta rücklings aufs Bett und ließ sich auf sie fallen.

»Sie sagen, daß du ein nimmermüder Freier bist...« sagte Greta mit gepreßter Stimme.

Pieter unterbrach seine Fummelei. Überrascht fragte er: »Sie? Wer sind sie?«

»Es steht auf allen Plakaten in der Stadt.«

»Du machst dich lustig über mich, das wirst du bereuen, Weib!« Mit einem Ruck zog er ihre Röcke bis zur Taille hoch.

»Ja!« sagte Greta heiser. »Tu es!« Sie zog die Beine an und schob den Unterleib herausfordernd hoch.

Im Rausch der Begierde dauerte es eine Weile, bis Pieter die Hufschläge und bellenden Stimmen auf dem Hof wahrnahm. Er erstarrte.

»Was ist los?« fragte Greta verstimmt.

»Soldaten, Spanier!« Pieter glitt rasch von ihr hinunter und lief zum Fenster. Vorsichtig, um nicht gesehen zu werden, blickte er hinaus. Sein Herz begann wieder zu klopfen, diesmal aber nicht vor Leidenschaft.

Ein spanischer Hauptmann und einige Soldaten stiegen vor der Scheune ab, wo das Hochzeitsfest in vollem Gang war. Zwei Männer blieben bei den Pferden zurück, die anderen marschierten mit ihren Musketen im Anschlag hinein. Die Festgesellschaft in der Scheune verstummte, es erschallten Befehle in einer Mischung aus halb verschlucktem Spanisch und Französisch.

Pieter ballte die Fäuste. »Diese verdammten Mistkerle! Was haben die hier in Gottes Namen zu suchen? Mit welchem Recht stören sie ein Hochzeitsfest?«

»Mit dem Recht der Stärkeren«, sagte Greta, die sich hinter ihn stellte und mit nach draußen spähte. »Laß uns lieber weitermachen. Wir können doch nichts daran ändern.«

»Weitermachen? Bist du verrückt geworden? Wer weiß, was da drinnen passiert!«

»Dann renn eben hin«, sagte Greta. »Spiel den Helden, laß dich in Ketten schlagen!« Als Pieter tatsächlich hinauslief, trat sie wütend und enttäuscht gegen das Bett.

Pieter schlich um das Bauernhaus und rannte zu der Seite der Scheune, wo ihn die zurückgebliebenen spanischen Soldaten nicht sehen konnten. Mitten in der Wand war in drei Meter Höhe eine Öffnung mit einem herausragenden Balken, an dem ein Seil hing, um Strohballen hochzuziehen.

Pieter packte das Seil und kletterte hoch. Vor Schreck war ihm der kalte Schweiß ausgebrochen, doch es war unerträglich, nicht zu wissen, was da drinnen passierte.

Er erreichte ohne Schwierigkeiten den Heuboden, der so kurz vor der Ernte bis auf etwas Gerümpel leer war. Vorsichtig legte er sich auf den Bauch und schaute durch eine der breiten Ritzen im Holzboden nach unten.

Die Gäste waren in eine Ecke der Tenne zusammengetrieben worden, wo Soldaten sie mit ihren Waffen in Schach hielten. Manche waren so betrunken, daß sie nicht begriffen, was los war, und töricht kicherten.

Einige aus der Truppe hatten sich an einen Tisch gesetzt, wo sie sich an dem Bier und den Resten des Festmahls gütlich taten. Der Hauptmann saß auf Pieters Platz.

Pieter biß sich auf die Unterlippe, als er sah, daß der Offizier seine Zeichnungen vor sich auf dem Tisch ausgebreitet hatte, um sie eingehend zu betrachten. Er hielt eine nach der anderen ins Licht, als wäre er auf der Suche nach allen möglichen Geheimnissen.

Neben dem Hauptmann stand ein Mann, der sich ebenfalls die Zeichnungen ansah. Es dauerte einen Moment, bis Pieter erkannte, daß es sein eigener Bruder Dinus war. Dessen Braut stand zusammen mit ihren Eltern unter den zusammengetriebenen Gästen.

Der Offizier raffte die Zeichnungen zusammen und gab sie einem seiner Soldaten in Verwahrung. »Verrat und Gotteslästerung«, sagte er in gebrochenem Niederländisch mit stark rollendem R. »Ihr verstoßt nicht nur gegen die Verordnungen seiner Majestät, Kaiser Karls, sondern jetzt auch noch das!« Er wies mit einer verächtlichen Gebärde zu dem Soldaten mit den Zeichnungen.

»Entschuldigt, Herr«, sagte Dinus unterwürfig. »Wir haben nicht gewußt, daß bei einer Bauernhochzeit nicht mehr als zwanzig Gäste an der Festtafel sitzen dürfen.«

»Die Plakate haben überall gehangen, manche von euch können doch wohl ein paar Worte lesen, oder?«

»Wir kommen nicht so oft in die Stadt, Herr...«

»Man hat diese neue Bestimmung erlassen, damit ihr nicht all eure Vorräte bei einem Fest verschlingt und danach vor Hunger umkommt oder auf Raub ausgeht.«

»Das haben wir nicht gewußt, Herr«, sagte Dinus nochmals.

»Vielleicht sagst du die Wahrheit, vielleicht seid ihr wirklich so dumm, und vielleicht könnte ich euch eure Dummheit noch nachsehen. Aber das hier«, er zeigte erneut auf das Bündel Zeichnungen, »das ist unentschuldbar und fordert die höchste Strafe!«

Als Pieter den Ton hörte, in dem der Offizier diese gewichtigen Worte aussprach, sträubten sich ihm die Nackenhaare.

»Ich habe meinen Bruder mehrmals darauf hingewiesen, daß sein respektloses Gekritzel zu weit geht, aber er hat nicht auf mich hören wollen.«

Der Hauptmann schaute skeptisch zu Dinus hoch. »Du behauptest, ein gottesfürchtiger Mann zu sein, der kirchlichen Obrigkeit von Rom und der spanischen Krone treu ergeben?«

»Ja, Herr, absolut!«

»Warum bist du dann nicht deiner Pflicht nachgekommen und hast deinen Bruder gemeldet?«

»Ich habe immer gehofft, ihn auf den rechten Weg bringen zu können, Herr.«

»So? Das ist dir aber offensichtlich nicht gelungen. Wo ist dieser Ketzer?«

Pieters Vater trat einen Schritt nach vorn, aber sofort versetzte ihm jemand mit dem Lauf einer Muskete einen harten Stoß gegen die Brust, so daß er nach hinten taumelte. In flehendem Ton sagte er: »Mein Sohn macht diese Zeichnungen nur zum Spaß, er hat nichts Böses im Sinn!«

Der Offizier lachte höhnisch. »Wäre dein Sohn zwanzig Monate statt zwanzig Jahre alt, würde ich dir vielleicht glauben.« Er stand auf und hängte sein Rapier um. »Wo steckt dieser Ketzer?«

Dinus leckte sich über die Lippen. »Er ist weggegangen mit einem Mädchen, Herr, wahrscheinlich liegt er irgendwo im Heu oder ist im Haus, in seiner Kammer.«

»Du dreckiger Lump!« schrie sein Vater.

»Er hat mir mit seiner üblen Stänkerei das Hochzeitsfest verdorben«, brüllte Dinus. »*Mein* Hochzeitsfest!«

»*Silence*!« schnauzte der Offizier, der sein Niederländisch zu vergessen schien, wenn er sich aufregte. »*Et toi*...«, er zeigte mit dem Finger auf Vater Bruegel, »du hast deinen Sohn für Galgen und Rad großgezogen!« Die Hände in die Hüften gestemmt, postierte er sich vor den zusammengetriebenen Gästen. »Zwanzig dürfen es sein, und ich zähle mehr als vierzig«, stellte er fest. »Soll ich diejenigen, die hier zuviel sind, gleich aufhängen lassen?«

Ein paar Soldaten erhoben die Bierkrüge, riefen »*olé*!« und lachten. Wahrscheinlich hatten sie kein Wort verstanden, doch die verschreckten Gesichter der armen Bauern sprachen für sich.

»Aber zuerst das Wichtigste«, sagte der Hauptmann. Er schnauzte einige Worte auf spanisch, woraufhin die Hälfte der Soldaten alles aus den Händen fallen ließ und hinausrannte.

Als Pieter begriff, daß sie ihn suchten, geriet er in Panik. Zum Davonlaufen war es zu spät. Er konnte nur bleiben, wo er war, und hoffen, daß sie nicht auf den Heuboden kommen würden.

Auf Zehenspitzen schlich er in eine Ecke, wo genug Gerümpel stand, und versteckte sich dahinter. Wenn sie doch heraufkämen, aber nicht allzu gründlich nachschauten, hatte er vielleicht noch eine Chance.

Kurz darauf mußte er sehen und hören, wie Greta von zwei Soldaten vor den Hauptmann gezerrt wurde. Sie schrie entsetzlich, doch die Spanier lachten nur über sie.

»So«, sagte der Hauptmann, der wieder auf der Bank saß und sich ein Bier hatte einschenken lassen. Er lehnte entspannt mit dem Rücken am Tisch, den Krug in seiner rechten Hand. »Das ist also die besagte Hure.« Er musterte sie von Kopf bis Fuß. »Noch jung genug, um nicht allzu verlottert zu sein, hm...« Er setzte den Bierkrug an die Lippen und schlürfte ihn halb leer. Mit dem Handrücken über seinen Spitzbart fahrend, fragte er: »Wo ist dein Liebhaber?«

»Ich habe keinen Liebhaber«, antwortete Greta.

Pieter hielt den Atem an, als er ihre freche Stimme hörte.

Der Offizier blickte erstaunt. »Aha, er war noch nicht mal dein Liebhaber? Das bedeutet also, daß du ohne weiteres für jeden die Beine breit machst? Das wird meinen Männer aber sehr gefallen.« Er lachte geil. Doch plötzlich schmiß er den Krug auf den Tisch, sprang auf, packte das Kleid zwischen Gretas Brüsten und riß es mit einem Ruck bis zur Taille herunter. Er starrte kurz auf ihre entblößten Brüste, schaute dann wieder hoch und fragte in unerwartet sanftem Ton: »Wo ist der junge Bruegel?«

Greta unternahm einen zaghaften Versuch, ihre Arme aus dem Griff der beiden Soldaten, die sie festhielten, zu befreien. »Weg«, sagte sie mit einem Schluchzer. »Davongelaufen, ich weiß nicht, wohin. Er ist weggerannt, als Ihr mit Euren Männern auf dem Hof erschienen seid, er hatte Angst...«

»Und das zu Recht«, meinte der Offizier. »Zumindest, wenn du nicht lügst.« Er packte ihr Kinn und zwang sie, ihm von nahem in die Augen zu schauen. »Sagst du die Wahrheit?«

»Gott möge mich bestrafen, wenn ich lüge.«

»Schweig, dreckige Bauernschlampe, mißbrauche nicht den Namen des Allmächtigen!« brüllte der Hauptmann.

Es ist wahr, was sie sagt! wollte Pieter schreien. Sie weiß doch nicht mehr, als daß ich weg bin! Aber er konnte sich nur auf die Fingerknöchel beißen und beten, daß sie Greta nicht seinetwegen umbringen würden.

»Wo könnte er denn hin sein?« wollte der Offizier wissen.

»Das weiß ich nicht, Herr, ich kannte ihn doch kaum.«

»Ach ja, er war ja nicht mal dein Liebhaber«, sagte der Offizier abschätzig. »Aber seine Familie wird doch sicher wissen, wo ihr Sohn in der Not hinkann, oder?« Er trank wieder aus seinem Krug, rülpste und sagte: »Gut, das Bier stimmt mich gnädig. Solltest du noch leben, wenn meine Männer mit dir fertig sind, bist du frei.« Er gab den Soldaten ein Zeichen, woraufhin diese erneut »*olé*!« brüllten und das sich sträubende Mädchen feixend hinauszerrten.

Kurz darauf hörte Pieter ihr verzweifeltes Schreien. Er wurde fast krank vor Kummer und Ohnmacht, weil ihm nichts anderes übrigblieb, als sich wie ein Angsthase zu verstecken.

Er sah, wie die Soldaten, die die Gäste bewachten, lüstern um sich blickten, aber der Offizier bedeutete ihnen, auf ihrem Posten zu bleiben. Die Spanier, die kurz zuvor von ihm hinausgeschickt worden waren, hatten dagegen wahrscheinlich ihre Suche unterbrochen, um sich an der Schändung des Mädchens zu beteiligen.

Pieter schlich zu der Öffnung in der Wand und schaute vorsichtig hinaus. Die Sonne stand tief, bald würde die Abenddämmerung anbrechen. Der Teil des Hofes, den er überblicken konnte, lag verlassen da, so daß er vielleicht unbemerkt auf die andere Seite gelangen könnte. In der einbrechenden Dunkelheit hatte er eine gute Chance, nicht in das Blickfeld der Patrouillen zu geraten.

Pieter ergriff das Seil, ließ sich rasch herabgleiten und rannte so leise wie möglich davon.

Er fühlte sich wie ein Feigling, weil er alle im Stich ließ. Aber er wußte auch, daß es sinnlos gewesen wäre, den Helden zu spielen, das hätte ihn das Leben gekostet.

Besser ein lebender Feigling als ein toter Held. Mit diesem Gedanken versuchte er seine Flucht vor sich zu rechtfertigen, während er den Bauernhof und das Elend hinter sich ließ.

Es war eine Erkenntnis, die keinen Trost brachte.

3

Nur einmal mußte sich Pieter schnell zwischen den Sträuchern am Wegesrand vor einer Patrouille spanischer Reiter verstecken. Sie schienen niemand bestimmten zu suchen, wahrscheinlich hatten sie es nur eilig, um vor Einbruch der Dunkelheit innerhalb der Stadtmauern zu sein.

Als es Nacht geworden war, leuchteten die Sterne und die dünne Mondsichel des ersten Viertels am Himmel, so daß Pieter den Weg erkennen konnte. Er ging strammen Schrittes weiter, doch als er bei der Hütte von Jobbe, dem Fischer, ankam, brannte dort kein Licht mehr. Er wagte nicht anzuklopfen, weil er wußte, daß Jobbe immer früh schlafen ging, da er bei der ersten Morgenröte aus den Federn mußte.

Pieter stand ein Weilchen unentschlossen vor der Hütte. Die Stille war so intensiv, daß er das Blut in seinen Ohren rauschen hörte. Dann drehte er sich um und folgte dem Pfad hinunter zur Bucht, wo Jobbes Ruderboot lag.

Da Ebbe war, mußte Pieter ein Stück durch den Schlamm waten, bis er das auf dem Trockenen liegende Boot erreichte.

Im Boot lagen Taue und Netze, aus denen er sich so gut es ging ein Nachtlager machte. Es war nicht bequem, aber immerhin besser, als auf dem harten Boden liegen zu müssen. Außerdem würde ihn niemand dort suchen.

Die Nacht war kühl, und Pieter hatte nasse Füße bekommen, aber das kümmerte ihn wenig. Als er auf dem Rücken lag und zu den Sternen blickte, ließ er die vergangenen Ereignisse noch einmal vorbeiziehen. Seine Vorstellungskraft war so groß, daß er wieder die Angst und die Ohnmacht verspürte, die ihn auf dem Speicher der Scheune ergriffen hatten. Angst um sein eigenes Leben und um das seiner Eltern, und das alles nur wegen ein paar dummer Zeichnungen. Dann dachte er an die arme Greta, die so furchtbar hart bestraft worden war für einen Augenblick des Vergnügens.

Pieter fühlte eine Träne über seine Wange laufen. Mit einer heftigen Bewegung wischte er sie weg. Morgen früh würde er Jobbe alles erzählen, beschloß er. Der Fischer war ein weiser Mann, er würde sicher Rat wissen.

Von Schlafen konnte kaum die Rede sein. Zwischendurch nickte Pieter ein, doch ein Geraschel im Schilf oder ein beginnender Alptraum ließen ihn jedesmal hochschrecken. Manchmal glaubte er zu sehen, wie sich am linken Ufer der Bucht etwas bewegte, Schatten von Menschen mit Helmen und Brustharnischen. Er drückte sich so flach wie möglich auf den Boden des Bootes und lauschte minutenlang angespannt. Aber alles blieb still, es waren nur die Dämonen seiner Phantasie gewesen, die sich angeschlichen hatten.

Erst als es hell geworden war und die ersten Strahlen der Sommersonne den Horizont abtasteten, schlief Pieter ein. Aber schon nach kurzer Zeit, so schien es ihm, wurde er durch das heftige Schwanken des Bootes geweckt. Sekundenlang sah Pieter wie erstarrt auf die dunkle Figur, die sich vor dem Boot erhob und auf ihn hinunterblickte. »Jobbe!« rief er. Er war so erleichtert, daß ihm fast schwindlig wurde.

»Du bist früh dran heute morgen«, sagte der Fischer. Er beugte sich über das Boot, um besser sehen zu können. Erstaunt fragte er: »Du hast doch hier nicht die Nacht verbracht?«

Pieter raffte sich auf. Sein Rücken schmerzte, er fühlte sich wie ein Hundertjähriger. »Die Spanier suchen mich«, sagte er mühsam. Seine Kehle war trocken und tat weh, und seine Zunge fühlte sich an, als sei sie zu groß für seinen Mund. Das kam sicher vom Bier, dachte er. Er hätte auf seinen Vater hören und sich beizeiten etwas mäßigen sollen.

Als hätte er Pieters Gedanken gelesen, reichte ihm Jobbe schweigend einen Krug. »Die Spanier?« fragte er. Seine Stimme war sanft und freundlich, was überhaupt nicht zu seinem verwitterten Gesicht und abgerissenen Äußeren paßte.

Pieter nahm einen kräftigen Schluck frisches Wasser aus dem Krug. »Die Spanier, ja. Sie sind gestern während des Festes gekommen. Es sei zuviel Volk da, sagten sie.«

»Wohl mehr als zwanzig Leute?«

Pieter nickte und nahm noch einen Schluck Wasser, bevor er den Krug zurückgab. »Das wußten wir nicht, ich meine, daß das verboten ist...«

»Was haben sie getan?«

»Ich weiß es nicht, ich bin geflohen ...« Pieter wandte den Blick ab, sich wieder schuldig fühlend. »Ich weiß nicht, was sie mit Vater und Mutter getan haben. Und es war ein Mädchen da, Greta, sie haben sie ... Gott!« Pieter ließ sich auf die hintere Bank fallen und vergrub das Gesicht in den Händen. »Vielleicht sind sie alle tot ...«

»So etwas passiert in dieser Zeit jeden Tag«, sagte Jobbe. »Nicht daß dies ein Trost wäre ...« Er kletterte ins Boot und setzte sich auf die Ruderbank. »Ich muß rausfahren, bevor die Ebbe einsetzt. Kommst du mit?«

Pieter nickte, ohne aufzusehen.

Jobbe löste die Seile und packte die Ruder. In ruhigen Zügen ruderte er das schwere Boot aus der Bucht ins offene Wasser der Schelde. »Weiß jemand, daß du hier bist?«

»Ich habe niemanden gesehen.« Pieter blickte auf, seine Miene verfinsterte sich. »Und das alles nur wegen meiner Zeichnungen! Dieser Hauptmann hat gesagt, daß sie Gott und die Obrigkeit beleidigen würden.«

»Und? Tun sie das?« Der Fischer beantwortete seine Frage mit einem nachsichtigen Lächeln: »Natürlich tun sie das, wir kennen doch unseren Pieter.«

»Ich glaube, Dinus hat sie dem Hauptmann absichtlich gezeigt.«

»Dein Bruder?«

»Dinus verbündet sich mit jedem, der ihm Gewinn bringen kann. Er ist ein Judas, der seine eigene Familie verrät, nicht für Silberlinge, sondern für Dukaten.«

»Du urteilst hart über deinen eigenen Bruder«, sagte der Fischer sanft. Er ließ das Boot mit der Flut treiben, wobei er nur manchmal mit einem Ruder den Kurs korrigierte. Die Schelde strömte ruhig landeinwärts, nirgendwo kräuselte der Wind die glatte Oberfläche. Zwischen dem Schilf und den Sträuchern am Ufer hingen Nebelschleier. »Ich habe dich schon ein paarmal gewarnt, daß du mit dem Feuer spielst, wenn du solche Spottbilder machst. Spanien und die Kirche haben überall ihre Augen und Ohren.«

»Hast du mir nicht noch letztens erzählt, daß die Kirche an Macht verlieren würde?«

»In welche Richtung man auch spuckt, es ist immer gegen den Wind«, sagte Jobbe nachdenklich. »Der Glaube wird schwächer, nicht die kirchliche Obrigkeit, die immer strenger auftritt, um ihre Schäfchen unter Kontrolle zu haben. Und es wird sicher nicht besser werden, wenn demnächst Johannes Calvin und seine Anhänger aus dem Süden kommen und uns die Bibel um die Ohren schlagen.«

»Calvin?«

»Er vertritt die Meinung, daß wir streng nach der Bibel leben müssen und daß es der Kirche nicht zusteht, die Worte der Bibel nach eigenem Gutdünken auszulegen. Außerdem meint er, daß es keinen Sinn hat, Buße zu tun und für sein Seelenheil zu beten. Er sagt, daß Gott keine Liste führt, in der er aufschreibt, wie es um die guten Werke jedes Gläubigen steht. Ob jemand in den Himmel kommt oder nicht, würde nur vom guten Willen Gottes abhängen. Das unterscheidet sich alles nicht so sehr von dem, was Bruder Luther auch schon behauptet hat, und eine Menge Leute haben dafür ein offenes Ohr. Papst Paul hat bereits Angst bekommen, daß es die Katholiken nicht mehr für notwendig erachten, einen Teil ihres Besitzes in die Kirche zu tragen. Deshalb hat er letztes Jahr mit der Unterstützung Kaiser Karls in Twente ein Konzil einberufen.« Als Jobbe Pieters fragendes Gesicht sah, erklärte er: »Ein Konzil ist eine Versammlung von hohen kirchlichen Amtsträgern, auf der sie ihre Strategie besprechen, wie sie die Welt unter ihrer Fuchtel haben können, und Twente liegt in Deutschland.« Er grinste spöttisch. »Wenn du mich fragst, ist seitdem die Verwirrung nur noch größer geworden. So simpel es auch ist, es gibt immer mehr zu kaufen, als gebraucht wird.«

»Woher weißt du das alles?«

Jobbe zuckte mit den Schultern. »Ich liefere Fisch an Leute, die reisen und studiert haben, ich höre ihren Geschichten zu...« Jobbe zog das Ruder ins Boot und ließ an einem Seil einen Stein über den Vordersteven hinab, um das Boot zu verankern. Wenn Pieter dabei war, überließ Jobbe diese Arbeit eigentlich immer ihm, doch nun zeigte Pieter keinerlei Interesse für das, was um ihn herum geschah.

»Und ich kann lesen«, fuhr Jobbe fort. »Plantin hat es mir beigebracht, manchmal gibt er mir auch ein Buch. Viele Leute geben mir lieber irgendwelche Dinge als Geld, sogar reiche Leute.« Er grinste kurz. »Ich glaube, daß diese ganze religiöse Verwirrung nur dazu dient, die Aufmerksamkeit der Leute von den wirklichen Problemen abzulenken. Das wachsende Aufbegehren gegen die spanische Obrigkeit, Terror, Ausbeutung...« Jobbe nahm das zusammengerollte Treibnetz, auf dem Pieter geschlafen hatte, und hängte es über die Steuerbordseite. Mit diesem Netz fing er Lachs, den er wohlhabenden Städtern verkaufte. Diese gaben den billigen Fisch ihrem Hauspersonal.

»Ich verstehe nicht, weshalb uns die Spanier ständig schikanieren«, sagte Pieter. »Was haben wir ihnen denn getan?«

»Es liegt in der Natur der Dinge, daß die großen Fische die kleinen jagen und sie schließlich fressen... bis ein noch größerer Fisch kommt, von dem sie dann verschlungen werden.«

»Wenn also die Spanier jemals weggehen sollten, kommen noch schlimmere Tyrannen?«

»Ich weiß nur, daß sie nicht ewig bleiben werden. Denn in den Niederlanden sind die fremden Herrscher immer wieder von den Unterdrückten selbst oder noch stärkeren Besatzern vertrieben worden.«

»Kein sehr tröstlicher Gedanke!«

Jobbe zuckte wieder mit den Schultern. »Trost findet man in jeder Form von Sicherheit, die nicht von Menschenhand zerstört werden kann: in den Gezeiten der Schelde, im Aufgehen und Untergehen der Sonne, in den vier Jahreszeiten, im Tod...«

»Jobbe...« Pieter schaute nachdenklich auf die gebeugte Gestalt des Fischers, der das Ende des Treibnetzes an einem kleinen Poller auf dem Dollbord befestigte. »Glaubst du eigentlich an Gott?«

Der Fischer schien seine Worte kurz zu bedenken, bevor er antwortete: »Ohne diesen Glauben gibt es keine Antwort auf das Warum der Dinge, unser Dasein wäre vollkommen sinnlos.«

»Du antwortest nicht auf meine Frage«, drängte Pieter.

»Ich *will* an Gott glauben«, sagte Jobbe ungehalten. »Auch wenn es mir durch diejenigen schwer gemacht wird, die behaupten, daß sie Seinen Willen verkünden und ausführen. Was für eine Anmaßung!« Er schüttelte den Kopf.

»Du sprichst wie ein Ketzer!«

»Man kann kein Ketzer sein, wenn man an die Existenz Gottes glaubt, Pieter. Ebensowenig wie man Gott dienen kann, indem man Menschen auf dem Scheiterhaufen tötet.« Jobbe war fertig mit dem

Netz. Erschöpft setzte er sich auf die Ruderbank. Pieter fiel plötzlich auf, daß der Fischer alt wurde.

Die Ebbe setzte ein, hier und dort zeichneten sich bereits auf dem glatten Wasser Strömungen ab. In der Nähe stieg ein Fischreiher aus dem Schilf auf und flog mit majestätischen Flügelschlägen ans andere Ufer.

»Irgendwann will ich auch auf Reisen gehen«, sagte Pieter. »Ich will andere Landschaften sehen, andere Luft einatmen...«

»Reisen kostet Geld, und du kannst unterwegs nicht von Luft leben.«

»Vielleicht kann ich Zeichnungen machen und verkaufen.« Pieter mußte ungewollt an Greta denken, doch er verdrängte schnell die Erinnerung. »So wie du Fisch verkaufst.«

»Eine Zeichnung kann man nicht essen... Aber vielleicht hast du recht. Jetzt, wo die Reichen immer reicher werden, haben sie vielleicht wirklich ein paar Dukaten über für solche frivolen Dinge wie deine Zeichnungen.« Jobbe veränderte seine Haltung, wobei er kurz ein schmerzverzerrtes Gesicht zog. »Ich habe schon mal daran gedacht, dich Plantin vorzustellen. Er beschäftigt mehrere Zeichner, möglicherweise hat er ja Arbeit für dich.«

»Oh, das wäre schön!« sagte Pieter. Sein Gesicht hellte sich kurz auf, aber dann dachte er an die Spanier, und seine Begeisterung schwand. »Sie suchen mich«, sagte er niedergeschlagen. »Ich kann mich in der Stadt nicht blicken lassen.«

»In ein paar Wochen haben sie dein Gesicht schon vergessen. Sie müssen so viele Menschen verfolgen, daß sie unmöglich alles behalten können.«

»Ich wünschte, ich könnte das glauben«, sagte Pieter mutlos.

Er starrte über das ruhige Wasser, auf dem in der Ferne die ersten dunklen Wellen einer Brise erschienen. So still und friedlich war mein Leben gestern morgen noch, dachte er...

Ohne aufzublicken, sagte Jobbe: »Du kannst vorläufig bei mir bleiben. Schlafen kannst du auf dem Boden, außerdem gibt es immer genug Fisch zum Essen. Oder kannst du vielleicht irgendwo anders hin?«

»Ich kann nirgendwo hin. Alle Wege führen zum Galgen. Aber bringst du dich nicht in Gefahr, wenn du mich aufnimmst?«

»Ich kann höchstens ein paar Jahre früher die Antwort auf die wichtigste Frage des Lebens finden«, sagte Jobbe. »Und wäre das eine Strafe oder nicht vielmehr eine Belohnung?«

Erschaudernd sagte Pieter: »Diese Antwort will ich noch nicht wissen!«

Jobbe nickte langsam. »Unwissenheit ist oft das beste...« Er zog an dem Strick des ausgehängten Netzes. »Ich kenne Leute in der Stadt, die vielleicht wissen, was sie mit deinen Eltern gemacht haben. Ich werde versuchen, unauffällig etwas in Erfahrung zu bringen. Es zappelt im Netz, sollen wir mal nachsehen, ob wir schon was gefangen haben?«

Vielleicht werde ich auch Fischer, dachte Pieter, als sie am späten Nachmittag zum Ufer ruderten, den Korb gefüllt mit blau glänzenden Lachsen. Es war gewiß nicht immer ein Vergnügen, bestimmt nicht im Winter und bei schlechtem Wetter. Aber Fischer schienen ein freies und unabhängiges Leben zu führen, und das sprach Pieter im Augenblick sehr an.

Der friedliche Tag auf dem Wasser hatte ihn ein wenig zur Ruhe kommen lassen. Er war Jobbe dankbar. Seine anderen Freunde waren doch nur Aufschneider, dachte Pieter. Der alte Fischer war der einzige, mit dem er wirklich reden konnte.

Jobbe ruderte sein Boot in die Bucht. Als sie die Strömung verließen und in ruhiges Wasser gelangten, ließ er das Ruder los, so daß sie gemächlich zum Ankerplatz trieben.

Pieter sah, daß Jobbe aufmerksam um sich blickte. Beunruhigt fragte er: »Ist etwas nicht in Ordnung?«

»Es ist hier so still, als würde ein Gewitter aufziehen...« Er schaute kurz zum wolkenlosen Himmel, bevor er sich bückte, um eine der Fangleinen aus dem Wasser zu fischen. Nun nahm auch Pieter diese unnatürliche Ruhe wahr, die wie ein bleischweres Gewicht über der Bucht hing. Die Angst des vorigen Abends sprang ihn von hinten wie ein Tier mit kalten Tentakeln an.

»Jobbe...« sagte er mit gepreßter Stimme. »Ich habe Angst...«

»Wer den Mut hat, das zuzugeben, kann kein Angsthase sein«, meinte Jobbe. Ermunternd legte er eine Hand auf Pieters Arm. »Wir sind gleich zu Hause, dann bekommst du eine Stärkung.«

Kaum hatte Jobbe das gesagt, traten die spanischen Soldaten an beiden Ufern der Bucht aus ihrem Versteck zwischen dem Schilf hervor. Sie richteten ihre Musketen auf das Boot. Pieter erkannte sofort den Hauptmann. In gebrochenem Niederländisch rief er: »Laß alles liegen und komm sofort an Land, oder du wirst erschossen.«

4

Trotz des sommerlichen Wetters war es im Kerker des Steen kalt und feucht. Es roch nach Schimmel und Moder. Das einzige Licht fiel durch ein kleines vergittertes Loch oben in der Mauer, an das Pieter nicht herankommen konnte. Der Schimmelgeruch kam vor allem aus der Ecke, in der ein Strohhaufen als Schlafplatz diente.

Pieter lehnte sich an die eisenbeschlagene Zellentür, die noch bebte von der Wucht, mit der sie hinter ihm zugeworfen worden war. Seine Beine fühlten sich schwach an, aber es gab keinen Stuhl, und er wollte sich nicht auf den dreckigen Steinboden setzen.

»Oh Jobbe!« wimmerte er.

Er wußte nicht einmal, ob der alte Fischer überhaupt noch lebte. Sie hatten mit den Kolben ihrer Musketen so lange auf Jobbe eingeschlagen, bis er reglos liegengeblieben war. Danach hatten sie sein Boot in Brand gesteckt. Pieters Flehen und seine Versicherungen, daß Jobbe unschuldig sei, waren bei dem spanischen Hauptmann auf taube Ohren gestoßen. Wer glaubte schon einem Gotteslästerer, der zudem aus seiner Verachtung der spanischen Obrigkeit keinen Hehl gemacht hatte?

Ich bringe nur Unglück, dachte Pieter zum wiederholten Male mit einem an Verzweiflung grenzenden Selbstvorwurf. Jedem, dem ich nahekomme, steht nur Unheil bevor. Ich verbreite Unglück wie eine Ratte die Pest. Besser, ich wäre tot...

Die Zellentür wurde an diesem Tag kein einziges Mal geöffnet. Pieter konnte nichts anderes tun, als das Geschehene immer wieder in Gedanken an sich vorbeiziehen zu lassen und sich in finsteren Betrachtungen und Selbstbeschuldigungen zu ergehen. Zu essen bekam er nichts. Seinen Durst konnte er mit dem bitter schmeckenden Wasser aus einem Schöpfeimer löschen, der an einem Strick von der Decke herunterhing, wahrscheinlich damit Ratten und anderes Ungeziefer nicht daran kamen.

Als der Abend hereinbrach und durch das Loch in der Mauer kein Licht mehr fiel, wurde es in der Zelle stockdunkel. Pieter war völlig erschöpft. Seine Füße schmerzten vom langen Stehen, aber er konnte sich nicht dazu überwinden, sich auf das Stroh in der Ecke zu legen. Überall um ihn herum raschelte und knackte es, hin und wieder fühlte er, wie etwas über seine Füße lief. Bei der kleinsten Bewegung, die er machte, wurde alles still, aber jedesmal hörte er kurz darauf wieder die unheimlichen Geräusche.

Das einzige Lebenszeichen, das Pieter außerhalb der Zelle wahrnehmen konnte, war ab und zu ein kaum hörbares Gerassel von Ketten.

Zumindest das hatten sie ihm nicht angetan, dachte Pieter. Sie hatten ihm keine Fesseln angelegt. Er wußte jedoch nicht, ob das ein gutes oder schlechtes Zeichen war. Er hatte überhaupt keine Ahnung, welches Schicksal ihm bevorstand, und konnte nur hoffen, daß es nicht der Scheiterhaufen sein würde. Feuer bereitete Schmerzen, und die Gnade des Todes ließ manchmal lange auf sich warten.

Pieter wußte, daß er nicht die ganze Nacht auf den Beinen bleiben konnte, und er fürchtete sich davor, irgendwann einfach umzufallen. Seine Phantasie füllte die Zelle mit gräßlichen Gestalten, wie er sie einmal auf einem Gemälde von Bosch gesehen hatte. Dieses wahnsinnige Bild hatte ihn eine ganze Weile in seinen Alpträumen verfolgt; er hatte es nie völlig vergessen können. Vielleicht hatte Bosch auch einmal in einer Zelle gesessen, dachte Pieter, und danach die mißgestalteten Kreaturen gemalt, die ihm seine Phantasie in der Nacht vorgezaubert hatte.

Später wankte Pieter todmüde und mit lahmen Beinen tastend zu dem Wassereimer. Er hatte Glück, daß er beim ersten Mal nicht an ihm vorbeilief, sonst hätte er ihn in der Dunkelheit wahrscheinlich nie gefunden. Er wickelte sich den Strick als Halt um den rechten Arm, um nicht zu fallen. Als er jedoch sein Gewicht auf den Arm verlagerte, brach der Haken mit dem Strick aus der Decke, so daß Pieter unter gewaltigem Getöse mit dem Eimer auf den Boden fiel. Er wollte hochspringen, doch durch den Sturz schienen ihn seine letzten Kräfte verlassen zu haben.

Er drehte sich auf die Seite und zog die Beine an. Vor Kummer schluchzend und zitternd vor Kälte und Ekel, verbrachte er in dieser Haltung die restliche Nacht auf dem harten Boden.

Das einfallende graue Morgenlicht verjagte die scheußlichen Geschöpfe, die Pieters Zelle in der Nacht bevölkert hatten. Er fühlte jedoch kaum Erleichterung, als er unter Schmerzen seinen steifen Körper aufrichtete.

Er war durstig, aber der Eimer lag leer auf dem Boden. Hunger hatte er nicht; er dachte, daß er nie mehr einen Bissen herunterbekommen würde. Vor allem aber fühlte er sich elend.

Es schien ein grauer Tag zu sein, denn es wurde nicht richtig hell in der Zelle. Mit den Füßen scharrte Pieter den gröbsten Dreck von einer Stelle auf dem Boden weg und setzte sich im Schneidersitz hin. Zuerst schmerzten seine Beine nur, aber dann wurden sie völlig gefühllos. Nach einer Weile schien diese Gefühllosigkeit seinen ganzen Körper zu ergreifen, bis sie schließlich seinen Geist erreichte und er aufhörte zu denken.

Als irgendwann die Luke in der Tür aufging, schreckte er auf. Ein Stück verschimmeltes Brot rollte vor seine Füße, doch er rührte es nicht an.

Er hatte keine Vorstellung, wie spät es war, als die Zellentür unter großem Lärm aufflog und zwei Gefängniswärter hineinkamen. Sie zerrten Pieter unsanft hoch und zogen ihn hinaus, weil er seine lahmen Beine nicht sofort strecken konnte.

Er wurde zu einem gelangweilt dreinblickenden spanischen Offizier gebracht, der kein Wort Niederländisch sprach und sich deshalb darauf beschränkte, in knurrendem, schnauzendem Ton ein paar Befehle zu geben.

Zu seinem Erstaunen mußte Pieter andere Kleider anziehen. Sie paßten ihm zwar nicht gut, aber sie waren zumindest sauber. Dann wurde er nach draußen gebracht, wo sie ihn in eine Kutsche verfrachteten, die sofort abfuhr.

Außer dem Kutscher auf dem Bock fuhr nur ein Soldat mit, der sich neben Pieter setzte. »Bin ich plötzlich keine Bedrohung mehr für die spanische Krone?« fragte Pieter ihn.

Der Soldat blickte ihn kurz fragend an und zuckte dann mit den Schultern. »*No comprendo*«, sagte er gleichgültig.

»Wunderbar«, sagte Pieter. »Dann kann ich dich Erdferkel ja ruhig beschimpfen.« Er lächelte den Soldaten freundlich an.

Er hatte eigentlich nie wirklich etwas gegen die Spanier gehabt.

Auch nicht gegen die Kirche. Das alles hatte ihn einfach nie viel gekümmert, sie waren ein Teil seines Lebens gewesen und gehörten nun einmal dazu. Seine Spottbilder hatte er nur zum Spaß gezeichnet. Aber nun verspürte er wirklich Haß und Abscheu, Haß, Abscheu und vor allem Groll.

Die Kutsche donnerte über die Scheldekade in den Süden der Stadt und schlug den Weg nach Brüssel ein. Der Kutscher fuhr schnell, so daß Pieter ab und zu Flüche und Schimpfworte von anderen Wegbenutzern auffing, die eilig ausweichen mußten. Antwerpen war eine pulsierende Handelsstadt, wie am Betrieb auf den Zufahrtswegen zu merken war. Den ganzen Tag fuhren Bauern, Tuchhändler, Seifensieder und Bierbrauer mit ihren Waren in die Stadt und wieder hinaus. Auch viele Deutsche hielten sich dort auf, mit ihren Kupferwaren wurden die portugiesischen Schiffe befrachtet, nachdem sie ihre Gewürze im Antwerpener Hafen abgeladen hatten. Die Engländer wiederum lieferten Tuch an und Blei für die blühende Waffenindustrie.

Sie verdienen viel Geld, dachte Pieter, der durch die kleinen Fenster der Kutsche das lebhafte Treiben sehen konnte. Mehr als das arbeitende Volk, das trotz aller Schinderei und Plackerei nur noch ärmer wird.

»Ja, auch mehr als du dummer Trottel«, sagte er zu dem Soldaten neben ihm, der ihn unbewegt ansah. »Tausend Meilen von zu Hause entfernt für ein paar jämmerliche Dukaten. Nun ja, zumindest habt ihr noch das Vergnügen, uns foltern und ermorden zu dürfen.«

»*No comprendo*«, sagte der Soldat erneut und wandte den Blick nach draußen, wo gerade ein heftiger Regenschauer herunterging.

Pieter sah, daß sein Helm eine Beule hatte. Er bedauerte, daß dieser Schlag nur das Eisen und nicht den Schädel getroffen hatte. Pieter war noch nie zuvor in Brüssel gewesen, so daß er keine Ahnung hatte, wohin sie fuhren, als sie die Stadt erreichten. Als die Kutsche knarrend und klappernd stehenblieb und der Soldat die Tür aufriß, erblickte Pieter erstaunt den Palast, vor dem sie standen, und die vielen Wächter zu beiden Seiten des großen Eingangstores.

Das muß der Hof von Brabant sein, dachte er ehrfurchtsvoll. Hier wohnen Könige und Kaiser!

Sein Bewacher bedeutete ihm, daß er aussteigen und vor ihm hergehen sollte zum Eingang.

Pieter wurde in einen großen Raum mit hoher Decke gebracht, an dessen Wänden zahlreiche große und kleine Gemälde hingen. Er vergaß einen Moment lang seine bedrängte Lage und betrachtete die prachtvoll dargestellten Szenen, diesen unglaublichen Reichtum von Formen und Farben. Die Gemälde waren wie Fenster, durch die er immer wieder eine andere Welt erblicken konnte.

Pieter versuchte einige der Signaturen zu entziffern, aber es gelang ihm nicht. Seine Mutter hatte ihm lesen und schreiben beibringen wollen, doch viel weiter als bis zum mühsamen Buchstabieren seines eigenen Namens – und auch das nicht immer fehlerfrei – hatte er es nie gebracht. Pieter war nicht dumm, aber die Kunst des Schreibens interessierte ihn nicht. Warum schreiben, wenn man mit einem einzigen Bild viel mehr erzählen konnte als mit tausend Worten?

»Albrecht Dürer, Matthias Grünewald, Quinten Massys, Tizian, Hieronymus Bosch, Hans Memling... sie alle haben gewiß mit Kritzeleien auf einem Blatt Papier oder vielleicht auch auf der Wand angefangen.«

Pieter drehte sich erschreckt um. Vor ihm stand ein kleiner, korpulenter Mann mittleren Alters in luxuriöser, prunkvoller Kleidung. Er hatte weder Bart noch Schnurbart, und sein vollkommen kahler Schädel war unbedeckt. Seine aufmerksamen dunkelblauen Augen musterten Pieter von Kopf bis Fuß. Er sah ihn zwar nicht gerade unfreundlich an, aber ansonsten verriet sein Ausdruck weder Wohlwollen noch Abneigung.

»Ich bin Licieux«, erklärte der Mann. »Generalvikar von Kardinal Antoine Perrenot von Granvelle, aber das wird dir wahrscheinlich nicht viel sagen.« Er winkte dem Soldaten, der Pieter begleitet hatte, da drehte sich der Mann um und verließ den Raum.

»So«, sagte Licieux mit einem Anflug von Lächeln um die Mundwinkel, »nun bin ich also der Willkür von Pieter Bruegel, Ketzer und Spion, ausgeliefert.«

Draußen hörte Pieter die Kutsche abfahren, die ihn hergebracht hatte. »Ich bin weder ein Ketzer noch ein Spion«, sagte er mit möglichst ruhiger Stimme. »Ich bin höchstens mit manchen meiner Zeichnungen ungewollt ein bißchen respektlos gewesen.«

»Ungewollt ein bißchen respektlos gewesen, was?« Jetzt lachte Licieux offen heraus. »Bist du wirklich so ein argloser Bauernsohn, oder willst du mich an der Nase herumführen?« Er schüttelte den kahlen Kopf. »Schätze dich glücklich, daß der Kardinal eine so große Liebe zur Kunst hegt und deshalb bereit ist, bei den meisten Launen seiner Schützlinge ein Auge zuzudrücken. Was keine Garantie fürs Leben ist. Der Kardinal hat auch weniger gute Tage.« Er lachte wieder, diesmal grimmiger.

Schützlinge? Pieter sah den anderen erstaunt und ungläubig an. War er plötzlich der Schützling eines Mannes, den er noch nie im Leben gesehen hatte? Natürlich hatte er schon von Granvelle gehört, jeder kannte den Gesandten Kaiser Karls nur allzugut, auf dessen Geheiß die Scheiterhaufen schon mehr als einmal aufloderten. Aber er konnte sich nicht vorstellen, daß sich der Kardinal höchstpersönlich mit seiner unbedeutenden Person beschäftigte.

Das einzige, was Pieter hervorbringen konnte, war: »Ich habe nie die Absicht gehabt, jemanden zu beleidigen.«

»Weißt du«, sagte Licieux, »ich neige dazu, dir zu glauben. Und der Kardinal hört meistens auf meinen Rat... wenn es ihm gelegen kommt.« Er streckte sich kurz. »Komm, er will dich sehen. Sprich nicht zu viel, und zeige die angemessene Demut.« Er drehte sich um und ging vor Pieter zu einer hohen Flügeltür mit Bleiverglasungen.

Der Vikar brachte Pieter in ein großes, holzverkleidetes Zimmer, in dem ebenso wie in der Halle zahllose Gemälde an der Wand hingen. Der Raum wurde von einem schweren, langen Tisch beherrscht, um den zwei Dutzend Stühle mit hohen Rückenlehnen standen.

Am Kopf des Tisches saß ein magerer, finster blickender Mann in liturgischem Gewand. Er hatte eine blasse Hautfarbe, stark hervortretende Wangenknochen und dunkle, tiefliegende Augen. Vor ihm auf dem Tisch standen an der Seite Geschirr und die Reste einer Mahlzeit. Als Licieux und Pieter auf ihn zugingen, sah er ruckartig von den Dokumenten auf, in denen er gerade gelesen hatte. Einen Moment lang schien er durch die beiden Männer zu blicken, dann nahm er sie wahr, und sein Gesicht bekam einen interessierten Ausdruck.

»So, das ist also Pieter Bruegel?« Er lehnte sich zurück und sah Pieter fast eine halbe Minute lang durchdringend an, ohne ein Wort zu sagen.

Pieter fühlte sich äußerst unwohl und fragte sich, ob man überhaupt eine Antwort von ihm erwartete. Da wandte Granvelle den Blick ab und streckte eine Hand aus, um eine hübsch verzierte Holzdose, die auf dem Tisch stand, zu sich heranzuziehen. Pieter sah, daß es eine Tischuhr war. Er hatte schon davon gehört, aber noch nie eine aus der Nähe gesehen. Es hieß, daß diese deutschen Instrumente so teuer wären, daß sich nur wenige eines leisten konnten.

Nachdem der Kardinal einen Blick darauf geworfen hatte, schob er die Dose wieder zurück und nahm eine Ledermappe, die neben dem Geschirr auf dem Tisch lag. Als er sie aufschlug, sah Pieter, daß seine eigenen Zeichnungen darin waren. Er machte sich auf etwas gefaßt. Granvelle holte die Skizzen heraus und breitete sie sorgfältig vor sich aus. Dann schaute er sie sich konzentriert an. Licieux zog einen Stuhl heran und setzte sich, doch niemand forderte Pieter auf, Platz zu nehmen, so daß er unsicher stehenblieb und mit einem Gefühl des Unbehagens sein Gewicht von einem Bein auf das andere verlagerte. Ab und zu schaute der Kardinal von den Zeichnungen auf und sah Pieter kurz an, als würde er eine Übereinstimmung zwischen Bild und Zeichner suchen.

Pieters Blick wanderte zu den Essensresten. Es war lange her, seit er zum letzten Mal etwas in den Magen bekommen hatte. Plötzlich verspürte er gewaltigen Hunger und Durst.

Ohne aufzublicken, sagte Granvelle: »Ich werde dir gleich etwas zu essen geben lassen.«

Endlich richtete sich der Kardinal auf und begann die Zeichnungen zu ordnen, sehr vorsichtig, als seien es Kostbarkeiten, und steckte sie wieder in die Ledermappe.

»Talentiert und unbesonnen, die Eigenschaften des wahren Künstlers.« Er trommelte mit den langen Fingernägeln seiner rechten Hand auf die glänzende Tischplatte. Es war ein lautes klopfendes Geräusch. »An beiden muß viel gefeilt werden. Einerseits muß dein Talent durch fachmännisches Können ergänzt werden, andererseits müssen an die Stelle dieser Unbesonnenheit Respekt und Ehrfurcht vor Kirche und Obrigkeit treten. Ich werde deine Fortschritte verfolgen. Wenn du in einem von beiden versagst, erwartet dich der Scheiterhaufen. Veranlaße die notwendigen Schritte, damit er sofort bei Pieter Coecke in die Lehre gehen kann.« Die letzten Worte waren an den Vikar gerichtet. Granvelle fuhr mit der linken Hand durch die Luft, als wolle er ein Insekt verjagen. »Bring ihn jetzt in die Küche.« Er beugte sich wieder über sein Dossier, als hätte er Pieter und den Vikar schon vergessen.

In der Küche wurden Pieter von einem Dienstboten gewaltige Mengen kaltes Fleisch und Obst vorgesetzt. Unter dem wachsamen Blick von Licieux begann er, das Essen eifrig in sich hineinzuschlingen, aber schon bald hatte er genug. Seine Aufregung war offenbar größer als sein Appetit.

Als Pieter mit bedauerndem Gesicht die Schale von sich wegschob, sagte Licieux: »Du kannst deinem Schutzengel dafür danken, daß der Kardinal so großes Interesse an der Kunst hat und der spanische Hauptmann nicht so dumm war, deine Kritzeleien sofort wegzuschmeißen.«

»Ich verstehe überhaupt nichts mehr«, sagte Pieter verstört. »Wer ist Pieter Coecke, wenn ich fragen darf?«

»Das wirst du noch früh genug erfahren. Coecke ist ein begabter Fachmann, der dir die Geheimnisse des Radierens und der Malerei beibringen wird. Danach kannst du für wohlhabende Leute arbeiten, die viele Pfunde dafür ausgeben, ihre neuen Steinhäuser mit schönen Gemälden zu schmücken. Und für den Fall, daß du noch gewisse Zweifel haben solltest: Nach Gott und Kaiser Karl ist Kardinal Granvelle der einzige wahre Gebieter in diesem Teil der Niederlande. Behage ihm, und Gutes wird dir zuteil, mißfalle ihm, und du bist dem Tode geweiht. Ich sage das nicht, um dir Angst einzujagen, ich meine es nur gut mit dir.« Bei diesen Worten blickte der Vikar so ernst, daß Pieter ein kalter Schauer über den Rücken lief. »Und jetzt vielleicht etwas... Wein?« Licieux wartete die Antwort nicht ab, sondern schenkte Pieter aus einem großen Krug einen Becher Rotwein ein. »Zur Beruhigung«, sagte er. Er legte Pieter ermutigend eine Hand auf die Schulter. »Glaub mir, es wird alles gut.«

Pieter machte diese warme, fast weibliche Berührung ein wenig verlegen, aber er ließ sich nichts anmerken. Er nahm einen Schluck von dem süßen Wein, bevor er zögernd die Frage aussprach, die ihm schon eine ganze Weile auf der Zunge lag: »Meine Familie... wißt Ihr, was mit ihr geschehen ist?«

Licieux zögerte einen Moment, bevor er antwortete: »Das gehört nicht in meinen Zuständigkeitsbereich. Der Kardinal wird es zweifellos wissen, aber es ziemt sich nicht, ihm derartige Fragen zu stellen.«

»Und Jobbe, mein Freund Jobbe, der Fischer?«

»Nochmals, das gehört nicht in meinen Zuständigkeitsbereich.«

»Aber wie kann ich erfahren, was mit ihnen geschehen ist und wo sie sind?«

»Es ist oft schwierig, etwas über die Aktionen der spanischen Truppen zu erfahren, da sie manchmal etwas auf eigene Faust unternehmen. Abgesehen davon sollte deine einzige Sorge dein eigenes Leben sein.«

Pieter wagte nicht, weiter zu drängen aus Angst, daß sich das Blatt für ihn wieder wenden würde. Er beschloß, zum Bauernhof zu gehen, sobald er wieder auf freiem Fuß war, um mit eigenen Augen zu sehen, welches Unheil diese spanischen Großmäuler dort angerichtet hatten.

Und um seinen Bruder Dinus zur Verantwortung zu ziehen.

»Noch ein Kleckser?« Pieter Coecke sah den hohen Besucher und den schmächtigen Jungen, der neben ihm stand, unfreundlich an. »Als hätte ich nicht schon genug Arbeit!«

»Anordnung des Kardinals«, sagte Licieux ruhig.

Coecke brummelte etwas in seinen kurzen Bart. Dann fragte er: »Wo kommt er her?«

»Aus einer Bauernfamilie nördlich der Stadt.« Während er Coecke scharf beobachtete, fügte Licieux hinzu: »Er hat Zeichnungen gemacht, die dazu ausreichten, ihn in den Kerker zu bringen.«

»So?« sagte Coecke mit etwas mehr Interesse. Doch gleich darauf zuckte er gleichgültig mit den Schultern. »Heutzutage braucht es nicht viel, um im Kerker zu landen.« Er blickte Pieter Bruegel forschend an. »Und wo sind deine Kunstwerke?«

»Der Kardinal hat sie behalten«, antwortete Licieux für den Jungen.

»Aufgrund ihres künstlerischen Wertes oder als Beweismaterial?« fragte Coecke in spöttischem Ton.

»Beides, wie ich vermute.«

Widerwillig sagte Coecke: »In der Regel kennt sich Monseigneur ganz gut aus, wenn es um Gemälde und Zeichnungen geht, das muß ich zugeben.« Er winkte einem jungen Mann, der ein Stück entfernt gerade Leinwand auf einen Holzrahmen spannte und so tat, als hörte er nicht mit. »Bring mal ein Blatt Papier und einen Stift für unseren Leonardo her.« Zu Licieux sagte er: »Granvelle hin oder her, wenn dieser Hänfling kein Talent hat, könnt Ihr ihn gleich wieder nach Brüssel mitnehmen.«

»Es freut mich, daß Ihr ihn wenigstens sein Können unter Beweis stellen laßt«, antwortete der Vikar ruhig.

Der Junge, der das Geforderte brachte, blickte scheu zwischen Pieter und dem Vikar hin und her, bis Coecke ihm befahl, zu seiner Arbeit zurückzukehren.

»Ich gebe dir eine Chance, Eindruck auf mich zu machen«, sagte Coecke und reichte Pieter das Papier. »Zeichne irgendwas, es muß nicht schön sein, wenn es nur gut ist.«

Pieter nahm zögernd die Sachen. Ihm war seltsam zumute. Meister Coecke sah mit seiner stolzen Haltung und seinem gepflegten Äußeren überhaupt nicht so aus, wie er erwartet hatte, auch wenn er nicht genau wußte, was er eigentlich erwartet hatte. Und die Schüler, die in der Werkstatt an der Arbeit waren, verstohlene Blicke in seine Richtung warfen und einander heimlich zuzwinkerten, gefielen ihm auch nicht sehr. Er konnte sich nur schwer vorstellen, hier einen Teil seines Lebens verbringen zu müssen, um die Kniffe der Malerei zu erlernen, auch wenn ihm diese Arbeit viel mehr zusagte, als sich auf den Äckern seines Vaters abzuschuften.

Er blickte sich um, bis er auf einem mit Krimskrams bedeckten Tisch einen freien Fleck entdeckte, wo er sein Papier hinlegen konnte. Er warf einen kurzen Blick auf Licieux und zog langsam eine Linie quer über das Blatt. Seine Hand zitterte ein wenig, aber allmählich wurden seine Bewegungen sicherer. Er zeichnete mit den gewohnten schnellen Zügen. Als er fertig war, gab er Coecke die Skizze, und zwar so, daß Licieux sie nicht sehen konnte. Dieser bemühte sich allerdings auch nicht darum, er interessierte sich mehr für ein halbfertiges Stillleben, das auf einer Staffelei stand, als würde er das Ergebnis von Pieters Prüfung schon im voraus kennen.

Coecke schaute sich die Zeichnung sehr aufmerksam an, zuerst mit einer Falte zwischen den Augenbrauen, doch dann erschien ein Grinsen auf seinem Gesicht. »Fürwahr nicht schlecht«, stellte er fest. »Ganz und gar nicht schlecht.« Als Licieux aufblickte, faltete Coecke die Zeichnung zusammen. »Das solltet Ihr besser nicht sehen«, sagte er immer noch grinsend zum Vikar. »Vielleicht laßt Ihr ihn dann wieder in den Kerker werfen, was eine Schande wäre.«

Licieux drängte nicht, es schien ihn nicht sehr zu kümmern. »Das bedeutet, daß Ihr ihn nehmt?«

»Ich bin bereit, ihn auf Probe in die Lehre zu nehmen, um herauszufinden, ob sein Fleiß genauso groß ist wie seine Begabung.«

»Gut«, sagte Licieux, als hätte er nichts anderes erwartet. Er sah Pieter wohlwollend an. »Begleitest du mich noch zur Kutsche?«

Während Pieter dem Vikar nach draußen folgte, spürte er die Blicke der anderen auf seinem Rücken.

Der Wind wehte stark. Licieux versuchte mit affektierten, weibischen Bewegungen, seine flatternden Gewänder zu bändigen. »Nun...« Er hielt Pieter mit einer vertraulichen Gebärde an den Schultern fest und schaute ihm in die Augen. »Es versteht sich von selbst, daß mir der Kardinal auftragen wird, ein Auge auf dich zu haben. Wir werden uns also noch öfters sehen.«

»Ja?« Pieter wußte nicht recht, wie er auf das unerwartet unförmliche Verhalten des anderen reagieren sollte. Er hätte sich wohler gefühlt, wenn der Vikar streng und hochmütig gewesen wäre. Außerdem fand er die Wärme seiner Hände unangenehm, die durch seinen Wams drang.

»Soviel Ehre verdiene ich nicht, Monseigneur«, sagte Pieter bescheiden.

»Die Zukunft wird es lehren.« Zu Pieters Erleichterung ließ der andere seine Schultern los und faßte die Griffe neben dem Kutschenschlag, um seinen korpulenten Körper hineinzuwuchten. Die beiden Pferde schnaubten nervös, als der Vikar sich hinsetzte und Pieter aufatmend die Tür zuschlug.

Mit gemischten Gefühlen blickte Pieter der wegfahrenden Kutsche nach. Er merkte nicht, daß Coecke und dessen Frau Marieke ihn vom Haus aus beobachteten. Marieke war wie aus dem Nichts erschienen, nachdem der Vikar hinausgegangen war.

»Das alles gefällt mir nicht«, sagte Coecke. »Auch wenn dieser Junge alles andere als unbegabt ist.« Er gab seiner Frau die Zeichnung, die Pieter kurz zuvor angefertigt hatte.

Marieke lachte auf. »Der dicke Vikar als kleiner Cherub! Er ist perfekt getroffen.«

»Das kann eine Falle sein. Er macht eine verspottende Zeichnung, dieser Dickwanst tut so, als würde es ihn nicht interessieren, und wir verlieren unser Mißtrauen. Das hoffen sie jedenfalls.« Er schaute grimmig zu, wie die beiden draußen Abschied voneinander nahmen. »Sieh doch nur, wie vertraulich Licieux mit ihm umgeht!«

»Ach, du siehst überall Spione des Kaisers, genauso wie die Spanier überall Spione gegen den Kaiser sehen, du bist doch keinen Deut besser!«

»Aber sieh doch nur, Weib!« Coecke wies erregt nach draußen.

Marieke lachte leise. »Was sind Männer doch dumm in solchen Dingen.«

»Was meinst du, welche Dinge?«

»Geistliche haben genauso ihre fleischlichen Lüste, auch wenn sie gerne so tun, als hätten sie nichts zwischen den Beinen hängen.«

»Weib!« rief Coecke tadelnd.

»Tu doch nicht so prüde, niemand kann uns hören.«

»Das weiß man heutzutage nie.«

Marieke blickte durch das staubige Fenster zum Vikar, der sich in seine Kutsche hineinzwängte. »Manchmal habe ich sogar Mitleid mit solch einem Mann«, sagte sie. »Er muß sich mit kleinen Jungen behelfen, weil er sich mit einer Frau nicht zeigen darf...«

»Du hast einen verdorbenen Charakter«, sagte Coecke.

»Deshalb hast du mich doch geheiratet, oder etwa nicht?«

»Still«, mahnte Coecke, »da kommt unsere neueste Errungenschaft. Wenn er das auch wirklich ist...«

»Er ist recht mager für einen Bauernsohn.«

»Bewahr dir deine mütterlichen Gefühle für Mayken!« So hieß ihre fast zweijährige Tochter, die das Ebenbild ihrer Mutter war.

»Meine mütterlichen Gefühle reichen für mehr als ein Kind.«

Coecke nickte stumm. Er wünschte sich genauso sehr einen Sohn wie seine Frau, vielleicht sogar noch mehr, aber das Schicksal stellte ihre Geduld auf die Probe. Vielleicht lag es aber auch daran, daß ihn seine Kräfte im Stich ließen. Immer öfter war er müde und kraftlos. Am Ende des Tages fühlte er sich manchmal so, als hätte er nächtelang sein Bett nicht mehr gesehen. Aber wenn er sich dann zur Ruhe legte, wollte oft der Schlaf nicht kommen. Eine Zeitlang hatte ihn das gereizt und nervös gemacht, aber selbst dazu konnte er kaum noch die

Kraft aufbringen. Ein neuer Lehrling war ihm deshalb sicher nicht willkommen, es sei denn, er wäre schon nach kurzer Zeit imstande, einen Teil der Gravierarbeit zu übernehmen.

Zumindest weiß der junge Bruegel, wie man einen Zeichenstift hält, beschloß Coecke seine trüben Gedanken.

5

In der ersten Nacht ließen ihn die anderen in Ruhe, so daß er ungestört mit den Phantomen in seinem Kopf kämpfen konnte. Während er sich stundenlang auf seiner schmalen, harten Pritsche hin und her wälzte, besuchten ihn bösartige Dämonen, die aussahen wie seine Familie, das Mädchen Greta oder Jobbe, der Fischer. Auch die widerlichen Kreaturen aus dem Kerker im Steen waren wieder da. Ein paar Mal tauchte die Gestalt Kardinal Granvelles in seinen Alpträumen auf. Dieser vertrieb mit seinem Stab alle anderen Gespenster, bis er allein mit Pieter war, und verwandelte sich dann in den größten und gräßlichsten aller Dämonen. An dieser Stelle schreckte Pieter jedesmal aus dem Schlaf hoch und starrte panisch in die Dunkelheit, voller Angst vor dem Unbekannten, das ihn umgab, bis ihm bewußt wurde, wo er war. Dann ergriff ihn Trauer und Mutlosigkeit.

Die Ungewißheit, was mit seinen Angehörigen geschehen war, konnte Pieter nur schwer ertragen. Er hatte mit Marieke darüber sprechen wollen, denn er fand sie nett, und sie hatte ihm ein paarmal freundlich zugelächelt. Aber er war nicht eine Minute mit ihr allein gewesen. Den ganzen ersten Tag hatte er mit den anderen fünf Schülern von Coecke verbringen müssen, bis sie zu Bett gingen.

Nur einer dieser Schüler, ein korpulenter Brauersohn in Pieters Alter, der Ditmar hieß, hatte sich dazu herabgelassen, ein paar Worte mit ihm zu wechseln. Die anderen rümpften buchstäblich die Nase über ihn, weil er der Sohn eines Bauern war.

Als Pieter beim ersten Hahnenschrei wie so oft schweißgebadet und voller Angst aufwachte, setzte er sich auf den Rand seiner Pritsche und lauschte in der Finsternis nach den Atemzügen und Schlafgeräuschen der anderen Schüler. Durch das einzige staubige Fenster des Schlafraums kam nur wenig Licht herein, so daß er nicht mehr als schwarze und graue Konturen erkennen konnte. Der Raum war von dem allgegenwärtigen, penetranten Geruch verschiedener Farben und des Mohnöls erfüllt. Ein Geruch, der für Pieter etwas Erregendes hatte, weil er ihn mit den schönen Gemälden verband, die er im Hof von Brabant gesehen hatte. Der Gedanke, er könnte einst vielleicht selbst so malen, ließ ihn manchmal für einen Moment seinen Kummer vergessen. Doch Zukunftsphantasien und Wunschträume konnten den Schmerz nie lange verdrängen.

Pieter hörte einen Karren, der in aller Frühe über die Straße rumpelte, und das rhythmische Getrappel der Pferdehufe auf dem Kopfsteinpflaster. Vielleicht war es ein Händler auf dem Weg zum Markt oder jemand, der die Stadt verließ und aufs Land fuhr.

Pieter suchte Hose und Wams zusammen und zog sich lautlos an. Dann schlich er aus dem Schlafraum, vorsichtig und aufmerksam, um im Dunkeln nirgendwo anzustoßen. In aller Stille verließ er das Haus. Niemand schlug Alarm.

Die dunklen Straßen waren noch verlassen. Hinter jeder Ecke konnte ein Dieb auf der Lauer liegen, der für ein paar Taler jeden einsamen Passanten mit seinem Messer durchbohren würde. Außerdem gab es die Spanier, die, bevor sie eine Erklärung verlangten, erst einmal schossen.

Pieter gelangte lebend und unversehrt aus der Stadt. Die dösenden Torwächter würdigten ihn kaum eines Blickes.

Der Himmel war grau. Als es hell wurde, kam ein kühler Nordwestwind auf, der hin und wieder einen Regenschauer vor sich herjagte. Pieter zog den Kopf ein und marschierte stur auf dem Sandweg weiter, der neben dem Scheldedeich verlief. Die Kälte und Nässe kamen ihm sehr gelegen, denn bei diesem Wetter hatten die spanischen Patrouillen meistens keine Lust zum Ausreiten. Und die vielen Räuberbanden, die das Umland von Antwerpen unsicher machten, hielten sich selten an so kleinen Wegen wie diesem auf, da sie nie von reichen Kaufleuten oder Reisenden benutzt wurden.

Weil sich die Sonne hinter einer dichten Wolkendecke verbarg, konnte Pieter nur vage vermuten, wie weit der Tag vorangeschritten war, als er endlich den Bauernhof vor sich liegen sah, inmitten des noch immer nicht gemähten Roggenfeldes, das wie ein Meer wogte.

Pieters Herz begann zu klopfen. Bis zu diesem Moment war er nicht sicher gewesen, ob der Bauernhof überhaupt noch stand. Die Spanier hatten keine Skrupel, ganze Häuser in Brand zu stecken, wenn die Bewohner nicht nach ihrer Pfeife tanzten.

Er war kurz stehengeblieben und sah voll ängstlicher Erwartung hinüber. Dann rannte er los, um die letzte halbe Meile möglichst schnell hinter sich zu bringen. Aber als er sein Ziel fast erreicht hatte, machte er zum zweiten Mal halt, zögernd und mit erneut wachsender Unruhe.

Der Bauernhof sah noch genauso aus, wie ihn Pieter drei Tage zuvor verlassen hatte, und doch schien sich etwas Wesentliches verändert zu haben, ohne daß er erkennen konnte, was es war. Er fühlte es einfach.

Unsicher und vorsichtig schlich er näher, bis er um die Ecke des Wohnhauses blicken konnte.

Es war niemand zu sehen, aber es hing Wäsche zum Trocknen auf der Leine, Wäsche von fremden Leuten. In der Ferne hörte er das ungeduldige Blöken von Schafen. Pieters Vater wollte nie Schafe halten, weil er der Meinung war, daß sie stanken.

Pieter fühlte Wut in sich aufsteigen. Er wußte, daß herumziehende Schafhirten oft ohne Hemmung in leerstehende Bauernhöfe einzogen. Manchmal ermordeten sie sogar die Bewohner, wenn diese unerwartet auftauchten.

Mit schnellen, geräuschlosen Bewegungen lief Pieter die Fassade des Wohnhauses entlang bis zur Tür. Der Riegel war nicht vorgeschoben, so daß die Tür quietschend aufging, als er dagegen drückte. Ohne weiter nachzudenken, schlüpfte er ins Haus.

Erstarrt stand Pieter in der großen Küche, in der sich immer die ganze Familie versammelt hatte, wenn die Arbeit auf dem Hof erledigt war. Seine Mutter war eine saubere, ordentliche Frau, aber nun glich die Küche einem Trödelmarkt. Tisch, Anrichte, Schrank und sogar ein Teil des Bodens waren begraben unter Hausrat und Abfall. In der Luft hing der überwältigende Gestank von Schafen, als hätten die Tiere hier drinnen geschlafen.

Mit dem Gefühl, als hätte er einen Schlag vor den Kopf bekommen, ging Pieter zu seinem eigenen Zimmer, deren Tür einen Spaltbreit offenstand. Aus Angst vor dem, was er dort vorfinden würde, traute sich Pieter kaum, sie weiter zu öffnen. Das Zimmer war jedoch nahezu unberührt, alle Zeichnungen hingen noch an ihrem Platz. Zwar war der Boden beschmutzt, aber offenbar war Pieters Heiligtum für den Eindringling nicht interessant genug gewesen.

Wie betäubt holte Pieter die Zeichnung mit dem Galgen und der

Elster von der Wand, rollte das Blatt auf und steckte es unter seinen Wams. Die anderen Skizzen waren ihm egal. Danach nahm er die wenigen Kleider, die er besaß, und schnürte sie zu einem Bündel, das er über der Schulter tragen konnte.

Er wollte die Kammer schon verlassen, als ihm noch etwas einfiel. Er ging zum Kleiderschrank zurück, stellte sich auf die Zehenspitzen und tastete suchend auf ihm herum, bis er den Dolch fand, den ihm sein Vater zum achtzehnten Geburtstag geschenkt hatte und den er vor seiner Mutter hatte verstecken müssen. Es war eine gewöhnliche Waffe, die in einer ganz normalen Scheide steckte, aber Pieter hatte die Klinge mit viel Geduld auf einem nassen Stein geschliffen, bis sie sehr scharf war.

Er stopfte das Messer ebenfalls unter den Wams und wollte wieder hinausgehen, als er plötzlich Stimmen hörte.

Mit zwei großen Schritten war er am Fenster. Als er vorsichtig nach draußen schaute, erblickte er eine Gruppe schäbig gekleideter Figuren, die gerade durch die Tür ins Haus ging.

Fast wäre Pieter durchs Fenster geflohen, doch dann überlegte er es sich anders. Er wußte noch immer nichts von seinen Eltern, außerdem war es sein eigenes Haus. Sie waren die Eindringlinge, nicht er. Pieter war von Natur aus nicht besonders mutig, aber nun wurden Wut und Empörung stärker als alle Bedenken.

Er hängte sich das Kleiderbündel über die linke Schulter und ging in die Küche.

Dort traf er auf fünf Hirten. Einer von ihnen legte gerade ein großes Stück Brot und ein Messer auf den Tisch. Es dauerte einen Moment, bis sie merkten, daß ein Unbekannter in der Tür stand. Einzig der Jüngste der Gruppe wich erschrocken einen Schritt zurück, die anderen sahen ihn nur mürrisch an.

»Ja?« sagte derjenige, der mit dem Brot beschäftigt gewesen war. »Was hast du hier zu suchen?«

Pieter warf einen kurzen Blick auf das Brot. Seine letzte Mahlzeit lag schon wieder eine Weile zurück. »Ich wohne hier«, antwortete er. Seine Augen richteten sich auf den Mann, der ihn angesprochen hatte.

»Tatsächlich?« Der Mann, eine magere, bucklige Gestalt mit Glotzaugen und einer sehr krummen Nase, lachte und entblößte dabei eine Reihe schiefer, gelber Zähne. »Das trifft sich gut.« Er warf das Messer auf den Tisch und setzte sich demonstrativ auf die Bank. »Dann bist du ja unser Gastgeber, oder? Dann bring uns mal was zu trinken.« Er lachte wieder, die anderen grinsten.

»Ich bin der Sohn«, sagte Pieter. »Meine Eltern sitzen wahrscheinlich im Steen, von den Spaniern festgenommen...«

Der andere stieß einen Laut aus, der Mitgefühl auszudrücken schien. »Wohl Ketzer, was? Oder andere Verbrecher. Wie kommt es, daß du noch auf freiem Fuß bist?«

»Sie haben mich laufenlassen.«

»Laufenlassen? Du bist wohl eher weggelaufen! Vielleicht können wir uns ja ein paar Dukaten verdienen, wenn wir dich an die Spanier ausliefern!«

»Bitte, meine Herren«, sagte Pieter. »Ich bin totmüde, ich habe nichts gegessen, und ich habe noch einen weiten Weg vor mir...«

»Herren? Herren?« Nun stieß der Mann ein dröhnendes Gelächter aus.

Pieter seufzte und wollte zur Tür zu gehen. Sofort verstummte das Lachen.

»Warte!« befahl der Hirte. »Wo willst du mit diesen gestohlenen Sachen hin?«

Pieter blieb stehen. »Zurück in die Stadt.« Er schätzte die Entfernung bis zur Tür und überlegte, ob er schneller laufen könnte als diese heruntergekommene Bande. »Und das sind meine eigenen Kleider.«

Der Hirte stand auf, seine Hand griff nach dem Messer auf dem Tisch. »Jetzt wohnen wir hier, und ohne unsere Erlaubnis wird gar nichts mitgenommen!«

Pieter fühlte, wie das Blut aus seinem Gesicht wich. Einen Moment dachte er an den Dolch unter seinem Wams, doch bevor er die Waffe auch nur aus der Scheide ziehen könnte, würden sie ihn schon zu fünft gepackt haben. Er ließ das Kleiderbündel auf den Boden fallen und hob die leeren Hände hoch. »Laßt mich bitte gehen, ich habe euch nichts getan.«

Der Hirte blickte kampflustig auf das Messer in seiner Hand, dann zu seinen Kumpanen und wieder zu Pieter. »Wir lassen dich in Ruhe«, sagte er kalt. »Aber nur, wenn du schnell genug laufen kannst. Du bekommst fünf Sekunden Vorsprung.« Er machte einen Schritt auf Pieter zu. »Eins...«

Pieter sprang zur Tür hinaus und machte sich davon. Hinter ihm nahm die Bande sofort johlend die Verfolgung auf.

Pieter wußte, daß sie ihm keinen schnellen Tod gönnen würden, wenn sie ihn erwischten. Er hatte zu viele Schauergeschichten darüber gehört, wie sich Hirtenbanden manchmal die Langeweile mit einsamen Leuten vertrieben, die ihnen zufällig über den Weg liefen.

Er rannte in Richtung Schelde. Meilenweit war keine Menschenseele zu sehen. Seine einzige schwache Hoffnung war, daß er sich vielleicht irgendwo im Schilf, das er so gut kannte, verstecken könnte. Er dachte nicht bewußt daran, seine Füße führten ihn von selbst in diese Richtung.

Zuerst schien Pieter schneller zu laufen als seine Verfolger. Er wagte es nicht, sich umzudrehen, aber er konnte hören, daß die Entfernung zwischen ihnen größer wurde. Doch schon bald ließ ihn die aufkommende Erschöpfung an Tempo verlieren. Seine Beine wurden gefühllos, weshalb er ständig zu stolpern drohte, und seine brennenden Lungen pumpten wie besessen, um genügend Luft zu bekommen. Dann bekam er heftiges Seitenstechen, so daß er fürchtete, noch langsamer zu werden. Hinter sich hörte er die donnernden Schritte seiner Verfolger und die Rufe, mit denen sie sich gegenseitig anspornten.

Pieter sperrte den Mund weit auf und holte keuchend Atem. Seine trockene Kehle schmerzte. Sein Körper wollte den Kampf aufgeben, aber die Angst jagte ihn unerbittlich weiter. Ihm wurde furchtbar heiß, er hatte das Gefühl, als wollten ihn seine Kleider ersticken. Dann kam der Moment, in dem er nicht mehr weiter konnte. Er stolperte über seine eigenen Füße und humpelte, panisch mit den Armen flatternd, noch ein paar Schritte weiter bis hinter eine Biegung des Weges, die ihn kurz dem Blickfeld seiner Verfolger entzog. Dort drang er durch die Sträucher, die den Weg säumten, und fiel der Länge nach in einen niedrigen, sumpfigen Graben. Er drehte sich auf den Rücken, um Luft zu bekommen, und sah keuchend zum Himmel. Da hörte er den ersten seiner Verfolger vorbeirennen, kurz darauf folgte der zweite. Die anderen drei ließen auf sich warten, als hätten sie die Jagd aufgegeben.

Pieter hätte alles darum gegeben, so liegenbleiben und verschnaufen zu können, aber die Angst ließ ihm keine Ruhe. Er stieg stöhnend vor Anstrengung aus dem Graben und robbte bäuchlings zwischen Sträuchern und Farnen weiter. Der niedrige Bewuchs war so dicht, daß ihn niemand aus ein paar Schritten Entfernung sehen konnte, aber wahrscheinlich ahnten sie, wo er ungefähr verschwunden war. Er kroch möglichst geräuschlos weiter und betete, daß sie nicht zufällig über ihn stolperten.

Das Geschrei hinter ihm auf dem Weg hörte nicht auf, manchmal wurde es etwas leiser, dann wieder lauter, als würden die Hirten suchend hin und her laufen.

Da der andere aufrecht stand, sah Pieter den ersten seiner Verfolger, bevor dieser ihn sehen konnte. Er blieb still liegen und ergriff seinen Dolch. Diesmal waren seine Verzweiflung und Angst groß genug, die Waffe auch wirklich zu gebrauchen. Er versuchte seinen pfeifenden Atem zu bezwingen, um nicht entdeckt zu werden, obwohl er hören konnte, daß der andere ebenfalls laut keuchte.

»Komm raus, dreckiger Bauernlümmel!« schnauzte der Hirte. Er hatte einen Stock, mit dem er im Farn herumstocherte.

Ein Stück weiter hörte Pieter einen anderen Hirten fluchen und brüllen, aber er konnte ihn zwischen dem Grün nicht sehen. Vorsichtig kroch er weiter, weg von seinem Bedroher. Dieser blieb jedoch plötzlich stehen und drehte ruckartig den Kopf in Pieters Richtung, als hätte er etwas gehört.

Pieter legte sich flach auf den Bauch und rührte sich nicht. Er trug einen moosgrünen Wams und eine braune Hose, außerdem war er im Graben dreckig geworden, so daß er zwischen den Pflanzen nicht so schnell auffallen konnte. Doch die Hirten waren es gewöhnt, ihre Umgebung genau zu beobachten, damit sie mögliche Gefahren für ihre Schafe rechtzeitig erkannten.

Pieter begann etwas ruhiger zu atmen, er roch den Humusgeruch der feuchten Erde unter seiner Nase. Der Geruch war sehr intensiv, als wären seine Sinnesorgane sensibler als sonst.

Da hörte er, wie der andere, der mit seinem Stock in die Farne schlug, langsam näherkam. »Wenn du ein Kaninchen bist, werde ich dich rösten, und wenn du dieser Bauernlümmel bist, werde ich dir bei lebendigem Leibe die Haut abziehen!«

Vorsichtig hob Pieter den Kopf. Zwischen den Stengeln der Farne sah er die Beine des anderen, kaum zwei Schritte von ihm entfernt. Der Stock schlug direkt vor seiner Nase mit großer Wucht auf die Erde.

Pieter hielt den Dolch in der Hand. Ohne weiter nachzudenken, sprang er wie ein angreifender Fuchs hoch und stieß blindlings zu. Er traf etwas Weiches, in das die ganze Klinge eindrang, hörte einen furchtbaren Schrei, zog den Dolch zurück und stach sofort wieder und wieder zu, bis sein Opfer leblos auf dem Boden lag. Erst dann ging er einen Schritt zurück und starrte kurz verstört und widerwillig auf den blutüberströmten Körper, der sich zu seinen Füßen zusammenkrümmte. Er lief los, ohne auf die Zweige und Dornen zu achten, die sein Gesicht streiften, seine Kleider zerrissen und an vielen Stellen seine Haut aufritzten.

Die wütenden Schreie hinter ihm klangen weiter weg als zuvor, so daß Pieter die vage Hoffnung hatte, doch noch entkommen zu können. Das Scheldeufer war in der Nähe, er konnte den trockengefallenen Schlamm schon riechen. Doch in dem Moment trat er in ein Kaninchenloch. Sein linker Fuß blieb stecken, Pieter fiel der Länge nach hin, und ein stechender Schmerz durchfuhr seinen Knöchel. Gleich darauf war er wieder auf den Beinen, aber als er weiterlaufen wollte, streikte sein verletzter Fuß. Mühsam hinkte er noch ein paar Schritte weiter, dann fiel er wieder hin. Den Dolch noch immer in der rechten Hand, rollte er sich auf den Rücken und stützte sich auf den Ellbogen ab. Zitternd wartete er auf seine Verfolger.

Die vier übriggebliebenen Hirten waren wieder beieinander. Im vollen Tageslicht sahen sie noch heruntergekommener und wilder aus als vorhin in der Küche. Nun lachten sie nicht mehr. Aus dem grausamen Spiel war bitterer Ernst geworden, nun würden sie Pieter nicht zum Vergnügen ermorden, sondern aus Rache. Dennoch ließ sie der Anblick des blutigen Dolchs in seiner Hand kurz verharren.

»Dreckiger Scheißkerl!« brüllte einer von ihnen. »Du hast Rinus erstochen!« Pieter antwortete nicht, sein Hals war zugeschnürt, so daß er kein Wort hervorbringen konnte. In Todesangst schob er sich weiter zurück, während sein Blick unruhig von einem zum anderen wanderte. Die Hand, mit der er den Dolch hielt, schwitzte so sehr, daß er den Griff fast nicht mehr halten konnte.

»Er macht sich in die Hose, der Feigling!« rief derselbe Hirte. »Weißt du, was wir mit diesem Dolch machen werden?« Er fuhr sich mit dem Handrücken unter seine tropfende Nase und leckte sich die Lippen.

»Paß auf«, warnte einer der anderen. »Eine Ratte, die in der Klemme sitzt, kann dir in die Kehle beißen!«

»Wir packen ihn zusammen!« Sie gingen ein paar Schritte auseinander und kamen vorsichtig näher, die Augen auf den Dolch gerichtet, den Pieter krampfhaft festhielt. Gleichzeitig fuhren sie mit den Armen durch die Luft, als würden sie einen möglichen Angriff abwehren.

Pieter hatte schon fast all seinen Mut zusammengenommen, um sich den Dolch ins Herz zu stechen, denn das war ihm lieber, als sich von diesem Lumpenpack zu Tode foltern zu lassen. Doch plötzlich blieben die Hirten wie versteinert stehen und richteten den Blick auf einen Punkt hinter Pieters Rücken. Hatte gerade noch Mordlust ihre groben Züge gezeichnet, so stand ihnen jetzt Schrecken und Angst im Gesicht geschrieben. Drei von ihnen gingen einen Schritt zurück, nur der Jüngste blieb mit offenem Mund stehen, als sähe er ein Gespenst. Dann schlug er schnell ein Kreuzzeichen und wich ebenfalls zurück.

Pieter stützte sich mühsam auf einem Knie ab und drehte sich um. Er erstarrte und vergaß für einen Moment jeden Schmerz und seine Angst vor den Angreifern.

Fünf Schritte hinter ihm war wie aus dem Nichts eine furchterregende Gestalt erschienen, die auf einem kleinen Sandhügel stand und streng auf die Szene hinabblickte. Sie trug einen zerrissenen, weiten, verblichenen Mantel und hielt in der linken Hand einen Stab. Ihre Stirn war voller geronnenem Blut, das aus ihrem langen Haar gesickert war. Das Gesicht war violett und schwarz bemalt. Auch auf dem Mantel war in Höhe des Herzens ein großer Blutfleck zu sehen. Sie hatte blaßblaue Augen, die in ihrem dunklen Gesicht aufleuchteten. Als sie die rechte Hand wie zum Gruß erhob, sahen die entsetzten Zuschauer, daß sich auch dort eine blutige Wunde befand.

»Du sollst deinen Nächsten nicht töten«, sagte die Erscheinung in scharfem Ton. »Gilt dieses Gebot nicht auch für euch? Hat denn das

Wort Gottes keinerlei Bedeutung für euch?« Sie wies mit dem Stab auf Pieter. »Du, laß sofort diese Waffe aus deiner mordenden Hand fallen!«

Pieter krümmte sich noch mehr zusammen und ließ den Dolch los.

»Und ihr…« Der Stab schwenkte hinüber zu den vier Hirten. »Schert euch weg, bevor ich euch in meinem Zorn in das Ungeziefer verwandle, das ihr in eurem tiefsten Innern schon längst seid!«

Die Hirten starrten noch einen Moment auf die schreckliche Gestalt, dann drehten sie sich gleichzeitig um und ergriffen die Flucht.

»Womit bewiesen wäre, daß es die Vorsehung tatsächlich gibt«, sagte der Mann auf dem Sandhügel. Er rammte seinen Stab in die Erde und setzte sich vor Schmerz stöhnend hin. »Himmel, mir tut jeder Knochen weh…« Seine hellen Augen richteten sich auf Pieter. »Wenn mich die spanischen Soldaten nicht vor drei Tagen so furchtbar zugerichtet hätten, wäre ich jetzt nicht hier auf der Suche nach Kräutern für meine Wunden gewesen, und dann hätte ich auch nicht diese Rolle spielen können.« Er lächelte bitter. »Gottes Wege sind unergründlich, aber leider oft auch schmerzhaft…«

»Jobbe!« rief Pieter starr vor Staunen. »Ich dachte wahrhaftig, daß du…«

»Daß Christus höchstpersönlich erschienen wäre, um dir aus der Klemme zu helfen? Hast du wirklich gedacht, du wärst so wichtig?«

Pieter mußte ein paarmal tief Luft holen, bevor er sagen konnte: »Man weiß nie. Wie du schon sagtest: Gottes Wege sind unergründlich…« Er nahm seinen Dolch und stach ihn einige Male in die Erde, um ihn zu säubern. »Wenn du nicht gekommen wärst…« Er erschauderte.

»Man könnte durchaus sagen, daß ein Fluch auf dir liegt!«

»Ich ziehe das Unglück an, ja…« Pieter schob den Dolch in die Scheide und steckte ihn unter das Wams. Ohne Jobbe anzuschauen, sagte er: «Ich habe jemanden erstochen, einen dieser Hirten…«

»Manchmal haben die kleinen Fische Stacheln, die sich in die Kehle desjenigen bohren, der versucht, sie zu verschlingen.«

Pieter blickte zu Jobbe auf. »Sieh nur, was dir durch meine Schuld geschehen ist!«

»Das ist alles Gottes Wille, wie gut, daß wir jemanden haben, dem wir die Verantwortung für unsere Taten zuschieben können.«

In vorwurfsvollem Ton sagte Pieter: »Oft weiß ich nicht, ob du spottest oder deine ehrliche Meinung sagst.«

»Lachend sagt der Narr seine Wahrheit.«

»Aber du bist kein Narr, ich kenne keinen Mann, der weiser ist als du!«

»Das sagt mehr über deine Bekannten aus als über meine Weisheit«, erwiderte Jobbe. »Was ist mit deinem Fuß los?«

»Verletzt«, antwortete Pieter, der sich mit schmerzverzerrtem Gesicht den Knöchel rieb. »Ich bin in so ein verdammtes Kaninchenloch getreten.«

Jobbe richtete sich mit Hilfe seines Stabes auf. »Meine Beine sind glücklicherweise heil geblieben. Hier, nimm meinen Stab und komm mit zu mir nach Hause, dort können wir gemeinsam unsere Wunden lecken.«

Pieter stand ebenfalls auf. Sein verstauchter Fuß schmerzte nun sehr, aber mit dem Stab als Krücke konnte er gehen. Während er neben Jobbe in Richtung Schelde hinkte, seufzte er: »Ich hoffe, daß ich das irgendwann gutmachen kann.«

»Mein Boot ist zerstört, das Mobiliar meines Hauses kurz und klein geschlagen, und ich selbst bin wahrscheinlich für den Rest meines Lebens ein Krüppel, alles in allem kann ich mich also nicht beklagen.«

»Und meine Familie ist verschwunden«, sagte Pieter, für den der Sarkasmus des anderen nicht bestimmt war. »Unser Haus haben diese Lumpen in Beschlag genommen ...«

»Ein Problem nach dem anderen«, sagte Jobbe. »Zuerst müssen wir uns um uns selbst kümmern. Mit diesem Fuß kannst du keinen Schritt weiter.«

»Hoffentlich bereite ich dir nicht noch mehr Ärger.« Pieter dachte an Coecke, der vielleicht Licieux mitteilen würde, daß sein neuer Schüler schon verschwunden war.

»Kommt Zeit, kommt Rat«, sagte Jobbe unbeirrt.

Es dauerte zehn Tage, bis Pieter mit seinem verletzten Fuß wieder einigermaßen auftreten konnte. All die Zeit blieb er bei dem Fischer. Sie wurden von niemandem gestört.

Am Ende der zweiten Woche gingen sie gemeinsam in die Stadt.

Pieter wollte sich allein auf den Weg machen, aber Jobbe bestand darauf, ihn zu begleiten. Ohne Boot hatte er keinen Broterwerb mehr, und er behauptete, es gebe eine Möglichkeit, wie er in der Stadt seinen Lebensunterhalt verdienen könne. Genauer äußerte er sich nicht. Seine Wunden verheilten, aber er sah noch immer furchtbar aus. Es hatte jedoch den Anschein, als fände er an seinem furchterregenden Aussehen Gefallen.

Coecke schien ehrlich erstaunt, als Pieter plötzlich vor ihm stand. Offenbar hatte er nicht damit gerechnet, seinen neuen Schüler jemals wiederzusehen. Als seine erste Verwunderung vorüber war, wollte Coecke Pieter ausschimpfen, aber da erhob Jobbe, der Pieter bis zur Werkstatt begleitet hatte, die Hand.

»Der Junge hat keine Schuld«, sagte er ruhig. »Er hat nur versucht, seine verschwundenen Eltern wiederzufinden. Das einzige, was Ihr ihm vorwerfen könnt, ist vielleicht jugendliche Unbesonnenheit.«

Coecke sah den Fischer mißtrauisch an. »Und wer bist du, wenn ich fragen darf?«

»Das ist mein Freund, Jobbe, der Fischer«, sagte Pieter. »Er hat mir das Leben gerettet.«

»Ach ja? Das muß sich aber erst noch zeigen, ob er damit eine gute Tat vollbracht hat!«

»Da stimme ich Euch voll und ganz zu«, sagte Jobbe. »Aber wenn er umgebracht worden wäre, hätten wir es nie erfahren, und eine meiner Untugenden ist, neugierig zu sein, wie sich die Dinge entwikkeln.«

»Du redest recht gewandt für einen einfachen Fischer.«

»Es gibt einige gelehrte Leute, die sich manchmal dazu herablassen, ein paar Worte mit mir zu wechseln, so lerne ich manches.«

»Wie ich sehe, gibt es auch solche, die sich dazu herablassen, dir eins auf den Kopf zu geben!«

»Das waren die Spanier«, sagte Pieter. »Weil er mir Unterschlupf gewährt hat, als sie mich suchten.«

Coecke zog eine Augenbraue hoch. »Stimmt das?« fragte er in etwas freundlicherem Ton.

»Der Junge lügt nur, wenn es nötig ist«, sagte Jobbe.

»Hm...« Coecke sah den Fischer nachdenklich an. »Hast du keinen Durst, möchtest du vielleicht etwas Wasser?«

»Habt Ihr kein Bier?«

»Tut mir leid«, antwortete Coecke. »Ich trinke weder Bier noch Wein.«

»Ich meinte auch schon eine gewisse Lustlosigkeit in Eurem Blick wahrgenommen zu haben,« sagte Jobbe bedauernd. »Dann Wasser, wenn Ihr die Güte habt.«

Nachdem Jobbe eine Weile später Abschied genommen hatte, sagte Coecke zu Pieter: »Wir sollten uns mal unterhalten.«

»Wenn ich Euch damit erfreuen kann...«

»Ich werde etwas Milch warm machen«, sagte Marieke, die wie gewöhnlich erschienen war, als hätte sie in einer Ecke stehend den richtigen Moment abgewartet.

»Nicht hier«, sagte Coecke, als sich Pieter nach einem Stuhl umsah, um seinen strapazierten Fuß hochzulegen. »Wir gehen nach oben.« Er ging Pieter voraus in den Wohnraum oberhalb der Werkstatt. »Was unten gesagt wird, bleibt nicht immer in den vier Wänden«, erklärte er. Er setzte sich, mit den vorsichtigen Bewegungen eines viel älteren Mannes. »So, dann erzähl mal deine Geschichte, das bist du mir schuldig, denke ich.«

Pieter begann all das Schreckliche zu erzählen, das ihm in den letzten zwei Wochen widerfahren war.

Als Marieke die warme Milch brachte und sich zu ihnen setzte, um zuzuhören, fühlte sich Pieter merkwürdigerweise auf einmal wie zu Hause. Sowohl Marieke als auch Coecke strahlten eine Wärme aus, die ihn beruhigte. Auf einmal schien es ihm, als sei die Zeit auf dem Bauernhof nur ein Vorspiel zu seinem wahren Leben gewesen.

Nach einer Weile sagte Pieter plötzlich: »Ich will malen lernen, ich will so schöne Bilder machen wie jene, die ich im Palast gesehen habe...« Er blickte zur gegenüberliegenden Wand, an der ein mit Holzkohle gezeichnetes Selbstporträt von Coecke hing. Wilde Szenen schossen ihm in willkürlicher Reihenfolge durch den Kopf. Jobbe mit seinem Stab auf dem Sandhügel, die Bauern, die auf der Hochzeit seines Bruders tanzten, Greta, die von den spanischen Soldaten hinausgezerrt wurde, um vergewaltigt zu werden, Gefangene, die an Stricken hinter Pferden hergezogen wurden, eine Frau an einem Galgen, die ihn mit leblosen Augen anstarrte, Granvelle an seinem großen Tisch, der mit einem Federstrich über Leben und Tod entschied, ein brennendes Fischerboot, die Elster auf dem Galgen, die gleichsam die eitle Schwatzhaftigkeit der kleinen machtlosen Leute symbolisierte, das unsichtbare nächtliche Treiben im Kerker des Steen ... Er wollte all diese Bilder, die ihn fortwährend bestürmten, mit Linien und Farben festhalten, er wollte wüste und furchtterregende Szenen malen, die jedem Angst einflößen sollten. Wenn er das nicht tat, würden ihn die Bilder bis zum Ende seiner Tage als Visionen und Alpträume verfolgen. Vielleicht war das Malen ein Ausweg, vielleicht konnte es die Phantome fernhalten und ihn von den Gefühlen befreien, die ihn von innen zu zerstören drohten.

»Ich will es lernen«, sagte er zu Coecke. Es klang eher wie ein Befehl als wie eine Bitte.

Coecke blickte den ernsten jungen Mann eine Weile nachdenklich an, als wäre er mit den Gedanken ganz woanders. Dann aber nickte er langsam. »Dafür bist du schließlich meiner Obhut anvertraut«, sagte er. »Bei Gott, malen wirst du, so wahr ich Pieter Coecke heiße ...«

6

»Du kannst Jan van Eyck dankbar sein«, meinte Ditmar. »Mit Tempera hättest du dem Wasser nie eine so gleichmäßige Oberfläche geben können.« Er stand neben Pieter Bruegel und sah mit kritischem Blick zu, wie dieser mit schnellen Pinselstrichen Feuer und Rauch über eine brennende Stadt am Wasser malte.

Das Bild auf Pieters Staffelei war klein, kaum breiter als ein Fuß, aber die Szene, die er darstellte, war so eindrucksvoll, daß ihr Anblick das geringe Maß der Leinwand völlig vergessen ließ.

»Leim, Eier oder Öl, das ist doch egal, Hauptsache, ich habe Farbe«, sagte Pieter. »Je schlechter das Material, um so größer das Vergnügen.« Er malte verbissen weiter, schnell, aber akurat und konzentriert.

»Tempera trocknet im Handumdrehen.«

»Dann muß man eben schneller arbeiten.«

»Du quälst dich wohl gerne, was?«

Pieter grinste. »Wenn ich mich nicht beeile, ist dieses Feuer erloschen, bevor ich fertig bin.«

»Du bist ganz schön verrückt, weißt du das?«

Du hast gar keine Ahnung, *wie* verrückt ich bin, dachte Pieter. Wenn du die Bilder in meinem Kopf sehen könntest... Während er sich mit der Zungenspitze über die Oberlippe leckte, fügte er ein winziges Detail am Mastkorb eines Segelschiffes im Vordergrund hinzu.

Neugierig fragte Ditmar: »Welche Stadt soll das sein?«

»Wen interessiert das denn, sie ist ja sowieso abgebrannt.«

»Pieter!«

Pieter unterbrach seine Arbeit. »Es gibt sie, irgendwo auf der Welt muß es eine Stadt wie diese geben. Ich habe sie in meiner Phantasie gesehen. Und Jobbe hat mir mal gesagt, daß der Mensch nicht imstande ist, sich etwas vorzustellen, was nicht existieren kann, nie existiert hat oder nie existieren wird...« Er malte weiter.

»Mir gefällt es«, sagte Ditmar. Er selbst war nur ein mittelmäßiger Schüler, und manchmal konnte er seinen Neid nicht ganz verbergen. »Aber ich sehe keine menschlichen Figuren, wo sind die Menschen?«

»Hier, und hier...« Flüchtig wies Pieter mit dem Pinselstiel auf das Bild.

»Die sind ja klein wie Ameisen. Coecke sagt immer, daß sich ein Gemälde nicht so gut verkauft, wenn keine Menschen drauf sind.«

Pieter zuckte mit den Schultern. »Mir geht es um die Landschaft.«

»Soso«, sagte Coecke, der unbemerkt herangekommen war. »Meister Bruegel hält also das, was ich euch immer wieder predige, für überflüssig?«

»Entschuldigt, Meister Coecke«, sagte Pieter, »aber ich kann nicht etwas darstellen, woran ich nicht glaube.«

»Wir sind nicht hier, um zu glauben, sondern um unser Brot zu verdienen! Geh mal zur Seite...« Coecke schob Pieter weg, ging zwei Schritte zurück und betrachtete eine Weile das kleine Gemälde. Schließlich sagte er in freundlicherem Ton: »Du hast wahrhaftig Talent, Junge...« Er hielt den Kopf ein wenig schief und sah sich das Bild noch genauer an. »Zwar könnten noch viele Details verbessert werden, aber trotzdem...« Er schüttelte den Kopf. »Es sieht realistisch aus und hat zugleich etwas Unirdisches, es kommt mir wie ein Traumbild vor. Wenn man es lange genug anschaut, verliert man fast den Bezug zur Wirklichkeit.« Er richtete sich auf, als würde er sich selbst ermahnen. »Aber du mußt noch viel lernen, es wird noch eine ganze Zeit dauern, bis du die Wände von Kathedralen und Palästen schmücken kannst.«

»Paläste und Kathedralen, ach du lieber Himmel!« Floris, einer der anderen Lehrlinge, der sich immer so verhalten hatte, als würde Pieters Anwesenheit in der Werkstatt seinem eigenen Ansehen schaden, war ebenfalls hinzugekommen, um sich das Werk anzuschauen. »Bauerngeschmier ist das und wird es auch immer bleiben«, höhnte er. »Gerade gut genug, um einen Stall damit zu schmücken.«

Pieter reagierte nicht, aber Ditmar sagte: »Vielleicht haben Kühe ja mehr Geschmack als du!«

Floris gab Ditmar einen groben Stoß in den Rücken, wodurch dieser nach vorn stolperte. Sofort ging er mit geballten Fäusten auf Floris los.

»Hört sofort auf!« rief Coecke zornig. »Hört auf damit, sage ich!«

Doch die beiden beachteten ihn nicht. Ditmar stürzte sich auf Floris und stieß mit ihm gemeinsam gegen einen Tisch voller Krimskrams, der unter gewaltigem Lärm herunterfiel. Die beiden Kampfhähne landeten ebenfalls auf dem Boden. Sie drückten sich gegenseitig die Kehle zu und wälzten sich schnaubend zwischen den verstreut liegenden Dingen über den Steinboden. Coecke versuchte sie zu trennen, aber er war nicht stark genug. Seine Drohungen und Befehle wurden einfach ignoriert. Die drei anderen Schüler warteten aus sicherer Entfernung die kommenden Ereignisse ab.

Pieter sah beunruhigt zu. In der einen Hand hielt er noch immer den Pinsel, in der anderen eine mit Farbresten bedeckte Palette. Er haßte Schlägereien und war deshalb stets bemüht, sich herauszuhalten. Aber nun wurde um seinetwillen gekämpft, eigentlich müßte er jetzt eingreifen.

»Ich schlag dich zusammen!« schrie Floris, dem es gelungen war, sich zu befreien. Er gab Ditmar einen kräftigen Tritt in den Unterleib, dann schlug er ihm mit der Faust mitten ins Gesicht. Dieser Hieb saß, doch Ditmar schien dadurch nur noch wütender zu werden. Mit einem wilden Schrei warf er sich erneut auf Floris. Wieder wälzten sie sich wie Tiere zwischen den zerbrechenden und splitternden Dingen über den Boden.

»Um Himmels willen, hört endlich auf!« flehte Coecke vergeblich.

In dem Moment kam Marieke wie eine Furie in die Werkstatt gestürmt. Sie hatte einen Besen bei sich und schlug damit aus Leibeskräften auf die beiden Raufbolde ein. Nach ein paar gezielten Hieben ließen die beiden endlich voneinander ab und stoben auseinander, verfolgt von Marieke, die voller Wut weiter auf sie eindrosch. Sie trieb Ditmar in eine Ecke, wo er zusammengekauert sitzen blieb und sich schützend die Arme vor das Gesicht hielt. Dann jagte sie Floris aus der Werkstatt.

»Was sind das denn für ungehobelte Manieren!« rief sie keuchend. »Schüler der schönen Künste, die wie die Wilden aufeinander losgehen!« Sie warf den Besen hin und ließ sich auf einen Stuhl fallen. »Warum hast du nichts gemacht?« fragte sie ihren Mann.

»Sie wollten einfach nicht auf mich hören«, antwortete Coecke niedergeschlagen. Er griff sich ans Herz und setzte sich ebenfalls erschöpft hin. »Meine Kräfte lassen immer mehr nach.« Er lehnte sich zurück und starrte an die Decke. Kaum hörbar sagte er: »Ich glaube, ich bin krank...«

Marieke stand auf, ging zu Coecke und befühlte seine Stirn. Besorgt sagte sie: »Du bist schon sehr lange krank, wann wirst du endlich einen Doktor zu Rate ziehen?«

»Das habe ich schon getan«, antwortete Coecke. »Er hat mir das Öl der heiligen Katharina verordnet, das echte aus Monte Zibio, sagte er. Dafür mußte ich ihm zwar einen Haufen Geld geben, aber geholfen hat es nicht.«

»Vieleicht kann Jobbe etwas für ihn tun«, warf Pieter ein. Er legte Palette und Pinsel hin. »Jobbe kennt sich mit Kräutern und solchen Dingen gut aus. Als ich mir den Fuß verletzt hatte...«

»Hast du vier Wochen gehumpelt«, unterbrach ihn Coecke. »Und in dieser Zeit ist es von selbst wieder gut geworden. So kann ich auch jemanden heilen!«

»Aber bei dir scheint es nicht von selbst gut zu werden«, sagte Marieke.

Ditmar war aus seiner Ecke gekommen und versuchte unbemerkt aus der Werkstatt zu schlüpfen.

»He da, wo willst du hin?« rief Marieke.

»Meine Nase blutet«, antwortete Ditmar. Ich will...«

»Du hast nichts zu wollen! Du kannst nach oben gehen und dort den Kopf ins Wasser stecken. Und dann bleibst du da, bis wir beschlossen haben, welche Strafe du bekommen sollst.«

Ditmar murmelte etwas Unverständliches, gehorchte dann aber und stieg widerwillig die Treppe hinauf.

»Ich verstehe das nicht«, klagte Coecke. »Warum muß gerade mir das passieren? Ich lebe solide, ich trinke keinen Alkohol, ich wasche mich öfter als die meisten Leute... Ist das etwa die unendliche Gerechtigkeit Gottes, von der diese Scheinheiligen immer reden?«

»Beruhige dich«, sagte Marieke. »Bleib ein Weilchen hier sitzen, bis du dich etwas erholt hast. Soll ich dir Milch mit Honig bringen?«

Coecke schien seine Frau nicht zu hören. »Und wir haben so viel zu tun!«

»Wir haben immer viel zu tun«, erwiderte Marieke.

»Aber jetzt noch mehr als je zuvor. Man hat mich gebeten, den Einzug von Philipp II. zu organisieren.«

»Davon hast du mir gar nichts erzählt.«

»Ich weiß es selbst erst seit kurzem.«

»Philipp? Können das die Spanier nicht selbst machen?« fragte Pieter in verächtlichem Ton. »Ich habe gehört, daß dieser Hundsfott nicht mal die Sprache des Volkes spricht!«

»Pst!« machte Coecke erschrocken. Plötzlich war er wieder hellwach. Er blickte sich schnell in der Werkstatt um. »Paß auf, was du sagst, Junge!«

»Er soll ein arrogantes Schwein und ein Tyrann sein«, fuhr Pieter unbeirrt fort.

»Bitte, schweig!« befahl Coecke, der wieder zornig wurde. »Willst du uns alle an den Galgen bringen?«

»Dann müssen sie die Hälfte aller Antwerpener aufhängen, denn so viele sind gegen diesen Unterdrücker.«

»Das werden sie auch bestimmt tun, wenn sie es für nötig halten!«

»Schweig, Pieter«, mahnte nun auch Marieke. »Wir wollen keinen Ärger haben!« Plötzlich sah sie zur Treppe hoch. »Was machst du denn noch da?« fragte sie in scharfem Ton.

»Mir ist schwindlig geworden«, antwortete Ditmar, der unbemerkt auf der obersten Stufe sitzen geblieben war. Er stand auf und verschwand.

Pieter wandte sich schmollend ab und nahm seinen Pinsel und die Palette, um weiterzuarbeiten. »Eins steht jedenfalls fest: Ich werde diesem dummen Spanier bestimmt nicht zujubeln«, sagte er noch.

Zwei Tage später erschien völlig unerwartet Licieux in Antwerpen. Als er in die Werkstatt kam, waren außer Pieter nur Marieke und ihre kleine Tochter da. Coecke und die anderen Schüler hielten sich in der Stadt auf, um den Empfang König Philipps vorzubereiten.

Es war gut ein Jahr her, seit der Vikar zum letzten Mal etwas von sich hatte hören lassen. Pieter hatte kaum noch an ihn gedacht, so daß er heftig erschrak, als er sah, wie die Kutsche vor der Werkstatt hielt und die prunkvoll gekleidete, beleibte Gestalt mühsam ausstieg, kurz stehenblieb und sich demonstrativ umblickte.

»Oh, nein!« sagte Pieter zu Marieke, die das Geräusch der haltenden Kutsche hinunter gelockt hatte. »Der Kerl will wahrscheinlich die Straße ablecken, über die Philipp kommt!«

»Er kommt hierher!« rief Marieke. Sie wischte sich die Hände an der Schürze ab und sah sich nervös um, als würde sie etwas suchen, womit sie den vornehmen Gast begrüßen konnte. »Gott, ausgerechnet jetzt, wo mein Mann nicht zu Hause ist!«

»Er kommt wegen mir«, meinte Pieter. »Was sollte er hier sonst wollen? Granvelle möchte sicher wissen, ob ich Fortschritte mache.« Er versuchte gelassen zu klingen, weil er Marieke gegenüber seine Beunruhigung nicht zeigen wollte.

Der spanische Soldat, der den Vikar begleitete, beeilte sich, die Tür der Werkstatt zu öffnen.

Licieux blieb in der Türöffnung stehen.

»Sei gegrüßt, Pieter Bruegel«, sagte er. Er streckte die rechte Hand aus in der Erwartung, daß Pieter diese küßte. Als Pieter nicht reagierte, ließ er den Arm sinken und sah sich mit interessiertem Blick um. Marieke ignorierte er, als sei sie Luft. »Sind alle weg?«

»Coecke und die anderen arbeiten in der Stadt. Sie bereiten den Einzug von ... von König Philipp vor«, antwortete Pieter. Beinahe hätte er gesagt: von diesem Sack aus Spanien.

»Und du mußt nicht helfen?«

»Es sollte jemand hier bleiben, um die andere Arbeit zu erledigen.«

»Und um auf die Frau des Hauses aufzupassen, nehme ich an.« Der Vikar rieb sich geziert die Nase, als würde er etwas Übles riechen. Dann fiel sein Blick auf das Bild mit der brennenden Stadt und den Segelschiffen, das noch immer auf der Staffelei stand. Er ging darauf zu. »Nicht schlecht«, stellte Licieux fest. Dann beugte er sich nach vorn, um das Werk von nahem zu betrachten. »Hm, keine Signatur.« Er wandte sich Pieter zu, der ihn mit ausdruckslosem Gesicht ansah. »Von dir?«

Pieter nickte und wies mit einer flüchtigen Geste auf eine etwas größere Leinwand, die ein Stück weiter an der Wand lehnte. »Genauso wie dies. Wie Ihr seht, vertue ich nicht meine Zeit.«

»Nein, das habe ich bereits gehört«, sagte Licieux. Er ging zu dem anderen Bild. »Es steht zu niedrig, würdest du es bitte auf eine Staffelei setzen?«

Pieter gehorchte und sah sich zusammen mit dem Vikar sein Werk an, an dem er plötzlich verschiedene Mängel entdeckte, die er zuvor nicht bemerkt hatte. »Das sind nur Übungen«, sagte er. »Meister Coecke meint, daß ich noch viel lernen muß.«

»Hm ... was soll das sein?« Licieux blickte wieder auf das erste

Gemälde. »Wenn du mich fragst, sehen sich die beiden sehr ähnlich. Die Segelschiffe sind hier kleiner, und aus der brennenden Stadt ist ein friedliches Dorf geworden.«

»Es sind Bilder aus demselben Traum«, murmelte Pieter, aber der andere schien ihn nicht zu hören.

»Und was sehe ich hier links im Vordergrund? Schafe, einen Hirten, der zu einer Gruppe von Fischern spricht...« Er sah Pieter fragend an. »Soll das vielleicht Christus sein?«

»Das ist Christus, der am See von Genezareth seinen Jüngern erscheint.«

Licieux betrachtete den Ausschnitt des Gemäldes noch genauer. »Hm, das scheint mir aber sehr profan zu sein.«

»Das Wort verstehe ich nicht«, sagte Pieter.

»Ehrfurchtslos, sollte ich vielleicht besser sagen. Warum ist die Figur von Christus so klein? Er verschwindet völlig in dieser Landschaft.«

Nun mischte sich Marieke in das Gespräch ein. »Pieter interessiert sich besonders für Landschaften«, sagte sie hastig. »Seine menschlichen Gestalten sollen vor allem die Größe der Landschaft betonen.«

»Jaja, Pieter hält Menschen für unwichtig, das habe ich schon mal gehört«, sagte der Vikar mit einem Anflug von Ungeduld in der Stimme. »Aber hier geht es um Christus!«

»Ich habe den Herrn viermal so groß dargestellt wie die Fischer«, sagte Pieter.

Licieux sah Pieter scharf an. »Willst du dich über mich lustig machen?«

»Ich versuche nur darzustellen, was mir meine Träume und mein Gefühl eingeben«, antwortete Pieter ausweichend. »Vielleicht will der Herr ja, daß ich ihn so male, um die Großartigkeit seiner Schöpfung hervorzuheben. Und wer bin ich, daß ich diese Inspiration ignorieren könnte?«

Mißtrauisch sagte der Vikar: »Vielleicht bist du doch nicht der harmlose Bauernsohn, für den wir dich gehalten haben...«

Das liegt daran, daß ich mit Jobbes Worten spreche, dachte Pieter. In demütigem Ton fragte er: »Sind wir denn Herr unserer eigenen Taten?«

»Eine sehr tiefsinnige Frage«, erwiderte der Vikar. »Und dazu eine, die ich mit dir nicht erörtern möchte.« Er wies auf die beiden Gemälde. »Diese hier nehmen wir nach Mortsel mit, der Kardinal wird sich bestimmt dafür interessieren. Vielleicht können sie seine Aufmerksamkeit wenigstens für einen Moment von anderen Dingen ablenken, die ihm mehr Sorgen machen.«

»Nach Mortsel?« fragte Pieter beunruhigt.

»Der Kardinal hält sich auf Canticrode auf. Er will dich sehen. Ich fürchte, daß du seinen Zorn erregt hast.«

»Aber wodurch denn? Etwa weil ich Christus zu klein dargestellt habe?«

Der Vikar sah Pieter streng an. »Du solltest deine Zunge im Zaum halten, vielleicht wäre es besser für dich, wenn man sie herausrisse! Mußt du vor der Abreise noch etwas erledigen?«

»Wann komme ich zurück?«

»Das entscheide nicht ich.«

»Was hat der Junge denn verbrochen?« fragte Marieke.

»Wer sagt denn, daß er etwas verbrochen hat?« Der Vikar winkte den Soldaten heran, der an der Tür gewartet hatte. »Bring die beiden Bilder in die Kutsche, aber geh sorgsam mit ihnen um!«

»Sei vorsichtig«, sagte Marieke, während sie Pieter mütterlich umarmte. »Und hüte deine Zunge, Monseigneur hat sicher recht, was das angeht!« Sie betonte den übertriebenen Titel, weil sie gemerkt hatte, daß dies der Eitelkeit des Vikars schmeichelte.

»Vielleicht erfahre ich ja etwas über meine Eltern«, sagte Pieter hoffnungsvoll.

»Ja, wer weiß...« Marieke konnte sich nur schwer vorstellen, daß Pieter allein deswegen nach Mortsel gebracht werden sollte. Sicher würde es mit seiner Arbeit und Ausbildung zu tun haben, beruhigte sie sich selbst. Es war allgemein bekannt, daß der Kardinal außergewöhnlich großes Interesse an den schönen Künsten hatte.

Vom Fenster aus sah sie der Kutsche nach, bis sie aus ihrem Blickfeld verschwunden war. Sie hatte angefangen, diesen feinfühligen Bauernsohn, der nicht einmal richtig lesen und schreiben konnte, zu mögen, und das nicht nur wegen seiner Künstlerseele. Die Verschlechterung von Coeckes Gesundheit brachte Unsicherheit in ihr Leben. Wenn Coecke sterben würde, müßte sie allein zurechtkommen. Zwar könnte sie weiterhin Schüler ausbilden und Wasserfarbenbilder malen, aber ohne einen Mann im Haus wäre sie schwach und angreifbar. Vielleicht würde Pieter ja bei ihr bleiben, hatte sie schon mal gedacht. Der Junge war fast erwachsen, vielleicht konnte er in ein paar Jahren Coeckes Werkstatt übernehmen. Maykens Weinen riß Marieke aus ihren Gedanken. Es klang so, als hätte sich das Kind weh getan.

Sie verließ das Fenster und eilte ins obere Stockwerk, um ihren mütterlichen Pflichten nachzukommen.

Die Kutsche donnerte über die Zugbrücke und fuhr in die spanische Festung. Pieter sah mit großen Augen aus dem Fenster. Aus irgendeinem Grund fand er dieses Schloß noch beeindruckender als den viel größeren Brabanter Hof in Brüssel, wo er Kardinal Granvelle zum ersten Mal begegnet war. Vielleicht lag es an der Art dieses Bauwerks. Canticrode war so angelegt, daß Feinde nicht eindringen konnten, was dem Landsitz des Kardinals einen recht finsteren Anblick verlieh.

Das Schloß paßt zu Granvelle, dachte Pieter, nachdem Licieux ihn zum Kardinal geführt hatte. Granvelle sah auch finster aus, fast sogar bösartig. In dem Moment wünschte sich Pieter, tausend Meilen weit weg zu sein. Da fiel sein Blick auf einen Mann, der an einem kleinen Tisch stand. Ein heftiger Schreck ergriff ihn. Es war der spanische Hauptmann, der in das Gehöft seiner Eltern eingefallen war. Als ihn Angst und Wut zu überwältigen drohten, verlor er fast die Gewalt über sich.

»Ich hatte etwas mehr Dankbarkeit von dir erwartet!«

Es dauerte einen Moment, bis Pieter merkte, daß Granvelle ihn ansprach, so sehr war seine Aufmerksamkeit von dem Hauptmann in Anspruch genommen, der seinerseits so tat, als würde er Pieter nicht einmal sehen. Er blätterte in einem großen Buch und blickte nicht auf.

»Ich weiß nicht, was Ihr meint, Monseigneur«, sagte Pieter mit unsicherer Stimme. Er fing einen Blick von Licieux auf, der ihn mit einer gewissen Schadenfreude beobachtete.

»Deine aufrührerischen Reden, das meine ich!« schnauzte der Kardinal. »Hast du lautstark verkündet, daß König Philipp II. ein

Hundsfott ist, der nicht einmal die Sprache des Volkes spricht, ja oder nein?«

Pieter verkrampfte sich innerlich. Irgend jemand mußte ihn bei Granvelle verraten haben. Coecke hatte also die ganze Zeit recht gehabt, es gab einen Verräter in der Werkstatt. Diese Tatsache machte Pieter so wütend, daß er seine Angst für einen Moment vergaß.

»Das habe ich nicht öffentlich gesagt, Monseigneur. Ich habe nicht versucht, andere aufzustacheln. Es waren nur hingeworfene Äußerungen unter Mitschülern, ohne jeglichen Hintergedanken. Ich habe mit Politik nichts am Hut.«

»Weißt du, was man mit einem Hund macht, der die Hand beißt, die ihm zu fressen gibt?« Der Kardinal baute sich vor Pieter auf. »Er wird getötet!« schnauzte er. »Ich habe dich in Schutz genommen, dich vor dem Scheiterhaufen bewahrt, und was ist dein Dank dafür?«

Die feurigen Blicke des anderen ließen Pieter zusammenzucken. Der Kardinal war einen halben Kopf größer als er, was seine Überlegenheit zusätzlich betonte. »Vergebt mir, Monseigneur«, stammelte er. »Das waren dumme Worte, ich habe nicht darüber nachgedacht...« Einen Moment lang verachtete er sich selbst dafür, daß er sich so erniedrigte, aber seine Angst war größer.

»Monseigneur...« Der spanische Hauptmann hatte das Buch beiseite geschoben und schaute sich nun die beiden Gemälde an, die man auf Licieux' Anweisung hereingebracht hatte. Pieter bekam wieder einen Schreck, als er sah, daß der Offizier eine Lupe in der Hand hielt. »Darf ich so frei sein, kurz um Eure Aufmerksamkeit für die Christusfigur auf diesem Bild zu bitten?« Er warf Pieter einen scharfen Blick zu, während er dem Kardinal die Lupe reichte.

»Dein Werk?« fragte Granvelle.

Pieter nickte wortlos.

»Dann hast du ja zumindest etwas Erbauliches getan...«

»Ich persönlich finde dieses Werk gut«, sagte Licieux.

Pieter wußte nicht, wie er den Vikar einschätzen sollte. Hatte es gerade noch den Anschein, als würde Licieux für ihn Partei ergreifen, so schien er im nächsten Moment darauf aus zu sein, ihm einen Dolchstoß zu geben.

Granvelle betrachtete die Gemälde mit größter Aufmerksamkeit, erst aus einiger Entfernung, dann aus der Nähe.

Der Raum war von einer Stille erfüllt, die eine Ewigkeit zu dauern schien. Pieter blickte nervös auf die Lupe, die Granvelle in der linken Hand hielt.

Endlich sagte der Kardinal mit unbewegter Stimme: »Die Bilder bleiben hier, ich möchte andere Kunstexperten um ihre Meinung bitten. Es trifft sich gut, daß du sie nicht signiert hast.«

»Die Christusfigur, Monseigneur, darf ich Euch fragen...« warf der Hauptmann ein.

»Oh ja, die Christusfigur«, sagte Granvelle mit leicht gelangweilter Stimme. »Was ist damit?«

»Klein«, sagte Licieux. »Sozusagen unbedeutend...«

»Das meine ich nicht«, sagte der Hauptmann. »Ich bin von seinen Zügen beeindruckt. Unser Künstler besitzt die Fähigkeit, manche kleinen Details erstaunlich gut wiederzugeben...«

Der Kardinal starrte durch die Lupe. »In der Tat, exzellent«, sagte er. Er sah den Hauptmann an. »Und?«

»Vergebt mir, Monseigneur«, sagte der Offizier hastig. »Ich war so dumm, nicht daran zu denken, daß Ihr diesen Mann ja gar nicht kennt.« Er wies auf das Gemälde. »Das ist das Gesicht des Fischers, bei dem sich Pieter Bruegel verstecken wollte.«

»Und den habt Ihr erkannt? Dann muß er fürwahr ein begabter Maler sein!« Granvelle richtete den Blick auf Pieter. »Warum hast du die Züge dieses Verräters wiedergegeben? Ist das wieder einmal eine deiner ketzerischen Taten?«

»Ständig beschuldigt man mich der Ketzerei und des Verrats, dabei will ich doch nichts anderes als malen!« sagte Pieter verzweifelt.

»Du antwortest nicht auf meine Frage!«

»Jobbe, der Fischer, ist weder ein Ketzer noch ein Spion. Ich habe sein Gesicht gemalt, weil er mein Freund ist. Ich wußte nicht, daß ich damit etwas Falsches getan habe.« Pieter sah den Kardinal mit flehendem Blick an. »Woher soll ich denn wissen, wie der echte Christus aussah, ich bin ihm doch nie begegnet?«

Sowohl der Hauptmann als auch Licieux sahen Granvelle erschrocken an. Doch der Kardinal blieb gelassen. In ruhigem Ton sagte er: »Ich hoffe, daß deine frechen Äußerungen nur auf Dummheit zurückzuführen sind oder auf die Leichtsinnigkeit, die Künstlern eigen ist. Ich will dir noch einmal glauben. Aber ich warne dich«, fuhr er drohend fort, »heutzutage ist es sehr gefährlich, seinen Namen ins Gerede zu bringen!« Er winkte mit der Hand. »Du kannst jetzt gehen.«

Als Pieter und der Vikar fort waren, fragte Granvelle den spanischen Hauptmann: »Was hat es denn nun mit diesem Fischer auf sich?«

Der andere spitzte die Lippen. »Zuletzt wurde er in Antwerpen gesehen, wo er gebettelt und eigene Scheinweisheiten verkündet hat. Aber es ist mir zu Ohren gekommen, daß er sich überall nach Pieter Bruegels Familie erkundigt.«

Granvelle nickte. »Laßt ihn festnehmen«, sagte er.

Licieux begleitete Pieter zur Kutsche, die ihn nach Hause bringen sollte.

»In Zukunft wird sich der Kardinal regelmäßig auf Canticrode aufhalten«, sagte der Vikar. »Das bedeutet also, daß wir in deiner Nähe sind.«

»Ja?« fragte Pieter mißtrauisch.

»Zweifellos wird dich der Kardinal dann auch genauer im Auge behalten. Sei vorsichtig, laß dich nicht von dem Gesindel mitreißen, das auf die Zerstörung unserer Gesellschaft aus ist. Dies ist das zweite Mal, daß dich der Kardinal ungestraft gehen läßt, was du einzig und allein deinem Talent zu verdanken hast. Deshalb habe ich auch die beiden Bilder mitgenommen, ich wußte, daß sie ihn milder stimmen würden.«

»Ich danke Euch.«

»Hm, vielleicht überlege ich mir noch etwas, womit du mir deine Dankbarkeit beweisen kannst.«

»Ich könnte Euch ein Bild malen«, schlug Pieter arglos vor.

Sie hatten die Kutsche erreicht. Pieter machte Anstalten, einzusteigen, aber dann zögerte er. Er sah den Vikar an. »Wer war es?«

»Wovon sprichst du?«

»Der Schuft, der mich beim Kardinal verraten hat. Wer war es?«

»Das sind politische Angelegenheiten, darum kümmere ich mich nicht.«

»Ich wollte auch noch etwas anderes fragen ...« Pieter seufzte, eigentlich wußte er, daß er keine Antwort bekommen würde. »Was ist mit meinen Eltern passiert?«

Der Vikar wies auf die Kutsche. »Fahr nach Hause, befreie deinen

Kopf von allem, was nichts mit deiner Arbeit zu tun hat. Das ist der beste Rat, den ich dir geben kann.«

Pieter nickte resigniert. Er stieg in die Kutsche und zog die Tür zu, ohne den Vikar zu grüßen.

Mit einem grimmigen Zug um den Mund blickte Licieux der Kutsche nach, bis sie den Innenhof verlassen hatte. Dann zuckte er mit den Schultern und ging zu seinen Gemächern. So umwerfend fand er den Jungen nun auch wieder nicht, mit seiner etwas schmächtigen Gestalt und dem dunklen Haar, wodurch er fast wie ein Südländer aussah. Der Vikar stand mehr auf blonde Knaben.

7

»Wie oft habe ich dich nicht gewarnt!« rief Coecke. Noch nie hatte Pieter ihn so zornig erlebt. »Wie oft habe ich dir nicht gesagt, daß du mit dem Feuer spielst! Manchmal frage ich mich, warum ich mir noch so viel Mühe mit dir gebe, früher oder später wirst du doch am Galgen enden. Und das Schlimmste ist, daß du auch noch meine Familie in Gefahr bringst!«

»Meine Familie ist schon umgebracht worden«, sagte Pieter. »Soll ich denn schweigen und mich denen beugen, die daran schuld sind?«

»Schweigen mußt du immer und überall, auch hier in meinem Haus. Vor allem in meinem Haus! Jetzt, wo die Niederlande endgültig zur spanischen Krone gehören, wird es höchste Zeit, daß sich jeder den Umständen anpaßt!«

Pieter wollte erneut protestieren, doch er hielt sich zurück. Er wußte, daß Coecke so sprach, weil er Angst hatte.

Jeder hat Angst, dachte Pieter. Vor den beiden Unterdrückern aus dem Süden, die sich gegenseitig in den Hintern kriechen: der politische aus Spanien und der religiöse aus Rom. Je mehr sich das Volk gegen die beiden Tyrannen wehrte, um so fanatischer und grausamer wurden sie. Aber jede Schreckensherrschaft findet ein Ende, hatte Jobbe gesagt...

»Ist dir eigentlich klar, in welcher privilegierten Stellung du dich als Schützling des Kardinals befindest? Das hat dir schon zweimal das Leben gerettet!«

»Ja«, sagte Pieter störrisch, »nachdem seine Soldaten und Spione es zuerst in Gefahr gebracht haben!«

»Pieter, bitte versprich mir, in Zukunft besser aufzupassen!« Coecke sprach nun mit flehender Stimme.

»Ich werde mir Mühe geben«, erwiderte Pieter ohne große Überzeugung.

Später, als sie im Bett lagen, sagte Coecke zu Marieke: »Ich weiß nicht, was ich mit dem Jungen machen soll. Dieses Talent könnte verlorengehen, bevor es sich entfaltet hat. Ein schrecklicher Gedanke.«

»Er ist noch jung«, meinte Marieke. »Er wird sich schon noch anpassen.«

»Jung? Das wird den Blutrat nicht abhalten, sie haben schon Kinder auf dem Scheiterhaufen verbrannt!«

»Er hat einen mächtigen Beschützer. Ich habe gehört, daß Granvelle zum Erzbischof ernannt werden soll.«

»Gehört? Gehört? Worüber tratscht ihr Frauen heutzutage eigentlich alles?«

»Ich tratsche nicht«, erwiderte Marieke mit gerümpfter Nase. »Ich höre nur gut hin.« Sie drehte sich auf die Seite, den Rücken Coecke zugewandt. »Gute Nacht.«

»Gute Nacht«, sagte Coecke.

Nachdem er die Kerze ausgeblasen hatte, legte er sich auf den Rükken und starrte in die Dunkelheit. Er wußte, daß ihm wieder eine schlaflose Nacht bevorstand. Vielleicht sollte er sich nicht so aufregen. Denn welchen Sinn hatte das noch? Er würde besser daran tun, die wenigen Jahre, die ihm vielleicht noch blieben, auf eine etwas ruhigere Weise zu verbringen.

Vor dem Tod fürchtete Coecke sich nicht. Sterben hieß für ihn, endlich in den tiefen Schlaf fallen zu können, dessen er doch so sehr bedurfte. Nur um Marieke machte er sich Sorgen. Sie war eine gute Frau, und er liebte sie, auch wenn er nur noch höchst selten zu fleischlicher Liebe imstande war.

Er suchte unter der Decke die weiche Rundung ihrer Hüfte und ließ seine Hand dort ruhen, zufrieden mit dem bescheidenen Genuß, die Wärme ihres Körpers zu fühlen.

Marieke bewegte sich nicht, sie war schon fest eingeschlafen.

Auch Pieter konnte keine Ruhe finden. Das Wiedersehen mit dem spanischen Hauptmann hatte Erinnerungen in ihm wachgerufen, die nach einem Jahr bereits ein wenig verblaßt waren. Die ganze Zeit sah er den Offizier vor sich. In seiner Phantasie unternahm Pieter einen grausamen Racheakt nach dem anderen. Sein Opfer war aber nicht nur der Hauptmann, sondern auch Granvelle, dessen asketischen Kopf er nach der heutigen Begegnung zu hassen begonnen hatte.

Pieter setzte sich auf seine Pritsche und zündete eine Kerze an, die auf der Holzkiste neben ihm stand. Er nahm Papier und Stift und begann voller Eifer zu zeichnen, ein Spottbild von Granvelle, der vornübergebeugt mit hochgerafftem Gewand dastand und sich von Philipp II. bespringen ließ, während der Vikar und der spanische Hauptmann daneben warteten, bis sie an die Reihe kamen.

Als die Zeichnung fertig war, lehnte sich Pieter zurück und betrachtete sie eine ganze Weile. Im flackernden Licht der Kerze schienen die Figuren auf dem anstößigen Bild lebendig zu werden. Pieter mußte grinsen. Nachdem er die Zeichnung zu einer Papierkugel zerknüllt und neben den Leuchter gelegt hatte, fühlte er sich besser. Er löschte die Kerze und legte sich wieder hin.

Plötzlich hörte er ein leises Geräusch neben der Pritsche. Er blieb regungslos liegen.

Es war fast Vollmond, so daß genug Licht durch das Fenster fiel, um den dunklen Schatten zu erkennen, der sich zu der Kiste mit der Kerze hinabbeugte. Der Unbekannte nahm die Papierkugel, drehte sich um und wollte wieder davonschleichen.

Floris! dachte Pieter. Dieses Mal habe ich ihn...

Blitzschnell kam er hoch und stürzte sich auf den anderen. Dieser schrie entsetzt auf und stieß Pieter den Ellbogen in die Rippen. Pieter rang nach Luft, doch er hielt seinen Gegner weiter von hinten fest. Sie stolperten nach vorn und fielen gemeinsam auf die Pritsche eines anderen Schülers, der lauthals fluchte. Pieter hatte es endlich geschafft, einen Arm um den anderen zu legen, und drückte ihm mit aller Kraft die Kehle ab.

Nun waren auch die anderen wach geworden. Von allen Seiten hörte man Stimmen und Rufe. Als der flackernde Schein der angezündeten Kerzen den Schlafraum erhellte, löste Pieter seinen Griff und wich zurück.

»Ditmar!« rief er, als sich sein Gegner wütend umdrehte. »Ich dachte...«

»Bist du wahnsinnig geworden?« schrie Ditmar. »Verdammt, du hättest mich fast umgebracht!« Mit schmerzverzerrtem Gesicht rieb er sich den Hals.

Da fiel Pieters Blick auf die Papierkugel, die der andere noch immer in der Hand hielt. »Was wolltest du damit?« fragte er.

»Ich wollte nur mal sehen, was du gezeichnet hast. Du weißt doch, daß ich mir deine Bilder immer gerne anschaue.«

»Gib das sofort her«, befahl Pieter. »Diese Zeichnung geht niemanden was an. Und warum hast du nicht bis morgen gewartet, um mich dann zu fragen?«

»Ich konnte auch nicht schlafen und... Himmel, ich war einfach neugierig, ist das denn so schlimm?«

»He, zeig doch mal!« rief einer der anderen Schüler, die hinzugekommen waren.

»Auf keinen Fall«, sagte Pieter »Gib jetzt her!«

Ditmar grinste, weil er sich nun im Beisein der anderen sicher fühlte. Langsam begann er, die Papierkugel auseinanderzufalten.

Pieter stürzte sich erneut auf Ditmar und riß ihm das Papier aus den Händen. »Das ist meine Privatsache«, rief er. »Das geht niemanden was an!«

In dem Moment flog die Tür am Ende des Raums auf. »Was ist denn jetzt schon wieder los?« fragte Coecke. Er hielt eine Öllampe hoch und sah die Schüler, die sich um Ditmar und Pieter versammelt hatten, böse an.

»Nichts Besonderes«, antwortete Pieter. Er machte die Papierkugel in seiner Hand so klein, daß sie nicht mehr zu sehen war. »Hat sich schon erledigt...«

Doch Johan, ein Schüler, der neben Coecke stand, sagte: »Ditmar hat versucht, eine Zeichnung von Pieter zu stehlen. Die beiden haben sich geprügelt und dabei alle aufgeweckt.«

Coecke sah Pieter forschend an. »Stimmt das? Und wo ist diese Zeichnung?«

»Wir sollten wieder schlafen gehen«, sagte Pieter unwillig. Er wollte sich umdrehen und zu seiner Pritsche gehen, doch Coecke hielt ihn zurück.

»Wo ist diese Zeichnung?« fragte Coecke noch einmal.

Pieter seufzte. »Seid Ihr damit einverstanden, wenn ich sie Euch morgen zeige, unter vier Augen?«

Coecke sah ihn einige Sekunden scharf an, bevor er sagte: »Du wirst wohl deine guten Gründe dafür haben.« Er wandte sich Ditmar zu. »Wie kommst du dazu, eine Zeichnung zu stehlen, noch dazu mitten in der Nacht?«

»Ich wollte nur... Was macht Ihr da?«

Coecke hatte sich umgedreht und war zu Ditmars Pritsche gegangen. Er bückte sich, wühlte in dessen Kleidern herum und zog eine Geldbörse hervor.

»Das dürft Ihr nicht!« protestierte Ditmar. Er wollte zu Coecke hinlaufen, doch Pieter hielt ihn fest.

»Wovor hast du Angst?« fragte Pieter. »Hast du etwas zu verbergen?«

Ditmar wurde immer wütender. »Das sind Privatsachen, genauso wie deine blöde Zeichnung!«

Coecke zog das Band der Börse auf und schüttete den Inhalt in seine geöffnete Hand. Als die Schüler das unverkennbare Klirren von Goldstücken hörten, verstummten sie und sahen Coecke gespannt an. Langsam ließ er die Münzen wieder in die Börse gleiten, zog das Band zu und warf die Börse Ditmar vor die Füße.

»Nicht gerade sehr klug, daß du dir deinen Verrat mit Golddukaten belohnen läßt«, stellte er fest. »Was hast du hierzu zu sagen?«

Pieter wandte sich Floris zu, der seinen Blick mit hochmütiger Miene erwiderte. »Ich habe die ganze Zeit gedacht, daß du es wärst«, bekannte er.

»Was wieder einmal beweist, daß Denken nicht zu deinen stärksten Seiten gehört«, meinte Floris. »Können wir jetzt endlich wieder schlafen gehen?«

»Ich bin noch nicht fertig«, sagte Coecke. Mit strenger Miene sah er Ditmar an. »Nun?«

Ditmar zuckte mit den Schultern. »Wenn Ihr mir etwas tut, werdet Ihr euch den Zorn von einigen sehr hochgestellten Personen zuziehen.«

»Ich werde dir nichts tun«, sagte Coecke. »Auch wenn es mir furchtbar in den Fingern juckt. Aber ich will dich keinen Tag länger in meinem Haus sehen. Bei Sonnenaufgang wirst du diese Tür für immer hinter dir schließen!«

»Warum hast du das nur getan?« fragte Pieter.

»Für Gott und die Obrigkeit«, antwortete Ditmar. »Aber mir ist klar, daß du das sowieso nicht begreifst.«

»Und ich dachte noch, daß du mein Freund wärst.«

»Man muß Freundschaft und Geschäft auseinanderhalten können.«

»So, das reicht«, unterbrach Coecke die beiden. Zu Johan sagte er:

»Hol ein Seil aus der Werkstatt. Ich denke, daß wir uns alle sicherer fühlen, wenn dieser Judas bis morgen an seiner Pritsche festgebunden ist.«

Als Ditmar den Mund öffnete, um zu protestieren, herrschte er ihn an: »Schweig, bevor mir noch eine wesentlich unangenehmere Lösung einfällt!«

Ditmar schien sich in sein Schicksal zu ergeben, zumindest wehrte er sich nicht mehr, als er an Händen und Füßen gefesselt wurde. Aber als wieder jeder auf seiner Pritsche lag und die Kerzen bereits gelöscht waren, sagte er noch: »Ich kenne einflußreiche Leute. Verlaßt euch drauf, daß diese Demütigung gerächt wird!«

Der einzige, der reagierte, war Floris, er sagte: »Noch ein Wort, und du kriegst eins vor die Fresse!«

Am nächsten Tag, als alle das Haus verlassen hatten, um die Festlichkeiten vorzubereiten, bat Pieter Marieke um die Erlaubnis, ebenfalls in die Stadt gehen zu dürfen, wenn auch aus ganz anderen Gründen.

»Ich habe Jobbe schon so lange nicht mehr gesehen«, sagte er, als Marieke zögerte. »Vielleicht weiß er etwas Neues über meine Eltern. Diese Unsicherheit macht mich ganz krank.«

Marieke hielt ihre kleine Tochter auf dem Arm. Mayken war inzwischen ein hübsches Kind mit lockigen, blonden Haaren und dunkelgrauen Augen. Sie mochte es jedoch nicht, wenn ihre Mutter mit einem anderem sprach, und zupfte Marieke die ganze Zeit an Kinn und Nase.

Marieke schob beiläufig Maykens Hand weg. »Warum sollte Jobbe mehr wissen?«

»Er kennt viele Leute.«

»Wenn er etwas wüßte, wäre er sicher hierhergekommen.«

»Ich habe ihn gebeten, sich hier nicht blicken zu lassen, zu seiner eigenen Sicherheit.«

»Ich lasse dich nicht gerne gehen, Coecke wäre gewiß nicht damit einverstanden... Mayken, hör auf damit oder ich setze dich auf den Boden!«

»Würdet Ihr denn wollen, daß ich Euch einfach vergesse, wenn Ihr meine Mutter wärt?«

»Jetzt versuchst du mich einzuwickeln!«

»Aber es geht doch um meine Eltern«, sagte Pieter leise.

»Schon gut, schon gut... Wie lange willst du wegbleiben, soll ich dir einen Brotbeutel fertigmachen?«

»Macht Euch keine Umstände.« Pieter war schon auf dem Weg zur Tür. »Ich werde nicht länger weg sein als nötig.«

»Essen!« rief Mayken, als hätte sie das Wort Brotbeutel verstanden.

»Du willst wirklich immer nur essen«, sagte Marieke mit sanfter Stimme. »Sag Pieter ade.«

»Ade«, sagte Mayken gehorsam. »Und jetzt essen?«

»Geh schon mal nach oben.« Marieke setzte das Kind auf den Boden. Während sie beide dem wegtrippelnden Kind nachblickten, sagte sie zu Pieter: »In einer Welt wie dieser müßte ein Mensch immer Kind bleiben können...«

»Vielleicht wäre es noch besser, überhaupt nicht geboren zu werden.«

In der Stadt herrschte lebhaftes Treiben. Neben der gewohnten Betriebsamkeit von Handel und Gewerbe wurde in allen Hauptstraßen, durch die König Philipp mit seinem Troß ziehen sollte, emsig gearbeitet: Man besserte Häuserfassaden aus, brachte Dekorationen und Fahnen an, reparierte das Straßenpflaster und schaffte Pferdeäpfel fort.

Doch Pieter hatte kaum einen Blick dafür, sondern eilte in Richtung des Marktplatzes. Unterwegs holte er die zerknitterte Zeichnung, die er am vergangenen Abend gemacht hatte, unter seinem Wams hervor. Coecke hatte nicht mehr danach gefragt, was Pieter nur recht war. Er zerriß das Blatt in kleine Schnipsel, die er im Wind wegfliegen ließ.

Jobbe saß mit dem Rücken an eine Hausfassade gelehnt an seinem gewohnten Platz in der Sonne. Nur wenige Schritte entfernt lag ein Wirtshaus, das oft von Mitgliedern der Gilden besucht wurde. Manchmal brachten sie ihm Bier oder Wein – das war wahrscheinlich auch der Hauptgrund, warum er diesen Ort gewählt hatte. Um ihn herum saßen ein paar Leute, zumeist Ältere und Kinder, die nichts anderes zu tun hatten, als den Orakeln des Fischers zuzuhören. Zu seinen Füßen stand eine Holzkiste, in der einige Münzen lagen.

Jobbe starrte mit unbewegter Miene vor sich hin, während er redete. Mit einer Hand hielt er den Stab fest, der senkrecht neben ihm stand. Sein Gesicht sah nach wie vor furchterregend aus. Zwar waren die Wunden inzwischen verheilt, doch sie hatten dunkle Narben hinterlassen.

Wahrscheinlich erzählt er die altbekannten Geschichten, dachte Pieter, während er sich dem Fischer näherte. Ewig gültige Weisheiten und eigene Erklärungen zu Gottes Schöpfung und dem Warum der Dinge. Es war ein Wunder, daß er bisher noch nicht in Schwierigkeiten geraten war. Möglicherweise hielt man ihn einfach für einen Verrückten, der völlig ungefährlich war.

Pieter blieb vor Jobbe stehen, aber es dauerte eine Weile, bis dieser reagierte. Vielleicht tat er auch nur so, als bemerkte er ihn nicht, um seinen wenigen Zuhörern weiszumachen, daß er sich in einer Art Ekstase befand. Ein Hang zur Schauspielerei war Jobbe jedenfalls nicht ganz fremd.

»Sei gegrüßt, mein junger Freund«, sagte Jobbe. »Ich habe dich erwartet.«

»So?« fragte Pieter.

»Ja, du bist mir heute nacht im Traum erschienen. Ich sah dich umringt von hochstehenden Herren, die deine Bilder bewunderten. Aber es schwebte auch eine finstere, unheilvolle Wolke über dir, und immer, wenn du in Schwierigkeiten bist, kommst du zu mir.«

»Erstaunlich«, sagte Pieter. »Das alles stimmt.«

»Erstaunlich wäre nur, wenn ich mich irren würde«, entgegnete Jobbe. »Und ich weiß noch mehr: Lese ich in deinen Augen, daß du mich allein sprechen willst?«

»Ja, das wäre gut.«

»Da hört ihr es«, sagte Jobbe zu seinem Publikum. »Also, liebe Leute: Geht nun dahin und vermehrt euch nicht zu sehr, solange die Zukunft eurer Kinder ungewiß ist. Und denkt daran, daß es nur einen Gott geben kann und dieser sich nicht viel daraus macht, ob ihr nun Katholiken, Reformierte, Lutheraner oder weiß der Himmel was seid. Er hat wahrhaftig anderes zu tun, als sich um euer Treiben zu kümmern. Genausowenig hat es Sinn, Opfergaben in die Kirche zu tragen, weil Er fürwahr nichts von uns braucht. Ihr könnt eure sauer verdienten Cents viel besser verwenden, indem ihr zum Beispiel hin und wieder mir etwas gebt.« Er grinste. »Was nicht ausschließt, daß ihr gut daran tut, die Zehn Gebote zu befolgen, und sei es nur, um euch das Leben nicht noch schwerer zu machen, als es sowieso schon ist. Wenn sich Gottes Vertreter ebenfalls daran halten würden, wäre das Leben in diesem irdischen Jammertal sicher etwas angenehmer. Amen.« Mit einer Handbewegung gab er seinem Publikum zu verstehen, daß nun jeder gehen könne.

Als Pieter mit Jobbe allein war, sagte er mit besorgter Stimme: »Seit ich dich das letzte Mal gesehen habe, sind deine Reden noch um einiges gefährlicher geworden!«

»Langeweile macht leichtsinnig«, erwiderte Jobbe. Er nahm die Holzkiste und zählte die Münzen, die in ihr lagen. »Heute sind mehr hinzugekommen als gestohlen worden. Ich scheine einen guten Einfluß auf die Menschen zu haben.«

»Es macht mich traurig, dich am Bettelstab zu sehen, vor allem weil es meine Schuld ist.«

»Das Gewissen ist eine der vielen lästigen Erfindungen der Kirche, du solltest es nicht mehr belasten als nötig. Im übrigen geht es mir hier abgesehen von der Langeweile, die hin und wieder aufkommt, gar nicht mal so schlecht. Ich werde zu alt für die schwere Arbeit auf dem Boot und die ewige Schlepperei in die Stadt.« Er holte unter seinem verschlissenen, kaputten Mantel eine Geldbörse hervor, in die er sorgsam eine Münze nach der anderen hineinlegte. Dann blickte er zu Pieter auf. »Und wie geht es dir?«

»Stimmt es wirklich, daß du heute nacht von mir geträumt hast?«

»Natürlich nicht.«

»Dann führst du also deine Anhänger mit List und Betrug zum Licht?«

»Die Menschen wollen betrogen werden. Das wird vor fünfzehn Jahrhunderten sicher nicht anders gewesen sein.« Als er Pieters entsetztes Gesicht sah, sagte er: »Mach dir keine Sorgen, ich bin ein frommer Mann, also kann mir nichts passieren. Der Allmächtige wird gewiß den Unterschied zwischen Frömmigkeit und Scheinheiligkeit erkennen, wenn wir Ihm irgendwann von Angesicht zu Angesicht gegenüberstehen.« Er klopfte mit der flachen Hand neben sich auf den Boden. »Komm, setz dich zu mir, es sei denn, du schämst dich, mit einem Bettler gesehen zu werden.«

Pieter ließ sich nieder. Ohne Jobbe anzusehen, sagte er: »Ich habe deine Züge für eine Christusfigur auf einem Gemälde benutzt...«

»Meine Züge verewigt! Daß mir diese Ehre noch zuteil wird!«

»Ein spanischer Hauptmann hat dich erkannt und es Granvelle gesagt.«

»Mich erkannt? Das ist fürwahr ein Lob für deine Malerei!«

»Jobbe, ich traue der Sache nicht!«

»Ach was, dieser verschlissene Körper hat seinen Dienst getan, warum sollten wir uns Sorgen machen? Aber du...« Der Fischer sah Pieter plötzlich eindringlich an. »Du bist derjenige, der sich in acht nehmen muß. Du hast doch noch dein ganzes Leben vor dir. Wie ich gehört habe, spielst du noch immer mit dem Feuer?«

Pieter sah den anderen erstaunt an. »Wie du gehört hast? Ach ja...« Er zuckte mit den Schultern und starrte ins Leere. »Jeder belauert jeden...« Er erzählte Jobbe von Ditmar. Als er fertig war, sagte der Fischer: »Es hätte mich erstaunt, wenn in der Werkstatt kein Spion gewesen wäre, sie sind überall. Und nachdem ihr Ditmar weggejagt habt, ist die Gefahr sicher nicht gebannt. Ganz bestimmt kommt für ihn ein anderer Verräter.«

»Ich kann es einfach nicht begreifen...«

»Du scheinst die Verlockung des Goldes nicht zu kennen. Ein lobenswerter Charakterzug, aber damit gelangst du bestimmt nicht zu Reichtum. Und glaub mir, es ist keine Ehre, arm zu sein.«

»Es sieht aber so aus, als könntest du dir damit durchaus dein Seelenheil verdienen.«

»Gott bewahre mich vor einem Himmel voller Bettler!«

Endlich brach Pieter in ein befreiendes Lachen aus. »Coecke meint, daß es nicht mehr lange dauern wird, bis ich mit meinen Bildern Geld verdienen kann. Wie er sagt, gibt es augenblicklich eine rege Nachfrage nach Landschaften für die Häuser der Leute, die in kurzer Zeit Reichtümer angehäuft haben.«

»Es ist sicher bequem, wenn man sich den Himmel mit einer gefüllten Geldbörse verdienen kann. So muß man hier auf Erden nicht sündigen, um was in den Magen zu bekommen.«

»Es tut mir immer gut, mit dir sprechen zu können«, sagte Pieter aufrichtig.

»Warum sehe ich dich dann nicht öfter?«

»Coecke läßt mich nicht gerne allein gehen...« Pieter sah Jobbe an. »Hast du noch immer nichts von meinen Eltern gehört?«

»Seit ich hier auf meinem Hintern in der Sonne sitze, können die meisten meiner Bekannten auf einmal nicht mehr gut sehen, sie erkennen mich nicht mehr.«

Pieter machte ein verärgertes Gesicht. »Jeder weicht meinen Fragen aus.«

Jobbe wandte den Blick ab. »Einer Frage ausweichen kann manchmal mehr zum Wohl des Menschen sein, als die Wahrheit zu sagen...«

»Schweigst du vielleicht, um mich zu schonen?« fragte Pieter zornig. »Was für ein Unsinn!« Er sprang auf und sah wütend auf den Fischer hinunter. »Wo sind sie?«

Jobbe blickte zu Pieter hoch, seine hellen Augen sahen in der Sonne wie durchsichtiges Glas aus. »Ich wünschte, ich könnte dir helfen...«

»Dann sag mir die Wahrheit!«

Der Fischer schüttelte langsam den Kopf. »Das Ungestüm der Jugend, die gewaltige Kraft, die die Welt immer wieder neu erschafft, die sie aber auch vernichten kann...«

»Spar dir deine hohlen Weisheiten für die Trottel, die dir Almosen bringen!« rief Pieter aufgebracht.

»Es tut mir leid, Pieter«, sagte Jobbe.

»Ach... verdammt!« fluchte Pieter resigniert. Dann drehte er sich abrupt um und ging wütend weg.

Jobbe sah Pieter beklommenen Herzens nach. »Ich kann dir am besten helfen, indem ich dir nicht helfe«, sagte er laut.

Dann lehnte er sich an die Fassade des Hauses, schloß die Augen vor der Sonne und verbannte alle traurigen Gedanken aus seinem Kopf.

Als Jobbe ihn nicht mehr sehen konnte, verlangsamte Pieter seinen Schritt. Er wußte, daß der alte Mann nur das Beste für ihn wollte. Manchmal verwünschte er sein eigenes Temperament, das ihn schon mehr als einmal zu törichten Äußerungen hingerissen hatte. Doch andererseits, dachte er, war es allmählich an der Zeit, daß man ihn wie einen Erwachsenen behandelte.

Er schlenderte in Richtung Innenstadt. Vielleicht sollte er bei Coecke vorbeigehen und schauen, was der gerade tat. Da er nicht in Arbeitsstimmung war, hatte er keine Lust, jetzt schon in die Werkstatt zurückzukehren.

Die kleineren Straßen außerhalb des Zentrums waren nahezu verlassen, als wäre die gesamte Antwerpener Bevölkerung mit den Vorbereitungen für den Einzug König Philipps beschäftigt. Irgendwann bemerkte Pieter, daß drei Männer hinter ihm hergingen. Zuerst wollte er nicht glauben, daß sie ihm folgten, aber nachdem er ein paarmal in eine willkürliche Straße eingebogen war und die Männer weiterhin hinter ihm blieben, bekam er Angst. Zwar trug er den Dolch bei sich, doch drei starken Kerlen würde er nicht gewachsen sein, wenn diese ihm tatsächlich nach dem Leben trachteten. Er konnte nur davonlaufen und versuchen, das belebte Stadtzentrum zu erreichen, bevor sie ihn eingeholt hatten.

Pieter rannte los. Er hörte weder Rufe noch Befehle, nur das Echo der Schritte seiner Verfolger hallte zwischen den Häusern. Es war eine gespenstische Atmosphäre.

Wie ein durchgegangenes Pferd lief Pieter um eine Ecke. Er kannte die Stadt noch nicht sehr gut, außerdem hatte er durch den Schreck jeglichen Orientierungssinn verloren, so daß er überhaupt nicht wußte, wo er war und wohin er lief. Seine Verfolger blieben auf gleichem Abstand, als würden sie sich nicht bemühen, ihn einzuholen. Vielleicht warteten sie ja, bis er vor lauter Erschöpfung nicht mehr weiterkonnte. Dieser Gedanke trieb Pieter noch mehr an. Mit wachsender Verzweiflung rannte er weiter.

Unterwegs blieben ein paar Leute stehen, um ihm erstaunt nachzublicken, aber er wußte, daß sie aus Angst um ihr eigenes Leben nicht eingreifen würden.

Blindlings rannte Pieter in eine Gasse. Plötzlich sah er vor sich eine Mauer, die zu hoch war, um darüberklettern zu können. Hinter ihm näherten sich seine Verfolger. Er war in eine Falle geraten.

Voller Panik versuchte Pieter in eines der Häuser zu beiden Seiten der Gasse zu kommen. Aber alle Türen blieben fest verschlossen, auch als er mit beiden Fäusten gegen sie klopfte und flehte, ihn hineinzulassen. Als einzige Reaktion schob man einen schweren Riegel vor.

Pieter drehte sich zu den drei Männern um, die langsam auf ihn zukamen. Sie gingen nebeneinander, so daß ein Entkommen unmöglich war. Nun sah Pieter auch, daß sie sich Säcke mit Sehschlitzen über den Kopf gezogen hatten. Ihre Hände waren leer, aber zwei von ihnen trugen am Gürtel einen Dolch in einer Scheide.

Keuchend griff Pieter nach seiner eigenen Waffe, aber er ließ sie an ihrem Platz. Jobbe hatte ihn irgendwann beschworen, niemals gegen Stärkere die Waffe zu ziehen, weil sie dadurch nur noch zorniger werden würden.

Plötzlich glaubte Pieter die Gestalt und Haltung des kleinsten der drei Männer zu erkennen. »Ditmar?« fragte er mit heiserer Stimme. »Bist du es?«

Es kam keine Antwort. Sie hatten sich mit verschränkten Armen vor ihm aufgebaut. Pieter blickte voller Furcht in die blitzenden Augen, die ihn durch die Schlitze in den unheimlichen Masken anstarrten.

»Na los, tu was!« befahl ihm der Mann, der direkt vor ihm stand. »Das macht doch keinen Spaß, wenn du nicht kämpfen willst.«

»Ich habe kein Geld...«, sagte Pieter mit zitternder Stimme.

»Du hättest da bleiben sollen, wo du warst, im Mist bei den anderen Schweinen!« schnauzte der Mann, der Ditmar ähnelte. Durch die Maske war seine Stimme nicht zu erkennen.

»Ich wollte nicht in die Stadt«, sagte Pieter verzweifelt. »Das waren die Spanier, die...«

»Schweig!« herrschte ihn der Größte der Gruppe an. »Wir werden dir die Pfoten brechen, dann hat es ein Ende mit diesem Gekritzel und Geschmiere, mit dem du dein jämmerliches Leben fristest!«

»Ich bin nicht Herr meines eigenen Lebens!« keuchte Pieter.

Der große Kerl machte einen Schritt nach vorn und stieß Pieter gegen eine Hauswand. »Du verrätst andere und tust selbst alles mögliche, was du besser sein lassen solltest!« Der Mann versetzte Pieter wieder einen Stoß, auch die beiden anderen kamen nun mit geballten Fäusten näher.

»Schlagt zu!« rief der Mann, der Ditmar glich. »Kein Schwein wird um diesen Bastard trauern!« Es hätte schlimmer sein können. Pieter bekam einen heftigen Schlag gegen den Kopf, so daß er sofort zusammenbrach und den Rest der Abrechnung nicht mehr spürte.

Langsam kam Jobbe wieder zu sich. Zuerst fühlte er die Wärme der Sonne, dann den Schmerz im Rücken. Seine Kehle war ausgedörrt. Er öffnete die Augen und sah sich verwundert um. Niemand schenkte dem erbärmlichen Bettler einen Blick.

»Ich hätte schwören können ...« Enttäuscht schüttelte Jobbe den Kopf, ergriff seinen Stab und richtete sich stöhnend auf. Hoffnungsvoll blickte er in die Richtung des Wirtshauses, aber es saß niemand draußen, der ihm etwas hätte anbieten können. Sein eigenes Geld wollte er jedoch nicht für Bier ausgeben, weil das sicher seinem Ruf schaden würde.

Er strich sich die langen, fettigen Haare aus dem Gesicht und ließ den Blick über den Marktplatz schweifen. Das einzige, was auffiel, war eine Truppe spanischer Soldaten, die genau auf ihn zumarschierte.

»Da sind sie ja endlich«, sagte Jobbe laut. Angst hatte er nicht, denn ihm war schon immer klar gewesen, daß sie ihn irgendwann wegen seines vorlauten Mundwerkes packen würden. Im Grunde war es ein Wunder, daß es so lange gedauert hat, bis die Verräter ihr Werk vollbracht hatten. Auf jeden Fall hatte er Spaß gehabt, es war die Mühe wert gewesen. Er war schon lange bereit, vor den Allmächtigen zu treten, mit dem er sich gewiß gut verstehen würde. Gott mußte Sinn für Humor haben, sonst hätte Er nicht die Menschen erschaffen.

Jobbe lächelte den spanischen Offizier freundlich an, der vor ihm stehenblieb und rief: *»Cómo te llamas?«*

»Me llamo ...« Jobbe zögerte. Warum sollte er es diesen Halunken leicht machen? »Ich denke, daß Ihr das genausogut wißt wie ich«, sagte er auf flämisch. Niemand konnte von einem Bettler verlangen, daß er Spanisch spricht, nicht einmal ein paar Worte.

Der Offizier ging nicht darauf ein. Er schrie einen Befehl, woraufhin zwei Soldaten Jobbe an den Armen packten und ihn in die Richtung führten, aus der sie gekommen waren. Zwei andere hielten ihre Musketen auf ihn gerichtet. Jobbe mußte fast darüber lachen.

Es war gut, wenn man sich nicht vor dem Tod zu fürchten brauchte, dachte Jobbe. Das gab einem das Gefühl von Unbesiegbarkeit.

Er blickte zum blauen Himmel, der im Vergleich zu der Trostlosigkeit der Stadt und der Menschen, die in ihr lebten, klar und rein schien. Welch eine Ironie des Schicksals, daß ihm nun seine größten Feinde beim Übergang in eine bessere Welt helfen würden. Gott mußte wirklich Sinn für Humor haben. Das einzige, was Jobbe ein wenig betrübte, war der Gedanke an Pieter. Er wollte nicht, daß sich der Junge Sorgen um ihn machte. Vielleicht konnte er ihm eine Botschaft aus dem Jenseits senden, dachte er halb im Ernst. Vielleicht konnte er Pieters Hand führen, so daß aus ihm ein begnadeter Künstler würde.

Dieser Gedanke stimmte Jobbe fröhlich. Mit Ungeduld blickte er dem Tod entgegen.

8

Pieter wachte in einem fremden Bett in einer unbekannten Umgebung auf und wußte nicht, wie er dorthin gekommen war.

Er richtete sich vorsichtig auf und sah sich in dem halbdunklen Raum um. Als er sich bewegte, begann es in seinem Kopf zu hämmern, zugleich fühlte er an verschiedenen Stellen seines Körpers Schmerzen. Sein Gedächtnis schien jedoch noch zu funktionieren, er erinnerte sich sofort daran, wie er zusammengeschlagen worden war. Sie hatten ihn halbtot liegenlassen, aber offensichtlich mußte sich irgend jemand seiner erbarmt haben.

Das Zimmer, in dem er lag, war klein. Vor dem Fenster hingen schwere Gardinen. Sein Bett roch frisch, als wäre es vor kurzem neu bezogen worden. Auf einem Schränkchen neben dem Bett standen ein Krug mit Wasser und eine Schale.

Pieter setzte sich auf den Bettrand und wollte aufstehen, doch er bekam sofort einen Schwindelfall und sah graue Punkte vor den Augen. Er legte sich wieder hin und zog die Decke bis zum Kinn hoch. Nach einer Weile verschwand das Schwindelgefühl.

Er fragte sich, wo und bei wem er wohl war. Eine Zeitlang lauschte er gespannt den Geräuschen im Haus und auf der Straße, aber das half ihm auch nicht weiter.

Nach einiger Zeit fiel er in leichten Schlummer. Er schreckte erst hoch, als sich die Tür des Zimmers öffnete und grelles Licht hereinfiel.

Pieter schloß die Augen genauso schnell, wie er sie geöffnet hatte. Die Lichtstrahlen stachen wie Messer und verstärkten seine Kopfschmerzen.

»Er ist wach«, sagte eine tiefe Männerstimme.

Vorsichtig blickte Pieter zu dem in blauen Samt gekleideten Mann neben seinem Bett auf, der ihn aufmerksam beobachtete.

»Ich bin Abraham Ortelius«, sagte er. »Und du bist Pieter Bruegel, wenn ich mich nicht irre?«

»Müßte ich Euch kennen, Herr?« fragte Pieter mühsam.

»Ich denke schon. Du hast mich schon einmal gesehen, und als Maler müßtest du doch eigentlich ein guter Beobachter sein.«

Der Mann ging auf die andere Seite des Bettes, so daß Licht auf sein Gesicht fiel. Pieter bemerkte, daß er höchstens fünf Jahre älter war als er selbst.

»Ortelius, der Kartograph«, sagte Pieter. »Vergebt mir, Meister, gerade konnte ich Euch nicht gut sehen, und Namen behalten ist nicht meine stärkste Seite.« Er war Ortelius schon einmal in der Werkstatt begegnet, wo dieser sogar versucht hatte, ihn von seinen Ansichten zum perspektivischen Zeichnen zu überzeugen.

Sarkastisch sagte Ortelius: »Wie mir scheint, ist es deine stärkste Seite, Prügel einzustecken. Wen hast du diesmal wieder provoziert?«

»Sie haben mich verprügelt, weil ich einen Verräter entlarvt habe.« Pieter erzählte die Geschichte von Ditmar.

Als Pieter schwieg, sagte Ortelius: »Du lebst gefährlich, Pieter.«

»Das sagt jeder, aber ich tue doch nichts Böses!«

»Du mußt lernen, deinen vorlauten Mund zu halten, und dir dieselbe Hinterlist wie deine Feinde aneignen. Nur so kannst du ein normales Leben führen.«

»Hinterlist!«

Ortelius lächelte nachsichtig. »Eine schwere Aufgabe für einen jungen Künstler, ich weiß... Wie fühlst du dich jetzt?«

»Gut«, log Pieter.

»Tee?« Ortelius wartete die Antwort nicht ab. »Anke, kümmerst du dich darum? Für mich bitte auch.«

Erst jetzt sah Pieter, daß Ortelius nicht allein ins Zimmer gekommen war. Er blickte zur Tür, durch die gerade eine junge Frau verschwand.

»Die Tochter meines Bruders Gwijde«, erklärte Ortelius. »Gwijde sitzt für eine Weile im Steen, deshalb kümmere ich mich um sie.« Er lächelte. »Eigentlich müßte ich sagen, daß sie sich um mich kümmert. Ich lebe allein, mein Haushalt kann die Hand einer Frau gebrauchen. Mein Bruder hat ihre Mutter auf die Straße gesetzt, weil sie ihn betrogen hat.«

»Habt Ihr mich... äh... aufgesammelt?«

»Ich habe dich vor ein paar Stunden fast direkt vor meiner Tür gefunden. Die Vorsehung scheint sich doch nicht ganz von dir abzuwenden. Gut möglich, daß sich ein zufällig vorbeikommender Dieb für deine Kleider und deinen Dolch interessiert und dir dann den Rest gegeben hätte.«

»Ich weiß nicht, wie ich Euch für eure Hilfe danken kann.«

Ortelius winkte ab. »Das werde ich schon mit dem alten Coecke regeln. Vielleicht kannst du ein kleines Bild für mich malen.«

»Coecke wird sich fragen, wo ich geblieben bin.«

»Wir werden ihm eine Nachricht zukommen lassen.«

»Ich danke Euch«, sagte Pieter.

»Vielleicht habe ich dich ja nicht ohne Hintergedanken aufgesammelt... Ah, da ist der Tee!«

Das Mädchen brachte zwei dampfende Schalen, von denen sie eine Ortelius reichte. Die andere stellte sie auf das Schränkchen neben dem Bett. Sie half Pieter zuerst, sich aufzusetzen, und gab ihm dann die Schale.

Pieter sah, daß sie nicht viel jünger war als er. Sie hatte ein hübsches Gesicht, einen fast weißen Teint und lange, blonde Haare. Die Farbe ihrer Augen konnte er nicht erkennen, weil sie im Licht stand, das durch die Tür fiel.

»Ich danke dir... Anke«, sagte Pieter.

Sie lächelte, drehte sich hastig um und verschwand.

Ortelius sah ihr einen Moment nachdenklich hinterher, bevor er sich wieder Pieter zuwandte. »Ich habe mir einige deiner Arbeiten genauer angeschaut, wobei mir aufgefallen ist, daß du in der Wiedergabe kleiner Details sehr gut bist. Außerdem arbeitest du äußerst sorgfältig.«

»Das liegt mir auch besonders.« Pieter setzte die Schale an die Lippen. Das Gebräu war süß und duftete. Genau wie Anke, dachte er.

»Ich finde, daß du dein Talent vergeudest mit diesen Teppichen, für die Coecke in einem fort Entwürfe machen läßt. Du könntest bei mir viel nützlichere Arbeit verrichten.«

Pieter ließ die Schale sinken und sah den anderen erstaunt an. »Ich? Ich soll Karten zeichnen?«

»Höre ich Geringschätzung in deiner Stimme?«

»Aber nein«, entgegnete Pieter schnell. »Ich wundere mich nur über Euer Angebot. Karten zeichnen!«

»Meine Seekarten sind sehr gefragt, ich kann ohne Übertreibung sagen, daß sie auf dem Wege sind, weltberühmt zu werden. Ortelius kennt die Welt, und die Welt kennt Ortelius, das ist mein Motto.« Ortelius lächelte. »Klingt das vielleicht unbescheiden?«

»Ja«, antwortete Pieter spontan.

»Deine Ehrlichkeit ist erfrischend. Wie dem auch sei: Ich liefere so ziemlich allen großen Reedern und Kapitänen Karten, und sie wiederum bringen mir von allen befahrenen Weltmeeren ständig neue Informationen und Beobachtungsergebnisse mit, damit ich meine Karten verbessern und immer perfekter machen kann. Findest du nicht, daß das eine interessante Arbeit ist?«

»Doch, sicher«, antwortete Pieter, dem der Sinn überhaupt nicht nach Abenteuer und Romantik stand.

»Nun denn, dann tritt in meinen Dienst. Ich schaffe die Arbeit nicht mehr allein, und wirklich gute Zeichner sind schwer zu finden.«

»Ich fühle mich durch Euer Angebot geehrt«, sagte Pieter. »Es ist ein verlockender Gedanke...« Er dachte an Anke. »Aber ich bin nicht frei in meinem Tun und Lassen. Kardinal Granvelle hat mich bei Coecke untergebracht, damit ich dort die Malerei erlerne. Ohne seine Erlaubnis darf ich nichts anderes anfangen.«

»Ich habe Beziehungen, vielleicht kann ich auf diesem Wege die Erlaubnis erwirken.«

»Hm, ich fürchte, der Kardinal wird darauf bestehen, daß ich meine Malerausbildung fortsetze.«

»Ja, das ist gut möglich.« Ortelius' Stimme klang mit einem Mal verächtlich. »Gemälde bringen viel Geld ein, vor allem wenn sie durch Vermittlung der Kirche verkauft werden. Und wie wir wissen, geht der größte Teil an den Vermittler!«

»Ihr werdet wohl recht haben«, sagte Pieter. »Aber wie gesagt, ich bin nicht mein eigener Herr. Es tut mir leid...« Die letzten Worte meinte er wirklich. Ortelius gefiel ihm, und er konnte sich durchaus vorstellen, für ihn zu arbeiten, vor allem mit Anke in der Nähe.

»Ich werde es auf jeden Fall versuchen, vorausgesetzt, du bist damit einverstanden.«

»Ja«, sagte Pieter. »Aber ich habe nicht viel Hoffnung, daß es Euch gelingt.«

Er trank wieder von seinem Tee und wartete ungeduldig darauf, daß Anke die leeren Schalen holen würde. Als sie tatsächlich einige Minuten später kam, achtete er auf jede ihrer Bewegungen. Er bemühte sich zwar, dies unauffällig zu tun, doch Ortelius entgingen seine Blicke nicht.

»Wahrscheinlich ist es schon eine Weile her, daß du ein Mädchen aus der Nähe gesehen hast?«

Pieter stieg das Blut ins Gesicht. Er sah Ortelius verschämt an, doch dieser lächelte nur gutmütig. »Coecke läßt mich nicht oft weggehen«, erklärte er.

Der andere grinste. »Und das nicht zu Unrecht, wie wir heute gesehen haben.« Er wartete, bis Anke weg war, bevor er mit gedämpfter Stimme sagte: »Anke ist gewiß anziehend, aber sie besitzt auch einige Untugenden...«

Als Ortelius nicht sofort weitersprach, fragte Pieter ein wenig ungeduldig: »Und die sind?«

»Sie ist furchtbar neugierig, immer und überall muß sie heimlich lauschen. Außerdem ist sie recht... äh... streitlustig.«

»Jobbe würde sagen: Wer nicht neugierig ist, wird nie etwas wissen.«

»Und wer ist dieser Jobbe?«

»Ein Freund, ein alter Freund...« sagte Pieter abwesend, wobei er das Mädchen für einen Augenblick vergaß.

»Ich werde sie zu Coecke schicken, um ihm Bescheid zu geben.«

»Das ist nett«, sagte Pieter, der es lieber gesehen hätte, wenn Ortelius gegangen und Anke geblieben wäre. »Was hat ihr Vater verbrochen?«

»Eine Ungerechtigkeit angeprangert.« Ortelius schüttelte langsam den Kopf. »Du wirst sicher schon einmal von dem Ingenieur Gilbert van Schoonbeke gehört haben, oder?«

»Der Name kommt mir bekannt vor, ja... Hatte er nicht etwas mit Brauereien zu tun?«

»Genau, er hat ein hydraulisches System erfunden, durch das die Bierbrauereien der Bürger mit Wasser versorgt werden können. Daraufhin erließen die Behörden eine Verordnung, nach der die kleinen Brauer, die natürlich für solch ein System kein Geld hatten, nicht mehr arbeiten dürfen, sozusagen aus hygienischen Gründen.«

»Ja, jetzt erinnere ich mich wieder. Gab es nicht jemanden, der beweisen konnte, daß das Wasser der großen Brauer noch immer so schmutzig war wie das der anderen, trotz ihrer schönen Anlagen?«

»Genau, und dieser jemand ist mein Bruder Gwijde.«

»Hat man ihn deshalb in den Kerker geworfen?«

»Nicht ganz, sie haben ihn erwischt, als er so dumm war, eine Aufrührerbande anzuführen, ein paar arbeitslose Brauer, die vorhatten, die Anlagen der großen Brauer zu demolieren.«

»Und da werft Ihr mir vor, daß ich unvorsichtig bin!«

»Gerade deshalb, ich weiß, wie dumm es ist, sich gegen die Regierung oder die Kirche aufzulehnen.«

»Sieht denn Anke ihre Mutter noch?«

»Ab und zu, ja. Dieses Weib ist zu seinen Eltern zurückgegangen.«

»War sie denn wirklich so schlimm?«

»Sie ist eine sehr nette Frau, solange man nicht mit ihr verheiratet ist!« Ortelius lachte.

»Oh!« Ortelius wurde ihm immer sympathischer. Er stimmte in sein Lachen ein, doch als ihm seine eigenen Eltern einfielen, wurde er sofort wieder ernst. »Meine Eltern sind verschwunden«, sagte er. »Und niemand scheint zu wissen, wo sie sind, oder man will es mir nicht sagen.«

Ortelius nickte. »Ich habe von der Geschichte gehört. Vielleicht kann ich irgendwo etwas in Erfahrung bringen.«

»Das haben mir auch schon andere versprochen.«

»Das ist alles nicht so einfach, Chaos und Mißstände werden immer größer. Die Obrigkeit bringt Menschen mit derselben Leichtigkeit um, mit der sie Ratten ausmerzt, und vergißt sie auch genauso schnell.«

»Manchmal denke ich daran, diesem verdammten Land Lebewohl zu sagen und wegzugehen, ganz weit weg...« sagte Pieter vor sich hin.

Ortelius zuckte mit den Schultern. »Das wird nicht viel helfen, es ist überall dasselbe, selbst in Amerika, überall, wo die spanische Krone mit eiserner Faust regiert. Das einzige, was du tun kannst, ist, deinen Status zu verbessern, versuchen, zum Bürgertum aufzusteigen, etwas, das für dich – mit deinem Talent – sicher keine Unmöglichkeit ist.«

»Ach was, ich bin nur ein einfacher Bauernsohn...«

»Der schon mit einem Bein in der Malergilde steht und außerdem den Schutz einer der höchsten Autoritäten in diesem Land genießt. Falsche Bescheidenheit ist kein Verdienst, Pieter!«

»Mir kommt es aber nicht so vor, daß ich so großes Glück habe. Noch heute mußte mich jemand von der Straße aufsammeln!«

»Wenn dir die Götter übel gesinnt wären, hätten sie dich vermodern lassen.«

Pieter seufzte. »Vielleicht habt Ihr ja recht...« Er dachte wieder an Anke, die durch dieses Ereignis in sein Leben getreten war. Vielleicht sah er tatsächlich alles zu schwarz.

»Ich muß an die Arbeit«, verkündete Ortelius. »Sobald du wieder auf den Beinen bist, mußt du dir das eine und andere einmal genauer anschauen, du wirst die Kartographie sicher interessant finden.«

»Daran habe ich keinen Zweifel.«

»Und noch etwas...« Ortelius reichte Pieter die Hand. »Es würde mich freuen, wenn du mich Bram nennst.«

Pieter blickte ihm nach, bis er das Zimmer verlassen und die Tür hinter sich geschlossen hatte. Durch Ortelius' Handdruck war ihm warm ums Herz geworden. Ich habe einen neuen Freund, dachte er. Vielleicht meinte es das Schicksal wirklich besser mit ihm, als er selbst glaubte...

Es dauerte einige Tage, bis Pieter wieder herumgehen konnte, ohne daß ihm ständig schwindlig wurde. Die Festlichkeiten in Antwerpen waren inzwischen vorbei, die Stadt war wieder von ihrer altbekannten Betriebsamkeit erfüllt.

Pieter ging nicht sofort in die Werkstatt, sondern machte zuerst einen Umweg zum Markt, um Jobbe aufzusuchen. Es nagte noch immer an seinem Gewissen, daß er zu dem alten Fischer so unfreundlich gewesen war. Das wollte er wieder gutmachen, ehe er zu Coecke ging.

Die Stelle, an der Jobbe sonst immer saß, war leer. Im Wirtshaus wußte niemand, wo er geblieben war. Die Leute sagten, daß sie ihn schon seit ein paar Tagen nicht mehr gesehen hätten. Doch als Pieter wieder ging, wurde er mitten auf dem Marktplatz von einem älteren Mann eingeholt, der ihm vom Wirtshaus aus gefolgt war.

Der Mann hielt ihn fest und sagte: »Die Spanier waren es, sie haben ihn verhaftet und mitgenommen.«

»Die Spanier? Wann ist das passiert?«

Der Mann blickte ängstlich zum Wirtshaus hinüber. »Vor vier Tagen, sie kamen extra wegen ihm.«

»Himmel, nein!« rief Pieter erschrocken. »Wißt Ihr, was sie mit ihm gemacht haben?«

»Natürlich in den Kerker geworfen, was denn sonst!«

»Danke, bester Mann«, sagte Pieter.

Er vergaß Coecke und die Werkstatt, drehte sich um und eilte zum Steen, der kaum eine Meile entfernt lag.

Unterwegs mußte er seinen Schritt verlangsamen, weil es ihm wieder vor den Augen flimmerte. Offensichtlich wirkten die Schläge auf den Kopf noch immer nach.

Der spanische Wächter am Eingang des Steen weigerte sich, auch nur ein Wort Flämisch zu sprechen, wenn er das überhaupt konnte. Er ließ Pieter nicht hinein. Man hatte eine Liste mit Dutzenden Namen von Gefangenen ausgehängt, aber Pieter konnte nicht gut genug lesen, um festzustellen, ob der Name des Fischers dabei war. So mußte er unverrichteter Dinge wieder gehen.

Mutlos schlenderte er zum Scheldeufer, wo er sich auf einen Holzsteg setzte und aufs Wasser starrte.

Es war Flut, und das unter dem klaren Himmel blau leuchtende Wasser strömte schnell landeinwärts. Vor dem Steen lagen zwei spanische Galeonen am Kai, ansonsten war auf der Reede auffallend wenig Betrieb. Die meisten Schiffe hatten den schon seit mehreren Tagen zunehmenden Südostwind genutzt und waren mit Backstagwind aufs Meer hinausgefahren. In den Niederlanden kam der Wind meistens aus westlicher Richtung; dadurch konnte man problemlos die Schelde stromauf segeln, das Verlassen des Hafens war dagegen oft schwierig.

In der Mitte des Flusses waren einige Fischer mit kleinen Booten bei der Arbeit. Pieter wußte, daß sie Lachs für das Antwerpener Volk und Krebse für die Bürger fingen. Genauso wie Jobbe es jahrelang getan hatte. Bis ein törichter Bauernsohn sein Leben gründlich auf den Kopf gestellt hatte.

»Was machst du da?«

Pieter schreckte auf, als er die barsche Stimme hinter sich hörte. Er stand auf und sah einen älteren Mönch vor sich, der ihn unfreundlich anblickte. »Nichts«, sagte Pieter. »Ich habe nur aufs Wasser geschaut.«

»Nichts? Müßiggang ist aller Laster Anfang, hast du das nicht in der Schule gelernt?«

»Ich bin nicht zur Schule gegangen«, erwiderte Pieter mit einem unbehaglichen Gefühl.

»Nichts gelernt, nicht bei der Arbeit, wovon lebst du dann? Wahrscheinlich vom Stehlen und Betrügen, oder?«

»Ich bin Maler«, sagte Pieter. »Ich bin bei Pieter Coecke van Aelst in der Lehre.« Geistesgegenwärtig setzte er eilig hinzu: »Ich habe mir die Gegend angeschaut, um Anregungen für meine Arbeit zu bekommen, um die Stimmung hier an der Schelde aufzufangen.«

»So? Du siehst nicht gerade aus wie ein Maler.« Der Mönch musterte Pieter geringschätzig von Kopf bis Fuß. »Wenn du mich fragst, gehörst du eher aufs Land.«

»Da komme ich auch her, ich stamme aus einer Bauernfamilie. Ihr habt ein besonders scharfes Auge.« *Du mußt genauso hinterlistig sein wie deine Feinde...*

Das Kompliment schien dem Mönch zu schmeicheln, auch wenn es aus dem Munde eines Nichtsnutzes stammte. In milderem Ton sagte er: »Ich habe keine Zeit, deine Behauptungen zu überprüfen. Also scher dich fort, ich will dich hier nicht noch mal herumlungern sehen!« Ohne Pieters Reaktion abzuwarten, wandte er sich ab und ging fort. Er hielt den Kopf gesenkt und hatte die Hände in die Ärmel seiner Kutte gesteckt.

Voller düsterer Gedanken blickte Pieter der gespenstischen Figur nach. Die Begegnung hatte eine alte, sehr unliebsame Erinnerung in ihm wachgerufen. Irgendwo bewahrte er noch immer eine Skizze mit einem Galgen und einer Elster auf. Plötzlich verspürte er den heftigen Wunsch, nach dieser Skizze ein Gemälde zu malen, um die dramatische Szene ein für allemal aus seinem Kopf zu verbannen. Coecke würde sicher nichts dagegen haben, er überließ ihm sogar immer häufiger die Wahl der Motive und Themen für große dekorative Werke und Wandbehänge. Das hatte natürlich auch mit der enorm gestiegenen Nachfrage nach diesen Arbeiten zu tun. Auch wenn nicht ganz eindeutig war, ob Pieters Beitrag den Grund für die große Nachfrage darstellte.

Pieter warf einen letzten finsteren Blick auf den Steen, der im Sonnenlicht viel freundlicher aussah, als er in Wirklichkeit war. Dann machte er sich auf den Weg zur Werkstatt, die er in Ermangelung eines Besseren mittlerweile als sein Zuhause betrachtete.

9

Nachdem Ende Oktober der erste Schnee gefallen war, begann es Mitte November zu frieren. Der Winter brach über die Niederlande herein und sollte monatelang hartnäckig andauern. Auf der Schelde wurde die Schiffahrt wegen des zunehmenden Eises eingestellt. Bis Antwerpen fror der Fluß sogar ganz zu, so daß man ihn zu Fuß überqueren konnte. Vor allem den älteren Menschen gefiel es ganz und gar nicht, daß das Eis die beiden Ufer miteinander verbunden hatte. Denn auf der anderen Seite hausten nicht nur Räuber und andere Verbrecher, sondern dort spuckte es auch. Nachts wurde das Scheldeufer zwar besonders gut bewacht, doch was konnten Musketen und Hellebarden gegen diese unwirklichen Bedrohungen ausrichten, vor denen man sich gerade in der langen dunklen Jahreszeit fürchtete?

In den Kerkern des Steen erfroren Gefangene, was der Obrigkeit nicht ungelegen kam. Die meisten von ihnen waren Verbrecher, deren Vergehen für eine Hinrichtung nicht schwer genug war. Da aber in den Kerkern Platzmangel herrschte, führte ihre lange Inhaftierung zu zusätzlichen Schwierigkeiten. Diejenigen, die starben, waren in der Regel sowieso schon krank oder schwach. Die meisten verschwanden genauso anonym, wie sie gelebt hatten. Wer trauerte schon um ein paar Landstreicher, Taschendiebe oder einen Bettler, an dem ein Bürger Anstoß genommen hatte, oder um jemanden, der einfach nur so dumm gewesen war, einer Truppe spanischer Soldaten in die Arme zu laufen?

Brennholz war in der Umgebung von Antwerpen schon seit langem ein rares Gut. Die noch übriggebliebenen Wälder wurden von den Eigentümern schwer bewacht. Mit scharfen Hunden und Wolfsfallen versuchten sie, die Holzdiebe fernzuhalten.

Manche wagten es in ihrer Verzweiflung sogar, nachts Galgen abzureißen, um ihre Häuser beheizen zu können. Bauern brachen ihre Speicher ab und machten sie zu Brennholz oder holten das Ried von den Dächern, um es an ihr ausgehungertes Vieh zu verfüttern, das wiederum Wolfsrudeln zum Opfer fiel, die ganze Gehöfte überfielen.

Bei Bergen op Zoom trieb ein Schiff an, dessen gesamte Besatzung erfroren war, zur Freude der Strandräuber, die es sofort abwrackten und so wieder für einige Tage ihre zugigen Häuser vor dem Frostwetter schützen konnten. Ohne Feuer gab es weder Essen noch Trinken, selbst das Brot gefror im Schrank. So manche Familie versuchte zu überleben, indem sie alle gemeinsam unter einen Stapel dicker Dekken krochen und um besseres Wetter beteten.

Die Bürger dagegen waren auf Brennholz nicht mehr angewiesen. In ihren Steinhäusern hatten sie neuartige Öfen, in denen sie Kohlen verheizten. Wenn es windstill war, was im kalten Winter öfters vorkam, hing der Rauch all dieser Kohleöfen wie eine erstickende Glocke über der Stadt. Mehr als ein Tuberkulosekranker krepierte in diesem Klima von Kälte, Feuchtigkeit und beißendem Rauch. Auch um sie scherte sich kaum einer, fielen sie doch der Gesellschaft sowieso nur zur Last. In regelmäßigen Abständen loderten die Holzstösse hoch auf, wenn ihre Leichen verbrannt wurden. Wegen des steinhart gefrorenen Bodens konnte niemand begraben werden.

Der Winter hatte aber auch einige erfreuliche Seiten. Zum Beispiel konnte man auf den Gewässern rund um die Befestigung und vor allem auf der Schelde Schlittschuh laufen, zum großen Erstaunen der spanischen Besatzer, die so etwas noch nie gesehen hatten.

Die Eisfläche auf der Schelde war sehr uneben, da sie aus aneinandergefrorenen Schollen bestand. Die große Kunst war es nun, in schnellem Tempo über all die Erhebungen und Risse zu sausen, wobei die riesigen Schneewehen noch ein zusätzliches Hindernis darstellten.

Am Wall entlang der Stadt hatte man Stände auf dem Eis aufgebaut, an denen Zuckerwerk und Suppe verkauft wurden. Je länger der Winter andauerte, um so mehr Stände kamen hinzu, schließlich war ein richtiger Markt entstanden, auf dem nicht nur für das leibliche Wohl gesorgt wurde, es gab auch allerlei Krimskrams zu kaufen, von wollenen Kniewärmern bis hin zum indianischen Talisman aus Amerika. Die Händlerinnen saßen auf einem Stuhl und hatten ein Kohlebecken zwischen den Beinen, um die Kälte unter ihren Röcken zu vertreiben.

Wenn es auf der Schelde still wurde, konnte man hören, wie die wenigen zurückgebliebenen Schiffe am Kai unter dem gewaltigen

Druck des Eises knarrten. Aber sie zerbrachen nicht, denn ihr Rumpf war so gebaut, daß das Eis sie einfach hochdrückte. Die Kälte schützte sie zudem vor Verrottung und bedeutete für die Ratten im Schiffsboden den sicheren Tod. Gefährlich würde es erst, wenn das Tauwetter einsetzte und das aufgestaute Eis gegen den Schiffsrumpf drückte.

In der Stadt bauten die Kinder aus dem Volk riesige Schneemänner. Sie gaben ihnen Namen von verhaßten Leuten und bewarfen sie dann unter Gejohle mit Schneebällen, bis sie völlig ramponiert waren. Wenn eine spanische Patrouille auftauchte, verschwanden die Kinder in den Häusern, so schnell, wie Kaninchen in ihre Höhlen flüchten. Denn allen hatte man erzählt, daß die Spanier Kinder zerstückeln und auffressen würden. So wagte sich kein Kind auf die Straße, wenn wieder einmal in der Ferne Waffengeklirr ertönte oder Helme und Brustharnische aufblitzten.

Die spanischen Soldaten konnten dem kalten Winterwetter wenig abgewinnen. Da sie im warmen Süden aufgewachsen waren, litten sie viel mehr darunter als die Menschen, die sie unter der Fuchtel hatten. So reichte oft schon der geringste Anlaß, und sie schlugen blindlings drauflos.

Während der Wintermonate hatte Pieter Bruegel größeres Heimweh nach dem Bauernhof als sonst. Im Winter war nur wenig zu tun gewesen, die Familie hatte viel Zeit am Herdfeuer verbracht und sich lustige, spannende oder gruselige Geschichten erzählt. Pieter vermißte diese Gemütlichkeit und die Suppe aus getrockneten Erbsen und geräuchertem Speck, das Brot mit Johannisbeermarmelade, die süßen, runzeligen Winteräpfel und den Eintopf mit gepökeltem Schweinefleisch. Es gab Momente, in denen er das mürrische, gegerbte Gesicht seines Vaters und den etwas koketten Augenaufschlag seiner Mutter so deutlich vor sich sah, daß er glaubte, seine Eltern berühren zu können. Aber wenn er dann ihre Züge zeichnen wollte, begannen die Bilder zu verschwimmen, als wollte sich die Erinnerung nicht in sichtbaren Linien festhalten lassen.

Am Ende des Winters, nachdem das Tauwetter und die Überschwemmungen vorbei waren und die großen Straßen wieder benutzt werden konnten, reiste Coecke nach Brüssel, um eine zweite Werkstatt einzurichten. Er hatte vor, längere Zeit wegzubleiben.

Marieke blieb zu Hause, um die Antwerpener Werkstatt zu leiten und jene Schüler und Gehilfen zu unterrichten, die nicht nach Brüssel mitgingen.

Vor seiner Abreise nahm Coecke Pieter kurz beiseite.

»Du bist mein bester Schüler«, begann Coecke. »Vielleicht sogar der beste, den ich jemals ausgebildet habe. Du hast großes Talent, und deine Technik wird immer besser...« Er schwieg und starrte gedankenverloren auf das Bild, das Pieter gerade malte. Es war eine weite Landschaft mit einem pflügenden Bauern, einem Hirten und Schafen im Vordergrund und einer Bucht mit einem Segelschiff im Hintergrund. Das Gemälde stellte den Sturz des Ikarus dar, doch Ikarus selbst würde ein unwichtiges Detail der Gesamtkomposition sein, gleichsam beiläufig hinzugefügt. Wie üblich dominierte die Landschaft.

Coecke wandte den Blick vom Bild ab. »Marieke kommt zwar auch allein zurecht, aber ich möchte dich trotzdem bitten, ihr zur Seite zu stehen. Ich hoffe und erwarte, daß du deine Unbesonnenheit bezwingst. Trotz deiner Kapriolen habe ich Vertrauen zu dir. Versprich mir, dieses Vertrauen nicht zu enttäuschen.«

Pieter fühlte sich Coecke, der ihn mit ernstem Blick ansah, ausgeliefert. Er war diese Art von Gesprächen nicht gewohnt, der Meister sprach mit ihm höchst selten über etwas anderes als die Arbeit. »Ich werde mein Bestes tun...« sagte er unsicher.

Coecke seufzte. »Mehr kann ich wahrscheinlich auch nicht verlangen...«

Pieter bemerkte die tiefen Falten im Gesicht des anderen und den fiebrigen Glanz seiner Augen. Plötzlich wußte er, daß er Coecke nicht mehr wiedersehen würde. Diese Gewißheit überfiel ihn mit solcher Heftigkeit, daß ihm einen Moment lang schwindlig wurde. Bekümmert sagte er: »Meister, ich wünschte, Ihr würdet nicht fortgehen!«

Coeckes Blick wurde sanfter. »Der Mensch kann seinem Schicksal nicht entgehen«, sagte er. »Es wird dich immer finden, ob du nun ans andere Ende der Welt reist oder dich im Keller einschließt. Man kann nur eines tun: versuchen, seine Ehre und seinen Stolz bis zuletzt zu bewahren.«

»Ich zweifle nicht an Euren Worten, Meister«, sagte Pieter mit tonloser Stimme.

Coecke reichte ihm die Hand. Als Pieter zögernd einschlug, sagte Coecke: »Dein Talent ist ein Geschenk des Himmels, Junge. Pflege es, laß es unter keinen Umständen verkümmern, sondern weiter reifen, gebrauche es, um dir selbst und der Welt Freude zu bereiten. Ich habe bereits mit der Gilde gesprochen. Es wird nicht mehr lange dauern, bis du zum Meister ernannt wirst...«

»Deine Kutsche ist da«, rief Marieke, die mit Mayken an der Hand die Treppe hinunterkam. »Bist du fertig?«

»Lebewohl, Pieter«, sagte Coecke so leise, daß es nur Pieter hören konnte. Er ließ seine Hand los und wandte sich ab. Dann sagte er mit ganz anderer Stimme: »Auf nach Brüssel, damit ich meinen Expansionsdrang befriedigen kann!« Er umarmte seine Frau und hielt Mayken in die Höhe. Das Kind kreischte vor Vergnügen. »Sei lieb zu deiner Mutter«, ermahnte er seine Tochter. »Wehe dir, wenn ich Klagen höre!« Er setzte sie auf den Boden und gab ihr einen leichten Klaps aufs Hinterteil. Danach nahm er Marieke die Reisetasche ab und ging zur Tür, wo der Kutscher bereits ungeduldig auf ihn wartete. »Ich lasse dich bald wissen, wie es mir in Brüssel ergeht«, versprach er noch.

Als er weg war, sagte Marieke: »Ich verstehe nicht, warum er unbedingt weggehen wollte, er weiß doch, wie krank er ist...«

Vielleicht würde ich auch abhauen, wenn mir der Tod bevorstünde, dachte Pieter. Mich verstecken, weil ich mich für meine Schwäche schämen würde... Laut sagte er: »Ich finde es mutig von Meister Coecke, daß er sich nicht in die Ecke setzt und Trübsal bläst.«

»Warum müssen Männer nur immer mutig sein? Was habe ich von einem Mut, der meinen Mann von mir forttreibt?« Marieke blickte Pieter herausfordernd an. »Erklär mir das mal, wo du doch so schlau bist!«

»Vielleicht möchte er Euch schonen...« erwiderte Pieter, dem unbehaglich zumute war.

»Ach, Unsinn!«

Marieke nahm Mayken an die Hand, eilte zur Treppe und ging stampfend nach oben.

Pieter seufzte und nahm lustlos Palette und Pinsel, die er auf den Tisch gelegt hatte. Er versuchte sich auf das Bild zu konzentrieren. Um richtig arbeiten zu können, mußte er alle Gedanken und Eindrücke verbannen, die nichts mit dem Gemälde zu tun hatten. Doch Coeckes Abschied lastete wie Blei auf ihm.

Schließlich legte er Palette und Pinsel wieder hin und starrte mit leerem Blick vor sich hin. Er versuchte sich vorzustellen, wie es ohne die vertraute Gegenwart Coeckes in der Werkstatt sein würde. Doch so durfte er nicht denken, Coecke war noch nicht tot, und es hatte keinen Sinn, sich in melancholischen Gedanken zu ergehen.

Er stand auf und sah kurz zu Floris hinüber, der mit einem anderen Schüler an einem Entwurf für einen Wandbehang arbeitete. Dann ging er zur Treppe. Die beiden beachteten ihn nicht.

»Wo ist deine Mutter?« fragte er Mayken, die in der Küche auf dem Boden saß und spielte.

Ohne den Blick zu heben, wies das Kind zum Schlafzimmer. Sofort widmete sie sich wieder ihrer Puppe, die sie in die merkwürdigsten Haltungen verdrehte.

Marieke saß auf dem Bettrand und starrte ins Leere. Als Pieter hereinkam, blickte sie auf. »Ich wollte nicht unfreundlich zu dir sein«, sagte sie. »Aber manchmal wird einem einfach alles zuviel...«

Pieter setzte sich neben sie. »Ich mag ihn auch, mehr, als mir bewußt war...«

»Ja...« sagte Marieke. Sie blieb einen Moment bewegungslos sitzen, doch dann sprang sie plötzlich so energisch auf, daß das Bett federte. »Jetzt haben wir aber genug um diesen alten Dickkopf getrauert! Laß uns Tee trinken gehen.«

Pieter folgte Marieke in die Küche, erstaunt darüber, mit welcher Selbstverständlichkeit er sich plötzlich durch das Haus bewegte.

Als die ersten schönen Frühlingstage kamen, ging Pieter regelmäßig mit Mayken spazieren. Marieke hatte wenig Zeit, da sie von ihrer Arbeit völlig in Beschlag genommen wurde, und Pieter übernahm es gern, sich um das drollige Kind zu kümmern.

Bei einem dieser Spaziergänge in der Innenstadt wurden sie Zeugen eines Tumults. Pieter mied von vornherein die Gegenden, in denen es gefährlich werden konnte, aber diesmal war der Krawall in einem der besseren Stadtviertel ausgebrochen.

Pieter nahm Mayken auf den Arm und sah aus einiger Entfernung zu, wie eine kleine Schar von Männern und Frauen über einige Arbeiter herfielen, die gerade ein Steinhaus bauten. Sie schrien, zeterten und traktierten die Arbeiter mit Tritten und Schlägen. Dann begann die blindwütige Horde unter großem Gejohle die bereits hochgezogenen Mauern abzureißen.

Mayken sah mit großen Augen zu. Sie schien keine Angst zu haben, sondern verwundert und neugierig zu sein. »Toll, was?« sagte sie zu Pieter, als sie sich endlich ihren eigenen Reim auf das Geschehen gemacht hatte.

»Ja, Prügeln ist toll, und Abreißen auch ...« Pieter wollte sich gerade umdrehen und weggehen, als in der Straße hinter ihm laute Hufschläge ertönten. Schnell brachte er sich und das Kind in einem Hauseingang in Sicherheit. Kurz darauf ritt ein Dutzend spanische Soldaten ohne erkennbare Eile an ihnen vorbei. Sie postierten sich nebeneinander auf dem leeren Platz vor der Baustelle und erhoben ihre Hellebarden, dann ritten sie nach einem Befehl ihres Anführers in die Menge hinein.

Entsetzt sah Pieter, wie die Soldaten auf die unbewaffneten Menschen einschlugen. Auch die Frauen wurden nicht verschont. Inmitten des Blutbads schrien Verwundete in Todesangst, die Pferde schnaubten, bäumten sich auf und versetzten die Menschen mit ihrem wilden Getrappel in Angst und Schrecken. Die Menge brach in blinde Panik aus.

Die meisten versuchten in die angrenzenden Straßen zu entkommen. Verfolgt von den Spaniern, die wie besessen ihre Pferde anspornten, rannten sie an dem Eingang vorbei, in dem sich Pieter, das Kind an sich drückend, versteckte.

Da entdeckte er plötzlich in einer Gruppe rennender Leute, die in seine Richtung kam, ein bekanntes Gesicht. Ohne nachzudenken, machte er einen Schritt nach vorn und schrie so laut er konnte: »Anke!«

Eigentlich konnte das Mädchen seine Stimme inmitten des Lärms kaum gehört haben, doch sie blickte zu Pieter und erkannte ihn sofort. Er sah, wie ihre Lippen seinen Namen formten, während sie die Richtung änderte und auf ihn zulief. Ein Spanier, der seine Hellebarde verloren hatte, schlug mit seinem Rapier nach ihr, doch wegen ihrer unerwarteten Richtungsänderung verfehlte er sie. Daraufhin gab er seinem Pferd die Sporen und ritt einer anderen Gruppe hinterher.

»Pieter!« Anke fiel ihm so stürmisch um den Hals, daß er zusammen mit ihr nach hinten stolperte, zurück in den sicheren Hauseingang.

Sie war zwar schmutzig und hatte zerzauste Haare, aber weiter schien ihr nichts passiert zu sein. Ihre Nägel drangen schmerzhaft durch die Ärmel seines Wamses, als sie sich an ihn klammerte.

Mayken hatte nun Angst bekommen und begann zu weinen. Sie drückte ihr Gesicht an Pieters Hals, um nicht mehr zu sehen, was um sie herum geschah.

»Sie bringen uns um!« stieß Anke aus. »Diese verdammten Dreckskerle bringen uns um!«

Entsetzt blickte Pieter, der den Arm um sie gelegt hatte, über ihre Schulter. Ein grausamer Anblick bot sich ihm dar. Diejenigen, die nicht hatten flüchten können, lagen tot oder verletzt auf dem Boden. Überall wurde gewimmert und geweint. Nun sah Pieter, daß die Spanier auch die Arbeiter von der Baustelle nicht verschont hatten. Einige von ihnen waren der gnadenlosen Attacke der Reiter zum Opfer gefallen.

»Ich glaube, es ist vorbei«, sagte Pieter mit heiserer Stimme. »Wir sollten zusehen, daß wir von hier wegkommen...«

Kaum hatte er das gesagt, hörte er wieder Hufgetrappel. Aus einer Seitenstraße kam der Anführer der Spanier zusammen mit zwei Soldaten angeritten.

Pieter versuchte sich möglichst klein zu machen, aber der Offizier hatte sie schon gesehen. Er ritt langsam bis zum Hauseingang, holte eine Pistole aus seinem Waffengürtel und stieg ab. »Komm raus!« befahl er auf flämisch. Er richtete die Pistole auf Pieter, der zögernd einen Schritt nach vorn machte. Er schwankte durch das Gewicht von Mayken auf seinem Arm und wegen Anke, die sich noch immer an ihn klammerte.

»*Cómo te llamas? Estás solo aquí o has venido con sus amigos?... Comment tu t'appelles?*« Der Offizier schnaubte verärgert, als keine Antwort kam. »Dummköpfe!« schnauzte er auf flämisch. »Wer seid ihr und was tut ihr hier?«

»Mein Name ist Pieter Bruegel...« Pieter versuchte Maykens

Arm um seinen Hals zu lockern, um besser sprechen zu können. »Ich bin Maler und arbeite bei Pieter Coecke. Das sind meine Frau und meine Tochter. Wir sind zufällig hier vorbeigekommen und haben uns versteckt, weil wir da nicht hineingeraten wollten...«

Pieter wartete ängstlich darauf, wie der Offizier auf seine Lüge reagieren würde. Er konnte fast fühlen, wie ein Schuß aus der auf ihn gerichteten Pistole seine Brust traf. Feuerwaffen flößten ihm viel mehr Angst ein als Rapiere oder andere Stich- und Hiebwaffen.

Der Offizier zog eine Augenbraue hoch. »Du bist Pieter Bruegel? Soso...« Er steckte die Waffe weg. »Es war mir gar nicht bekannt, daß du verheiratet bist. Zeig dein Gesicht, Weib!«

»Tu besser, was er sagt!« flüsterte Pieter Anke ins Ohr.

Ohne Pieter loszulassen, wandte Anke langsam den Kopf und schaute den Offizier an.

»Für so ein so großes Kind scheinst du mir aber noch recht jung zu sein«, bemerkte er. »Und wie kommt es, daß dein Gesicht und deine Kleider so dreckig sind?«

»Ich wollte zuerst nicht auf meinen Mann hören und habe versucht, zu flüchten«, antwortete Anke. »Aber dann bin ich gestolpert und hingefallen...«

»Wie heißt du?«

»Anke Ortelius.«

»Bist du mit einem gewissen Abraham Ortelius, Zeichner von Seekarten, verwandt?«

»Er ist mein Onkel.«

Jetzt ist es soweit, dachte Pieter verzweifelt, jetzt wird der Schweinehund dahinterkommen, daß ihr Vater im Kerker sitzt, und dann gnade dir Gott!

Der Offizier sah sie noch ein paar Sekunden zweifelnd an. Dann drehte er sich um und ging zu seinem Pferd. Als er aufgestiegen war, rief er ihnen zu: »Ich weiß, daß mindestens die Hälfte von dem, was ihr mir erzählt habt, gelogen ist, aber wahrscheinlich gehört ihr wirklich nicht zu diesem Gesindel.« Er wies mit einer verächtlichen Gebärde auf das Schlachtfeld um ihn herum. »Schert euch weg, und achtet in Zukunft mehr darauf, wohin ihr eure Schritte lenkt.« Er ließ das Pferd auf dem Platz eine halbe Drehung machen und trabte mit den beiden Soldaten im Gefolge davon.

»Er kannte meinen Namen«, sagte Pieter verwundert.

»Puh!« Anke ließ Pieter nun endlich los. »Wenn ich nicht Ortelius heißen würde, hätten sie uns sicher festgenommen oder noch Schlimmeres mit uns gemacht!«

»Wir hätten tot sein können...« Voller Grauen blickte Pieter zu dem Blutbad auf der Baustelle. Manche Opfer hatten sich aufgerichtet und taumelten über den Platz, andere versuchten kriechend wegzukommen. »Sollten wir ihnen nicht helfen?«

Anke zog an seinem Arm. »Wir können doch nichts für sie tun. Laß uns irgendwo hingehen, wo wir sicher sind, das hier ist nichts für ein Kind.«

»Du hast recht«, stimmte Pieter zu. »Das ist nicht gut für Mayken. Soll ich dich zu deinem Onkel bringen?«

Als sie unterwegs waren, sagte Anke: »Danke, daß du mir geholfen hast. Eigentlich fand ich es ganz lustig, für einen Moment einen Mann und eine Tochter zu haben.«

»Das ist mir so spontan eingefallen...«

Ohne mit der Wimper zu zucken, hatte Pieter dem Offizier diese Lüge aufgetischt. Als wäre es völlig normal, verheiratet zu sein und Kinder zu haben. Noch nie zuvor hatte er darüber nachgedacht, daß er wohl nicht bis ans Ende seiner Tage Junggeselle bleiben würde. Er sah Anke von der Seite an. Sie sah mitgenommen aus, aber auch jetzt fand er sie immer noch anziehend.

»Was hattest du eigentlich bei diesem Lumpengesindel zu suchen?« fragte er.

»Lumpengesindel?« Anke fuhr hoch. »Leute wie du täten gut daran, sich erst mal umzuhören, bevor sie solche Dinge sagen!«

»Entschuldige«, sagte Pieter schnell. »Ich kann nur von dem ausgehen, was ich gesehen habe, und das war kein erbauliches Schauspiel.«

»Aber als diese dreckigen Spanier ankamen, da war das für dich wohl ein erbauliches Schauspiel, was?«

»Himmel, nein! Wie kannst du so was sagen?«

»Und wie kommst du dazu, uns als Lumpengesindel zu bezeichnen?«

»Habe ich mich nicht dafür entschuldigt? Ich wußte es nicht besser, das ist mir herausgerutscht.«

Interessiert fragte Mayken: »Habt ih Steit?« Obwohl sie ein aufgewecktes Kind war, konnte sie das R noch immer nicht aussprechen.

»Nein«, antwortete Anke. »Pieter macht nur Unsinn.«

»Wawum?« fragte Mayken.

»Weil er es nicht besser weiß, das hat er selbst gesagt.« Anke wandte sich an Pieter. »Magst du eigentlich Kinder?«

»Mayken schon, auch wenn sie allmählich ganz schön schwer wird.« Er setzte das Kind auf die Erde. »Und du?«

»Ich weiß nicht. Ich glaube nicht, daß ich sie die ganze Zeit um mich herum ertragen könnte.«

»Oh!« Aus irgendeinem Grund enttäuschte Pieter diese Antwort.

»Wieso oh? Findest du das vielleicht merkwürdig?« fragte Anke herausfordernd.

»Ich weiß nicht, sie können wirklich manchmal sehr lästig sein ...« Er warf einen Blick auf Mayken.

»Wenn ich den richtigen Mann hätte, sähe es vielleicht anders aus ...« Anke sah Pieter einen Moment lang berechnend an. Aber dann zuckte sie mit den Schultern. »Vielleicht bin ich ja noch zu jung, wie dieser Spanier gerade meinte, obwohl man mein Gesicht vor lauter Dreck kaum erkennen kann.«

»Es dauert nicht mehr lange, bis ich Meister werde«, sagte Pieter beiläufig.

»Herzlichen Glückwunsch.« Anke schien nicht sehr beeindruckt zu sein.

»Das bedeutet mehr Geld und Ansehen«, erklärte Pieter.

»Wirst du nun mit Onkel Abraham zusammenarbeiten?«

»Er scheint es nicht zu schaffen, mich von Coecke loszubekommen.«

Zurückblickend bedauerte Pieter das nicht. Er kam mit Ortelius gut aus, aber das Zeichnen von Karten war doch nicht so nach seinem Geschmack. Er begann, malte jetzt mit immer größerer Leidenschaft, außerdem wollte er Marieke nicht im Stich lassen.

»Du hast noch nicht auf meine Frage geantwortet«, sagte er zu Anke. »Warum hast du bei dem Überfall auf die Bauarbeiter mitgemacht?«

Ankes Gesicht verfinsterte sich. »Das sollte das neue Haus für einen der großen Brauer werden. Jetzt, wo die ganzen kleinen Brauer nicht mehr arbeiten dürfen, verdienen sich diese Schweinehunde eine goldene Nase. Und mein Vater sitzt noch immer im Steen, weil er die Wahrheit ans Licht gebracht hat. Das ist alles so ungerecht!«

»Die großen Fische fressen die kleinen...«

»Was?«

»Nur so ein Gedanke, der mir gerade kam...« Einer plötzlichen Anwandlung folgend, sagte Pieter: »Ich habe gute Beziehungen zu Kardinal Granvelle, er braucht nur mit dem Finger zu schnippen, und dein Vater ist wieder frei. Soll ich mal mit ihm sprechen?«

Anke blieb stehen und sah Pieter mit großen Augen an. »Kannst du das wirklich?«

Pieter genoß ihren Respekt. »Ich glaube schon«, antwortete er. Er versuchte den Gedanken zu verdrängen, daß ihn Granvelle wahrscheinlich aus seinem Schloß werfen lassen würde, noch bevor er überhaupt durch das Eingangstor gelangt war, wenn er bis dahin überhaupt kommen würde.

»Oh, Pieter, du bist ein Schatz!« Anke schlang einen Arm um seinen Hals und drückte ihm einen feuchten Kuß auf die Wange.

»Ich will auch einen Kuß!« verlangte Mayken. »Hie!« Sie zeigte auf ihre rechte Wange.

Unbesonnenheit, dachte Pieter, während sich Anke zu dem Kind hinunterbeugte, um ihm ebenfalls einen Kuß zu geben. Ich werde es wohl nie lassen können. Aber auf jeden Fall hatte er nun Anke für sich eingenommen, und wenn er es richtig anstellte, würde er sicher einige Wochen davon profitieren können, bis sie ihm auf die Schliche kam. Wenn es nach ihm ginge, müßte es nicht bei dem einen Kuß bleiben.

Eine Woche später ging Pieter zu Ortelius' Haus, dieses Mal ohne Mayken. Er wußte, daß Anke allein sein würde. Ortelius war zu einer Besprechung mit einem englischen Kapitän nach Brügge gereist.

Anke schien Pieters Kommen nicht zu erstaunen. Als sie ihn hineinließ, sagte sie mit einem geheimnisvollen Lächeln: »Ich habe mich schon gefragt, wo du so lange bleibst.«

»Ich habe viel zu tun, ich kann nicht die ganze Zeit faulenzen.«

»Bist du denn nicht Mariekes Günstling?«

»Ich bin nicht hergekommen, um zu streiten.«

»Weshalb bist du dann gekommen?«

»Das kannst du dir doch wohl denken«, antwortete Pieter ein wenig ungeduldig. In amourösen Dingen war er immer recht geradeheraus, Flirten hielt er für pure Zeitverschwendung.

»Hast du schon mit Kardinal Granvelle über meinen Vater und die Sache mit den kleinen Bierbrauern gesprochen?«

»Ich habe ihm geschrieben und um eine Audienz gebeten, aber natürlich habe ich noch keine Antwort bekommen. Du weißt, daß solche Dinge Zeit brauchen.«

Pieter hatte tatsächlich geschrieben, aber nicht an Granvelle selbst, sondern an Licieux. Der Vikar würde wahrscheinlich nichts tun können oder wollen, aber auf diese Weise vermied er vielleicht, den Zorn des Kardinals zu erregen. Dennoch hoffte Pieter inständig, daß er bei Licieux etwas erreichen würde. Der alte Ortelius konnte ihm gestohlen bleiben, aber er wollte gern auf Anke Eindruck machen. Er hatte sogar seinen Stolz überwunden und Floris gebeten, den Brief für ihn aufzusetzen.

»Geduld ist eine schöne Eigenschaft«, sagte Pieter.

»Und was wäre, wenn ich das zu dir auch sagen würde?«

»Was meinst du damit?«

»Ach komm, Pieter, ich weiß, daß du mit mir ins Bett willst!«

»Das ist es nicht allein«, sagte Pieter. Er errötete. »Du bist etwas Besonderes, und ich muß die ganze Zeit an dich denken. Ich möchte mit dir zusammensein, für immer!« Verlegen wich er Ankes Blick aus.

Anke schwieg ein paar Sekunden, bevor sie fragte: »Soll das ein Heiratsantrag sein?«

Pieter seufzte. »Ich weiß, daß du keine Kinder willst, aber... Gott, was soll ich denn tun?«

»Der verzweifelte Liebhaber!« spottete Anke. Doch in ihrer Stimme schwang auch Zärtlichkeit mit.

»Was sagst du dazu?«

Sie standen in Ortelius' unaufgeräumter Küche. Es war alles andere als ein romantischer Ort, doch Pieter bemerkte das nicht einmal.

Anke sah ihn wieder mit diesem berechnenden Blick an, den er inzwischen kannte und der jedesmal wieder ein Gefühl des Unbehagens in ihm hervorrief. Es kam ihm vor, als würde sie ihn taxieren und jedesmal für zu leicht befinden.

»Ich habe keine Lust, eine verheiratete Frau zu sein«, sagte sie. »Zumindest jetzt noch nicht.«

»Gibt es einen anderen?«

»Nein, zur Zeit nicht.«

»Dann hat es also schon andere gegeben?«

»Dachtest du, du wärst der einzige, der für meinen Charme empfänglich ist?«

»Darüber habe ich noch nicht nachgedacht«, antwortete Pieter wahrheitsgemäß, während ihm das Herz in die Hose rutschte. Zugleich erlosch auch seine Leidenschaft wie der Docht einer Kerze, der im Wachs ertrank.

Anke ging auf ihn zu, legte die Arme um seine Schultern und sah ihm direkt in die Augen. Mit sanfter Stimme sagte sie: »Daß ich noch nicht heiraten will, bedeutet nicht, daß ich nichts für dich empfinde.« Sie drückte ihren Unterleib gegen seinen.

Sofort loderte seine Begierde wieder auf. Gierig umschlang er den duftenden Körper, der sich an ihn schmiegte. Seine Hände fuhren über Ankes Rücken und Schenkel und rissen an ihren Kleidern. Er küßte sie mit einer Leidenschaft, wie er sie schon lange nicht mehr gespürt hatte.

Zunächst rührte sich Anke nicht, doch dann schlug der Funken der Leidenschaft auf sie über. Wollüstig rieb sie sich an Pieters angeschwollener Männlichkeit, die gegen ihren Unterleib drückte.

Plötzlich stöhnte Pieter auf, preßte Anke mit aller Kraft an sich und zuckte, als wäre er vom Blitz getroffen worden. Dann sackte er zusammen. Kraftlos hielt er sich an Anke fest, die fast das Gleichgewicht verlor.

Sein Gesicht an ihren Hals gedrückt, sagte er mit tonloser Stimme: »Jetzt ist es passiert, tut mir leid, aber ich konnte nichts machen...«

»Und du willst mich heiraten?« Anke lachte spöttisch auf. »Ich glaube, du mußt erst noch eine Menge Speck essen!«

Gekränkt schob Pieter Anke von sich weg und hielt sie auf Armeslänge an den Schultern fest. »Das ist nur passiert, weil meine Liebe zu dir so stark ist!« rief er.

»Liebe?« Anke lachte wieder. »Ich würde das aber anders nennen!

Nicht daß mir das viel ausmacht, wenn du wenigstens ein richtiger Liebhaber wärst!«

»So!« rief Pieter drohend. Seine verletzte Männlichkeit ließ Wut in ihm aufsteigen, die seine Leidenschaft erneut entfachte. Er packte Anke am Arm und zog sie mit Gewalt zur Treppe.

»Jetzt werde ich dir mal zeigen, was ein richtiger Liebhaber ist!« rief er zornig, während er sie hoch ins Schlafzimmer zerrte.

»Sei bitte vorsichtig«, mahnte Anke, als Pieter sie aufs Bett warf und begann, ihr die Kleider vom Leib zu reißen. Ihre Spottlust war verschwunden, sie sah nun eher beunruhigt aus, was Pieter in seiner Erregung völlig entging.

Später, als sie den Mund öffnete und einen Schmerzensschrei ausstoßen wollte, unterdrückte er jeden Laut von ihr mit seinen Küssen, während er wie ein Tier mit roher Gewalt in sie eindrang. Ankes Geruch, ihr nackter Körper, die viel zu lange Zeit der Enthaltsamkeit und ihre Provokationen hatten eine Urkraft in ihm entfesselt, die ihn sich selbst vergessen ließ. Sie riß ihn in einem Ausbruch wilder Leidenschaft mit, die die Grenze zur Mordlust erreichte.

Als er erschöpft von ihr hinunterglitt, mit heftig klopfendem Herzen und schweißgebadet, und langsam wieder zu Sinnen kam, schämte er sich. Mit einer entschuldigenden Gebärde legte er eine Hand auf Ankes Arm.

»Du hast mir weh getan, Pieter...« sagte Anke. Aber sie lächelte dabei, als würde sie etwas anderes meinen.

»Verzeih mir, ich weiß nicht, was plötzlich mit mir los war, so bin ich sonst nie...«

Anke hob eine Hand, ließ sie aber sofort wieder aufs Bett sinken, als wäre sie zu schwer. »Verdirb es jetzt nicht«, sagte sie. »Ich will dieses Bild des stürmischen Liebhabers in meinem Herzen bewahren und hegen.« Sie wandte sich Pieter zu und streichelte seine Brust. »Es war den Schmerz wert...«

»Was redest du immer von Schmerz?« Plötzlich richtete er sich auf und sah an sich hinunter. »Mein Gott!« rief er. »Warum hast du mir nicht gesagt, daß du noch nie...?«

Nüchtern erwiderte Anke: »Ich kümmere mich jetzt besser um die Wäsche, bevor mein Onkel nach Hause kommt.«

»Dann hast du also das mit deinen früheren Verehrern erfunden?«

»Ich habe nicht gesagt, daß ich mit ihnen ins Bett gegangen bin.« Sie streichelte ihm wieder über die Brust. »Statt mir Vorwürfe zu machen, solltest du dich geehrt fühlen!«

»Ja, natürlich, entschuldige«, sagte Pieter unsicher. Er ließ sich zurückfallen. Jetzt, wo sein stürmischer Trieb befriedigt war, fühlte er sich seltsam leicht im Kopf und hatte kein Lust, über irgend etwas nachzudenken.

Anke spürte seine veränderte Stimmung. »Willst du mich noch immer heiraten?«

Pieter stand auf und zog sich an. »Ich will nicht noch einmal zurückgewiesen werden«, sagte er widerwillig.

Anke drehte sich auf den Bauch, legte die Hände unters Kinn und sah ihn an. »Ich bin aber nicht deine erste, oder?«

»Stimmt, ich war schon mit so manchem Mädchen im Heu«, prahlte Pieter.

»Was ich gerade erlebt habe, ist ein sehr wichtiger Moment im Leben einer jungen Frau«, sagte Anke mit leiser Stimme. »Laß uns das nicht durch kindisches Getue kaputtmachen.«

Pieter hatte sich angezogen und blickte auf Anke hinunter. Sie hatte ein Bein angezogen, so daß er sie in ihrer ganzen Weiblichkeit betrachten konnte. Beinahe ließ der Anblick ihres wohlgeformten Körpers seine Lust erneut aufflackern, aber dann sah er die Blutflekken an ihren Schenkeln und auf dem Bett, und seine Begierde erlosch sofort. »Ob du es glaubst oder nicht, ich bin mit ernsten Absichten hergekommen.«

»Bist du jetzt enttäuscht?« Sie sah ihn kokett an und bewegte herausfordernd ihr Hinterteil.

Nein, dachte Pieter mit einem Anflug von Selbsthaß. Nicht mehr, nicht bevor die Spuren meiner Gewalttätigkeit weggewischt sind...

»Vielleicht hattest du recht«, sagte er. »Vielleicht bist du wirklich noch zu jung.«

Anke stand ebenfalls auf und begann das blutverschmierte Laken zusammenzuraffen. »Ich habe Angst davor, mich zu binden«, sagte sie. »Ich will nicht wie meine Mutter auf die Straße gesetzt werden, weil ich mich nur ein einziges Mal ein bißchen vergnügen wollte. Das ist einfach ungerecht!«

»Willst du denn eine Hure werden?«

Sie ließ das Laken auf einem Haufen liegen, ging, nackt wie sie war, ums Bett herum und schlang die Arme um Pieters Hals. »Ich mag dich wirklich, und eigentlich würde ich schon gerne versuchen, mit dir zusammenzuleben, aber... Himmel, Pieter, ich will nicht an einem Tischbein festgekettet sein!«

Pieter streichelte die glatte Haut ihres Rückens und fühlte den sanften Druck ihrer Brüste an seinem Körper. Diesmal kam die Leidenschaft zurück, nicht so drängend und übermächtig wie zuvor, aber doch verräterisch eindeutig.

Anke bemerkte seine Reaktion und tastete wie beiläufig nach der Schwellung in seiner Hose. Leise fragte sie: »Schon wieder?«

Pieter nickte. Er ließ sie gewähren, als sie ihm die Kleider wieder auszog. Es würde herrlich sein, solch ein Wesen die ganze Zeit um sich zu haben, dachte er. Nie mehr mit unbefriedigtem Verlangen herumlaufen müssen, nicht mehr einsam auf einer unbequemen Pritsche schlafen müssen inmitten einer Horde von Kerlen, die schnarchten und dummes Zeug redeten, wenn sie wach waren...

Dieses Mal schliefen sie lange und zärtlich miteinander, ohne von ihren Trieben fortgerissen zu werden. Der Abend brach herein. Es wurde dunkel im Zimmer, das von dem Geruch fleischlicher Liebe erfüllt war. Sie lagen beieinander, streichelten sich und genossen das sanfte Prickeln auf der Haut.

Irgendwann sagte Anke: »Bleib heute nacht bei mir.«

»Marieke erwartet mich. Ich hätte schon vor Stunden zu Hause sein müssen.«

»Ach ja, die Meisterin. Hast du eigentlich was mit ihr?«

»Anke, sie könnte meine Mutter sein!«

»Du weißt doch: Reiten lernt man am besten auf einer alten Stute.«

»Ich werde es mir merken«, sagte Pieter. Er rollte sich zur Seite, als Anke ihn treten wollte. »Jetzt muß ich aber wirklich nach Hause!« Er zog sich zum zweiten Mal an.

Später, als sie an der Tür Abschied voneinander nahmen, sagte Anke nachdenklich: »Wir könnten in das Haus meines Vaters ziehen. Es ist groß genug für drei.«

»Da wird er sich aber freuen!«

»Kein Problem, ich wickle ihn sowieso um den Finger.«

»Das heißt also, daß du mit mir zusammensein willst?«
»Ich will es versuchen.«
»Aber dann ohne zu heiraten?«
Anke nickte. »Ohne zu heiraten...«

Eigentlich war das gar keine so schlechte Idee, dachte Pieter, während er mit einer Hand am Dolch durch die dunklen Straßen zur Werkstatt ging. Er würde eine anziehende Frau ohne die dazugehörigen Verpflichtungen haben, und er würde in einem anständigen Haus wohnen, daß nur einen Steinwurf von seiner Arbeitsstätte entfernt lag. Er begann sich zu fragen, warum er nicht sofort auf Ankes Vorschlag eingegangen war.

Sein Schritt wurde leichter. Das Schicksal schien es tatsächlich hin und wieder gut mit ihm zu meinen.

10

Acht Tage später wurde Pieter nach Canticrode gerufen.

»Sie wollen sicher wissen, wieviel ich schon gelernt habe«, sagte er zu Marieke. Bisher hatte er noch nicht den Mut gefunden, ihr von seinen Plänen mit Anke und dem Brief an Licieux zu erzählen. Marieke wußte zwar, daß er eine Freundin hatte, aber nicht, wie ernst die Sache war. Er wußte einfach noch nicht, wie er es ihr sagen sollte.

»Soll ich die Radierungen einpacken, die du in den letzten Wochen gemacht hast?« fragte Marieke. Ihre Stimme klang nervös, so wie jedes Mal, wenn der Schatten Kardinal Granvelles über die Werkstatt fiel.

»Nein«, antwortete Pieter, der seine Besorgnis zu verbergen versuchte. »Dann hätten sie danach fragen sollen.«

Zwei Wochen lang hatte er gehofft, daß sein Brief keine Folgen haben würde. Andererseits dachte er an Anke, die jedesmal fragte, ob er noch nichts von ihrem Vater wüßte, und vor der er sein Ansehen nicht verlieren wollte.

»Wenn sie meine Werke sehen wollen, können sie das jederzeit, Canticrode liegt nur ein paar Bogenschüsse von hier entfernt«, meinte er.

Es war ein beunruhigender Gedanke, daß der Kardinal sich oft ganz in seiner Nähe aufhielt. Zwar tauchte er nie auf, aber das konnte sowohl bedeuten, daß Pieter ihm nicht wichtig war, als auch, daß er über jeden seiner Schritte informiert wurde.

»Sei vorsichtig«, sagte Marieke, bevor sich Pieter auf den Weg machte. Sie gab ihm einen Kuß auf die Wange. »Und halt vor allem deine Zunge im Zaum!«

Der Kutscher, der Pieter nach Mortsel brachte, wurde von einem Diener von Licieux bezahlt. Er bekam die Anweisung, im Innenhof zu warten, bis sein Fahrgast wieder zurückkommen würde. Letzteres beruhigte Pieter. Offensichtlich hatten sie nicht vor, ihn dazubehalten.

Weniger beruhigend war es, daß sie ihn in einem kleinen, kahlen

Raum, in dem sich nicht mehr als ein großes Kruzifix an der Wand, ein Betstuhl und zwei brennende Kerzen befanden, unendlich lange warten ließen. Pieter kam es so vor, als wollte man ihn damit einschüchtern. Je mehr Zeit verging, um so unwohler fühlte er sich. Endlich erschien ein Diener, um ihn abzuholen.

Pieter hatte erwartet, daß ihn der Vikar empfangen würde, aber zu seiner Überraschung wurde er sofort zu Granvelle geführt.

Der Kardinal empfing ihn in einem großen, spartanisch eingerichteten Raum, der so sparsam ausgestattet war, daß jedes Geräusch nachhallte und dadurch zehnmal lauter klang. Zudem war es ziemlich dunkel, so dauerte es eine Weile, bis Pieter bemerkte, daß sich noch jemand in dem Raum aufhielt, ein südländisch aussehener Mann mit glänzendem, schwarzem Haar und leicht getönter Hautfarbe.

Als Pieter eintrat, stand Granvelle mit den Händen auf dem Rükken an einem kleinen Fenster und schaute hinaus. Er wartete, bis der Diener weg war und sagte dann, ohne sich umzudrehen: »Herr Dorizi, dies ist Pieter Bruegel, der Bauernsohn, der Sense und Dreschflegel gegen Palette und Pinsel getauscht hat.« Er wandte sich abrupt um und sah Pieter an. Da er gegen das Licht stand, war sein Gesichtsausdruck nicht zu erkennen. »Claude Dorizi, Kunstexperte und Kunsthändler.«

Pieter sah zu dem Unbekannten hinüber, der in einer Ecke des Raumes auf einem Schemel an dem Holztisch saß. Der Mann betrachtete ihn mit unverhohlener Neugier und sagte: »Ich habe ein paar deiner Werke gesehen, nicht viele, aber sicher genug, um mir ein Urteil bilden zu können...«

Mit einem Anflug von Ungeduld in der Stimme sagte Granvelle: »Herr Dorizi möchte, daß du für ihn drei allegorische Gemälde malst.«

»Allego... Vergebt mir, Monseigneur, aber ich weiß nicht, was dieses Wort bedeutet.«

»Seine geistige Entwicklung läßt zu wünschen übrig«, erklärte der Kardinal, als wäre Pieter nicht anwesend. »Sein Können und sein Talent sind nahezu rein instinktiv.«

»Der Herr sei gepriesen für solch ein Talent«, sagte Dorizi. Er lächelte Pieter freundlich an. »Ich muß zugeben, daß ich den lobenden Berichten, die ich über dich hörte, zuerst recht skeptisch gegenüberstand. Aber nachdem ich deine *Brennende Stadt* und deinen *See von Genezareth* gesehen habe...« Er lächelte wieder und trommelte mit den Fingern auf den Tisch. »Manchmal könnte man glauben, daß der Herr beim Verteilen der Gaben ein wenig nachlässig ist... Nein, das nehme ich zurück, ohne die göttliche Vorsehung hättest du vielleicht nie den Weg des Monseigneur und damit auch nicht meinen gekreuzt.« Er hörte auf zu trommeln und verschränkte die Arme, als wollte er seine Hände zum Stillhalten zwingen. In ernsterem Ton sagte er: »Allegorische Gemälde bedeuten, daß man Begriffe wie Eitelkeit, Habgier, Frömmigkeit und ähnliches als Sinnbilder darstellt. In der Heiligen Schrift findet man zahlreiche Beispiele, nicht wahr, Monseigneur?«

»Die Heilige Schrift ist ein Beispiel für alles und jeden«, erwiderte der Kardinal.

»Jetzt verstehe ich, was Ihr meint, Herr«, sagte Pieter. »Pieter Coecke hat mich darin unterwiesen, aber er nennt es Symbolik. Wie Meister Coecke meint, habe ich dafür sogar eine besondere Begabung.«

»Stimmt«, bestätigte Dorizi. »Deshalb meine Bitte. Allegorische Werke sind besonders in Mode, und ich glaube, daß es mir wenig Mühe bereiten wird, der bürgerlichen Gesellschaft deine Gemälde zu verkaufen.«

»Das ist eine große Ehre für mich, Herr«, sagte Pieter. Er fing einen Blick des Kardinals auf, der ihn mit einem spöttischen Zug um den Mund beobachtete, als würde er sich lustig machen über Pieters Bemühen, gesittet aufzutreten.

Plötzlich stand Dorizi auf, als hätte er einen für Pieter unsichtbaren Wink bekommen. »Ich nehme an, daß du meiner Bitte nachkommst?«

»Natürlich, Herr«, antwortete Pieter, der wußte, daß er sowieso keine Wahl hatte.

»Gut«, sagte Dorizi. »Die Bezahlungsmodalitäten werde ich natürlich mit Monseigneur regeln.« Er verbeugte sich vor Granvelle und küßte ihm die Hand. »Ich hoffe auf ein baldiges Wiedersehen.« Dann nickte er Pieter zu und verließ den Raum.

Als Dorizi weg war, sagte Granvelle: »Ein Kunstkenner mit internationalen Kontakten und Einfluß.« Er sah Pieter an. »Aber ich wollte noch etwas anderes ansprechen. Dein Verhältnis mit der Tochter von Gwijde Ortelius ...«

Pieter spürte, wie sich seine Nackenhaare aufrichteten, als würde er von einem kühlen Windhauch gestreift. Er strengte sich an, den Blick nicht zu senken, als ihn der Kardinal forschend ansah.

»Wie ernst ist es?«

»Was soll ich darauf antworten?« fragte Pieter ausweichend.

»Die Wahrheit!«

»Wir wollen zusammen ...« Pieter berichtigte sich schnell: »Ich habe um ihre Hand angehalten.«

»Es ist mir bekannt, daß nur wenige Künstler ein asketisches Leben führen, aber trotzdem kann ich dir nicht erlauben, zu heiraten, bevor du deine Ausbildung beendet hast.«

»Meister Coecke hat gesagt, daß ich bald Meister werde ...«

»Das dauert noch mindestens ein Jahr, und auch nur dann, wenn deiner weiteren Entwicklung nichts im Wege steht!«

Pieter unterdrückte mit Gewalt den Protest, der in ihm aufstieg. Demütig senkte er den Kopf. »Meine Ausbildung hat natürlich Vorrang vor allem anderen, Monseigneur ...«

Mißtrauisch, als würde er diesem schnellen Zugeständnis nicht trauen, sagte der Kardinal noch einmal nachdrücklich: »Wirst du dir alle Gedanken an eine Heirat aus dem Kopf schlagen, bis ich dir mein Einverständnis erkläre?«

»Ja, Monseigneur«, versprach Pieter. Dann werden wir eben zusammenleben, dachte er mit einer Mischung aus Trotz und banger Erwartung. Und dann auch noch in Sünde. Er bedauerte es, daß Jobbe dies nicht hören konnte.

Der Kardinal sah ihn noch einige Sekunden forschend an, bevor er erneut zum Fenster ging. Den Blick nach draußen gerichtet, sagte er: »Damit sind unsere Angelegenheiten vorläufig erledigt. Du kannst gehen.«

Pieter war so froh darüber, weg zu können, daß er schon fast die Kutsche erreicht hatte, als ihm einfiel, daß der Kardinal den Brief überhaupt nicht erwähnt hatte. In ihm hatte Pieter mit keinem Wort von Anke gesprochen, diese Neuigkeit mußte der Kardinal folglich von seinen Spionen erfahren haben. Möglicherweise hatte er den Brief noch nicht einmal gesehen.

Pieter blieb stehen und sah sich unsicher um. Sollte er so schnell wie möglich verschwinden oder aber versuchen, Licieux zu sprechen? Wenn er Anke nichts berichten konnte, würde er sich bis auf die Knochen blamieren.

Er ging zu einer Gruppe von Dienern, die im Hof kleine, bunte Teppiche ausklopfte und bürstete. Auf seine Frage, wo er den Generalvikar finden könne, erfuhr er, daß dieser im Ausland sei und mehrere Wochen wegbleiben würde.

Ich hätte Granvelle fragen müssen, dachte er, als die Kutsche über die Zugbrücke rollte und den Weg in die Stadt einschlug. Ich bin ein Feigling. Aber der Kardinal flößte ihm solche Angst ein, daß er in dessen Gegenwart an kaum etwas anderes als die reine Selbsterhaltung denken konnte.

Ich bin ein Idiot, warf Pieter sich selbst vor. Die Anwesenheit von Claude Dorizi bewies, daß man Pieters Arbeit allmählich als Einnahmequelle betrachtete. Und Geld war das einzige, was die Kirche interessierte, außer der Beseitigung von Andersdenkenden. Also würden sie das Huhn, das goldene Eier legte, sicher nicht schlachten.

Als Pieter zu Hause ankam, war er in gedrückter Stimmung. Er hielt sich selbst für schwach und wertlos, unfähig, für die Seinen etwas zu tun, und sei es noch so wenig. Wie sollte er nun Anke gegenübertreten? Vielleicht war es besser, gar nicht mehr zu ihr zu gehen. Sie hatte Besseres als ihn verdient.

»Wie ist es gewesen?« fragte Marieke, als Pieter erschien. »Was machst du denn für ein Gesicht? Du sieht ja wie eine wandelnde Leiche aus! Ist irgendwas Schlimmes passiert?«

»Nein, ganz im Gegenteil«, antwortete Pieter in wenig begeistertem Ton. »Ich habe einen Auftrag für drei allego . . . symbolische Bilder bekommen.« Er erzählte ihr von Dorizi.

»Claude Dorizi? Aber das ist ja hervorragend!« Marieke nahm Pieter vor Freude in die Arme. »Ist dir klar, was das bedeutet?«

»Geld«, erwiderte Pieter. »Von dem der größte Teil bei der Kirche hängenbleibt.« Mit mürrischer Miene setzte er sich an den Tisch.

»Das nenne ich Dankbarkeit! Warum bist du eigentlich so schlecht gelaunt?«

Pieter sackte auf seinem Stuhl zusammen und starrte trübselig auf die Wand. »Granvelle ist der einzige, der weiß, wo meine Eltern sein könnten, und ich habe mich nicht getraut, ihn danach zu fragen. Außerdem wüßte ich gerne, was mit Jobbe passiert ist. Man hat ihn nicht öffentlich hingerichtet, danach habe ich mich erkundigt. Aber wo kann er dann sein?«

Marieke seufzte. »Ja, deine Eltern. Zwei Jahre sind eine lange Zeit, Pieter...« Sie sprach nicht weiter.

»Ich bin ein Feigling«, sagte Pieter grimmig.

»Ach, Unsinn!« Marieke ging zu ihm und drückte seinen Kopf an ihren Bauch. »Jeder, der mit jemandem wie Granvelle zu tun hat, macht sich in die Hose. Auch Männer, die größer, gescheiter und stärker sind als du, zittern vor jemandem, der mit einem Augenaufschlag über Leben und Tod entscheiden kann.« Sie strich ihm tröstend übers Haar. »Möchtest du Tee?«

Pieter legte die Arme um Marieke und drückte sich an sie. »Ich wünschte, Ihr wärt meine Mutter...« sagte er mit gepreßter Stimme.

Marieke nickte. »Das wünschte ich auch«, erwiderte sie kaum hörbar.

Pieter unterdrückte seine Sehnsucht und verschob den Besuch bei Anke in der Hoffnung auf ein Wunder von einem Tag auf den nächsten. Sein Arbeitseifer litt sehr darunter. Immer wieder ließ er den Pinsel sinken, weil seine Gedanken abschweiften.

Er versuchte Anke zu malen, doch nach zwei mißglückten Versuchen gab er es auf. Es erstaunte und enttäuschte ihn zugleich, daß er sich nur so wenige Einzelheiten ihres Äußeren vorstellen konnte. Er wußte nicht einmal, welche Augenfarbe sie hatte. Nur der Anblick ihres Mundes mit seinen vollen, warmen Lippen hatte sich ihm eingeprägt.

Zumindest gelang es Pieter, seine *Landschaft mit dem Sturz des Ikarus* zu vollenden. Er war zwar mit dem Ergebnis nicht ganz zufrieden, beschloß aber trotzdem, das Werk Dorizi zu geben und es eventuell später zu überarbeiten. Vielleicht würde das »Hochmut kommt vor dem Fall«-Thema Granvelle persönlich ansprechen, dachte er grimmig.

Ohne großen Ehrgeiz fing er ein paarmal an, die Skizze mit der Elster auf dem Galgen in größerem Format auszuarbeiten, aber auch das wollte nicht gelingen. Allerdings erinnerte er sich wieder, daß diese Elster ungewollt auch eine sinnbildliche Bedeutung hatte; sie symbolisierte das Getratsche und unbedeutende Geschwätz der Menschen.

Enttäuscht versteckte er die Zeichnung zwischen seinen Sachen im Schrank und nahm sich vor, sie vorläufig nicht mehr hervorzuholen.

Oft verließ er das Haus, und streifte ziellos durch die Straßen. Manchmal nahm er Mayken mit, der er dann seine ganze Geschichte erzählte. Das war zumindest angenehmer, als Selbstgespräche zu führen.

Marieke ließ ihn in Ruhe. Obwohl er ihr wenig von sich mitteilte, wußte sie, daß seine schlechte Laune mit Anke zusammenhing. Davon abgesehen hatte sie ihre eigenen Sorgen. Coecke schickte ihr ab und zu Briefe, in denen er behauptete, er könne noch nicht zurückkehren, weil ihn seine Arbeit in Brüssel völlig in Anspruch nähme. Über seinen Gesundheitszustand verlor er kein Wort, aber sie hatte von anderen erfahren, daß er immer schlechter aussah und sich manchmal vor Schwäche nicht mehr auf den Beinen halten konnte.

Eines Morgens hielt sie es nicht länger aus und bestellte eine Kutsche, um gemeinsam mit Mayken nach Brüssel zu fahren. Die Aufsicht über Werkstatt und Haus überließ sie Pieter.

Marieke reiste am späten Vormittag ab. Als sie weg war, blickte Pieter finster nach draußen. Es paßte ihm nicht, die Verantwortung für das Geschäft tragen zu müssen, eigentlich wollte er für gar nichts verantwortlich sein. Am liebsten hätte er sich nur mit seinen eigenen Gedanken und Sorgen beschäftigt. Es war ihm einfach zuwider, sich mit den kleinen und großen Dingen des alltäglichen Lebens abgeben zu müssen.

»Die Freiheit lacht uns«, sagte Floris, der Mariekes Abwesenheit offenbar positivere Seiten abgewinnen konnte.

Floris gehörte neben Pieter zu den wenigen Gehilfen, die in der Antwerpener Werkstatt geblieben waren. Der Meister hatte ihn damit beauftragt, eine Reihe von Holzschnitten zu vollenden, die er selbst begonnen, aber aus Zeitmangel nicht mehr fertiggestellt hatte. Floris war ein begabter Holzschneider. Er arbeitete auch viel lieber mit Messer und Flachmeißel als mit Pinsel und Palette. »Holz leistet wenigstens Widerstand«, sagte er manchmal. »Eine Leinwand ist viel zu duldsam.«

Im Laufe der Zeit hatte Pieter den anderen schätzen gelernt, vor allem nachdem er erkannt hatte, daß dessen Hochmut meist nur gespielt war. Floris probierte gern aus, wie weit er mit seinen Sticheleien gehen konnte, bis sein Opfer aus der Haut fuhr.

»Was ist das denn für eine Freiheit«, sagte Pieter mürrisch. Er wandte sich vom Fenster ab. »Solange Marieke weg ist, sitze ich hier fest!«

»Ein Bauernsohn wie du müßte es als Ehre empfinden, den ganzen Tag die Gesellschaft eines Mannes mit Niveau genießen zu können.«

»Ich wußte gar nicht, daß wir einen Gast erwarten.«

»Du wirst es schon noch begreifen«, meinte Floris. »Aber wo du es gerade sagst: Jan Vermeyen hat schon vor ein paar Tagen angedroht, er würde wieder mal vorbeischauen.«

»Das wird Marieke vergessen haben.«

»Ich denke eher, daß Marieke gerade deshalb heute gefahren ist.«

»So schlimm ist Vermeyen nun auch wieder nicht.«

»Er mischt sich in alles ein und nörgelt ständig herum. Außerdem glaubt er, daß er der einzige auf der Welt ist, der Ahnung von großen dekorativen Werken hat.«

»Manchmal hat er aber auch gute Ideen.«

»Wenn es an ihm läge, sähe jeder Karton, den wir hier machen, gleich aus: im Vordergund lauter Schiffe und ein Künstler beim Zeichnen, ein Hafen im Hintergrund, und das alles von einer fliegenden Möwe gesehen.«

»Ich finde diese Vogelperspektive gar nicht so schlecht...«

»Das kannst du gar nicht beurteilen, weil dir ständig Anke im Kopf herumspukt. Wie sieht es denn aus mit dir und dieser Dienstmagd, willst du noch immer mit ihr zusammenziehen?«

»Vielleicht will sie mich ja nicht mal mehr sehen!«

»Na wunderbar.«

»Du begreifst überhaupt nichts«, sagte Pieter niedergeschlagen.

»Ich bin der einzige, der hier überhaupt was begreift. Du glaubst, daß du edle Absichten hast, aber das einzige, was du wirklich willst, ist, mit dem Mädchen ins Bett zu gehen. Gut, Bauern sind auch nur Menschen. Aber deshalb muß du doch nicht mit ihr zusammenziehen oder – Gott bewahre – sie gar heiraten! Du kannst doch nicht den ganzen Tag mit ihr im Bett liegen! Ansonsten steht sie dir nur im Weg, und du hast bloß Ärger und Kosten.«

»Aber sie fehlt mir so sehr...«, sagte Pieter.

»Setz dich mit deinem Hintern in einen Eimer kaltes Wasser!«

»Hast du denn keine Gefühle?«

»Doch, sicher, aber nicht nur zwischen den Beinen.«

»Ich habe auch schon vorher Mädchen gehabt, aber Anke ist etwas Besonderes.«

»Welche besonderen Kunststücke kennt sie denn?«

»Ach, hau doch ab!« sagte Pieter gekränkt und ging zur Treppe.

»Eine Weile mit nacktem Hintern in der frischen Luft stehen kann auch helfen!« rief Floris ihm nach, während er die Treppe hochstieg.

Pieter schlug die Tür des Wohnraums mit solcher Wucht hinter sich zu, daß man es bis zum Ende der Straße hören konnte.

»So ein Idiot!« sagte Floris kopfschüttelnd.

Pieter brach ein Stück Brot ab, beschmierte es dick mit Schweineschmalz und streute Salz darauf. Während er aß, dachte er darüber nach, ob an Floris' Worten nicht doch etwas Wahres dran war. Ließ er sich wirklich nur wie ein brünstiger Stier allein von seinem Schwanz bestimmen? Allein schon dieser Gedanke ließ seine Lust wieder aufflackern, so daß er einen trockenen Mund bekam und ihm das Brot nicht mehr schmeckte.

Draußen hörte man einen Reifen, der über die Straße gerollt wurde, und das Gejohle der Kinder, die hinter ihm herliefen.

Kinderspiele, dachte Pieter, das ganze Leben ist voller Kinderspiele. Einander den Rang ablaufen und versuchen, sich bei jemandem einzuschmeicheln, Bilder malen, die Straßen für einen König schmücken, der denken muß, daß die ganze Welt fröhlich aussieht, hinter Mädchen hersein, vor einem Gott knien, als würde dem das etwas bedeuten, Angst vor der Dunkelheit haben, für ein paar Goldstücke seine Freunde verraten, Menschen aufhängen, weil sie Dinge sagen, mit denen man nicht einverstanden ist, einen Himmel über den Wolken herbeisehnen, den noch nie jemand gesehen hat, Kerzen vor einer Gipsstatue abbrennen, Bier trinken, bis der Kopf zu schweben beginnt und man am nächsten Tag totkrank aufwacht, zu sechst ein wehrloses Mädchen vergewaltigen, Trost suchen an einem warmen Busen, versuchen, besser und klüger als die anderen zu sein, mit prachtvollen Kleidern angeben, kämpfen, um seine Ehre zu verteidigen, Genuß suchen in den warmen Höhlen einer Frau...

Pieter warf den Rest des Brotes auf den Tisch und stand auf, um hinauszuschauen. Die johlenden Kinder verschwanden gerade mit ihrem Reifen um die Ecke.

Er dachte an Jobbe und daran, wie dieser auf dem Marktplatz gesessen hatte. Der Fischer hatte zufrieden ausgesehen, glücklicher als seinerzeit, als er sich noch abrackerte, um reiche Städter mit Fisch zu beliefern. Weil er sich um nichts mehr kümmerte, noch nicht mal um die Ewigkeit. Vielleicht hatte Jobbe bereits alle Kinderspiele hinter sich...

»Du solltest dich glücklich schätzen«, hatte ihn Marieke vor einiger Zeit getadelt, als er wieder einmal in schlechter Stimmung gewesen war. »Weil du nicht wie so viele andere im Schmutz und Dreck dein Brot verdienen mußt. Ist dir eigentlich bewußt, daß du zu einer kleinen Schar von Privilegierten gehörst?«

Diese Erkenntnis half ihm wenig. Dadurch war er auch nicht glücklicher.

Aber mit Anke könnte er glücklich sein, dachte er sehnsuchtsvoll. Alles andere erschien ihm unwichtig, wenn er nur sie haben konnte...

Kinderspiele...

Pieter hörte, wie unten die Haustür aufging und wieder geschlossen wurde, dann vernahm er gedämpfte Stimmen. Kurz darauf kam Floris die Treppe hinauf.

Als Pieter die Tür öffnete, sagte Floris: »Es ist Besuch für dich da. Eine Dame, oder besser gesagt, ein Mädchen.« Er sah Pieter schmunzelnd an. »Hast du vielleicht hier oben gebetet?«

»Anke!« Pieter schlug vor Freude und Spannung das Herz bis zum Hals.

»Die Prinzessin höchstpersönlich«, sagte Floris. Er sprach mit leiser Stimme, um unten nicht gehört zu werden. »Brauchst du einen Zeugen?«

Pieter dämpfte ebenfalls seine Stimme. »Weiß sie, daß ich hier bin?«

»Natürlich, oder willst du etwa vor der Frau deiner Träume davonlaufen?«

»Was soll ich ihr denn sagen?«

»Daß du dich freust, sie zu sehen, und daß du mit ihr ins Bett willst, was sonst?«

»Du bringst mich noch zur Weißglut!«

»Pieter? Bist du da?«

Der Klang ihrer Stimme unten an der Treppe ließ Pieter erstarren.

»Ich schicke sie hoch«, sagte Floris. »Und behalt die Nerven.« Er drehte sich um.

Pieter ließ die Tür auf und ging zwei Schritte zurück. Er sah sich eilig im Zimmer um, auf der Suche nach Dingen, die Ankes ersten Eindruck von der Umgebung, in der er lebte, trüben könnten. Schnell räumte er das angebissene Brot, den Topf mit dem Schweineschmalz und das benutzte Messer in einen Schrank. Dann fuhr er sich hastig mit den Fingern durchs Haar und richtete seine Kleider, wobei er mit Verärgerung die Farb- und Ölflecke registrierte.

Anke kam die Treppe hinauf. Mit jedem ihrer Schritte schlug sein Herz schneller. *Kinderspiele!* höhnte eine Stimme in seinem Inneren. Er versuchte, eine gelassene Haltung anzunehmen, doch das führte nur dazu, daß er sich noch mehr verkrampfte.

»Pieter Bruegel«, rief Anke. »Wo zum Teufel hast du die ganze Zeit gesteckt?« Sie kam herein, sah sich flüchtig im Zimmer um und blieb dann einen Schritt vor Pieter stehen, um ihn anzusehen. »Was für ein Mann bist du eigentlich, daß du mir noch nicht mal die Möglichkeit gibst, mich bei dir zu bedanken?«

»Bedanken?« fragte Pieter erstaunt.

Sie schlang die Arme um seinen Hals. »Oh, Pieter, was bist du nur für ein sonderbarer Kauz!«

Pieters Hände fuhren unsicher über ihren Rücken. Er konnte kaum glauben, daß ihr warmer, duftender Körper tatsächlich in seinen Armen lag.

»Mein Vater ist zu Hause«, sagte sie. »Dafür muß dieser Betrüger van Schoonbeke in den Kerker. Sie können ihn jedoch nicht finden, er hat sich bestimmt davongemacht. Aber das wußtest du sicher schon längst.« Sie küßte Pieter stürmisch auf den Mund.

»Ich habe... mein Bestes getan«, sagte Pieter, als er wieder sprechen konnte. Er konnte nicht glauben, daß dies sein Brief bewirkt haben sollte. Kam ihm wieder einmal das Schicksal zur Hilfe?

»Es ist bekanntgeworden, daß das Wasser der großen Brauer trotz aller Erfindungen noch immer genauso schmutzig ist wie das der kleinen. Und mit einem Mal ist van Schoonbeke ein Scharlatan.«

»Das wäre also geklärt«, sagte Pieter, der sich allmählich wieder faßte. »Ist das der einzige Grund für deinen Besuch?«

Anke sah ihn schelmisch an. »Bist du allein hier oben?«

»Wir könnten das Bett der Meisterin nehmen«, sagte Pieter.

Er stürzte sich wie ein Ausgehungerter auf Anke. Und sie empfing ihn fügsam wie eine dankbare Frau, die ihren Mangel an Erfahrung durch Einsatz und guten Willen wettmacht. In seiner wilden Leidenschaft wäre es Pieter allerdings auch kaum aufgefallen, wenn sie wie ein steifes Brett dagelegen hätte.

Er merkte sogar nicht einmal, daß Floris neben ihrem Bett stand, bis dieser sagte: »Verzeihung, daß ich dich bei deinem edlen Paarungsspiel stören muß, Geselle Bruegel, aber unten wartet ein gewisser Meister Jan Corneliszoon Vermeyen, der darauf besteht, dich persönlich zu sprechen.«

»Verdammt!« rief Pieter. Er zog die Decke über sich. »Hättest du nicht anklopfen können?«

»Das habe ich getan, allerdings nicht sehr laut, wie ich zugeben muß.« Floris sah ungeniert auf Anke, die ihrerseits nichts unternahm, um ihre Blöße zu bedecken.

»Ich komme schon. Mach, daß du abhaust!«

Nachdem er noch einen letzten Blick auf Anke geworfen hatte, verbeugte sich Floris mit einem spöttischen Lächeln und verschwand.

»Er stand schon eine ganze Weile da«, sagte Anke. Sie rekelte sich wollüstig und sah Pieter an, der sich in Windeseile anzog.

»Warum hast du denn nichts gesagt?«

»War doch lustig, ihm fielen fast die Augen aus dem Kopf.«

Mit tadelndem Unterton sagte Pieter: »Bist du wirklich so verdorben, oder tust du nur so? Bei dir weiß man nie, wo man dran ist!«

»Wenn du erst mal bei mir wohnst, wirst du mich schon besser kennenlernen.«

Pieter stopfte sich ungeschickt das Hemd in die Hose. »Und was sagt dein Vater dazu?«

»Er ist dir dankbar. Außerdem haben wir zwei Zimmer, die doch nicht benutzt werden.« Anke drehte sich auf den Bauch. »Wann wirst du mich mal so malen, wie ich hier liege?«

»Ich kann keine nackten Menschen malen«, sagte Pieter und sah mit einem Gefühl des Bedauerns auf sie hinab. »Ich bin kein Tizian...«

»Aber du könntest es doch mal versuchen.«

»Meine Hand würde viel zu sehr zittern.« Er beugte sich über sie und drückte zwei Küsse auf ihre Hinterbacken. »Nicht weggehen!«

»Was ist denn das für ein Empfang?« fragte Vermeyen, als Pieter die Treppe hinuntergelaufen kam. Geringschätzig musterte er ihn von Kopf bis Fuß. »Wenn die Katze aus dem Haus ist, tanzen die Mäuse auf dem Tisch, nicht wahr?«

»Entschuldigt, Meister, ich war mit etwas beschäftigt, von dem ich mich nicht sofort abwenden konnte.« Pieter blickte kurz zu Floris hinüber, der keine Miene verzog.

»Ich habe eine Verabredung mit Marieke Verhulst, aber wie ich höre, ist sie in Brüssel?«

»In der Tat, Meister«, sagte Pieter, dem es immer schwerfiel, den pedantischen Vermeyen ernst zu nehmen. »Dringende Angelegenheiten haben sie nach Brüssel gerufen.«

»Ts, ts«, machte Vermeyen, der sich wahrscheinlich fragte, was wichtiger sein konnte als sein Besuch. »Ich wollte ihr einige neue Kartons anbieten mit besonders schönen Motiven, wie ich in aller Unbescheidenheit sagen muß. Die Muse hat mich in letzter Zeit verwöhnt.« Er entrollte eine der großen Zeichnungen, die er auf den Tisch gelegt hatte. »Kommt her und ergötzt euch daran«, forderte er die beiden auf.

Floris kam herbei, um sich gemeinsam mit Pieter das Werk anzuschauen. »Schiffe und ein Zeichner im Vordergrund«, sagte er. »Hinten ein Hafen, und das alles von oben gesehen. Es ist ein Wunder, wie Ihr immer wieder dieselbe Orginalität unter Beweis stellt, Meister Vermeyen!«

Vermeyen warf Floris einen mißtrauischen Blick zu, bevor er mit gerümpfter Nase sagte: »Ich frage mich, warum ich eigentlich Gehilfen um ihr Urteil bitte.« Mit hastigen Bewegungen rollte er seine Zeichnung wieder auf.

»Mir gefällt sie wie immer sehr gut«, meinte Pieter. »Wenn Euch meine bescheidene Meinung überhaupt etwas bedeutet. Mit Eurem Einverständnis werde ich die Entwürfe Marieke vorlegen, sobald sie aus Brüssel zurückgekehrt ist.«

»Du Heuchler!« fuhr Floris Pieter an, als Vermeyen weg war. »Hast du Angst, daß du ohne die Fürsprache dieses eingebildeten Angebers kein Meister wirst?«

»Ich habe dir doch schon gesagt, daß ich diese Vogelperspektive gut finde. Ich würde es gerne auch mal versuchen... Aber heute werde ich mich anderen Perspektiven und Ansichten widmen.« Er ging zur Treppe.

»Warte, es kommt noch ein Besucher!«

Beunruhigt durch den Klang von Floris' Stimme, blickte Pieter zum Fenster hinaus, wo er die Privatkutsche von Licieux sah. »Oh, nein!« rief er. »Sag ihm, daß ich nicht da bin!«

»Dein Freund Vermeyen unterhält sich gerade mit ihm. Der Fettsack wird sicher schon wissen, daß du zu Hause bist.«

Sie sahen zu, wie der Vikar ausstieg und gnädig Vermeyens Händedruck erwiderte.

Diesmal war der Vikar sehr schlicht gekleidet in einer Art Mönchskutte, die allerdings aus feinem, blütenweißem Stoff genäht war. Seinen umfangreichen Bauch zierte ein purpurrotes Seidenband.

»Im Dunkeln könnte man ihn glatt für ein Gespenst halten«, bemerkte Pieter abfällig.

»Das tut er nur, um Eindruck auf dich zu machen«, meinte Floris.

»Manchmal stehen mir deine blöden Bemerkungen bis hier!«

»Sei gegrüßt, Pieter Bruegel«, sagte Licieux munter, nachdem ihm sein Diener die Tür aufgehalten hatte. Mehr oder weniger bewußt die übliche Gebärde des Kardinals imitierend, streckte er eine Hand mit einem riesigen Ring aus, damit Pieter sie küssen konnte. »Meinen aufrichtigen Glückwunsch zu deinem Erfolg. Du kannst stolz darauf sein, solch einen wichtigen Auftrag von einem Kunstkenner wie Claude Dorizi zu bekommen, obwohl du noch nicht mal Meister bist. Aber Monseigneur wird zweifellos für die nötige Fürsprache gesorgt haben.«

»Ich fühle mich geehrt, danke schön«, sagte Pieter. Er ignorierte Floris' spöttischen Blicke.

»Aber das ist nicht der Grund meines Besuches...« Licieux sah sich in der Werkstatt um. »Gibt es einen Ort, wo wir ungestört miteinander reden können?« Er wies zur Treppe. »Vielleicht oben?«

»Nein!« rief Pieter. »Oben ist... da sind auch Leute...«

Licieux zog erstaunt die Augenbrauen hoch. »Meister Coecke und seine Frau sind doch nicht in der Stadt. Da sollte man im Grunde nicht erwarten, hier viele Besucher anzutreffen.«

»Es sind Freunde...«

Pieter fragte sich, warum er eigentlich log. Wenn er mit einem Mädchen zusammensein wollte, war das seine Sache. Aber in der Gegenwart von kirchlichen Würdenträgern fühlte er sich immer schuldig.

Ein wenig verärgert sagte der Vikar: »Nun gut, so wichtig ist es nun auch wieder nicht.« Er griff in seine Kutte und holte einen Brief hervor, den er Pieter hinhielt. »Ich gebe dir den guten Rat, derartige Bittschreiben in Zukunft zu unterlassen.«

Pieter sah schnell zur Tür oben an der Treppe, die einen Spaltbreit offenstand.

»Du kannst jederzeit kommen und mit mir reden, aber Briefe sind gefährlich. Wenn Worte niedergeschrieben sind, kannst du sie weder leugnen noch verdrehen.«

»Aber ich hatte doch keine bösen Absichten, ich wollte nur jemandem helfen, der...«

Der Vikar winkte ab. »Du hast nie böse Absichten, das wissen wir inzwischen.« Er blieb ernst. »Wir wußten bereits, daß van Schoonbeke ein Betrüger ist, der sowohl die Bürger als auch das einfache Volk an der Nase herumführen wollte. Aber du bist nicht befugt, dir in derartigen Angelegenheiten ein Urteil anzumaßen. Deshalb könnte dich solch ein Schreiben durchaus teuer zu stehen kommen, wenn es in die falschen Hände gerät.« Er zerriß den Brief demonstrativ in kleine Fetzen. »Nie mehr, ist das klar?« Er wartete die Antwort nicht ab. »Übrigens, ich wußte gar nicht, daß du lesen und schreiben kannst.«

»Ein... ein Freund hat diesen Brief für mich geschrieben.«

Licieux blickte kurz zu Floris hinüber, der den Kopf einzog.

»Gute Freunde sind selten«, sagte der Vikar. »Deshalb wäre es klüger, sie nicht in gefährliche Dinge hineinzuziehen.« Er ließ die

Papierfetzen auf den Boden fallen. Dann änderte sich seine Stimme. »Womit bist du zur Zeit beschäftigt?« Neugierig sah er sich um.

»Ich habe gerade das erste Gemälde für Herrn Dorizi fertiggestellt...« Erleichtert ging Pieter in eine Ecke der Werkstatt, wo das Bild zum Trocknen auf einer Staffelei stand.

»Das ging aber schnell«, meinte Licieux. Er betrachtete das Gemälde mit zusammengekniffenen Augen. »Wie heißt es?«

»*Der Sturz des Ikarus*, Monseigneur.«

»Oh ja, jetzt sehe ich es. Du hast wieder einmal das Thema selbst verschwindend klein inmitten einer großen Landschaft dargestellt.«

»Die Größe der Schöpfung fesselt mich noch immer, Monseigneur.«

»Du solltest nicht vergessen, daß der Mensch nach Gottes Bild geschaffen ist!«

»Ich versuche, alles in seinen natürlichen Verhältnissen zu sehen, Monseigneur.«

Der Vikar schien nicht überzeugt, aber er ging nicht weiter darauf ein. Trotzdem bemerkte er: »Hochmut kommt vor dem Fall... Ich bin mir nicht sicher, ob das die Allegorien sind, die Herr Dorizi gemeint hat... Was wird dein nächstes Werk sein?«

»*Die großen Fische fressen die kleinen*«, antwortete Pieter, ohne daß er zuvor darüber nachgedacht hätte. Es kam so spontan aus ihm heraus, daß er selbst erschrak.

»Die großen Fische fressen die kleinen...« Der Vikar betonte jedes Wort, als wollte er sich ihren Sinn verdeutlichen.

Bevor der andere lange nachdenken konnte, warf Pieter schnell ein: »Das erinnert mich an etwas. Ihr habt gesagt, daß ich mit Euch sprechen könnte, wenn ich ein Problem habe... Es geht um Jobbe, den Fischer. Er ist von spanischen Soldaten festgenommen worden, und seitdem hat niemand mehr etwas von ihm gehört.«

»Ein Ketzer, er wartet auf seine Verurteilung.«

»Ist es möglich, ihn zu besuchen?«

»Ausgeschlossen, du hast sowieso schon zu lange unter seinem Einfluß gestanden.«

»Aber...«

»Das ist eine Anordnung des Kardinals.«

»Sitzt er im Steen?«

»Kein Wort mehr über diesen Vagabunden!«

»Entschuldigt«, sagte Pieter. »Ich wollte nicht unverschämt sein...«

»Kann ich das Gemälde nach Canticrode mitnehmen?«

»Wie bitte?« fragte Pieter, den dieser abrupte Themenwechsel irritierte. »Oh, das Gemälde... Es ist aber noch nicht ganz trocken, es könnte beschädigt werden.«

»Dafür ist es natürlich zu kostbar, das Gold von Herrn Dorizi ist schon immer viel wert gewesen«, bemerkte der Vikar spitz. »Jedenfalls freut es mich, daß du hart daran arbeitest, die in dich gesetzten Erwartungen zu erfüllen.« Er warf einen letzten mißtrauischen Blick auf die Tür oben an der Treppe. »Nun denn, Pieter Bruegel, auf bald.«

»Ich danke Euch, Monseigneur, auf Wiedersehen, Monseigneur.« Pieter machte eine Verbeugung.

»Da kann einem ja übel werden!« rief Floris, als die Kutsche abgefahren war. Er äffte Pieter nach. *»Ich danke Euch, Monseigneur, auf Wiedersehen, Monseigneur*... pfui Teufel!«

Pieter dachte an Jobbe und sagte: »Bäume, die sich mit dem Wind biegen, werden selten entwurzelt.«

»Von dir hätte ich mehr Mannhaftigkeit erwartet!«

»Die brauche ich für was anderes«, sagte Pieter schmunzelnd. Er stieg die Treppe hoch. »Und diesmal verriegle ich die Tür!«

Anke lag noch in derselben Haltung auf dem Bett, wie Pieter sie verlassen hatte.

»Hast du an der Tür gelauscht?« fragte er sie.

»Natürlich«, antwortete Anke. »Das mache ich immer.«

Pieter setzte sich auf den Bettrand. »Vielleicht werde ich irgendwann doch noch ein angesehener Mann.«

»Mit einer prall gefüllten Geldbörse?«

»Auch das, ja.«

»Das wird auch nötig sein, wo jetzt alles so furchtbar teuer wird. Vater sagt, daß die Lebensmittel viermal soviel kosten wie vor einem Jahr. Daran sind die Bauern schuld, sagt er. Sie fordern immer höhere Preise für ihre Waren. Die Bürger können das bezahlen, aber der einfache Mann hat nicht so viel Geld, und er wird immer ärmer.«

»Du weißt gar nicht, wie hart die Bauern für das wenige Geld arbeiten müssen.«

»Ach ja, du kommst ja auch vom Land!«

»Aber wenn ich erst mal Meister bin, dann gehöre ich auch zum Bürgertum.«

»Denkst du denn überhaupt nicht an all die armen Schlucker, die bald nichts mehr kaufen können, um ihren Hunger zu stillen?«

»Natürlich tue ich das«, sagte Pieter entrüstet. »Habe ich nicht einen Brief geschickt, um einen Mißstand zu beseitigen, was mir schließlich auch gelungen ist?«

Anke sah ihn verächtlich an. »In der Tat, dafür hast du ordentlich eins auf den Deckel bekommen!«

Pieter wußte nicht, was schlimmer war: die Empörung, weil Anke gelauscht hatte, oder das Gefühl, erwischt worden zu sein. »Du hast es also gehört«, sagte er matt.

»Habe ich das nicht schon gesagt? Die Tür stand offen, ich konnte alles hören.« Anke lächelte spöttisch. »Einfluß auf den Kardinal, daß ich nicht lache! Du scheinst dir von diesem fetten Vikar alles gefallen zu lassen! Wenn ich nicht hier gewesen wäre, hättest du dann die Hosen vor ihm runtergelassen?«

»Das ist eine Beleidigung!« Pieter sprang zornig hoch und stampfte zur Tür.

»Warte!« rief Anke schnell. Sie stieg aus dem Bett und lief zu Pieter. »Jetzt sei doch nicht so empfindlich...« Sie schlang die nackten Arme um seinen Hals. »Eigentlich ist es großartig, daß du den Brief wirklich geschrieben hast. Dazu hätten nicht viele den Mut gehabt.«

Pieter fragte sich beunruhigt, ob sie auch gehört hatte, daß Floris der Verfasser des Briefes gewesen war, aber dazu sagte sie nichts.

»Warum hast du deine Geschichte so übertrieben? War es dir so wichtig, Eindruck auf mich zu machen?«

»Ja«, gab Pieter zu. »Ich wollte um jeden Preis dein Herz gewinnen...«

»Aber das hattest du doch schon längst getan, du Dummkopf! Auch ohne daß du angegeben hast.«

»Liebe verführt zu Torheiten...«

Anke sah ihn mißtrauisch an. »Hängst du jetzt wieder dein Mäntelchen nach dem Wind?«

»So ein schlimmer Heuchler war ich nun auch wieder nicht!«

»Ich habe gute Ohren. Und du beantwortest meine Frage nicht.«

»Ich kann nicht mehr ohne dich leben, ich will für immer mit dir zusammensein.«

»Dem steht nichts im Wege.«

»Bist du dir auch ganz sicher, daß du das willst?«

»Natürlich, mein kleiner, dummer Maler!« Sie kniff ihm in die Nase. »Wann?«

»Lieber heute als morgen«, antwortete Pieter.

Einzig der Gedanke, daß er zuvor noch mit Marieke sprechen mußte, dämpfte seine Freude. Er wußte, daß es kein einfaches Gespräch sein würde...

11

»Dein Name?«

»Jobbe.«

»Jobbe, und wie weiter?«

»Schreibt Fischer«, antwortete Jobbe. »Jobbe Fischer.« Mit abwesendem Blick sah er den Schriftführer an, der rechts vom Richter saß und mit seiner Feder in ein dickes Buch schrieb.

»Alter?«

»Alt, sehr alt...« Stimmte das? Jobbe hatte seinem Geburtsdatum nie Bedeutung beigemessen. Er war sich nur sicher, daß er vor langer Zeit auf die Welt gekommen war.

»Jetzt rede schon! Fünfzig? Sechzig?« drängte der Richter ungeduldig. Er hatte noch viele Rechtssachen zu erledigen und haßte Verzögerungen.

»Ich glaube, daß Euer Ehren das besser weiß als ich«, erwiderte Jobbe.

»Fünfundfünfzig«, entschied der Richter, und die Feder des Schriftführers kratzte wieder über das Papier.

Alt genug, um zu sterben, dachte Jobbe. Er hatte Glück gehabt, den meisten war kein so langes Leben gegönnt. Er besaß sogar noch die meisten seiner Zähne. Fisch war ein gesundes Nahrungsmittel, das hatte er immer schon gewußt.

»Die gegen dich erhobenen Beschuldigungen sind beachtlich«, stellte der Richter etwas gelangweilt fest. »Ketzerei, Aufwiegelei, schlechte Beeinflussung von jungen Menschen, Faulenzerei...«

»Wenn letzteres ein Verbrechen ist, müßte die gesamte spanische Armee eingesperrt werden«, meinte Jobbe.

Aus der zahlreichen Zuschauermenge, die der unter freiem Himmel abgehaltenen Verhandlung beiwohnte, stieg ermutigendes Gelächter auf. Der Richter und sein Schriftführer warfen dem Publikum, das ihr Holzpodest umlagerte, tadelnde Blicke zu. Ein kleines Dach schützte den Tisch des Richters und seiner Beisitzer. Wenn es regnete, würden alle anderen naß werden.

Aber es wird nicht regnen, stellte Jobbe mit einem Blick zu den Schäfchenwolken am Himmel bedauernd fest. Er mußte die Augen zusammenkneifen, weil er das grelle Licht nicht mehr gewohnt war. Ein kräftiger Schauer wäre ihm sehr willkommen gewesen. Zwar konnte er es selbst nicht riechen, aber er war davon überzeugt, daß er wie eine halbverweste Ratte stank, nachdem er so lange im Kerker gesessen hatte, ohne sich waschen zu können. Er wollte gern sauber vor den Herrn treten, und sei es nur aus Höflichkeit. Aber vielleicht würde der Herr ja auf solche Kleinigkeiten gar nicht achten, tröstete er sich. Schließlich ertrank manchmal auch jemand in einer Senkgrube.

Als Jobbe über seine eigenen Gedanken ein wenig schmunzeln mußte, fragte der Richter: »Deine mißliche Lage scheint dir offenbar nicht viel auszumachen?«

»Oh doch, Euer Ehren. Mein Geist schreckt voller Angst und Beben vor den möglichen Folgen meiner Verbrechen zurück und flüchtet sich andauernd an andere Orte. Leider kann ihm meine leibliche Hülle nicht folgen.«

»Willst du damit sagen, daß du deine Verbrechen gestehst?«

»Natürlich, warum sollte ich leugnen, wenn mir das nur die Bekanntschaft mit Eurer Folterbank einbringt?«

»Wenn du uns auf der Folterbank deine Unschuld beweisen kannst, wirst du freigesprochen.«

»Glaubt mir, ich bin so schuldig wie Barabbas. Leider ist niemand hier, der statt meiner ans Kreuz geschlagen werden kann.«

Der Richter schüttelte den Kopf. »Du hältst also an deiner Schuld fest?« Er schlug einen vertraulichen Ton an, als würde ihm das Schicksal desjenigen, über den er zu urteilen hatte, wirklich zu Herzen gehen.

»Ich bin zu alt, um mich noch zu ändern«, sagte Jobbe ruhig.

»Möchtest du denn nichts zu deiner Verteidigung vorbringen?«

»Warum sollte ich Eure und meine Zeit vertun? Ein verurteilter Mann bin ich trotzdem.«

»Nun, dann sei es so: Angesichts der Tatsache, daß du die dir angelasteten Verbrechen gestanden hast, verurteile ich dich zum Galgen. Das Urteil wird am Donnerstag, den vierzehnten vollstreckt. Der Herr ist mein Zeuge. Der nächste!«

Zwei Wächter holten Jobbe vom Podest hinunter und führten ihn quer durch die Zuschauermenge zu dem offenen Karren, der die Verurteilten wieder zum Steen brachte. Manche Leute klopften ihm im Vorbeigehen ermutigend auf die Schulter oder lächelten ihm zu, andere dagegen beschimpften ihn, und einer trat ihn sogar. Die Wächter griffen nicht ein, solange sie selbst nicht behindert wurden.

»Herr, vergib ihnen, denn sie wissen nicht, was sie tun«, zitierte Jobbe, während er von den Wächtern rabiat auf den Karren geschoben wurde. »Oder nein«, sagte er nach kurzem Besinnen. »Warum solltest Du ihnen vergeben? Laß sie nur brennen, diese dumme Meute verdient es nicht anders!«

»Schweig!« schrie einer der Wächter und stieß ihn mit dem Schaft seiner Lanze.

Die Lanze traf Jobbes Oberkörper genau an der Stelle, die seit dem Tritt eines Spaniers empfindlich geblieben war. Er unterdrückte einen Schmerzensschrei und sah den Wärter mit seinem dämonisch entstellten Gesicht wütend an. »Euch werde ich aus dem Jenseits verfolgen!« sprach er mit drohender Stimme. »Vom Tage meines Todes an werdet ihr keine Ruhe mehr finden. Nie mehr werdet ihr meinen Anblick vergessen, in euren schrecklichsten Alpträumen werde ich euch erscheinen, bis ihr um die Gnade eines schnellen Todes fleht!«

Erschrocken wich der Wächter vor Jobbes Blick zurück. Er ließ die Lanze fallen und bekreuzigte sich. Sein Kamerad war jedoch aus anderem Holz geschnitzt. Er drückte den anderen mit einer verächtlichen Gebärde zur Seite und hielt Jobbe die Spitze seiner Lanze an die Kehle. »Setz dich, du stinkender Lump«, befahl er. »Oder du wirst weniger angenehm enden als am Galgen!«

Jobbe verzog den Mund zu einem spöttischen Grinsen und ließ sich auf die harte Bank in dem Karren fallen. »Mir sind Feiglinge lieber«, sagte er zu einem jungen Mann, der neben ihm kraftlos in seinen Ketten hing.

Er starrte Jobbe mit leeren Augen an und schien bereits Grauen zu sehen, die nicht von dieser Welt waren.

Das ganze Elend in der Welt rührt nur daher, daß wir denken können, dachte Jobbe, während der Karren mit den Gefangenen über das holprige Kopfsteinpflaster zur Scheldekade fuhr. Mit unserem Verstand denken wir uns Dinge aus, um andere zu quälen. Und weil wir darüber nachdenken können, leiden wir noch tausendmal mehr. Die Natur hat uns geschaffen, damit wir essen, uns fortpflanzen und in der Sonne liegen, das ist alles. Was sollen wir dann mit all diesen erbärmlichen Gedanken? Das kann nicht der Wille Gottes gewesen sein, irgendwer muß einen schrecklichen Fehler gemacht haben.

»Der Fluch des Verstandes...« sagte Jobbe laut.

Niemand reagierte, die anderen Gefangenen starrten ihn nur schweigend an, manche mit ängstlichem Blick, die meisten jedoch gleichgültig.

Jobbes Gedanken wanderten zu Pieter. Wie mochte es ihm wohl gehen? Hoffentlich machte er sich nicht zu viele Sorgen über das plötzliche Verschwinden seines Freundes. Pieter konnte recht impulsiv werden, aber in dieser Welt war es gefährlich, unbedachte Dinge zu tun.

»Denken ist nicht gut, und nicht denken ist gefährlich«, sagte Jobbe zu den abwesend vor sich hin starrenden Gefangenen. »Das beweist meine These, daß unser Kopf völlig überflüssig ist.«

Die anderen schwiegen weiter.

Pieter erschrak, als die Tür nicht von Anke, sondern einem älteren Mann geöffnet wurde. »Herr Ortelius?« fragte er zögernd.

»Der bin ich, ja. Womit kann ich dienen?«

Als der Mann ihn mißtrauisch anblickte, fiel Pieter auf, daß er seinem viel jüngeren Bruder Abraham ähnlich sah. Beide hatten dieselbe große Nase und denselben etwas arroganten Augenaufschlag. Man erkannte allerdings nicht sofort, daß die beiden Brüder waren, weil Abraham einen rötlichen Vollbart trug, während Ankes Vater ein glattrasiertes Kinn hatte.

»Ich bin Pieter Bruegel, Ankes... äh... Freund.«

Ortelius' Mißtrauen wandelte sich in Erstaunen. »Soso, dann bist du also der Mann, dem ich, wie Anke behauptet, meine Freilassung zu verdanken habe?« Seine Stimme klang wenig überzeugt.

»Ja, das stimmt, ich habe dem Kardinal einen Brief geschrieben, um die Sache aufzuklären...« Pieter fühlte sich äußerst unwohl, vor allem weil er nicht wußte, was Anke ihrem Vater genau erzählt hatte.

»Soso«, sagte Ortelius nochmals. »Du bist also wirklich eine bedeutende Person?«

»Nun ja, bedeutend...« Der spöttische Unterton in Ortelius' Stimme war Pieter nicht entgangen, dieser spöttische Ton, den er auch bei Anke manchmal heraushörte. Seine Unsicherheit wuchs. »Ich gehöre zu Granvelles Protegés, deshalb konnte ich etwas unternehmen.« Er hatte mit der Zeit festgestellt, daß es hin und wieder recht wirkungsvoll war, ein französisches Wort fallen zu lassen.

»Soso, ein Protegé des Kardinals? Ich bin beeindruckt!« Sein Ton ließ etwas ganz anderes vermuten.

»Ist Anke nicht zu Hause?«

»Anke ist noch bei der Arbeit, das hättest du eigentlich wissen müssen, wenn du so gut mit ihr befreundet bist. Was willst du eigentlich von meiner Tochter?«

Pieter wurde immer mulmiger. Langsam ahnte er, daß er Anke falsch verstanden und sie ihrem Vater noch gar nichts von ihren Plänen erzählt hatte. Der Beutel mit seinem Hab und Gut, den er in der Hand hielt, wurde auf einmal bleischwer.

»Ich glaube, ich komme besser wieder, wenn Anke da ist«, sagte er. »Wenn es Euch recht ist«, fügte er hastig hinzu.

»Nicht so schnell, junger Mann, nicht so schnell«, sagte Ortelius in freundlicherem Ton. »Bram hat mir so manches von dir erzählt, ich würde dich gerne näher kennenlernen.« Er ging einen Schritt zurück. »Komm herein.«

»Danke«, sagte Pieter. Am liebsten hätte er die Flucht ergriffen. »Sehr freundlich von Euch.« Er wartete, bis Ortelius die Tür geschlossen hatte und vor ihm ins Haus ging, das er schon so gut kannte. Doch in Gegenwart von Ortelius strahlte es eine ganz andere Atmosphäre aus.

Ortelius forderte Pieter auf, am großen Tisch in der Küche Platz zu nehmen.

»Bier?« fragte er.

»Gerne«, erwiderte Pieter, der eine trockene Kehle hatte. Er legte seinen Beutel ab und setzte sich steif auf den Rand eines Stuhls.

»Selbst gebraut«, sagte Ortelius mit einem säuerlichen Lächeln, während er die Krüge füllte. »Jetzt darf man es ja wieder...«

»Eine schlimme Geschichte«, sagte Pieter höflich.

»Ich hoffe, daß sie diesem verdammten van Schoonbeke die Hölle heiß machen! Prost.«

»Prost.« Pieter nahm vorsichtig einen Schluck Bier. Es schmeckte vorzüglich.

»Jetzt haben sie alle öffentlichen Badehäuser geschlossen«, sagte Ortelius. »Angeblich auch aus hygienischen Gründen.« Er trank seinen Krug aus. »Noch etwas?«

»Gerne«, antwortete Pieter.

»Hygienische Gründe! Da steckt bestimmt wieder die Kirche dahinter. Wenn man ins Bad geht, muß man sich ausziehen, und da liegt der Hase im Pfeffer. Es ist nämlich eine schreckliche Sünde, sich vor anderen so zu zeigen, wie Gott uns geschaffen hat. Als wäre Gott so ein Heuchler!«

Er spricht fast so wie Jobbe, dachte Pieter, auch wenn er ganz anders aussieht. Und er säuft wie ein Faß.

Ortelius hatte den zweiten Krug ausgetrunken und füllte ihn erneut. Dann sah er Pieter an. »Was ist nun eigentlich mit dir und meiner Tochter? Ich kann ihren wirren Geschichten nicht so recht folgen, außerdem will sie mich manchmal für dumm verkaufen.«

Einen Moment lang suchte Pieter verzweifelt nach einer Möglichkeit, das Gespräch auf ein anderes Thema zu lenken, aber dann entschloß er sich, die Wahrheit zu erzählen. Schlimmstenfalls würde ihn Ortelius hinauswerfen.

»Ich habe Anke gefragt, ob sie mich heiratet«, sagte er. Ortelius reagierte nicht, er sah Pieter nur abwartend an. »Aber der Kardinal hat mir verboten zu heiraten, bis ich meine Ausbildung beendet habe. Also wollten wir... wir dachten...äh...«

»Also wolltet ihr ohne Trauschein zusammenleben?«

»Anke dachte, daß Ihr damit einverstanden seid...«

»Zu meiner Zeit hielten wir bei den Eltern um die Hand ihrer Tochter an.«

»Ihr seid im Kerker gewesen... Es tut mir leid«, stammelte Pieter, »ich wollte Euch nicht übergehen.«

»Soso, deshalb hast du mir also da rausgeholfen!« Ortelius lachte scheinbar wirklich amüsiert. »Noch ein Bier?«

»Gerne«, antwortete Pieter, dessen Kehle immer trockener wurde.

Während er Pieters Krug vollschenkte, sagte Ortelius: »Soso, der Kardinal will also nicht, daß du heiratest? In was sich diese Pfaffen nicht alles einmischen! Nicht daß du mich falsch verstehst und denkst, daß ich unbedingt meine Tochter loswerden will, aber ich verabscheue die Art und Weise, wie sich der Klerus in jedermanns Leben einmischt.«

»Man sollte besser sein Mäntelchen nach dem Wind hängen«, meinte Pieter.

Ortelius, der Pieter über seinen Krug hinweg ansah, zog die Augenbrauen hoch. »Ein junger Künstler, der den Protest scheut?«

»Ein weiser Freund sagte mir, man soll die Obrigkeit auf listige Weise hereinlegen. Zum Beispiel, indem man mit seiner Liebsten in Sünde lebt, wenn die Kirche einem das Heiraten verbietet.«

Ortelius blickte kurz erstaunt auf, dann lachte er schallend, »Bram hatte recht«, sagte er. »Du bist mir schon einer. Trink aus, es ist noch genug Bier da.«

Pieter reichte Ortelius seinen leeren Krug. »Habt Ihr im Steen auch andere Gefangene gesehen?«

»Ein paar, aber nur von weitem. Warum fragst du das?«

»Meine Eltern sind schon vor ein paar Jahren spurlos verschwunden, und ich habe mich oft gefragt, ob sie nicht vielleicht im Kerker sitzen.«

»Vor ein paar Jahren? Dann kannst du wohl ein Kreuzzeichen über sie machen.«

Pieter starrte auf seinen Krug. »Wenn ich das genau wüßte, würde es mir vielleicht besser gehen...«

»Ungewißheit ist schlimm«, stimmte Ortelius zu, während er Pieters Krug wieder vollschenkte.

»Mein Bruder Dinus ist zusammen mit ihnen verschwunden, aber er hat sich bestimmt gerettet, der gerissene Hund... Und dann ist da noch mein Freund, Jobbe, der Fischer. Auch von ihm habe ich nichts mehr gehört, seit sie ihn festgenommen haben.«

»Der Steen hat dicke Mauern... Komm, trink aus!« Ortelius zeigte auf Pieters Krug.

»Was ist das für ein Bier? Meine Nase fühlt sich schon ganz taub an.«

»Das ist echtes Bier, wie ich es nur selten verkaufe, Bier für Mannsbilder. Ich will meine Tochter keinem Schlappschwanz geben, der sich schon nach drei Zügen nicht mehr auf den Beinen halten kann!«

Er versucht mich betrunken zu machen, dachte Pieter. Und wenn ich mich nicht mehr auf den Beinen halten kann, schmeißt er mich raus. »Ich glaube, daß ich besser...« Er blickte zögernd auf den Schaum, der schon wieder über den Rand seines Kruges floß. »Andererseits, wenn man betrunken genug ist, fühlt man es nicht mehr, wenn man einen Tritt in den Hintern bekommt...«

»So gefällst du mir«, sagte Ortelius. »Ad fundum!«

»Ad was?«

»Das ist Lateinisch und bedeutet: bis auf den Boden. Frag das mal deinen Kardinal.«

»Ad fundum«, sagte Pieter folgsam und erhob den Krug.

Als er aufwachte, lag er mit dem Kopf auf dem Tisch mitten in einer Bierlache. Er brummte verärgert und versuchte die Hände von sich wegzuschieben, die ihn heftig schüttelten.

»Steh auf, du Säufer!« befahl Anke. »Was sind das nur wieder für Mätzchen?«

»Kerle, die nicht saufen können, sind schlecht fürs Geschäft«, sagte Ortelius. »Hättest du nichts Besseres finden können?«

»Du bist gemein!« raunzte Anke ihren Vater an. »Du wolltest ihn lächerlich machen!«

»Er hat wirklich gedacht, ich hätte ihn schon so gut wie adoptiert!«

»Ich bin nur etwas voreilig gewesen, ich wußte doch nicht, daß er schon so bald hier auftaucht.«

»Soso, du warst dir also sicher, daß ich diesen mickrigen Maler mit offenen Armen empfangen würde?«

»Er hat dich aus dem Kerker geholt!«

»Du kannst mir viel erzählen, er bekommt ja nicht mal seine eigene Familie raus!«

»Hilf mir lieber, ihn ins Bett zu bringen.«

»Sofort in deines?«

»Vater, bitte, du hast mir immer gesagt, daß ich so leben soll, wie ich es selbst will.«

»Leider, ja. Und jetzt ist es natürlich zu spät.«

»Vater, er ist wach, er hört alles!«

Ortelius lachte. »Morgen hat er alles vergessen, was wir hier sagen. Ich mache dieses Bier selbst!«

»Oh Gott!« stöhnte Pieter. Er fühlte sich totkrank.

»Jetzt hilf mir, bevor er noch den Tisch vollkotzt«, drängte Anke.

Pieter spürte, wie ihn zwei Hände unsanft packten und hochzogen. Er versuchte zu stehen, aber sein rechtes Bein versagte, so daß sie ihn festhalten mußten. Sie schleppten ihn durch ein herumwirbelndes Zimmer zu einer Treppe, die sich wie eine Schlange wand, und warfen ihn auf ein Bett, das immer wieder unter ihm wegzusinken drohte.

»Ich höre ihn schon schwören, daß er nie mehr etwas trinken wird.« Ortelius' Stimme klang wie aus weiter Ferne. Er hörte die Worte, verstand jedoch kaum ihren Sinn. Aber das war auch egal, es bereitete ihm schon Mühe genug, sich an dem Bett festzuklammern, das wie ein Boot auf rauher See schwankte.

»Komm mit runter«, sagte Ortelius noch. »Dann erklärst du mir mal, was du eigentlich mit diesem Schlappschwanz vorhast.«

Als die Tür zugefallen war, hörte Pieter nichts mehr. Er war froh, allein zu sein und sich ganz seinem Elend hingeben zu können.

In der Nacht wurde er wach, weil sich neben ihm im Bett etwas bewegte. Er war nicht mehr betrunken, aber sein Kopf fühlte sich an, als würde er im Schraubstock einer Folterbank klemmen.

Als er vorsichtig eine Hand ausstreckte, fühlte er einen warmen, glatten Schenkel, zu glatt, um der von Ortelius sein zu können.

Vielleicht wird doch noch alles gut, dachte er hoffnungsvoll, bevor er wieder einnickte und den Rest seines Rausches ausschlief.

»Willst du wohl endlich aufstehen? Ich habe frisches Wasser geschöpft, damit du dich waschen kannst. Außerdem brate ich gerade Eier mit Speck.«

Sie erinnert mich an meine Mutter, dachte Pieter, als er sich aufrichtete und ein wenig schwindlig auf den Bettrand setzte. Erstaunlicherweise fühlte er sich einigermaßen gut. Dieses Bier mußte wirklich von sehr guter Qualität sein, trotz des unhygienischen Wassers.

»Wo ist dein Vater?« fragte er Anke.

»In der Brauerei natürlich, anständige Leute arbeiten, um ihr Brot zu verdienen. Ich muß auch gleich weg, also beeil dich ein bißchen!« Anke verschwand in die Küche, um das Essen fertigzumachen.

Wie meine Mutter, dachte Pieter wieder, während er Wasser aus dem Krug in eine Schüssel schüttete. Nur geht man mit seiner Mutter nicht ins Bett, zumindest nicht auf diese Weise. Er grinste und steckte den Kopf ins kalte Wasser.

Am Tisch fragte er: »Wie ist es mit deinem Vater gelaufen?«

»Oh, gut«, antwortete Anke. »Man muß nur wissen, wie man ihn anpackt. Was ist los, ist dir der Speck nicht gut genug?«

»Ich habe nicht viel Hunger ...« Pieter stocherte lustlos auf seinem Teller herum.

»Weißt du, was die Eier gekostet haben?«

»Ich esse sie schon auf, laß mir nur etwas Zeit.«

»Saufen, ja, danach steht euch immer der Sinn!«

»Ich wollte deinen Vater nicht beleidigen, deshalb habe ich mich darauf eingelassen, mit ihm zu trinken.«

»Und Ausreden habt ihr auch immer parat.«

»Das wäre nicht passiert, wenn du mir nichts Falsches gesagt hättest.«

»Ich war nur etwas zu voreilig, weil ich so gerne wollte, daß du bald zu mir kommst.«

»Oh!« stieß Pieter erstaunt aus. Er schnitt ein Stück Speck ab und steckte es sich mit der Messerspitze in den Mund. Der salzige Geschmack war jetzt genau das Richtige. Mit etwas mehr Begeisterung aß er weiter. »Ich weiß noch immer nicht, was dein Vater gesagt hat. Darf ich nun bleiben oder nicht?«

»Mein Vater trinkt nur mit Leuten, die ihm gefallen.«

»Ist das schon wieder so ein Wunschgedanke einer törichten, jungen Frau?«

Anke sah Pieter einen Moment lang wütend an, dann sprang sie plötzlich auf und lief zur Anrichte, wo sie in Tränen ausbrach.

Pieter ging zu ihr und legte die Arme um sie. »Entschuldige«, sagte er. »Ich wollte dir nicht weh tun.«

»Dann paß auf, was du sagst«, sagte Anke mit gepreßter Stimme.

»Manchmal bin ich ein Scheusal ...«

Anke drehte sich um und umarmte Pieter. »Wir werden es gut zusammen haben«, sagte sie. Ihr Weinkrampf war genauso schnell vorbei, wie er gekommen war. »Hast du es schon Marieke gesagt?«

»Marieke ist noch in Brüssel, ich weiß nicht, wann sie zurückkommt. Ich wollte nicht länger warten.«

Sie küßte ihn auf den Mund. »Ich muß zur Arbeit«, sagte sie mit bedauernder Stimme.

»Wenn ich Meister bin, brauchst du nicht mehr zu arbeiten, egal, wie teuer die Eier dann sind.« Pieter setzte sich wieder an den Tisch.

»Aber so weit sind wir noch nicht«, sagte Anke plötzlich wieder sachlich. »Warte nur, bis der Kardinal erfährt, daß du mit mir in Sünde lebst!«

»Ich bin nur seiner Anordnung gefolgt.« Pieter wollte lieber nicht an ihn denken.

»Wir werden sehen«, sagte Anke skeptisch.

Pieter legte das Messer hin und schob den Teller von sich. Wieder hatte er dieses beklemmende Gefühl, das ihn immer überkam, wenn Granvelle vor seinem geistigen Auge erschien. Sofort bereute er seinen Wagemut.

Und das ganze nur wegen zwei weißer Schenkel, wie Floris sagen würde.

Aber was für Schenkel! dachte Pieter mit einem Blick auf Anke, die ihm den Rücken zugewandt hatte und sich einen selbstgemachten Schal umlegte. Außerdem war es jetzt sowieso zu spät, seinen Entschluß rückgängig zu machen, wenn er sich nicht grenzenlos blamieren wollte.

»Die Herrin ist zurück«, sagte Floris, als Pieter in der Werkstatt erschien. Er wies zur Decke. »Sie ist oben, mit einem Herrn, der sie nach Hause gebracht hat.«

»Hast du ihr erzählt, wo ich war?«

»Sie hat mich nicht danach gefragt. Ich glaube, daß sie andere Sorgen hat, sie sieht nicht gut aus.« Floris sah Pieter neugierig an. »Und, wie war die Liebesnacht?«

»Phantastisch«, sagte Pieter abwesend. Er sah zur Decke, als könnte er durch sie hindurchsehen, was dort oben los war. »Ich habe die ganze Nacht geschwebt...«

»Deinem Gesicht nach zu urteilen, bist du wohl ziemlich hart gelandet!«

»Ankes Vater macht ein besonders kräftiges Bier... Ob ich wohl hochgehen kann?«

»Warum nicht?«

»Man weiß ja nie.«

»Wie kommt es, daß du so verdorben bist? Ist das Ankes Einfluß?«

In diesem Moment öffnete sich oben die Tür. Marieke erschien in der Öffnung. »Pieter, bist du da? Kommst du kurz herauf?«

Marieke sah tatsächlich schlecht aus, stellte Pieter fest, als er ihr gegenüberstand. Sie hatte gerötete Augen und Falten um den Mund, als hätte sie viel geweint und wenig geschlafen.

»Das ist Pieter Bruegel«, sagte sie zu dem kleinen, mageren Mann, der vom Tisch aufstand, als er das Zimmer betrat. »Pieter, dieser Herr ist Silvester Moretus, Vorsteher der Schuhmachergilde von Mecheln. Der Gildemeister möchte, daß du zusammen mit Pieter Baltens ein Altarstück für die St. Romboutskathedrale machst.« Sie ließ sich auf einen Stuhl sinken.

»Mit Pieter Baltens!« sagte Pieter voller Respekt. »Welche Ehre!«

»Ich hoffe, daß du dir dessen bewußt bist«, sagte Marieke.

Mit einer dünnen Stimme, die überhaupt nicht zu seinem Status paßte, sagte Moretus: »Meister Baltens selbst wünscht diese Zusammenarbeit. Sein Freund, Claude Dorizi, hat dich in den höchsten Tönen gelobt. Und nachdem ich ein paar deiner Werke gesehen habe, verstehe ich auch, warum.« Er lächelte Pieter ermutigend zu. »Wir haben in der Gilde beschlossen, daß du der richtige Künstler für das bist, was wir uns vorstellen.« Er rieb sich die Nase, als wäre er erkältet. »Ich unterhalte gute Beziehungen zu den Gildemeistern van Eerenbroeck und van Queeckborne von der Antwerpener Malergilde. Durch meine Fürsprache wird es einfacher für dich sein, von der Gilde als Meister angenommen zu werden. Wenn du unsere Erwartungen erfüllst, werde ich die notwendigen Schritte unternehmen.«

Pieter war einen Moment lang sprachlos. »Ich weiß nicht, was ich sagen soll...« Hilfesuchend sah er Marieke an.

»Du mußt nur dein Bestes tun, um das Vertrauen, das dir geschenkt wird, nicht zu enttäuschen«, sagte sie.

Das bedeutete, daß er Granvelle zuvorkommen könnte, dachte Pieter mit wachsender Erregung. Vielleicht brauchte er den Kardinal und dessen heuchlerischen Vikar in Zukunft gar nicht mehr.

»Geh jetzt wieder runter«, sagte Marieke. »Ich habe noch etwas mit dem Gildemeister zu besprechen.«

»Ja«, sagte Pieter. »Natürlich, ich danke Euch, vielen Dank...« Er verließ eilig das Zimmer.

»Schon wieder ein Auftrag«, erzählte er kurz darauf Floris. Sein Herz klopfte vor Aufregung. »Ein Altarstück für St. Rombouts, zusammen mit Pieter Baltens. Aufgepaßt, Malergilde, hier kommt Pieter Bruegel!«

»Du schwebst noch immer«, meinte Floris. »Das Bier von Ortelius scheint mir ja ein starkes Gebräu zu sein!«

Pieters Miene verfinsterte sich. »Jetzt hoffe ich nur, daß mir Granvelle nicht die Suppe versalzen wird...«

»Das denke ich nicht. Er wird sich freuen, daß es seinem Schützling so gut geht.«

»Hoffentlich«, sagte Pieter wenig überzeugt.

Als Gildemeister Moretus gegangen war, rief Marieke Pieter erneut zu sich. Nachdem sie Tee gekocht hatte, begann sie zu sprechen. »Meinem Mann geht es sehr schlecht. Ich glaube, er wird höchstens noch ein paar Wochen leben...« Sie ließ die Hände sinken und starrte reglos vor sich hin. Ihre Augen blieben trocken, als hätte sie schon alle Tränen geweint.

»Himmel, nein...«, murmelte Pieter, berührt von Mariekes Kummer, der ihn viel mehr traf als Coeckes möglicher Tod.

»Der Doktor sagt, daß er wie eine abgebrannte Kerze erlischt.«

Pieter nahm ihre Hand, die auf dem Tisch lag. Er wollte ihr ein paar tröstende Worte sagen, aber er fand keine. Als das Schweigen immer unerträglicher wurde, fragte er: »Wo ist Mayken?«

»Bei meiner Schwester. Es ist so anstrengend, die ganze Zeit vor dem Kind Haltung zu bewahren. Pieter...« Sie legte die andere Hand auf seine und sah ihn flehend an. »Ich weiß, daß du ein Mädchen hast, aber... kannst du mir bitte versprechen, mich in den nächsten Wochen nicht allein zu lassen?«

»Ich bin doch den ganzen Tag hier, um zu arbeiten.«

»Tagsüber geht es schon, da habe ich auch meine Arbeit. Aber die Abende sind schlimm. Bleib bitte bei mir, bis alles vorbei ist...«

Pieter sah sie lange schweigend an, bevor er den Mut fand, ihr zu sagen: »Während Ihr in Brüssel wart, bin ich bei Anke eingezogen...« Ich bin herzlos, dachte er.

Marieke zog die Hand zurück und nahm ihre Teeschale. »Ich habe Anke gesehen, ich kann verstehen, daß du dich von ihr angezogen fühlst...« Sie starrte in ihre Schale. »Vor vielen Jahren war ich auch so hübsch, aber heute dreht sich kein Mann mehr nach mir um, es sei denn, er ist kahl und hat keine Zähne mehr im Mund...«

»Männer sind so dumm!« rief Pieter.

Auf Mariekes Gesicht erschien ein schwaches Lächeln. »Manchmal bist du richtig nett, viel mehr, als dir selbst bewußt ist«, sagte sie. »Ich hoffe, Anke macht dich glücklich...«

Pieter wußte nicht, wie er sich verhalten sollte. Er kannte bisher nur eine Marieke, die stark war und ihre Schüler unter der Fuchtel hatte. Am liebsten hätte er sich heimlich davongeschlichen, bis es ihr wieder besser ging.

Marieke klopfte ihm aufmunternd auf die Schulter. Mit dieser Gebärde schien sie auch sich selbst zu ermahnen. »Ich stehe es schon durch«, sagte sie. »Noch Tee?«

»Wärt Ihr nicht lieber bei Meister Coecke geblieben?«

»Er ist wie ein verwundetes wildes Tier und schnauzt jeden an, der ihm zu nah kommt, mich inbegriffen. Er hat mich einfach weggejagt...« Ihr Gesichtsausdruck veränderte sich. »Aber genug davon. Was macht deine Arbeit für Dorizi?«

»Ich... ich habe noch nicht viel getan.« Pieter fühlte sich unwohl.

»Noch gar nichts getan, wolltest du wohl sagen. Ich denke, daß wir uns morgen alle beide wieder richtig an die Arbeit machen, oder?«

»Ja«, sagte Pieter, froh darüber, daß Marieke noch etwas von ihrer einstigen Kraft besaß. »Ja, das werden wir tun...«

Drei Tage später starb Pieter Coecke.

Marieke wollte ein Begräbnis in engstem Kreise, doch die Nachricht von Coeckes Tod hatte sich so schnell verbreitet, daß Künstler, ehemalige Schüler und Kunstliebhaber von nah und fern herbeiströmten, um ihm die letzte Ehre zu erweisen. Zu Fuß, zu Pferd, auf Karren, auf jede erdenkliche Art kamen sie, manche in Seide und Brokat gekleidet, andere in Lumpen gehüllt. Auch einige hochgestellte Persönlichkeiten und Honoratioren hatten sich dazu herabgelassen, dem Begräbnis beizuwohnen und der Witwe ihr Beileid auszusprechen.

Als man den Sarg mit dem Leichnam der Erde übergeben wollte, ertönte plötzlich lautes Hufgetrappel. Kurz darauf erschien eine schwarze Kutsche, die von zwei dampfenden friesischen Stuten gezogen wurde. Dem geschlossenen Wagen folgte ein halbes Dutzend bewaffneter Reiter. Statt wie alle anderen in gebührendem Abstand zu halten, lenkte der Kutscher die Pferde mitten durch die Schar der Trauergäste bis vor das frisch ausgehobene Grab. Er ignorierte die Proteste der aufgeschreckten Leute, sprang vom Bock und öffnete die Tür der Kutsche. Als der in Schwarz und Purpur gekleidete Fahrgast ausstieg, ging ein Raunen durch die Menge. »Granvelle, Kardinal Granvelle!« murmelten die Leute ehrfurchtsvoll.

»Oh, Jesus!« zischte Pieter, der direkt neben Marieke am offenen Grab stand. Unwillkürlich machte er einen Schritt nach hinten, als wollte er weglaufen.

Die Soldaten blieben mit ihren schnaubenden Pferden neben der Kutsche stehen. Der Kardinal schritt allein zum Grab, scheinbar ohne die Leute zu beachten, die ihm unter Verbeugungen den Weg freimachten. Nachdem er an Coeckes Sarg getreten war und ihn gesegnet hatte, wandte er sich an Marieke und sprach ihr sein Mitleid aus. Dann sah er Pieter an. »Ich will dich sprechen, komm zur Kutsche.« Der Kardinal drehte sich abrupt um und ging zu den wartenden Soldaten zurück.

Marieke legte eine Hand auf Pieters Schulter. »Geh nur«, sagte sie leise. »Laß ihn nicht warten.« Sie gab ihm einen sanften Stoß.

Mit Herzklopfen folgte Pieter dem Kardinal.

Granvelle war bereits wieder eingestiegen und blickte von seinem erhöhten Sitzplatz auf Pieter hinunter. »Durch dieses bedauerliche Ereignis siehst du einer ungewissen Zukunft entgegen, nicht wahr?«

Pieter räusperte sich. »Entschuldigt, Monseigneur, aber Witwe Coecke sagt, daß sie mich weiter ausbilden kann.«

»Ausbilden zu was? Zum Wasserfarbenmaler?«

»Witwe Coecke versteht ihr Handwerk«, wagte Pieter zu bemerken.

»Ich zweifle nicht an ihrem Können, innerhalb der Grenzen ihrer beschränkten Möglichkeiten. Aber was dich angeht, hatte ich mir doch etwas anderes vorgestellt...« Verärgert sah er über Pieters Schulter zu einem auffällig gekleideten Mann mit einem langen, gewellten Bart, der näherkam und neben Pieter stehenblieb.

Der Mann nahm sein mit einer großen Feder geschmücktes Barett ab und neigte den Kopf. »Seid gegrüßt, Monseigneur. Es bekümmert mich, daß Ihr mich nicht zu erkennen scheint.«

»Hieronymus Cock«, sagte der Kardinal. »Ich habe Euch in der Tat nicht erkannt in dieser Aufmachung.« Sein Blick wanderte geringschätzig über die mit zahllosen Stickereien verzierte Kleidung des anderen.

»Aus Italien mitgebracht, Monseigneur, genauer gesagt aus Rom.«

»Habt Ihr darüber hinaus eine fruchtbare Reise gehabt?«

»Sehr fruchtbar, Monseigneur, danke. Ich kann jedem ernsthaften Künstler eine Studienreise nach Italien nur empfehlen. Und das bringt mich auf unseren jungen Freund hier.« Vertraulich legte er eine Hand auf Pieters Schulter.

Pieter hatte Cock ein paarmal in der Werkstatt gesehen, doch der berühmte Kupferstecher hatte ihm nie viel Beachtung geschenkt. Deshalb verstand er nun auch nicht, worauf der andere hinauswollte.

»Ich nehme an, daß das tragische Hinscheiden von Meister Coecke nicht ohne Konsequenzen für Pieters weitere Karriere ist.«

»Dieses Thema kam gerade zur Sprache«, antwortete der Kardinal kurz angebunden.

»Nun denn, es wäre mir eine große Ehre, wenn Ihr, Monseigneur, erlauben würdet, daß Pieter Bruegel in meinen Dienst tritt.«

»Welch ein Edelmut«, bemerkte der Kardinal.

Pieter dachte, daß Granvelle dies auch so meinen würde, bis er den spöttischen Ausdruck in seinem asketischen Gesicht sah.

»Ich gebe zu, daß meine Absichten nicht völlig selbstlos sind«, gab Cock gelassen zu. »Ich bin mir dessen bewußt, was Pieters besondere Begabung für meine Arbeit bedeuten könnte. Deshalb bin ich auch bereit, ihm die Feinheiten der Kupferstecherei beizubringen.«

»Würdet Ihr ihm auch eine Studienreise nach Italien finanzieren?«

»Wer weiß«, antwortete Cock. »Das würde ihn gewiß zu großen

Landschaftsbildern inspirieren, die, wie Ihr sicher wißt, meine Spezialität sind.«

»Pieter Bruegel arbeitet an einem Auftrag für Claude Dorizi, den er zuerst erledigen muß.«

»Ich mag zwar viele Untugenden haben, Monseigneur, aber Ungeduld gehört gewiß nicht dazu.«

Granvelle lehnte sich auf der mit violetter Seide bezogenen Bank zurück. »Ich werde darüber nachdenken«, teilte er kühl mit. »Auf Wiedersehen, meine Herren.«

Der Kutscher schloß die Tür, stieg auf den Bock und ließ die Peitsche knallen, um die Pferde zu wenden. Dann fuhr die Kutsche mit derselben Eile davon, mit der sie gekommen war. Die Reiter folgten ihr.

»Reines Gehabe«, sagte Cock verächtlich. »Und noch dazu bei einem Begräbnis!« Er sah Pieter an. »Vielleicht hätte ich dich erst fragen sollen, ob du Lust hast, bei mir zu arbeiten?«

»Vielleicht hättet Ihr zuerst mit Witwe Coecke über diese Angelegenheit sprechen müssen«, antwortete Pieter, der sich nicht ganz sicher war, ob er den geckenhaften Cock mochte.

Cock lächelte nachsichtig. »Du hast recht, manchmal lasse ich mich von meiner Impulsivität mitreißen. Eine meiner Untugenden, könnte man sagen.« Er sah auf die Rücken der Leute, die Coeckes Grab der Sicht entzogen. »Marieke ist mir gewogen. Ich werde mich mit ihr darüber unterhalten, sobald sie den schlimmsten Kummer überwunden hat. Auf Wiedersehen, hoffe ich.«

Pieter drückte die mit einem weißen Baumwollhandschuh bekleidete Hand, die der andere ihm entgegenstreckte. »Auf Wiedersehen, Meister Cock.«

Unsicher blickte er dem Kupferstecher und Verleger nach, der zu einer abseits wartenden Kutsche ging. Er wußte, daß ein Abschnitt seines Lebens nun zu Ende ging und die wenigen Sicherheiten, die er hatte, wie Stützen unter einem neuen Schiff weggeschlagen wurden. Aber er wußte überhaupt nicht, ob er das Schiff steuern konnte, wenn es erst einmal zu Wasser gelassen wurde.

12

Der Riegel knarrte, dann flog die Zellentür gegen die Wand. Ein Gefängniswärter kam herein, ein zweiter blieb im Gang stehen.

Jobbe lag zusammengerollt auf dem schimmelnden Stroh, mit dem seine Pritsche bedeckt war. Als das Licht vom Gang auf ihn fiel, streckte er unter Schmerzen seine steifen Gelenke. Mühsam richtete er sich auf.

»Großer Festtag heute«, rief der Gefängniswärter mit fröhlicher Stimme. »Wieder ein halbes Dutzend weniger von diesen Stinkern. Wird dir sicher nicht schaden, ein bißchen auszulüften am Strick.« Er rümpfte demonstrativ die Nase.

»Galgentag?« Jobbe stand schwankend auf. »Das wurde aber auch allmählich Zeit, ich wollte schon fragen, ob man mich nicht früher aufhängen könnte. Und sei es nur, um eure Drecksvisagen nicht mehr sehen zu müssen.«

Der Wärter grinste breit. »Das höre ich gerne«, sagte er und nickte beifällig. »Viel besser als das ewige Gejammer, als wäre Sterben so schlimm. Das haben wir hier ständig!«

»Sterben ist längst nicht so schlimm wie geboren werden auf dieser dreckigen Welt«, pflichtete Jobbe ihm bei. »Kein Wunder, daß Neugeborene so schreien.«

Der Wärter ließ Jobbe vorbeigehen. »Drecksvisagen!« sagte er kopfschüttelnd zu seinem Kumpan. »Das muß der gerade sagen. Wenn mein Hintern so aussehen würde wie seine Fresse, würde ich nirgendwo die Hosen runterlassen!«

Sie nahmen sicherheitshalber Jobbe in die Mitte und führten ihn nach oben, wo sie ihn an Händen und Füßen fesselten. Dann wurde er zusammen mit fünf anderen Gefangenen nach draußen auf die Zugbrücke gebracht.

»Eine neue Anordnung von seiner Barmherzigkeit, König Philipp II.«, erklärte einer der Wärter ungefragt. »Zum Tode Verurteilte dürfen noch einen letzten Blick auf die freie Welt werfen, bevor das Urteil vollstreckt wird.«

»Ha, die freie Welt!« sagte Jobbe. »Ich glaube, daß die Freiheit am anderen Ende des Stricks größer sein wird...«

Es regnete leicht. Jobbe hob das Gesicht zum grauen Himmel und genoß die kühlen Wassertropfen auf seiner Haut.

Gutes Wetter zum Fischen, dachte er. Kein Wind und leichter Regen, die Lachse kämen scharenweise angeschwommen, angelockt von den niederfallenden Tropfen, die sie für Insekten halten.

Er sah auf die Schelde, die dieselbe graue Farbe wie der Himmel hatte. Dort waren tatsächlich ein paar Fischer bei der Arbeit. Der Anblick der kleinen Boote erfüllte ihn plötzlich mit tiefer Wehmut.

Wenn es nach mir ginge, bräuchte der Himmel nur aus einem Teich und einem Boot zu bestehen, dachte er. Und dann laßt mich den ganzen Tag fischen, bis mein Boot voll von diesen glänzenden, zappelnden, fetten Tieren ist. Dann werfe ich sie alle wieder ins Wasser und fange von vorn an, Tag für Tag. Und vor allem darf mich niemand, niemand stören...

»Genug der Freiheit, jetzt geht's wieder rein«, befahl ein Wächter. »Zurück ins traute Heim.«

Jobbe und vier andere ließen sich ohne Murren hineinführen. Einer der Gefangenen sank jedoch jammernd auf die Knie und flehte den Himmel und jeden, dessen Name ihm so schnell einfiel, um Gnade an. Er wurde sofort hochgerissen und mit Stößen und Schlägen zum geöffneten Tor getrieben.

»Habe ich nicht gesagt, daß ich dieses Geseire hasse?« schnauzte der Wärter, der Jobbe aus seiner Zelle geholt hatte.

In dem kleinen Innenhof stand ein Galgen mit sechs Stricken. Unter dem Galgen befand sich eine Luke, durch die die Leichen direkt in die Schelde fallen konnten. Ketzer und Hexen verdienten kein Begräbnis; außerdem war es oft besser, sie unbemerkt verschwinden zu lassen. Ebenso wie die Gefangenen, die aus welchem Grund auch immer im Kerker starben.

Da erschien ein Priester, der in einer Hand einen Rosenkranz und in der anderen ein Gebetbuch hielt.

»Ich brauche keinen Vermittler, wenn ich mit Gott sprechen will«, sagte Jobbe. »Ihr würdet meine Worte doch nur verdrehen.«

»Der Herr möge dir deine Sünden vergeben«, sagte der Priester unbeirrt.

»Ich werde ihm von den guten Werken erzählen, die Ihr hier vollbringt«, versprach Jobbe. »Wie eifrig Ihr dafür sorgt, daß möglichst viele Menschen auf die Welt kommen und möglichst viele umgebracht werden. Nur so bekommt man den Himmel voll.«

Der Priester sah ihn tadelnd an, machte ein Kreuzzeichen und wandte sich einem anderen Verurteilten zu, der die ganze Zeit murmelnd und mit geschlossenen Augen dastand und betete.

Jobbes Blick wanderte über den kleinen, grauen Innenhof mit seinen hohen Mauern. Er sah die gleichgültigen Wächter und ihren Hauptmann, für die Hinrichtungen etwas Alltägliches waren, den Galgen und die große Luke, unter der die Schelde floß.

Sein philosophischer Gleichmut begann ihn zu verlassen. Er hatte noch immer keine Angst vor dem Sterben, aber er fühlte, wie sich in ihm Widerstand gegen die gleichgültige Beiläufigkeit regte, mit der andere über das Leben eines Menschen entschieden. Auch hätte er lieber mit einer gewissen Würde Abschied genommen, statt mit heraushängender Zunge an einem Strick zu baumeln.

Der Priester war nun fertig. Die Wächter trieben die Verurteilten auf die Holzluke unter dem Galgen, wo sie sich nebeneinander aufstellen mußten. Ein Henker, wie aus dem Nichts aufgetaucht, legte ihnen die Schlinge um den Hals.

Das war es nun, dachte Jobbe. Ob es das Ende von allem war? Wenn es noch etwas anderes gab, dann würde er es bald wissen. Er schloß die Augen, konzentrierte sich auf seine tiefsinnigen Gedanken und betete, daß Schmerz und Todeskampf möglichst schnell vorbei sein würden.

Dann hörte er, wie der Henker begann, die Riegel der Holzluke loszuschlagen. Gleich würden die sechs Verurteilten über diesem gähnenden Loch baumeln, über dem kalten, grauen Scheldewasser, wo Krabben und Fische darauf warteten, sich an ihren Leichen gütlich zu tun. Mit dieser Vorstellung konnte sich Jobbe versöhnen. Er fand es nicht mehr als gerecht, dem Fluß etwas zurückzugeben, nachdem er jahrelang aus ihm geschöpft hatte.

Der rechte Teil der Luke klappte auf. Drei der sechs Verurteilten hingen zappelnd und zuckend in der Luft.

Der Mann neben Jobbe war derjenige, der draußen jammernd auf die Knie gesunken war. Offenbar hatten seine Gebete doch noch einen Sinn gehabt, dann durch den Ruck war sein Genick sofort gebrochen. Sein Todeskampf dauerte nicht länger als ein paar Sekunden. Er hing bewegungslos da, während die beiden anderen ihr letztes bißchen menschliche Würde verloren. Sie zuckten so heftig, daß die Sehnen rissen und die Schließmuskeln sich öffneten. Ihre Gesichter waren zu grotesken Fratzen verzerrt.

Sie gehen so, wie sie geboren wurden, dachte Jobbe erschüttert, sie zappeln in ihrem eigenen Dreck... Er zuckte zusammen. Seine Zehen verkrampften sich in den Schuhen, als der Henker mit dem Hammer auf die Riegel der zweiten Luke schlug...

»Nun steht noch die Sache mit diesem Freund von Pieter Bruegel an«, sagte Granvelle. »Jobbe, der Fischer. Ist er festgenommen worden, wie ich es befohlen habe?«

»Ja, Monseigneur«, antwortete Licieux schnell. »Er sitzt im Steen...« Er warf einen Blick auf die Dose mit dem Uhrwerk, die vor ihm auf dem Tisch stand. »Vielleicht sollte ich besser sagen: saß, denn ich habe vernommen, daß er heute hingerichtet wird.«

Der Kardinal sah von dem Brief auf, den er gerade las. »Was sagt Ihr da?«

»Richter de Brabander hat ihn zum Galgen verurteilt, die Hinrichtung soll heute stattfinden.« Licieux rutschte auf seinem Stuhl hin und her, er kannte diese unheilverkündende Falte zwischen Granvelles Augenbrauen nur allzugut.

»Wer hat denn gesagt, daß er verurteilt werden darf?«

»Man hat sich an die übliche Verfahrensweise bei der Festnahme eines Ketzers gehalten.«

»Um wieviel Uhr findet die Hinrichtung statt?«

»Etwa zur Flutzeit.«

»Flutzeit? Sagt mir die genaue Stunde, Himmel!«

»Ich weiß es nicht, Monseigneur, ich kenne leider nicht die Ephemeriden.«

Der Kardinal sprang auf, warf einen kurzen Blick auf die Uhr und ging zum Fenster, wo er zum Himmel blickte. »Es muß ungefähr Neumond sein«, murmelte er vor sich hin. »Das bedeutet, daß die Flut bei Antwerpen etwa um die Mittagszeit ihren Höhepunkt erreichen muß... Haben wir Neumond, Licieux?«

»Ich glaube ja, Monseigneur«, stammelte Licieux, der noch nie auf den Mond geachtet hatte.

Granvelle verließ das Fenster und setzte sich wieder hin. »Vielleicht ist es noch nicht zu spät. Schickt sofort einen Kurier zum Steen, um die Hinrichtung von Jobbe zu verhindern... Nein, geht selbst, jetzt sofort!«

»Ja, Monseigneur«, sagte Licieux, der hastig aufstand und zur Tür lief, so schnell ihm das mit seiner korpulenten Figur möglich war.

»Er soll sterben, wenn *ich* es befehle, tot nützt mir dieser Fischer überhaupt nichts«, rief der Kardinal Licieux hinterher, aber das hörte dieser schon nicht mehr.

»Gott sei mir gnädig!« rief Jobbe, als er den Halt unter den Füßen verlor.

Er spürte einen harten Ruck unterm Kinn, das grobe Manilaseil riß ihm die Haut auf. Dann stürzte Jobbe hinunter und landete mit den Füßen voraus im kalten Wasser. Er spürte den glatten Boden unter sich und richtete sich auf. Das Wasser reichte ihm bis zur Brust. Beinahe wäre er ausgerutscht, weil ihn die Fesseln behinderten, aber dann gelang es ihm, auf beiden Beinen stehenzubleiben.

Er blickte schnell hoch und sah über sich die Gefangenen und die Köpfe der Wächter, die sich über den Rand des Loches beugten und einander unverständliche Worte zuschrien. Plözlich knallte eine Muskete. Direkt neben Jobbe spritzte eine Wasserfontäne hoch. Ohne weiter nachzudenken, tauchte Jobbe unter und bewegte sich auf die helle Öffnung des Tunnels zu, die er fünfzig Meter weiter sehen konnte.

Er war kein guter Taucher, aber zum Glück war der Abstand zu der aus rauhem Stein gemauerten Tunneldecke groß genug, so daß er den Kopf über Wasser halten konnte. Hinter sich hörte er noch einige sinnlose Schüsse und Geschrei, dann wurde es still.

Als Jobbe die schmale Öffnung zur Schelde erreicht hatte, stützte er sich an den Wänden ab, um wieder zu Atem zu kommen. Das Wasser reichte ihm bis zum Kinn.

Er fragte nicht nach dem Grund, warum sich der Strick nicht um seinen Hals zusammengezogen hatte, so daß er hatte herausgleiten können. Er beließ es dabei, daß Gott für ihn wohl einen anderen Tod bestimmt hatte. Zum Beispiel von der Kugel einer Muskete getroffen zu werden, wenn er es wagen würde, den Tunnel zu verlassen. Oder vor Hunger und Durst zu sterben, wenn er hier sitzen blieb. Das Wasser war zu salzig, um es trinken zu können, und Jobbe erschauderte bei dem Gedanken an die ekelerregenden Dinge, die hier möglicherweise umhertrieben.

Er hatte Angst, daß die Wächter ein Seil in das Loch hinunterlassen würden, um ihn zu verfolgen, doch es passierte nichts. Wahrscheinlich warteten sie, bis er hinauskam, so daß sie ihn mühelos abknallen konnten.

Plötzlich schoß Jobbe ein anderer Gedanke durch den Kopf. Der Abstand zwischen dem Wasser und der Oberseite des Tunnels war nicht sehr groß. Wenn das Wasser noch stieg, würde er nicht hierbleiben können. Er versuchte sich daran zu erinnern, wie vorhin die Boote auf der Schelde gelegen hatten, um daraus zu folgern, ob Ebbe oder Flut war. Er hatte jedoch nicht darauf geachtet.

»Verdammte Dilettanten!« fluchte er laut. »Könnt ihr noch nicht mal jemanden anständig aufhängen?«

Das Wasser stieg jedoch nicht, was eigentlich auch logisch war. Um die Leichen aus dem Steen beseitigen zu können, mußte Ebbe sein, damit sie vom zurückgehenden Wasser mitgetragen wurden.

Wie soll ich jetzt sterben, dachte Jobbe, der sich, obwohl er dem Galgen entkommen war, elend fühlte. Vor Hunger oder Durst, an Unterkühlung, indem ich ertrinke oder durch eine Kugel?

Da kam ihm in all seiner Verzweiflung eine Idee.

Der Henker löste die Stricke, woraufhin die Leichen nacheinander in das Loch fielen. Sechs Ellen tiefer plumpsten sie ins Wasser, wo sie langsam aus dem Blickfeld trieben.

Als der Henker mit einem der Wächter gerade die beiden Luken schloß, ertönten draußen Hufgetrappel und das Klappern einer schnell heranfahrenden Kutsche. Kurz darauf wurde heftig ans Tor geklopft.

Einer der Gefängniswärter ging ohne jede Eile zum Tor, um es zu öffnen, doch als er den Besucher sah, nahm er sofort Haltung an und machte alles dreimal so schnell. Jeder auf dem Innenhof verbeugte sich, als Generalvikar Licieux hineinstürmte. Der Hauptmann der

Wache gab den Männern, die Jobbe verfolgen wollten, einen Wink, daß sie warten sollten.

Licieux blieb abrupt stehen, als er den leeren Galgen sah. Er warf einen Blick auf die Luke und ging zögernd zwei Schritte weiter. »Bin ich zu spät?«

»Meint Ihr die Hinrichtung?« fragte der Hauptmann, der nähergekommen war.

»Nein, den Ball der Verdammten!« stieß Licieux wütend hervor. »Natürlich meine ich die Hinrichtung!«

»Die wurde soeben vollzogen«, sagte der Hauptmann. Er warf seinen Männern warnende Blicke zu.

»War Jobbe, der Fischer, auch dabei?«

Der Hauptmann erschrak sichtlich, aber Licieux sah gerade in die andere Richtung. »Ja, Euer Hochwürden. War er vielleicht unschuldig?«

»Ich wollte mich nur vergewissern«, erwiderte Licieux, »um ganz sicherzugehen.« Den Hauptmann ging sein Versagen nichts an, fand er. Er rümpfte die Nase. »Kann es sein, daß ich Schießpulver rieche?«

»Einer meiner Männer hat auf eine Ratte geschossen«, log der Hauptmann, der mit ihrer Unfähigkeit lieber nicht hausieren wollte.

»Ratten sind dreckige Biester, ich hoffe, es war ein Treffer.«

»Wir haben sie ins Loch geschmissen«, sagte der Hauptmann. »Zum anderen Ungeziefer«, fügte er in der Hoffnung hinzu, den anderen für sich einzunehmen.

»Gut«, sagte Licieux. »Ausgezeichnet...« Er blieb neben den Holzluken stehen, als wollte er noch etwas sagen, wüßte aber nicht, wie er es ausdrücken sollte. In Wirklichkeit überlegte er bereits, wie er dem Kardinal die schlechte Nachricht von Jobbes Hinrichtung beibringen konnte, ohne sich selbst allzu sehr zu blamieren. Aber dann dachte er sich, daß die Angelegenheit schon nicht so wichtig wäre. Eine Laune des Kardinals, auf einen Ketzer mehr oder weniger kam es nun wirklich nicht an...

Er drehte sich abrupt um und verließ grußlos den Steen.

Der Hauptmann wartete, bis er die Kutsche über die Straßensteine wegfahren hörte. Dann schrie er seinen Männern einen Befehl zu. Sie rannten zum Scheldeufer und postierten sich mit ihren geladenen

Musketen an der Stelle, wo der Tunnel unter dem Steen in den Fluß mündete.

Die Ebbeströmung entlang der hölzernen Uferbefestigung war so stark, daß die Leichen der Gehängten schon ein gutes Stück stromabwärts getrieben waren. Der Hauptmann ließ vier seiner Männer zurück und lief mit den beiden anderen am Ufer entlang bis zur nördlichen Stadtmauer, wo die Schelde in einer großen Schleife in westliche Richtung strömte. Von den Leichen war nichts mehr zu sehen. Wahrscheinlich waren sie schon weitergetrieben, wenn sie überhaupt mit den schweren Ketten an den Handgelenken an der Oberfläche blieben. Aber sie interessierten den Hauptmann auch nicht mehr. Er hoffte den Kopf eines Schwimmers zu entdecken oder, was wahrscheinlicher war, einen erschöpften alten Mann, der versuchte, sich im Schilf zu verstecken. Doch er konnte niemanden sehen.

Als sie in den Steen zurückgekehrt waren, ließ er die Luken öffnen und den Tunnel durchsuchen. Er war leer. So blieb ihm nichts anderes übrig, als anzunehmen, daß der sechste Verurteilte ertrunken war.

Dem Hauptmann war nicht wohl zumute, weil er keine absolute Gewißheit hatte. Mehr noch beunruhigte ihn jedoch die Tatsache, daß der Generalvikar völlig unerwartet vorbeigekommen war. Er fürchtete dessen Tücke.

Aber er konnte sich nicht länger mit diesem verkrüppelten alten Fischer beschäftigen, er hatte weiß Gott noch anderes zu tun. So schrieb er in seinen Tagesbericht, daß man die Hinrichtung der sechs Ketzer wie befohlen ausgeführt und die Körper in die Schelde geworfen hatte.

Er schrieb bewußt »Körper« und nicht »Leichen«.

13

»Wir waren froh, als Kaiser Karl von der Bildfläche verschwand«, sagte Gwijde Ortelius. »Wir glaubten, daß mit Philipp alles besser werden würde, Dummköpfe, die wir waren. Wir jubelten ihm sogar zu, als er nach Antwerpen kam, um zu sehen, was es hier zu holen gibt!« Er spuckte verächtlich in den kupfernen Spucknapf neben dem Ofen. »Nichts als Machthunger treibt ihn! Habe ich es nicht gesagt?« Diese Frage war an seine Tochter gerichtet, die mit Pieter und ihm am Tisch saß.

Anke schien ausnahmsweise mit ihrem Vater einer Meinung zu sein. »Es ist nur noch schlimmer geworden.«

»Weißt du, was er jetzt macht? Er ernennt auf eigene Faust Bischöfe? Das Kapitel hat nichts mehr zu sagen.«

Pieter sah beunruhigt auf. »Bischöfe?«

Ortelius nickte. »Wie ich gehört habe, wird dein guter Freund Granvelle vom spanischen König zum Erzbischof von Mecheln ernannt und in den Staatsrat berufen. Eh wir uns versehen, ist dieser Despot Primas der gesamten Niederlande. Die Pfaffen, die Philipp in den Arsch kriechen, bekommen alle reichen Bistümer. Die Inquisition sieht wieder goldenen Zeiten entgegen, denkt an meine Worte!« Ortelius spuckte wieder, wobei er eine bemerkenswerte Treffsicherheit an den Tag legte. »Die Mennoniten können jedenfalls die mildernden Edikte von Kaiser Karl in den Wind schreiben.«

»Erzbischof von Mecheln...«, murmelte Pieter. »Die einzige in diesem ganzen Clan, die sich noch ein wenig um erträgliche Zustände bemüht, ist Margarethe von Parma. Aber was kann diese Frau allein noch ausrichten?«

»Es wird eine Revolte geben«, meinte Anke. »Es *muß* eine Revolte geben! All die Menschen, die nichts zu beißen haben, und in den Kirchen funkeln die goldenen Schreine und Tabernakel mit Edelsteinen!«

»Sei still, Tochter!« mahnte Ortelius. »Überlaß das Murren alten Knackern wie mir, die nichts mehr zu verlieren haben.«

»Wir Antwerpener Frauen sind weltweit berühmt für unsere Selbständigkeit und unsere Mündigkeit. Warum sollten wir diesen Ruf verleugnen?«

»Du bist eine freche Göre und sonst gar nichts!« sagte Ortelius. »Pieter, kannst du dieses Weib nicht zur Ordnung rufen?«

Der junge Mann wandte sich an Anke. »Warum die ganze Aufregung? Wahrscheinlich werde ich schon vor Jahresende Meister der Sankt-Lukas-Gilde, und ich werde sicher kein arbeitsloser Meister sein. Ums Geld brauchen wir uns dann sicher keine Sorgen mehr zu machen.«

Anke schüttelte den Kopf. »Hauptsache, mir geht's gut, und der Rest kann verrecken. Ist das deine Devise?«

»Anke, ich finde es sehr schlimm, daß es vielen Menschen so schlecht geht, aber ich bekomme auch nichts geschenkt, ich muß hart dafür arbeiten. Durch Murren ist noch nie jemand reich geworden!«

»Du hast bis jetzt nur mehr Glück gehabt als die meisten anderen, das ist kein Verdienst«, warf Ortelius mahnend ein.

»Richtig«, stimmte Anke mit einem breiten Grinsen zu. »Sehr richtig!«

»Aber durch Murren wird man wirklich nicht reich«, sagte Ortelius zu ihr. »Ihr solltet beide etwas mehr nachdenken und nicht immer so verdammt überzeugt von eurer eigenen Meinung sein.« Er zuckte mit den Schultern, als würde er die Nutzlosigkeit seiner eigenen Worte erkennen. »Das sind natürlich Perlen vor die Säue geworfen, diese jungen Rotznasen wissen es ja doch immer besser.« Er gähnte. »Das alles geht mir furchtbar auf die Nerven.« Er nahm einen Krug, der auf dem Tisch stand. »Willst du ein Bier, Pieter?«

»Nein, danke!« sagte Pieter schnell. »Ich möchte morgen einen klaren Kopf haben.«

»Soso, und wofür?«

»Meine drei Bilder für Dorizi sind fertig, sie stehen schon seit Wochen zum Trocknen da. Ich habe die Anweisung, sie selbst nach Canticrode zu bringen.« Er verzog das Gesicht. »Und Baltens wartet schon auf mich, damit wir mit der Arbeit in der St. Romboutskathedrale anfangen können...«

Wenn er damit fertig war, mußte er in Hieronymus Cocks Dienst treten und vielleicht nach Italien reisen. Letzteres hatte er Anke noch nicht erzählt. Vor den Frauen mußte man leider immer etwas verschweigen, fand er. Anke würde vielleicht verlangen, daß er zu Hause blieb. Doch er sehnte sich danach, etwas von der Welt zu sehen.

»Ein Künstler muß seinen Horizont erweitern«, hatte Cock gesagt. »Sonst wächst er nie über seine eigenen Grenzen hinaus. Du mußt andere Länder sehen, andere Landschaften, andere Küsten, andere Menschen und andere Künstler. Kein Volk auf der Welt beherrscht das Spiel mit Farben und Formen so hervorragend wie die Italiener. Du wirst niemals zu voller Reife gelangen, wenn du nicht die römischen Brunnen plätschern gehört hast und deine Füße nie den Staub der Plätze berührt haben, über die die größten Künstler gegangen sind, die die zivilisierte Welt jemals hervorgebracht hat.«

Cock ging es natürlich in erster Linie um die Landschaften. Die Landschaftsstiche, die er druckte und herausgab, fanden in ganz Europa zahlreiche Abnehmer, und die Nachfrage nach neuen Stichen wuchs ständig.

Während Pieter gedankenverloren dasaß, fragte Anke besorgt: »Mir ist nicht wohl dabei, daß du zu Granvelle gehst.«

»Ich muß aber...«

»Dein ungesetzlicher Ehemann setzt sich keiner großen Gefahr aus«, sagte Ortelius zu seiner Tochter. »Nicht solange die Kirche glaubt, an ihm Geld verdienen zu können.«

Ungesetzlicher Ehemann, dachte Pieter. Genau das war der Punkt. Es hatte noch immer keine Reaktion auf sein Zusammenleben mit Anke gegeben, doch Pieter konnte nicht glauben, daß Granvelle nichts davon wußte. Er war beunruhigt.

Pieter gab Anke einen Klaps aufs Knie. »Geh schon mal nach oben, ich habe noch was mit deinem Vater zu besprechen, von Mann zu Mann.«

»Von Mann zu Mann, puh!« Sie stand trotzdem auf.

»Und nicht an der Tür lauschen«, mahnte Pieter halb im Ernst.

»In meinem eigenen Haus kann ich tun und lassen, was ich will!« Sie verließ das Zimmer und ging absichtlich laut stampfend die Treppe zum Schlafzimmer hoch.

»Ich weiß, was du mich fragen willst«, sagte Ortelius.

»Ja, und?« Pieter sah den anderen ohne große Hoffnung an.

Ortelius zuckte mit den Schultern. »Ich habe mich überall erkundigt, aber nichts erfahren. Von deinen Eltern hat niemand mehr etwas gehört, und von Jobbe weiß ich nur, daß er tatsächlich eine Weile im Steen gesessen hat. Der eine meint, er sei erhängt worden, ein anderer wiederum sagt, daß er entkommen ist, was ich mir allerdings nur schwer vorstellen kann.«

»Trotzdem habe ich das Gefühl, daß er nicht tot ist. Ich glaube, ich wüßte es, wenn er stirbt...«

»Gefährliche Worte, Junge, auch Hexerei wird mit dem Tod bestraft!«

»Alles wird mit dem Tod bestraft. Eigentlich ist es ein Wunder, daß es überhaupt noch Menschen auf der Welt gibt!«

»Aber es werden doch immer mehr, nach der letzten Zählung hat die Stadt schon mehr als hunderttausend Einwohner, wenn auch die Hälfte davon natürlich Fremde sind. Willst du bestimmt kein Bier?«

Pieter sah auf den Krug, den Ortelius für sich selbst füllte. »Lieber nicht, ich werde jetzt zu Anke gehen.«

»Geh nur, und laß mich hier allein sitzen.«

In diesem Moment hörten sie beide ein leises Geräusch auf der Treppe.

Kopfschüttelnd sagte Ortelius: »Schon als Kind hat sie an der Tür gelauscht, das wird sie sich wohl nie abgewöhnen.«

»Man lernt dadurch, auf seine Worte zu achten«, sagte Pieter tiefgründig.

Später in der Nacht sagte Anke: »Ich habe Angst, Pieter, Angst, daß dir etwas zustößt.«

Sie lagen im Dunkeln beieinander, beide auf der rechten Seite, sie drückte ihr Hinterteil an seinen Schoß. Ihr Gesicht war dem Fenster zugewandt, das sich an der schwarzen Wand grau abzeichnete.

»Ich habe einen guten Schutzengel«, erwiderte Pieter. Er glühte noch vom vorangegangenen Liebesakt und streckte das linke Bein so weit aus, daß sein Fuß unter der Decke hinausragte. Ankes Haare kribbelten an seiner Nase. Er rieb sie am Kopfkissen.

»Dieser Schutzengel könnte im falschen Moment genau in die andere Richtung sehen.«

»Du solltest dir besser um dich selbst Sorgen machen«, sagte Pieter ernst. Er zog sie an sich. »Ich mag nicht daran denken, daß dir etwas zustoßen könnte!«

Er hatte ihr von Italien erzählen wollen, aber der Moment schien besonders ungünstig zu sein. Er wollte, daß Anke glücklich und fröhlich war.

Sie legte eine Hand auf seinen Schenkel. »Ich glaube, du liebst mich wirklich, Pieter.«

»Ja«, antwortete er, überrascht, daß sie das genau in dem Moment sagte. Mit leichtem Erstaunen seinen eigenen Worten lauschend, sagte er: »Ja, ich glaube, ich liebe dich wirklich...« Er verspürte ein sonderbares Gefühl in seinem Innersten. Voller Wärme drückte er Anke an sich.

Als Pieter am nächsten Tag auf Canticrode ankam, fiel ihm auf, daß das Schloß viel schwerer bewacht wurde als sonst. Es wimmelte von spanischen Soldaten. Dennoch wurde er ohne große Umstände mit seinen Gemälden hineingelassen. Offenbar kannten sie ihn hier inzwischen. Man führte ihn auf direktem Wege zu einem Salon des zukünftigen Erzbischofs.

Granvelle war noch nicht eingesetzt worden, aber er trug bereits eine der Insignien, die zu seinem hohen Amt gehörten, ein prachtvolles Pallium aus Brokat mit Goldstickereien und schwarzen, aufgestickten Kreuzen.

Als Pieter zögernd an der Tür des Salons stehenblieb, winkte ihn Granvelle ungeduldig herbei. Er saß auf einem schlichten Holzstuhl an einem kleinen Schreibtisch aus Ebenholz und blätterte in einem ungeordneten Stoß von Papieren.

Ein Diener hatte Pieters Gemälde getragen. Er packte sie aus und hob sie auf Ständer, die wohl extra für diesen Zweck aufgebaut worden waren.

Granvelle stellte sich mit den Händen auf dem Rücken in die Mitte des Salons, um die Bilder zu betrachten. Der Diener verbeugte sich fast bis auf den Boden und schlich aus dem Zimmer.

Während Granvelle minutenlang regungslos die Bilder studierte, bekam Pieter immer größere Zweifel an seiner Arbeit. Er fand sie auf einmal furchtbar trivial und unvollkommen.

»Du hast diesmal recht lange gebraucht.«

Die unerwartete Bemerkung ließ Pieter zusammenzucken. »Ich hatte... auch noch anderes zu tun, Monseigneur.«

Der Kardinal schien ihn nicht zu hören. »Ich will, daß du von diesem Ikarusbild ein zweites Exemplar für diesen Salon malst.« Er wies auf eine leere Stelle an einer der Wände. »Mach es aber etwas größer, ungefähr einen Fuß breiter und einen halben Fuß höher.«

»Ja, Monseigneur«, sagte Pieter, dem vor Erleichterung fast schwindlig wurde.

»Ach, übrigens...« Granvelle setzte sich wieder an den Schreibtisch. »Warum hast du mir nichts von deinem Auftrag in der St. Romboutskathedrale erzählt?«

»Ich...« Pieter fühlte, wie ihm das Blut in den Kopf stieg. »Ich nahm an, Ihr wüßtet es, Monseigneur. Mein Ruhm ist noch nicht so groß, daß sich jemand direkt an mich wendet. Deshalb habe ich gedacht, der Auftrag käme in Wirklichkeit von Euch, noch dazu, wo es ein Auftrag für eine Kirche ist.« Ihm wurde fast schlecht von dieser Heuchelei.

»Natürlich war ich darüber informiert, aber ich wollte einmal sehen, wie es um deine Loyalität bestellt ist.«

Er hatte überhaupt nichts gewußt, davon war Pieter plötzlich fest überzeugt. Auch der Kardinal log, wenn es ihm gelegen kam.

»Ihr könnt meiner Loyalität voll und ganz versichert sein, Monseigneur«, sagte Pieter. »Ich bin nicht so dumm, daß mir nicht bewußt wäre, wo meine Interessen liegen.«

»Du hast nicht nur in der Malerei, sondern auch in deiner Redegewandtheit enorme Fortschritte gemacht«, bemerkte Granvelle. »Du hältst dich offenbar häufig in Gesellschaft von Leuten auf, die sehr zungenfertig sind.«

»Ich tue mein Bestes, um ein richtiger Meister zu werden, Monseigneur.«

»Der neue Pieter Bruegel«, sagte Granvelle nachdenklich. »Ich weiß nicht genau, ob mir der alte nicht besser gefiel...« Er sah Pieter ein paar Sekunden mit finsterem Blick an, der den jungen Mann zu durchdringen schien. »Die Welt verändert sich schnell, *in capite et in membris*...«

»Monseigneur?«

Der Kardinal winkte ab. »Du kannst jetzt gehen...« Als Pieter schon an der Tür war, sagte er noch: »Denk daran, Pieter Bruegel, dein von Gott gegebenes Talent ist eine Sache, aber du bist außerdem noch immer Untertan des spanischen Reiches und damit der Obrigkeit zu absolutem Gehorsam verpflichtet. Und diese Obrigkeit, diese Macht, bin ich!«

Pieter blieb mit der Hand am Türgriff reglos stehen. Nicht so sehr die Worte Granvelles als vielmehr der Ton, in dem er sie ausgesprochen hatte, versetzten ihn in Angst. Einen Moment lang fühlte er sich wieder wie der kleine Junge, der in die toten Augen eines Gehängten am Galgen sah.

»Ja, Monseigneur«, stammelte er, bevor er die Flucht ergriff.

»Ihr habt richtig daran getan, ihn zur Ordnung zu rufen«, sagte Licieux, der hinter einem Wandschirm hervortrat.

»Ich bin froh, daß mein Auftreten Eure Zustimmung findet«, bemerkte der Kardinal in sarkastischem Ton.

»So habe ich es nicht gemeint, Monseigneur«, beeilte sich der Vikar zu sagen. »Es verärgert mich nur, wenn ich sehe, wie so eine Rotznase meint, Euch hinters Licht führen zu können.«

Granvelle wandte sich wieder den drei Gemälden zu. Als hätte er den Vikar nicht gehört, sagte er: »Pieter Bruegel verfügt zweifellos über ein beachtliches Talent, er könnte schon bald zu den Großen dieser Zeit gehören. Es mangelt ihm nur noch an geistiger Reife, seinem Werk fehlen starke Emotionen, seine Seele hat noch zu wenig Narben...«

Einen Moment verspürte Licieux fast Mitleid mit dem jungen und unbedarften Pieter Bruegel. Doch was Kardinal Granvelle beschloß, war gut für die Krone und die Kirche, und was gut für Krone und Kirche war, behagte Gott und war somit für jeden gut.

Drei Tage später drückte Marieke Pieter eine kleine Lederbörse in die Hand, deren Inhalt klimperte. »Dein Lohn für Dorizis Gemälde. Der Kurier hat gesagt, daß du Canticrode verlassen hast, ohne dein Honorar mitzunehmen.«

Verlegen stand Pieter mit der Börse in der Hand vor ihr. »Daran habe ich gar nicht mehr gedacht...«

Marieke schüttelte den Kopf. »Manchmal bist du wirklich ein echter Künstler, weißt du das?«

Pieter zog die Schnur der Börse auf und schüttete den Inhalt auf den Tisch. »Das sind ja Golddukaten!« rief er erstaunt.

»Was hattest du denn erwartet, etwa Kupfermünzen? Es ist schon schlimm genug, daß du nur einen kleinen Teil der Summe bekommst.« Marieke steckte jedes Goldstück zwischen die Zähne und biß darauf. »Sie sind echt«, stellte sie fest. »Nicht daß ich von dieser Seite Betrug erwartet hätte, aber man weiß ja nie. Soll ich sie für dich aufbewahren?«

»Ja«, sagte Pieter. »Das wäre nett ...«

Er dachte an Anke und daran, wie er ihr von seinem ersten richtigen Verdienst erzählen würde. Vielleicht sähen sie sich jetzt nach einem eigenen Haus um, denn sie konnten nicht ewig bei Gwijde Ortelius bleiben.

Aber dann fiel ihm Granvelle ein. Seine Miene verfinsterte sich.

»Stimmt was nicht?« fragte Marieke.

»Nein, es ist alles in Ordnung«, log Pieter. Er schob die Goldstücke zusammen und steckte sie wieder in die Börse, die er Marieke reichte. »Der Grundstock für meinen Reichtum«, sagte er. »Paßt bitte gut darauf auf.«

Er beugte sich über die Skizze für das Altarstück, die er gerade zeichnete.

Wenn die Arbeit in der Kathedrale beendet war, würde er den zweiten Ikarus für den Bischof malen. Danach könnte er endlich bei Cock beginnen, der ihm ein anständiges Einkommen in Aussicht gestellt hatte. Die nähere Zukunft sah gar nicht mal so schlecht aus.

Warum war er dann nur alles andere als zufrieden?

»Anke ist noch nicht da«, sagte Ortelius, als Pieter abends nach Hause kam. »Wenn du essen willst, mußt du dir selbst was machen.« Er sprach mit schleppender Stimme, als hätte er einen schweren Tag hinter sich.

»Aber es ist doch schon spät«, sagte Pieter. »Wo ist sie denn?«

»Wahrscheinlich muß sie länger arbeiten. Das passiert öfter, auch wenn sie sich zur Zeit bemüht, immer früh zu Hause zu sein.« Letzteres klang ein wenig vorwurfsvoll, als nähme er es Pieter übel, daß dieser so großen Einfluß auf seine Tochter hatte.

Pieter wollte ihr schon entgegengehen, doch dann zögerte er. Es war noch nicht dunkel, außerdem war es besser, wenn sie nicht zu oft zusammen auf der Straße gesehen wurden.

»Ich hoffe sehr, daß ich bald in die Gilde aufgenommen werde«, seufzte er.

»Warum?« fragte Ortelius, der den Zusammenhang nicht sofort erkannte.

»Dann können wir heiraten, Anke und ich.«

»Soso, heiraten, was? Ich dachte immer, daß meine Tochter darauf nicht besonders erpicht ist.«

»Am Anfang war sich Anke nicht sicher, ob ich es auch ernst mit ihr meine.«

»Soso .. Und ich werde wohl gar nicht mehr gefragt?«

»Alle Mädchen heiraten früher oder später, es sei denn, sie haben einen Bart oder einen Buckel. Und Anke hätte es schlechter treffen können.«

Ortelius sah Pieter erstaunt an. »Seit du ein paar von diesen Klecksereien machen darfst, ist dir wohl der Erfolg zu Kopf gestiegen!«

»Mit falscher Bescheidenheit kommt man nicht weiter.«

Ortelius stand auf und nahm einen Krug Bier. »Damit hast du auch noch recht«, gab er widerwillig zu. »Nur schade, daß du so schlecht saufen kannst. Bier?«

Pieter zögerte kurz. »Durst habe ich schon, also gut...«

Ortelius gab Pieter einen vollen Krug. »Soso, heiraten, was?... Und mich wollt ihr dann wohl allein hier sitzenlassen?« Er setzte sich Pieter gegenüber an den Tisch.

»Darüber haben wir noch nicht gesprochen.« Pieter nahm einen Schluck Bier.

»Könnt ihr nicht hier wohnen bleiben? Billiger bekommt ihr es nicht, und dieses Haus ist doch sowieso viel zu groß für mich allein.«

Pieter sah den anderen an. »Bedeutet das, daß wir Eure Erlaubnis haben?«

»Habe ich denn eine andere Wahl?«

»Ich will mich nicht mit Euch streiten. Ich will... ich habe...« Pieter verstummte. Ankes Vater war ihm sympathisch geworden, aber er wußte nicht, wie er dies zum Ausdruck bringen sollte. Zu einem guten Teil lag es an seiner Seelenverwandtschaft mit Jobbe, die ihn noch immer verwunderte, aber auch das konnte er dem anderen nicht erklären.

»Wollen und haben, das tun wir alle«, sagte Ortelius. »Und wir wollen immer mehr, als wir haben. Ad fundum!« Er erhob seinen Krug.

»Prost.« Gedankenverloren trank Pieter sein Bier, den Blick aufs Fenster gerichtet, hinter dem es zu dämmern begann. »Anke bleibt aber lange weg...«

»Ich verstehe nicht, warum Männer noch heiraten wollen. Die Hälfte eurer Zeit verbringt ihr damit, auf eure Frau zu warten.« Ortelius stand auf. »Komm, wir werden nachsehen, wo sie bleibt, bevor es ganz dunkel ist.«

In dem Moment wurde an die Haustür geklopft.

»Da kommt sie ja«, sagte Ortelius. Erleichtert setzte er sich wieder hin und schenkte sofort einen neuen Krug voll.

Pieter beeilte sich, die Tür zu öffnen. Plötzlich erfüllte ihn eine freudige Stimmung, die seine Sorgen vertrieb. Er dachte nicht daran, daß Anke nur selten anklopfte, und wenn, dann gewiß nicht so laut und heftig. Während er noch dabei war, sich eine scherzhafte Begrüßung auszudenken, riß er die Tür auf.

Sie mußte an der Tür gelehnt haben und fiel nun mit einem dumpfen Geräusch in den Flur: die blutverschmierte, bis zur Unkenntlichkeit verstümmelte Leiche einer mit Steinen erschlagenen jungen Frau.

Pieter starrte auf den Körper zu seinen Füßen. Wie in Trance nahm er die schnellen Schritte am Ende der Straße wahr, während er verzweifelt gegen die sich aufdrängende Wahrheit kämpfte.

»Knutscht nicht an der Tür herum, es zieht hier!«

Die scherzenden Worte von Ortelius brachten Pieter zur Besinnung. Im nächsten Moment sprang er über die Leiche, rannte ins Halbdunkel der Straße und folgte den verhallenden Schritten.

»Ihr Schweine!! Ihr verdammten Mörder!!« Pieters Stimme wurde von den Mauern der Häuser dumpf zurückgeworfen. Irgendwo schlug jemand ein Fenster zu. Es blieb still. »Dreckskerle!! Ihr elenden Schufte!! Bleibt verdammt noch mal stehen!!«

Doch die Mörder, wer immer sie auch sein mochten, waren weg, untergetaucht in dem Wirrwarr der kleinen Straßen des Viertels.

Pieter blieb stehen und rang nach Luft. Er weinte vor Wut und Verzweiflung. »Dreckskerle!!« schrie er wieder. »Ihr verdammten Schweine!!« Er trat so fest gegen eine Hauswand, daß ein Schmerz sein Bein durchzuckte. »Oh Gott, nein!! Verdammt noch mal!!« Doch auch Himmel und Hölle blieben von seiner rasenden Wut ungerührt. »Ich bringe sie um, ich bringe sie verdammt noch mal um!!«

Es war jedoch niemand da, an dem Pieter seine Mordlust hätte befriedigen können. Ihm blieb nichts anderes übrig, als zurückzukehren, mit weichen Knien und einer fast panischen Angst davor, wieder Ankes furchtbar zugerichteten Körper sehen zu müssen.

Plötzlich hatte er einen Funken Hoffnung. Diese Tote konnte jemand anders sein, denn sie war überhaupt nicht zu erkennen gewesen. Aber diese Funke erlosch sofort, es hatte keinen Sinn, sich selbst etwas vorzumachen, er wußte, daß es Anke war.

Ortelius saß über seine tote Tochter gebeugt, seine Schultern zuckten. Er sah nicht auf, als Pieter kam.

Lange Zeit stand Pieter neben Ortelius, ohne zu wissen, was er tun oder sagen sollte. Jeder war allein mit seinem Kummer.

Pieter weinte nicht. Vor lauter Fassungslosigkeit und Wut konnte er keine Trauer empfinden. In seinem Kopf schwirrte nur eine Frage herum, die er immer wieder bis zum Verrücktwerden wiederholte: Wer und warum...

Ein Raubmörder oder ein Vergewaltiger hätte sich weder die Mühe gemacht noch das Risiko auf sich genommen, die Leiche seines Opfers zu Hause abzuliefern, wenn er überhaupt gewußt hätte, wer Anke war und wo sie wohnte. Es war eigentlich nur eine Antwort möglich.

»Oh, mein Gott, Anke...« Pieter sank neben Ortelius auf die Knie, doch als er zögernd die Hand ausstreckte, um den toten Körper zu berühren, packte ihn Ortelius fest am Handgelenk.

»Hände weg!« schrie Ortelius mit so viel Haß in der Stimme, daß Pieter sprachlos zurückwich. »Das ist deine Schuld, verdammt noch mal, du bringst nur Unglück!«

Pieter wich noch mehr zurück und stand auf, eingeschüchtert von dem unerwarteten Haß, der ihm entgegenschlug. »In Gottesnamen, Gwijde!«

»Wenn es einen Gott gibt, soll er dich mit seinen Blitzen treffen! Verschwinde aus meinem Haus, du elender Kerl!!« Ortelius wies auf die Straße.

»Aber Gwijde, was soll... Ich will Euch doch helfen... Bitte!« Hilflos blickte Pieter den anderen an. Selbst in dem dämmrigen Licht konnte er seinen haßerfüllten Blick sehen.

»Pack deinen Kram und verschwinde«, befahl Ortelius. »Ich will dich nie mehr sehen, nie mehr! Du kannst froh sein, daß ich dir nicht den Kopf einschlage, so wie sie das mit meiner... Nein!« Er brach in Schluchzen aus und drückte das Gesicht gegen Ankes blutige Brust.

Pieter wandte sich ab und ging hoch in das Zimmer, in dem er mit Anke so manche leidenschaftliche Stunde verbracht hatte.

Er fand den Beutel, in dem er seine Sachen mitgebracht hatte, aber er wußte nicht, was er einpacken sollte. Er konnte nicht mehr denken, sein Kopf war bleibschwer. Schließlich ließ er den Beutel auf den Boden fallen und ging mit leeren Händen hinunter.

Ortelius schien sich die ganze Zeit nicht gerührt zu haben.

Pieter konnte nichts anderes tun, als an dem anderen vorbeizuschlüpfen und in der Dämmerung zu verschwinden.

»Du liebe Güte, Pieter, was ist los?«

»Anke ist tot, ermordet...« Pieter trat schwankend in die dunkle Werkstatt und klammerte sich verzweifelt an Marieke. »Sie haben sie umgebracht!!« Jetzt kamen ihm die Tränen.

Marieke hielt mit Mühe die Lampe hoch, die sie in der linken Hand trug, und schloß die Tür hinter Pieter, bevor sie den freien Arm um den schluchzenden Mann legte. Sie stellte keine Fragen, sie würde doch keine Antwort bekommen.

Mit sanftem Druck brachte sie ihn dazu, nach oben in ihr Schlafzimmer zu gehen, wo sie ihn auszog und ins Bett brachte. Dann legte sie sich neben ihn, zog die Decke hoch und drückte ihn an sich. Mit ihrer mütterlichen Wärme versuchte sie ihn zu trösten.

Es dauerte lang, doch irgendwann wurde Pieters Schluchzen leiser, bis er schließlich vor lauter Erschöpfung in leichten Schlaf fiel. Immer wieder murmelte er Ankes und Gwijdes Namen, manchmal zitterte und zuckte er, als würde man ihn auspeitschen. Ab und zu fluchte er auch und stieß gotteslästerliche Worte aus, als würde er dem Allmächtigen und der Kirche die Schuld an allem Elend der Welt geben.

Gegen Morgen schlief Marieke selbst ein, müde vom Wachbleiben und ihrem Bemühen, Pieter in seinem Kummer beizustehen.

Als sie aufwachte, war es hell. Der Platz neben ihr war leer, Pieters Kleider waren verschwunden.

Sie fand ihn in der Werkstatt, wo er wie besessen mit einem Bleigriffel auf einem großen Blatt Papier zeichnete. Er sah nicht einmal auf, als Marieke zu ihm kam. Er zeichnete weiter, wobei er die Hand so schnell bewegte, daß ihr das Auge kaum folgen konnte.

Feuer und Ruinen, sinkende Schiffe, eine läutende Totenglocke, aufgehäufte Körper in grotesken Haltungen, Gehängte an Galgen, ein Henker mit erhobenem Schwert, bereit, sein Opfer zu enthaupten, ein Karren voller Totenköpfe, überall ganze Horden von Skeletten, die Waffen schwenkten, Leichen in offenen Särgen, im Vordergrund ein sterbender Kaiser und der Tod, der einen Kardinal umarmt...

Als Marieke sah, was Pieter tat, schlug sie erschrocken die Hand vor den Mund. »Mein Gott, Pieter!«

Das war ganz und gar nicht der Stil, den sie von Pieter kannte, es hatte etwas von Hieronymus Bosch, aber noch grausamer und tragischer, noch... unabwendbarer. Es schien, als würde Pieters sich blitzschnell bewegende Hand von einem Geist geführt, der die Hölle gesehen hatte oder aber sogar Dinge, die noch furchtbarer waren. Vielleicht war aber auch nur eine Tür geöffnet worden zu Pieters eigener Hölle, einer Hölle, die jeder in sich trug und in der das Urmaterial köchelte, aus dem Alpträume gemacht wurden.

Aber zugleich war es in all seiner Grausamkeit ein phantastischer Anblick, als wäre Pieters schlummerndes Talent plötzlich zu vollem Leben erwacht und lenkte seine Hand in einem Ausbruch von dramatischem Schöpfungsdrang.

Atemlos sah Marieke zu, wie die über das Papier flitzende Hand immer wieder neue Elemente des Leidens und der Tragödie schuf, den Menschen zu einem vollkommen machtlosen Geschöpf reduzierte, ohne jede Würde und ohne jeden Einfluß auf den Lauf der Dinge, und dazwischen herumirrend, grinsend und seine Sense schwenkend, der Tod.

Pieter hörte auf zu zeichnen, der Bleigriffel entglitt ihm, sein Arm sank kraftlos hinunter. Er wankte zwei Schritte zurück, setzte sich auf den Rand eines Tisches und sackte zusammen, als hätte er kein Rückgrat mehr. So starrte er lange Zeit mit leeren Augen auf sein Bild, während er die rechte Hand mit der linken massierte und kaum hörbar murmelte:

»*Der Triumph des Todes*, der einzige, der immer gewinnt und nie für seine Irrtümer bestraft wird...« Er wandte den Blick von der Zeichnung ab und schaute Marieke an. »Ich danke Euch...« sagte er. Dann sah er auf seine rechte Hand, die er noch immer rieb. Er streckte die Finger. »Ich habe gerade einen Krampf bekommen...«

»Das wundert mich nicht, du hättest dich sehen müssen!«

»Ich mußte diese Ungeheuer aus meinem Kopf vertreiben, bevor sie mich verschlingen...« Pieter richtete den Oberkörper auf. »Würdet Ihr die Zeichnung für mich aufbewahren?«

»Natürlich«, sagte Marieke.

Besorgt betrachtete sie Pieters Gesicht. Er senkte die Augen, verwirrt und gequält, als wäre das Kind, das sie in der Nacht in ihren Armen gewiegt hatte, als alter Mann aufgewacht und nun auf der Suche nach einem schwer zu findenden neuen Gleichgewicht.

»Würdet Ihr mir mein Geld geben?« fragte er. »Ich muß ein paar Dinge kaufen, Kleider und anderes.«

Als Pieter eine Weile später auf die Straße ging, blickte Marieke ihm nach. Er hatte einen seltsam eckigen Gang, der ihr noch nie zuvor bei ihm aufgefallen war. Über die Ereignisse des vergangenen Abends hatte er noch immer kein Wort verloren, aber sie wagte nicht, danach zu fragen aus Angst, daß er wieder zusammenbrechen würde.

Als er nach einiger Zeit zurückkam, erkannte sie ihn erst gar nicht in seiner neuen Kluft. »Du siehst ja aus wie ein... Bauernsohn!« sagte sie erstaunt.

Pieter nickte. »Ich gehe für eine Weile weg, aufs Land.«

»Weg? Aber was ist denn mit deiner Arbeit? Du hast doch zu tun, was soll ich Baltens sagen?«

»Der Entwurf ist fertig, und für die Ausführung braucht er mich nicht unbedingt. Sagt ihm, daß ich eine dringende Familienangelegenheit klären muß.«

»Wie lange gedenkst du wegzubleiben?«

»Das werde ich wissen, wenn ich zurückkomme.«

»Und was ist, wenn... wenn dich der Kardinal sehen will?«

Pieter schaute sie lange schweigend an. Zum ersten Mal sah sie wieder ein Gefühl in seinem Blick. Aber es war ein Gefühl, das sie lieber nicht gesehen hätte. In seinen Augen lag dieselbe Tragik wie in der furchterregenden Zeichnung, die er gemacht hatte.

»Sagt ihm, daß ich auf der Jagd nach Phantomen bin...«

Pieter drehte sich um und ging grußlos hinaus.

Endlich konnte Marieke ihren Tränen freien Lauf lassen.

14

Drei Tage lang zog Pieter über die Landwege im Norden der Stadt. Da er in seiner bäuerlichen Kleidung nicht auffiel, ließen ihn die spanischen Patrouillen in Ruhe. Er schlief in Scheunen und verdiente sich mit Zeichnungen von Bauernfamilien, ihren Gütern und Menschen bei der Arbeit einen Kanten Brot und ein Stück getrocknetes Fleisch. Zwar besaß er noch etwas Geld, doch es schien ihm besser, sich als mittellos auszugeben.

Am vierten Tag gelangte Pieter wie von selbst zu dem Gehöft, auf dem er aufgewachsen war. Beherzt ging er auf den Hof, ohne Angst davor, daß dort vielleicht noch immer die Hirten oder anderes Gesindel hausten. Der penetrante Gestank der Schafe war jedoch verschwunden, und sowohl der Hof als auch das Bauernhaus befanden sich in einem ordentlichen Zustand.

Pieter sah sich in aller Ruhe um. Manchmal blieb er stehen, wenn ein Gegenstand oder ein bestimmter Ort Erinnerungen in ihm wachriefen. Es waren angenehme und weniger angenehme Erinnerungen, doch selbst letztere versetzten ihn nach all der Zeit in sentimentale Stimmung.

»Was tust du hier?«

Pieter hatte in Gedanken versunken auf den Rand des Kornfelds geblickt, als er die schrille Frauenstimme hinter sich hörte. Er schreckte auf und drehte sich um. Vor ihm stand eine junge Bäuerin, die ihn mißtrauisch ansah. Eine Schönheit war sie nicht gerade, dachte Pieter. Die Weise, wie sie mit beiden Händen einen Dreschflegel festhielt, ließ keinen Zweifel darüber bestehen, daß sie ihn gebrauchen würde, wenn Pieter es wagte, ihr etwas zu tun.

Pieter machte ein beschwichtigende Gebärde. »Ich habe nichts Böses im Sinn, sondern wollte mich nur ein wenig umgesehen. Ich habe hier nämlich vor langer Zeit gewohnt...« Es schien ihm wirklich lange her zu sein, als wäre ein ganzes Leben vorbeigegangen, seit ihn die Spanier wegen seiner anstößigen Zeichnungen von hier fortgejagt hatten.

»Du hast hier gewohnt?« fragte die Bäuerin mit ungläubiger Stimme. Sie beugte sich nach vorn, als wolle sie Pieter genauer ansehen. »Aber ja«, sagte sie plötzlich. »Ich kenne dich! Du bist... aber du bist doch Pieter, mein Schwager!«

»Gott im Himmel, Clementine!« rief Pieter. »Verdammt, sie ist es wirklich!« Er bemerkte nicht, daß die Frau erschrocken ein Kreuzzeichen machte. Er ging einen Schritt auf sie zu, als wollte er sie umarmen, doch dann verharrte er. Clementine war nicht nur häßlich, sondern hatte noch dazu einen üblen Körpergeruch, den man selbst an der frischen Luft nicht ignorieren konnte. Sie war noch dicker als vor zwei Jahren und bewegte sich wie eine dreimal so alte Frau.

Pieter ließ die Arme sinken. »Wo ist Dinus?« fragte er.

»Bei der Arbeit, er ist auf dem Feld...« Sie wies flüchtig in Richtung Westen. Das Mißtrauen in ihrem Blick war verschwunden, nun machte sie ein eher abweisendes Gesicht, als wäre ihr Pieter kein willkommener Gast.

»Weißt du, was aus unseren Eltern geworden ist?«

»Ich glaube, das fragst du besser deinen Bruder.«

»Weißt du es denn?«

»Ich werde Dinus rufen lassen.« Clementine drehte sich um und ging zur Getreidescheune.

Pieter folgte ihr. »Als ich das letzte Mal hier gewesen bin, waren Hirten da. Wie kommt es, daß ihr hier plötzlich...« Er verstummte, als er den großen Mann sah, der aus der Scheune heraustrat und ihn argwöhnisch ansah.

»Geh und hol Dinus«, befahl Clementine. »Sag ihm, daß sein Bruder Pieter da ist.«

Der Knecht machte sich wortlos und ohne Eile auf den Weg.

»Wir haben nur noch einen Knecht«, erklärte Clementine ungefragt. »Wir haben kein Geld für mehr Gehilfen, aber das wird sich bald ändern, bei den Preisen, die wir in der Stadt für Fleisch und Gemüse bekommen können.« Sie sprach ein wenig von oben herab, als würde sie Pieter als Versager betrachten, während sie selbst dabei war, ein Vermögen zu machen.

»Ja«, sagte Pieter, »darüber wird in der Stadt viel geklagt, über die Wucherpreise, die dort für Nahrungsmittel bezahlt werden müssen.«

»Laß sie nur klagen. Wenn sie glauben, daß das Korn und der

Speck einfach vom Himmel fallen, sollen sie selbst mal eine Weile auf dem Land arbeiten.«

Pieter merkte, daß er die Städter verteidigen wollte, was ihn erstaunte. Das mußte an Clementine liegen. Er verspürte einen Anflug von Mitleid mit Dinus, aber sein Bruder hatte doch wohl gewußt, auf was er sich einließ.

»Es gibt Grenzen, was man den Leuten zumuten kann«, sagte er. »Wenn ihr zu weit geht, kommen sie vielleicht irgendwann hierher und nehmen sich, was sie brauchen, ohne dafür zu bezahlen.« Er dachte an die Horde, die den Bauarbeitern zu Leibe gerückt war, weil diese ein Steinhaus für einen reichen Bürger gebaut hatten. Doch sofort sah er auch Anke vor sich, die vor den spanischen Soldaten floh. Er kniff die Augen zu, als würde etwas Schreckliches geschehen, was er nicht sehen wollte.

»Fühlst du dich nicht gut?« fragte Clementine.

Pieter war sicher, daß sie das vor allem fragte, weil sie keinen Kranken auf ihrem Hof haben wollte, und nicht aus Interesse an seinem Wohlbefinden.

»Ich habe eine schwere Zeit hinter mir, kümmere dich nicht darum...«

»Möchtest du Tee oder Milch?«

»Milch werde ich wohl runterbekommen«, sagte Pieter erstaunt.

Clementine ging vor Pieter ins Haus. Beim Anblick ihrer breiten, wackelnden Hüften erschien Ankes schlanker Körper vor seinem geistigen Auge. Mit aller Gewalt versuchte er das Bild zu verdrängen.

Das Wohnhaus war innen verändert, es standen ganz andere Möbel darin. Es roch auch anders als früher, hier wohnten Menschen mit anderen Essensgewohnheiten und Körpergerüchen. Pieter erschien alles so fremd, daß er sich überhaupt nicht heimisch fühlte. Das war nicht mehr sein Haus. Er war enttäuscht, denn er hatte sich nach dem süßen Schmerz des Heimwehs gesehnt.

Als Clementine bemerkte, daß Pieter sich umsah, sagte sie: »Dieses Lumpenpack, das hier eine Zeitlang gehaust hat, hat alles zerstört und verdreckt. Wir mußten alles neu machen.«

»Wie seid ihr die Hirten losgeworden?«

»Die Spanier haben sie vertrieben, ein paar wurden getötet. Sie werden nicht zurückkommen.«

»Hat Dinus Kontakt zu den Spaniern?«

»Mein Vater wollte uns helfen und hat sie bezahlt.«

»Oh!« Pieter nahm den Becher Milch, den Clementine mit einem Schöpflöffel aus einem großen Topf gefüllt hatte. »Wo seid ihr denn die ganze Zeit gewesen?«

»Bei meinen Eltern natürlich, wo sonst?«

»Warum ist Dinus nie zu mir gekommen?«

»Das mußt du ihn fragen«, sagte Clementine. Sie ließ sich auf einen Stuhl plumpsen und trank aus dem Becher, den sie für sich selbst gefüllt hatte. »Ich habe gehört, daß du jetzt malst.«

»Ja, das hast du ganz richtig gehört.«

»Und verdienst du damit auch was?«

Pieter wollte antworten, daß sie das nichts anginge, aber in dem Moment erschien die große Gestalt des Knechts in der Tür. Er machte eine entschuldigende Gebärde, als könne er auch nichts dafür, drehte sich um und ging weg.

»Dinus hat keine Zeit«, sagte Clementine zu Pieter.

»So leicht kommt er mir nicht davon.« Pieter schob den Stuhl zurück und stand auf. »Ich werde selbst zu ihm gehen. Danke für die Milch.«

»Du wirst dich doch nicht mit Dinus streiten?« fragte Clementine beunruhigt, als er schon auf dem Weg zur Tür war.

Pieter antwortete nicht. Er lief hinaus und ging in die Richtung, in die zuvor der Knecht verschwunden war.

Die Sonne schien, und die Luft war vom herzhaften Geruch der Erde erfüllt. Überall summten und brummten Insekten, und die Vögel zwitscherten, doch Pieter achtete auf all das kaum. Unter seinen Füßen stoben Staubwolken auf, als er mit kräftigen Schritten über den schmalen Sandweg zwischen zwei Äckern ging.

Er fand Dinus am Rand eines Zwiebelfeldes, wo er an einer Buche lehnte und einen Apfel aß. Ein Stück weiter stand ein Karren voller Zwiebeln mit einem großen, schwarzen Pferd davor. Das Pferd hielt den Kopf gesenkt, obwohl es nicht graste. Es sah aus, als würde es um irgend etwas trauern. Nur der Schweif bewegte sich ab und zu, um die lästigen Insekten vom Hinterleib fernzuhalten.

Pieter sah sich die Szene eine Weile an, bevor er sagte: »Du hast in der Tat alle Hände voll zu tun.«

Dinus schien nicht aufzuschrecken. Er sah Pieter kurz ausdruckslos an und biß dann in seinen Apfel. »Ich dachte mir schon, daß du mich hier stören würdest«, sagte er.

Pieter stellte sich vor Dinus hin, stemmte die Arme in die Hüften und blickte auf ihn hinunter. »Warum willst du nicht mit mir reden?«

»Weil ich keine Scherereien will.«

»Scherereien? Dinus, es ist mir völlig egal, daß du dir mit deiner Frau den Bauernhof angeeignet hast, falls das deine Angst sein sollte. Ich finde das sogar viel besser, als wenn diese dreckigen Hirten hiergeblieben wären.«

»Den Bauernhof angeeignet?« Dinus warf dem Pferd das Apfelgehäuse zu und stand auf. »Wer, zum Teufel, denkst du, bezahlt wohl die Pacht? Wir haben unter größten Mühen den Betrieb hier wieder zum Laufen gebracht, während du dir in der Stadt ein schönes Leben gemacht hast und hinter den Weibern her warst!«

»Unter größten Mühen? Mit sehr viel Hilfe und Geld von deinem Schwiegervater, meinst du wohl!«

»Was mischst du dich da eigentlich ein?«

Pieter sah seinen Bruder einen Moment lang wütend an mit dem zwiespältigen Gefühl, daß der andere eigentlich recht hatte und auch wieder nicht. Dann fragte er in ganz anderem Ton: »Was ist mit Vater und Mutter passiert? Wo sind sie?«

»Tot«, antwortete Dinus widerwillig.

Nach der langen Ungewißheit reagierte Pieter auf dieses fatale Wort fast mit Erleichterung. »Die Spanier?«

Dinus nickte. »Vater wurde aufgehängt, was sie mit Mutter gemacht haben, weiß ich nicht genau.«

»Aber... warum?«

»Warum?« Dinus klopfte Pieter mit dem Finger auf die Brust, als wollte er mit dieser Geste jedem Wort besonderen Nachdruck verleihen. »Weil *du* ein Ketzer bist, weil *du* diese verfluchten Zeichnungen gemacht hast, weil *du* Feigling geflohen bist, deshalb! Und das alles an meinem Hochzeitstag!«

»Oh, mein Gott!« sagte Pieter niedergeschlagen.

»Du solltest dir besser auf die Zunge beißen, statt diesen heiligen Namen auszusprechen!«

»Wie kommt es, daß die Spanier dich gehen ließen?«

»Weil ich fromm bin, und weil ich weiß, was ich sagen muß, wenn ich etwas gefragt werde.«

»Du meinst wohl, du weißt, wie du vor diesen dreckigen Besatzern kriechen mußt, und bist dir nicht zu schade, mit ihnen gemeinsame Sache zu machen!«

»Nimm das sofort zurück!« rief Dinus drohend.

Pieter lachte spöttisch. »Und wenn nicht? Wen rufst du dann zur Hilfe, die Kirche oder die Spanier?«

»Ich brauche keine Hilfe, um mit dir fertig zu werden!«

»Willst du etwa mit mir kämpfen?« Pieter sah seinen Bruder verächtlich an. »Dazu bist du doch viel zu feige.« Dessen war er sich so sicher, daß er die Hand nicht einmal in die Nähe seines Dolches brachte.

»Du bist es gar nicht wert, daß ich mir die Finger an dir schmutzig mache!« sagte Dinus.

»Ich werde mich umdrehen, vielleicht traust du dich ja dann, mir etwas zu tun.«

Als Pieter seine Worte in die Tat umsetzte, stand er dem großen Knecht Auge in Auge gegenüber. »Aha, deshalb hat Pächter Dinus so ein großes Maul!« rief Pieter. Mit einem Ruck zog er seinen Dolch. »Komm nicht einen Schritt näher, oder ich steche zu!« warnte er den Knecht.

Der Knecht warf einen Blick auf seinen Herrn und ging dann schweigend einen Schritt beiseite, um Pieter vorbeizulassen.

»Ich rate dir, dich hier nie mehr blicken zu lassen«, rief Dinus hinter Pieter her. »Mein Knecht hat was gegen Störenfriede, und das kann sehr gefährlich werden, wenn ich nicht in der Nähe bin und ihn zurückhalten kann!«

Pieter antwortete nicht.

Als sein Bruder außer Hörweite war, sagte Dinus zu dem Knecht: »Du hast es gehört, Jan. Wenn dieser Kerl es noch einmal wagt, hier aufzutauchen, schlägst du ihm den Schädel ein.«

Der Knecht brummte nur. Zu mehr war er auch kaum fähig, seit ihm auf Befehl seines letzten Herrn die Zunge herausgeschnitten worden war, weil er im Beisein von dessen Frau und Kindern schmutzige Witze erzählt hatte.

Pieter schlug den Weg in Richtung Westen ein. In der Abenddämmerung erreichte er die Schelde und die Hütte, in der Jobbe gewohnt hatte. Die verkohlten Reste des Bootes lagen noch immer da, das Dach der Hütte war teilweise eingestürzt.

Als Pieter hineinging, sah er ein Lager aus frischem Stroh in der Ecke beim Ofen. Die Asche im Ofen war noch warm, außerdem hing ein schwacher Essensgeruch im Raum.

Unentschlossen sah er sich in der Behausung um, die inzwischen mehr einer Ruine glich. Auf dem Boden lagen ein paar große Steine, als wäre das Rieddach nicht von selbst eingestürzt, sondern von jemandem zerstört worden.

Pieter hatte die Nacht eigentlich hier verbringen wollen, aber nun zweifelte er, ob das eine gute Idee war. Der Bewohner konnte zurückkehren, und Herumtreiber waren selten eine angenehme Gesellschaft. Doch mit Einbruch der Dämmerung war ein kühler Wind aufgekommen. Es sah nach Regen aus, und er hätte noch weit laufen müssen, um einen anderen passablen Unterschlupf zu finden. Während Pieter noch überlegte, was er tun sollte, fielen bereits die ersten dicken Regentropfen durch das kaputte Dach in die Hütte.

Pieter zog sich in die Ecke mit dem Ofen und dem Strohbett zurück, wo das Dach noch heil war. Er war müde, aber es blieb ihm wohl nichts anderes übrig, als die Nacht wachend zu verbringen.

Es wurde schnell dunkel. Auf dem Tisch stand eine halbvolle Öllampe, aber er zündete sie nicht an, weil er einen möglichen Eindringling nicht schon von weitem warnen wollte. Etwas Eßbares fand er nicht.

Pieter setzte sich rittlings auf den einzigen Stuhl, der noch in der Hütte stand, legte die Arme auf die Lehne und stützte das Kinn auf die Hände. So hatte er oft hier gesessen und Jobbes Witzen und Geschichten gelauscht, während über dem Holzfeuer ein frisch gefangener Lachs briet. Aber das war in einer anderen Zeit gewesen, als ihm das Leben noch einfach und ungefährlicher erschienen war. Und als sein Vater und seine Mutter noch lebten ...

Ein Gott, der unendlich gut und gerecht wäre, würde solche unsinnigen Grausamkeiten in Seiner Welt nicht zulassen, dachte Pieter. Wie konnte man an einen Gott glauben, der immer auf der Seite der Mächtigen stand?

Der Regen wurde stärker. Pieter hörte, wie die Tropfen stetig auf den Boden in der gegenüberliegenden Ecke fielen. Ab und zu jagte eine Windböe um die Hütte, so daß das herunterhängende Ried knarrte.

Inzwischen war es stockdunkel geworden. Pieter stand vom Stuhl auf, bewegte sich tastend zum Strohlager und legte sich hin. Er nahm den Dolch in die Hand und versuchte die Augen offenzuhalten, um auf einen Angreifer vorbereitet zu sein. Doch er war viel zu lethargisch und erschöpft, um wirklich Angst zu haben. Es dauerte gar nicht lange, bis er trotz des unruhigen Wetters und der Windböen, die durch die Hütte jagten, in Schlaf fiel. Er träumte nicht einmal, zumindest hatte er keine Träume, an die er sich später erinnern konnte.

Irgendwann schlug er die Augen auf. Als er direkt vor sich ein furchtbar entstelltes Gesicht sah, von dem das Wasser heruntertropfte und das von der flackernden Flamme der Öllampe dämonisch beleuchtet wurde, wußte er sofort, daß dies kein Alptraum war. Es dauerte jedoch mehrere schreckensvolle Sekunden, bis er den nächtlichen Besucher erkannte.

»Pieter, Pieter«, sagte Jobbe, als er sah, wie sich sein Gesichtsausdruck veränderte. »Liegt hier einfach in meinem Bett, ohne mich gefragt zu haben!«

»Jobbe!« Pieter richtete sich auf. »Bist du es wirklich?«

»Gibt es denn noch so einen wie mich?«

»Ich dachte, du wärst tot!« rief Pieter. »Nein, das dachte ich nicht...« verbesserte er sich schnell. »Ich wußte einfach nicht, was ich glauben sollte, all die Zeit...« Er packte Jobbe an den Schultern. »Himmel, was freue ich mich, dich wiederzusehen!«

»Du siehst mitgenommen aus«, meinte Jobbe.

Pieters Freude war sofort gedämpft. »Tote«, sagte er leise. »Jeder um mich herum stirbt...« Er ließ Jobbe los, seine Arme sackten hinunter. »Es ist alles so schrecklich, manchmal wünsche ich mir, ich wäre selbst tot...«

»So jung und schon solche finsteren Gedanken!«

»Anke war noch jünger!« rief Pieter auffahrend.

»Anke?«

»Sie haben sie ermordet!«

»Wer?«

»Man hat sie ermordet, weil ich ... weil ich ...« Pieter ließ sich auf den Stuhl fallen, stützte die Ellbogen auf den Tisch und vergrub das Gesicht in den Händen.

Jobbe seufzte. Er hob das Wildkaninchen auf, das er auf den Boden fallengelassen hatte, und warf es auf den Tisch. »Erzähl mir alles, während ich dem Viech hier aus dem Mantel helfe. Es ist gut im Futter, wir werden sicher beide davon satt. Hast du eine Zunderbüchse? Ich fürchte, daß meine ganz naß geworden ist.« Er hockte sich vor den Ofen und legte kleine Zweige auf die warme Asche.

Pieter nahm sich zusammen und stand auf, um die Zunderbüchse aus seiner unentbehrlichen Tasche mit den Zeichensachen zu holen. »Es sah so aus, als wärst du plötzlich vom Erdboden verschluckt«, sagte er.

»Das war ich auch.« Jobbe nahm die Zunderbüchse und machte das Feuer an. Nach einigen Versuchen brannten die Zweige. Er blies in die gelblichen Flammen und legte dann größere Holzscheite auf. »Wer im Steen landet, lebt nicht mehr in dieser Welt. Zum Glück haben sie mich aufgehängt, sonst wäre ich vielleicht nie mehr rausgekommen.« Er grinste.

»Was haben sie gemacht?«

»Sie haben mich aufgehängt ... So, das brennt.« Jobbe stellte sich mit dem Rücken vor das auflodernde Feuer. Das Holz knackte und krachte. »Ah, das tut meinen alten Knochen gut ...«

Ungeduldig fragte Pieter: »Willst du mir vielleicht erzählen, daß du ein Geist bist?«

»Geister gibt es nur in Flaschen. Wenn man sie in kleinen Zügen zu sich nimmt, können sie einen in größte Ekstase versetzen.« Jobbe setzte sich auf den Stuhl. Er nahm sein Messer und zog das Kaninchen zu sich heran. »Zumindest haben sie versucht, mich aufzuhängen, aber der Strick war wahrscheinlich nicht richtig verknotet. Er ist mir über den Kopf gerutscht, und ich bin in den Tunnel gefallen. Dann habe ich mich wie ein Toter zwischen zwei Leichen wegtreiben lassen. Naja, war nicht gerade angenehm, das Wasser war verdammt kalt.« Er stach dem Kaninchen ein Auge aus, um es ausbluten zu lassen. »Ich scheine unverwüstlich zu sein«, sagte er vergnügt. »Genauso wie eine Ratte. Vielleicht ist das die Strafe für mein sündiges

Leben: hier auf der Erde bleiben zu müssen. Warum sollte Gott irgendwo anders eine Hölle haben, wenn es hier schon eine gibt?«

Während Jobbe sprach, häutete er schnell und geschickt das Kaninchen. »Verdammt schade, daß wir kein Salz haben, sie haben die Hütte völlig ausgeplündert. Nun ja, recht hatten sie...«

»Was wirst du jetzt tun?«

Jobbe zuckte mit den Schultern. »Hier bleiben, bis der Allmächtige beschließt, daß ich lange genug bestraft worden bin.«

»Vielleicht könntest du wieder in die Stadt kommen. Du müßtest dich nur verkleiden, damit man dich nicht erkennt.«

Jobbe sah erstaunt auf. »Wie soll ich das denn machen mit dieser Visage?« Mit einem blutverschmierten Finger zeigte er auf sein eigenes Gesicht. Dann bohrte er einen angespitzten Stock durch das ausgenommene Kaninchen. »Hier«, sagte er zu Pieter. »Halt es mit den Schenkeln übers Feuer. Nicht verbrennen lassen, sont knackt es nachher zu sehr zwischen den Zähnen.«

Pieter setzte sich ans Feuer. Er genoß die Wärme des brennenden Holzes. Schon nach kurzer Zeit verbreitete sich in der Hütte der verlockende Geruch von geröstetem Fleisch.

Es ist fast wie früher, dachte Pieter. Aber so vieles hatte sich verändert. Schwarze Schatten waren in sein Leben getreten, die die Flammen des Ofenfeuers nicht vertreiben konnten.

»Wir haben nur Wasser zum Trinken«, sagte Jobbe hinter Pieters Rücken. »All das, was man wirklich trinken kann, haben die Plünderer mitgenommen.«

»Könnte ich das nur wie du, das Leben so nehmen, wie es ist...«

»Es ist anstrengend, gegen den Strom zu schwimmen; das ist das erste, was du kapieren mußt...«

Später, als sie das Kaninchen aßen, Jobbe am Tisch und Pieter auf dem Stroh in der Ecke, fragte Jobbe: »Wolltest du mir nicht von Anke erzählen?«

»Im Moment nicht«, antwortete Pieter unwillig. Doch kurz darauf begann er doch zu sprechen. »Sie war die Tochter von Gwijde Ortelius, dem Bierbrauer...« Er starrte auf den Kaninchenschenkel in seiner Hand, plötzlich hatte er keinen Hunger mehr. Wenn er versuchte, sich Ankes Bild zu vergegenwärtigen, sah er jedesmal nur ihren gesteinigten Körper.

Als Pieter weiter schwieg, sagte Jobbe: »Abraham Ortelius habe ich schon mal bei Plantin gesehen. Er druckt seine Karten.« Nachdenklich sah er Pieter an. »Übrigens kein unsympathischer Typ.«

»Gwijde hat mich fortgejagt, er glaubt, ich bin daran schuld, daß Anke...« Pieter seufzte. »Ich kann wirklich nicht darüber sprechen...«

»Ich bin auch mal verliebt gewesen«, sagte Jobbe. »Ist schon lange her. Heute weiß ich kaum noch, warum Männer eigentlich hinter Frauen her sind. Sie war ein Prachtweib. Danach habe ich nie mehr eine Frau gewollt. Ich glaube, daß Männer und Frauen nicht dafür gemacht sind, zusammenzuleben. Die Tiere tun das auch nicht, außer den Schwänen, ja, die bleiben beieinander. Das wird sicher der Grund sein, warum sie solche mißmutigen Viecher sind.«

Pieter biß ohne Appetit in seinen Kaninchenschenkel. »Ich werde vielleicht nach Italien reisen,« sagte er.

»So? Mit dem Schiff?«

»Nein, über Frankreich. Ich werde für Cock arbeiten, der ist ganz versessen auf neue Landschaften. Anscheinend sind vor allem Bilder von den Alpen sehr gefragt, wenn ich auch nicht weiß, wo die liegen... Du könntest doch mitkommen.« Pieter sah Jobbe erwartungsvoll an.

»Wenn ich mich irgendwo blicken lasse, legen sie mich sofort in Ketten.«

»Wenn du erst eine Tagesreise von hier entfernt bist, wird dich kein Mensch mehr kennen.« Pieter begeisterte sich immer mehr für seine Idee. »Wir könnten das erste Stück getrennt reisen und uns dann irgendwo treffen!«

»Bis nach Italien?« Jobbe machte ein ablehnendes Gesicht. »Ich werde schon müde, wenn ich nur daran denke!«

»Im Süden ist das Wetter viel schöner als hier, die Sonne scheint fast immer.«

»Ich mag den grauen Himmel und hin und wieder einen Regenschauer. Ich gehöre hierhin, Tag für Tag so ein eintönig blauer Himmel würde mich krank machen.«

»Hier ist dein Leben keinen Pfifferling mehr wert.«

»Ach, Pieter, mein Leben...« Jobbe warf einen abgenagten Knochen ins Feuer. Es zischte kurz. »Wir hängen nur deshalb an unserem wertlosen Leben, weil die Natur will, daß die Arten fortbestehen. Das ist genauso wie mit Kindern, sie sind wirklich furchtbar, und doch will jeder welche haben. Allein schon deshalb, weil die Natur das so will.«

»Und du bist also klüger als die Natur?«

Jobbe zuckte mit den Schultern. »Für mich sind Kinder törichte Wesen, also will ich keine haben. Und es macht mir auch nichts aus, zu sterben. Wer weiß, vielleicht ist bei mir wirklich was nicht in Ordnung.«

Pieter seufzte. »Ich weiß schon, du findest, daß das Dasein vollkommen sinnlos ist...«

»Die Welt ist einfach da, das Leben ist einfach da, und morgen oder übermorgen werden die Welt und das Leben wieder verschwinden, als hätte es sie nie gegeben. Wer über den Sinn des Lebens grübelt, nimmt sich meistens zu wichtig und kann sich nicht damit abfinden, als Futter für die Würmer zu enden. Ich habe diese Ansprüche nicht. Himmel, ich wünschte, daß es hier was Richtiges zu trinken gäbe!«

»Das alles ist so entmutigend...« sagte Pieter vor sich hin.

»Ach, Pieter, der Fluß da draußen ist tausendmal wichtiger und mächtiger als alle Philosophen und Theologen zusammen, und der macht sich doch auch keine Sorgen, oder?«

»Der Fluß lebt aber nicht!«

»Weißt du, was das Problem ist? Wir haben versehentlich so ein Ding in unseren Kopf bekommen, mit dem wir dumme Fragen stellen können, das ist der einzige Unterschied.« Mit einer verächtlichen Gebärde warf Jobbe die letzten Knochen des Kaninchens ins Feuer, das kurz aufflackerte. »Den Verstand nennen sie das.« Er tippte sich mit einem fettigen Finger an die Stirn. »Dort sitzt die Ursache für das ganze Elend!«

»Also Kopf ab?«

Jobbe grinste. »Dann sehen wir nicht mehr, wohin wir gehen.«

Pieter stand auf, um ebenfalls die Essensreste ins Feuer zu werfen. Danach ging er an das einzige Fenster der Hütte und sah hinaus. Das Glas war erstaunlicherweise ganz geblieben.

Der Himmel war dunkelgrau und der Rest der Welt schwarz. Die nassen Baumkronen auf dem Scheldedeich schwankten im Wind hin und her.

»Heute nacht bekommen wir keinen Besuch mehr«, sagte Jobbe. »Bei diesem Wetter bleibt das Gesindel in seinen Höhlen.«

Während er noch immer in die schwarze Nacht starrte, fragte Pieter: »Warum hast du mir nie gesagt, daß mein Vater und meine Mutter umgebracht wurden?«

Jobbe schwieg kurz, bevor er fragte: »Wer hat dir das gesagt?«

»Mein Bruder Dinus.«

»Und, fühlst du dich jetzt besser?«

»Ich hatte ein Recht darauf, die Wahrheit zu erfahren.«

»Um Leid zu ertragen, braucht man eine gewisse Reife. Du hättest vielleicht Dummheiten gemacht.«

Wieder klatschte eine Regenböe gegen das Fenster. Pieter fühlte den Wind durch die Ritzen dringen. »Ach ja«, sagte er, zu müde, um sich auf Diskussionen einzulassen. »Vielleicht hast du recht...«

Jobbe schwieg erneut, als hätte er noch etwas auf dem Herzen, wüßte aber nicht, wie er es sagen sollte. Er sah auf Pieters gebeugten Rücken am Fenster und schien dann den Gedanken beiseite zu schieben. »Wir haben nicht genug Stroh für zwei Lager«, sagte er. »Ich hatte nicht mit einem Gast gerechnet.«

Pieter wandte sich vom Fenster ab. »Ich schlafe auf dem Boden, am Feuer. Vielleicht habe ich nicht deine Reife, aber meine Knochen sind auf jeden Fall nicht so verschlissen, daß sie das nicht aushalten könnten.«

»So höre ich es gerne«, sagte Jobbe. Er stand auf, um noch ein paar Holzscheite nachzulegen. Danach ließ er sich auf dem Stroh in der Ecke nieder. »Von mir aus kannst du die ganze Nacht meditieren, aber mir fallen gleich die Augen zu. Jede Stunde, die ich schlafe, brauche ich mich nicht anstrengen, um am Leben zu bleiben.«

Pieter streckte sich auf der festgestampften Erde vor dem Feuer aus. Er hatte schon öfter auf dem harten Boden geschlafen, es machte ihm wenig aus. Daß es dennoch lange dauerte, bis er eindöste, hatte andere Gründe. Er starrte ins Feuer, bis seine Augen vor Trockenheit brannten und er sie schließen mußte. Dann lauschte er den Geräuschen der unruhigen Nacht, einer Nacht, die ebenso wie seine Gedanken finster und voller Kälte war und von herumjagenden Phantomen bevölkert wurde.

Man konnte vor seinen eigenen schrecklichen Gedanken nicht

weglaufen, dachte er. Das Leben auf dem Land war ihm fremd geworden, inzwischen hatte er sich zu sehr an die fast greifbare Anwesenheit von Tausenden von Menschen um ihn herum gewöhnt. Er hatte geglaubt, daß er ihnen entfliehen müßte, aber nun war der Druck der Leere noch größer und schmerzhafter.

Pieter gab sich selbst das Versprechen, morgen zurückzugehen. Um zu arbeiten, denn nur bei der Arbeit konnte er vergessen. Leere ist ein Nährboden für Melancholie und traurige Gefühle...

In der Ecke atmete Jobbe, ruhig und regelmäßig, anscheinend wurde er nicht von höllischen Träumen gequält, wie sie Pieter Tag und Nacht verfolgten.

Vielleicht besitze ich irgendwann auch diese Gelassenheit, dachte Pieter. Wenn ich erst einmal gelernt habe, die Sinnlosigkeit des Lebens zu akzeptieren...

Er drehte dem Schein und der Wärme des Feuers den Rücken zu und schlief ein.

15

»Denk bloß nicht, daß dir die gebratenen Tauben ins Maul fliegen, wenn du Meister bist«, sagte Baltens. »Es gibt dreihundertsechzig Meistermaler in Antwerpen, die alle ein Stück vom Kuchen haben wollen.«

Sie saßen hinter dem Altar auf dem Boden und aßen Brot und Käse. Ihre Arbeit in der St. Romboutskathedrale stand kurz vor der Vollendung. Die neuen Altarflügel, deren Motive vor allem von Pieter entworfen worden waren, fanden Gefallen bei der Mechelner Schuhmachergilde. So hatte er auch keinen Zweifel daran, daß sein Eintritt in die Gilde nicht mehr lange auf sich warten ließ.

»Sobald wir hier fertig sind, werde ich in Cocks Werkstatt arbeiten.« Pieter kaute mühsam auf dem fünf Tage alten Brot. »Und wenn ich erst mal Meister bin, wird mir Cock mehr bezahlen müssen.«

»Geldgier ziert keinen Künstler, Pieter«, sagte Baltens tadelnd.

»Mit steif gefrorenen Fingern und leerem Magen kann ich aber keine gute Arbeit liefern.«

»Vielleicht hast du ja recht, vielleicht hätte ich auch so nüchtern und sachlich denken sollen, als ich jung war. Aber zu meiner Zeit war es noch ehrenvoll, sich mit harter Arbeit ein armseliges Butterbrot zu verdienen.«

»Armut ist keine Ehre«, sagte Pieter verbittert. »Das Gegenteil wird nur von denen gepredigt, die in ihren Kirchen Reichtümer anhäufen, welche sie den Gutgläubigen gestohlen haben.«

»Sei still, Pieter!« warnte Baltens erschrocken. Er stand auf und blickte sich ängstlich um. »Vergiß nicht, wo wir sind!«

»Entschuldigt, das ist mir so herausgerutscht«, sagte Pieter. Nachlässig machte er ein Kreuzzeichen. »Ist es so besser?«

Baltens setzte sich wieder, mit steifen Bewegungen wegen seines verschlissenen Rückens. »Diese waghalsige Jugend, du weißt nicht, was du riskierst!«

Pieter zuckte mit den Schultern. »Es sind doch immer die anderen, die sterben.«

Als Pieter am Abend nach Hause kam, erwartete ihn eine Überraschung. In Mariekes Wohnzimmer saß Abraham Ortelius.

»Du scheinst vergessen zu haben, wo ich wohne«, sagte Ortelius vorwurfsvoll. »Deshalb wollte ich dich an meine Existenz erinnern.«

Pieter fühlte sich unbehaglich. »Ich habe mich nicht mehr getraut, zu dir zu kommen...«

»Pieter, Ankes Tod hat auch mich tief getroffen«, sagte Ortelius ernst, »aber das bedeutet nicht, daß ich wie mein Bruder blind um mich schlage.«

»Wie geht es Gwijde?«

»Er sagt zwar nichts, aber ich glaube, daß es ihm leid tut, wie er dich behandelt hat. Du solltest ihn einmal besuchen, vielleicht täte das euch beiden gut.«

»Es ist alles noch zu frisch...« sagte Pieter leise.

»Warte nicht zu lange.«

Pieter nickte. »Ist das der Grund, der dich hierher geführt hat?«

»Ja, aber es gibt auch noch einen anderen...« Ortelius lächelte. »Ich hätte gerne ein paar Gemälde von dir.«

»Welche Ehre für mich!« rief Pieter erstaunt.

»Du weißt ja, daß ich deine Arbeit bewundere, und ich kann mir vorstellen, daß deine Gemälde in ein paar Jahren sehr viel mehr wert sind als heute.«

»Jetzt spricht der Geschäftsmann!«

»Weshalb sollte ich meine Beweggründe verschweigen?«

»Deine Aufrichtigkeit ist erfrischend«, meinte Pieter. »Hast du einen bestimmten Wunsch, was die Themen betrifft?«

»Ich dachte an etwas Religiöses, Bibelszenen zum Beispiel.«

Pieter sah ihn mißtrauisch an. »Ich wußte gar nicht, daß du so ein frommer Mann bist.«

Auf Ortelius' Gesicht erschien ein flüchtiges Lächeln. »Man muß nicht fromm sein, um Gefallen an religiösen Szenen zu finden, zumindest dann nicht, wenn sie von Bruegelscher Hand gemalt sind.«

Pieter nickte. »Ich verstehe, was du meinst.«

»Machst du es?«

»Ich kann mir nicht erlauben, einem Freund etwas zu verweigern, denn ich habe nicht viele«, erwiderte Pieter mit einem bitteren Zug um den Mund.

Ortelius sah Marieke an. »Können wir das unter der Hand regeln? Ich sehe es nicht ein, neun Zehntel mehr zu bezahlen für eine kirchliche Vermittlung, die ich nicht brauche und auch nicht will.«

Marieke wies mit dem Kopf zu Pieter. »Er steht nicht mehr in meinem Dienst, er wohnt hier nur noch.«

»Wir werden uns schon einigen«, sagte Pieter.

Kurz darauf verabschiedete sich Ortelius. »Ich hoffe, daß du meine Tür nicht mehr meiden wirst.«

»Ich freue mich, daß ich noch immer willkommen bin«, antwortete Pieter. »Aber zu deinem Bruder kann ich nicht gehen, das wäre zu schmerzlich für mich.«

»Wir werden schon einen Weg finden«, sagte Ortelius. »Wenn nur der gute Wille vorhanden ist. Auf Wiedersehen, Pieter.«

»Auf Wiedersehen ... Bram.«

Pieter sah dem anderen nach, der mit zügigen Schritten über die Straße ging, um noch vor Einbruch der Dunkelheit zu Hause zu sein. Als Ortelius aus dem Blickfeld verschwunden war, ging er hinein, in Gedanken schon mit dem ersten Bild für seinen Freund beschäftigt, mit dem er möglichst bald beginnen wollte.

Drei Wochen später wurde er in die Sankt-Lukas-Gilde aufgenommen.

Pieter sah sich die Insignien seines neuen Standes an, den Trinkbecher mit eingraviertem Namen an seinem Gürtel und den Siegelring. Statt der großen Freude, die er für dieses besondere Ereignis erwartet hatte, verspürte er jedoch nur eine leichte Befriedigung. Zugleich wurde ihm bewußt, daß wieder eine Periode seines Lebens zu Ende ging.

Was hatte man von einer Freude, die man mit niemandem teilen konnte? Und wie Baltens bereits gesagt hatte: Er war lediglich der dreihunderteinundsechzigste Meistermaler in Antwerpen. Nicht mehr lange, und es würde für jeden Tag des Jahres einen geben.

Aber später, als sich Pieter ein wenig an den Gedanken gewöhnt hatte, nun Meister zu sein, bemerkte er doch eine Veränderung in sich. Dieser ehrenvolle Titel vor seinem Namen schien ihm ein neues Selbstbewußtsein zu schenken.

Ehrenvoll war der Meistertitel gewiß, vor allem weil die Gilden inzwischen schon bis in den Magistrat vorgedrungen waren und dort ihren Einfluß geltend machten. Pieter hatte keine politischen Ambitionen, aber es war ein angenehmes Gefühl, zu wissen, daß er etwas unternehmen könnte, wenn er wollte.

Außerdem hatte er fortan das Recht, aus dem Weinfaß in der Werkstatt zu trinken, wenn ihm der Sinn danach stand. Dieses war nämlich den Meistern vorbehalten, obwohl manchmal auch Schüler und Gehilfen heimlich daran gingen. Wein konnte man natürlich überall trinken, aber das Faß in der Werkstatt besaß eine wichtige symbolische Bedeutung. Wer an ihm seinen persönlichen Becher füllen durfte, war nicht nur den Kinderschuhen entwachsen, sondern hatte sich auch über das einfache Volk erhoben.

Außerdem durfte er nun Samt tragen, dachte Pieter, der noch nie viel um Kleider gegeben hatte. Vielleicht könnte er sich als erstes ein Samtbarett anfertigen lassen, dafür reichte sein Geld noch.

Die Arbeit in der Schuhmacherkapelle in St. Rombouts war schon seit ein paar Wochen abgeschlossen, so daß es allmählich Zeit wurde, sich bei Hieronymus Cock zu melden. Cock war kein Mann, der sich ewig hinhalten ließ.

Nicht daß Pieter in diesen Wochen müßig gewesen wäre, er hatte intensiv am ersten Gemälde für Abraham Ortelius gearbeitet. Das Bild war etwa fünf Fuß breit und trug den Titel *Die Anbetung der Könige*. Eine aufwendige Darstellung mit Dutzenden von Personen; eine von ihnen, die Heilige Jungfrau, besaß Ankes Züge. Die Ähnlichkeit war nur vage, ein Außenstehender würde sie wahrscheinlich gar nicht erkennen. Er hatte sie aus der Erinnerung gemalt, nach einem Bild, das außer ihm niemand gesehen hatte. *Die befriedigte Jungfrau* wäre vielleicht ein besserer Titel, dachte Pieter, trotz der sich widersprechenden Begriffe. Fast bedauerte er es, daß das Bild vorläufig in Abrahams Haus hängen würde, wo es kaum jemand zu sehen bekam. Es hätte ihm größere Befriedigung und vor allem Schadenfreude bereitet, wenn es bei Granvelle eine Wand geschmückt hätte.

Der Kardinal ließ nichts von sich hören, wahrscheinlich nahmen ihn die neuen Ämter und die Stabilisierung seiner wachsenden Macht so sehr in Anspruch, daß die geliebte Kunst nebensächlich geworden war. Was nicht ausschloß, daß Pieter in den seltenen freien Momenten die Kälte von Granvelles Schatten fühlte. Diesen Schatten, der immer und überall einen Teil seines Lebens verdunkelte.

Manchmal dachte Pieter an die alte Zigeunerin, die damals die finsteren Wolken über seinem Dasein erkannt hatte. Was hätte sie wohl noch alles gesehen, wenn sie nicht vor den Spaniern geflüchtet wäre? Vielleicht war es besser, daß sie ihre Prophezeiungen nicht zu Ende gebracht hatte...

»Ich werde dich sehr vermissen«, sagte Marieke. »Ich hoffe doch, daß du mich ab und zu besuchst?«

»Aber sicher, zumindest solange, bis ich auf Reisen gehe.«

»Es wird dir gut tun, eine Weile weit weg von all dem zu sein.«

»Weg von all dem?« Pieter lachte höhnisch. »All das ist in meinem Kopf, und den muß ich leider überallhin mitnehmen.«

»Glaub mir, Pieter, eine andere Umgebung wirkt manchmal Wunder. Floris geht auch weg, zu einer Werkstatt in Brüssel. Und es kommen ein paar neue Schüler her. Alles ändert sich...«

»Und Mayken wird schnell groß«, sagte Pieter, der das Thema wechseln wollte. Er strich dem Kind über das volle, blonde Haar. Mayken ließ sich gerne streicheln und drücken. Sie beugte den Kopf, damit Pieter weitermachte.

»Hoffentlich nicht zu schnell«, seufzte Marieke. »Überall werden Menschen ermordet, überall regt sich Widerstand gegen die Kirche und den Staat, auch schon beim Bürgertum und dem niederen Adel. Sogar sie scheinen die steigenden Kosten des Lebensunterhalts nicht mehr selbstverständlich hinzunehmen. Es wird sicher zu einem Aufstand kommen... Aber wir können ja doch nichts daran ändern.« Marieke sah Pieter an. »Wann wirst du mich verlassen?«

»Das Datum steht noch nicht fest«, antwortete Pieter. Mariekes Worte machten ihn ein wenig verlegen. »Ich habe vor, morgen mit Cock eine Vereinbarung zu treffen.«

»Eine Vereinbarung?« Marieke schüttelte den Kopf. »Wenn er dir nur keinen Tritt in den Hintern gibt, weil du mittlerweile zu viele Ansprüche hast. Gibt es denn nicht Maler und Entwerfer in Hülle und Fülle?«

»Cock will aber *mich* haben«, sagte Pieter gelassen.

»Sei vorsichtig«, mahnte Marieke. »Hieronymus Cock ist nicht irgend jemand!«

»Ich auch nicht«, erwiderte Pieter.

»Jetzt muß ich wohl *Meister* Bruegel sagen, was?« fragte Cock mit einem schiefen Blick auf den Becher an Pieters Gürtel. »Hast du darauf gewartet, bevor du endlich auf mein Angebot eingehen wolltest?«

»Das hat sich zufällig so ergeben«, antwortete Pieter. Er sah sich neugierig in der großen Werkstatt und dem daran angeschlossenen Laden um, der *Die vier Winde* hieß. Mindestens ein Dutzend Leute, zumeist jüngere, waren damit beschäftigt, die Stiche anzufertigen, mit denen Cock berühmt geworden war. An einer der Wände hing eine große Reproduktion der *Melancholie*, einer von Dürers berühmtesten Stichen. Außerdem sah Pieter Nachahmungen von Boschs Werken, Landkarten und natürlich Landschaften.

»Na, Meister Bruegel, was wißt Ihr über das Gravieren?« Das Wort »Meister« sprach er mit übertriebener Betonung aus.

»Meister Coecke hat mir das eine und andere beigebracht«, erwiderte Pieter, ohne den Blick vom Treiben in der Werkstatt abzuwenden. »Vom Holzschnitt bis zur Radierung.«

»Dann bist du also mit der Helldunkeltechnik vertraut?«

»Ich weiß, wie ich mit dem Hohlmeißel umgehen muß, um Tiefen- und Schattenwirkung zu erzielen, wenn Ihr das meint.«

»Hm, und beherrscht du auch die Kaltnadeltechnik?«

Pieter lächelte flüchtig. »Der samtweiche Effekt der Grate, mit einer Nadel kratzen statt ausstechen? Ich mag dieses lockere Linienspiel, das man beim Abdruck damit erreicht. Auch wenn ich ehrlichkeitshalber dazu sagen muß, daß ich den Pinsel bevorzuge.« Er sah Cock an. »Was das angeht, werden wir uns übrigens noch einigen müssen, ich habe nämlich noch ein paar Gemälde in Auftrag. Wenn Ihr Wert darauf legt, daß ich bald zu Euch komme, müßt Ihr mir die Zeit und den Raum geben, um diesen Auftrag zu erledigen.«

»Nur zu!« rief Cock empört. »Meister Bruegel stellt Bedingungen!«

»Ich sage Euch nur ehrlich, wie es ist. Wenn das Eure Güte nicht erlaubt, werde ich noch eine Weile bei Witwe Coecke bleiben müssen.«

»So?« Cock schnaubte. »Du scheinst noch immer darauf zu vertrauen, daß ich weiterhin in Seelenruhe auf dich warte, was?«

»Habt Ihr nicht selbst gesagt, daß Geduld eine Eurer Tugenden ist?«

»Ich habe auch meine Untugenden, und eine davon ist, daß ich mich furchtbar über Rotznasen aufregen kann, die glauben, daß sie mir Vorschriften machen können!«

Pieter bemerkte, daß einige Schüler in der Werkstatt beunruhigt in ihre Richtung blickten. Mit leichtem Erstaunen fragte er sich, warum ihm Cocks Entrüstung so wenig ausmachte. Das konnte nicht nur an seinem neuen Status liegen, dachte er. So viel bedeuteten dieser Ring und der Becher nun auch wieder nicht. Es hatte eher den Anschein, als hätte er sich Jobbes Gleichgültigkeit gegenüber dem Lauf der Dinge ein wenig zueigen gemacht. *Der Mensch denkt, das Schicksal lenkt...*

Als Pieter schwieg, brüllte Cock: »Hast du auf einmal die Sprache verloren?«

»Nein«, entgegnete Pieter. »Ihr werdet schon recht haben. Nun denn...« Er drehte sich um und wollte hinausgehen.

»He, warte! Wo willst du hin?«

»Nach Hause, ist denn nicht alles gesagt?«

»Alles gesagt? Wir fangen gerade erst an!« Cock packte Pieter am Arm und schob ihn in ein Zimmer neben der Werkstatt. Die Hälfte des Raums wurde von ordentlich aufeinandergestapelten Drucken in verschiedenen Größen eingenommen. Das Mobiliar bestand aus einem wackligen Tisch und ein paar abgenutzten Stühlen.

»Diese Bande da drinnen muß von unserem Gespräch nichts mitbekommen«, erklärte Cock. »Hör mal, junger Mann, willst du überhaupt für mich arbeiten?«

»Natürlich, sonst wäre ich nicht hier.«

»Dann werde dir klar darüber, daß derjenige, der für mich arbeitet, das zu meinen Bedingungen tut und nicht umgekehrt, verstanden?«

»Und wie lauten diese Bedingungen, wenn ich fragen darf?«

»Als erstes verlange ich, daß du deine Bilder und eventuelle Folgeaufträge hier in meiner Werkstatt malst. Zweitens will ich, daß du ein Honorar forderst, das eines Meisters würdig ist. Drittens will ich, daß du Entwürfe machst und dein Talent nicht mit diesem Geritze auf Kupferplatten vergeudest. Und viertens mußt du möglichst bald eine Studienreise in den Süden machen.«

Pieter sah den anderen eine Weile an, wobei er nur mit Mühe seine Verwunderung verbergen konnte. Er war nicht sicher, ob er Cock ernst nehmen sollte. Dann sagte er mit berechnender Stimme: »Vielleicht wollt Ihr noch eine fünfte Bedingung stellen?«

»Und die wäre?« fragte Cock streng.

»Ihr könntet mich verpflichten, von Eurem Weinfaß zu trinken.«

Cock sah Pieter einen Moment lang mit offenem Mund an, dann begann er zu lachen, als hätte er den besten Witz seit Jahren gehört.

Pieter verwirrte diese Reaktion zuerst, doch das Lachen des anderen war so ansteckend, daß er einstimmte.

Endlich fragte Cock: »Wann kannst du mit deinen sieben Sachen herkommen?«

»Wenn Ihr wünscht, schon morgen, ich besitze nicht viel.«

»Gut«, sagte Cock. »Ausgezeichnet.«

Er nahm einen Stock, der in einer Ecke an der Wand lehnte, und klopfte mit ihm ein paarmal gegen die Decke. Kurz darauf ging die Zimmertür auf. Eine junge Frau trat ein, die Pieter mit sichtbarer Neugier von Kopf bis Fuß musterte. Zu Cock sagte sie: »Was wünscht Ihr, Meister?«

»Bier für uns beide«, antwortete Cock. Er sah Pieter an. »Oder hättest du lieber deinen Becher benutzt?«

»Bier ist gut«, antwortete Pieter, während er die junge Frau ansah. Er blickte ihr nach, als sie mit wiegenden Hüften den Raum verließ.

»Lisa«, erklärte Cock. »Unsere Dienstmagd. Sie ist tüchtig, hat aber leider einen Fehler: Sie lügt wie gedruckt.«

Das Mädchen kam mit einem Krug und zwei Bechern zurück. Sie stellte die Becher auf den Tisch und füllte sie mit dunklem Bier. »Noch etwas zu Euren Diensten, Meister?« fragte sie.

»Lisa, das ist Meister Pieter Bruegel«, sagte Cock zu ihr. »Er wird hier arbeiten.«

Lisa machte einen flüchtigen Knicks vor Pieter. »Es ist eine Ehre für mich, Eure Bekanntschaft zu machen, Meister Bruegel«, sagte sie.

Pieter fühlte sich geschmeichelt und bekam beinahe einen roten Kopf. Bevor ihm jedoch eine passende Antwort einfiel, war Lisa schon wieder verschwunden.

»Euer Blick für Schönheit steht jedenfalls außer Frage«, sagte er zu Cock.

»Sie hat schon Liebhaber gehabt, aber es ging nie lange gut. Vielleicht weil sie das Lügen nicht lassen kann.« Cock erhob seinen Becher. »Auf eine fruchtbare Zusammenarbeit!«

Pieter nahm vorsichtig einen Schluck Bier. Es war nicht so gut wie das von Gwijde Ortelius, stellte er fest. Sofort verdrängte er die gefährliche Erinnerung.

Cock ließ seinen leeren Becher auf den Tisch fallen, sah Pieter einen Moment lang nachdenklich an und ging dann zur Zimmertür, um sie richtig zu schließen. Danach zog er einen der wackligen Stühle vom Tisch weg und setzte sich. »Nimm Platz«, sagte er. »Ich habe noch etwas anderes mit dir zu besprechen.«

Pieter folgte verwundert der Aufforderung.

Cock spitzte die Lippen und trommelte kurz mit seinen Fingern auf den Tisch; was er sagen wollte, schien sehr vertraulich zu sein, denn er begann nicht sofort zu sprechen. »Ich lasse dich schon eine ganze Weile beobachten...«

Pieter erstarrte. Er öffnete den Mund, um zu protestieren, aber der andere bedeutete ihm zu schweigen.

»Hör zu, Pieter, ich muß dir nicht erzählen, daß wir in turbulenten Zeiten leben. Philipp ist ein fanatischer Dreckskerl, und Granvelle ist möglicherweise noch schlimmer. Auch der niedere Adel wettert gegen ihre Tyrannei. Es schwelt ein Volksaufstand, aber es gibt auch eine Menge Leute, die der katholischen Kirche treu bleiben, weshalb das Ganze zu einem Bürgerkrieg ausarten könnte. Es kann noch eine Zeit dauern, bis es losgeht, aber die Lunte liegt am Pulverfaß.«

Pieter fragte sich, worauf der andere hinauswollte. »Witwe Coecke hat gestern auch davon gesprochen«, sagte er.

»Wenn es losgeht, möchte ich, daß du auf der richtigen Seite stehst.«

»Muß ich denn eine Seite wählen?«

Cock lächelte. »Du hast dich schon vor einer ganzen Weile entschieden, soviel ist klar. Und du hast dich noch nicht mal großartig darum bemüht, diese Entscheidung zu verbergen. Daß du trotzdem noch lebst, hast du vor allem der Tatsache zu verdanken, daß eine wichtige Person dein Leben anscheinend für recht wertvoll hält. Aber es wäre nicht klug von dir, dich darauf zu verlassen, du brauchst einen zuverlässigeren Schutz.«

»Und wer soll mir diesen Schutz gewähren?«

»Leute, die dich auch für wertvoll halten, aus verschiedenen Gründen.«

»Und wer sind diese Leute?« fragte Pieter höchst interessiert.

Cock warf einen kurzen Blick zur Tür und dämpfte seine Stimme: »Du bist nicht der einzige Ketzer in Antwerpen, Pieter, es gibt hier sehr viele, die die kirchliche Obrigkeit ablehnen oder sogar hassen. Wenn wir uns zusammentun, können wir gegen die Inquisition und den Scheiterhaufen vorgehen.«

»Wir?«

»Schwörst du mir, daß das, was ich jetzt sage, nicht nach außen gelangt?«

»Ich bin nicht gerade ein Klatschmaul.«

»Schwör es!«

Pieter seufzte. »Gut, ich schwöre es.«

»Vor einiger Zeit wurde von Gildenmitgliedern eine geheime Ketzersekte gegründet, die Schola Caritatis. Oder das Haus der Liebe, um den flämischen Namen zu gebrauchen...«

»Und?« fragte Pieter, als der andere ihn abwartend ansah.

»Der wichtigste Artikel der geheimen Statuten sagt, daß wir uns für die Religionsfreiheit einsetzen wollen. Wir wollen, daß außer den Katholiken nicht nur die Protestanten, sondern jeder ungestraft die Religion ausüben darf und kann, für die er sich entscheidet.«

»Ein edles Ziel, aber sicher eine Utopie.«

»Wenn jeder auf seinem Hintern sitzen bleibt, sicher.«

»Ich weiß nicht... Eigentlich will ich nur malen und ansonsten in Ruhe gelassen werden.«

»Ist dir deine Freiheit denn nichts wert?«

»Doch, natürlich, aber...« Pieter seufzte. »Nun gut, was soll ich tun?«

»Vorläufig nicht mehr als Mitglied der Schola Caritatis werden. Ich sorge schon dafür, daß du aufgenommen wirst.«

Pieter fragte sich, wie Granvelle und sein fetter Lakai das fänden, wenn sie es jemals erfahren würden.

»Dann schreibt mich ein«, sagte er.

16

Mit kritischem Blick betrachtete sich Pieter im Spiegel des Hutmachers. Er zweifelte ein wenig, ob er nicht mit diesem grünen Samtbarett auf dem Kopf eine lächerliche Figur machen würde, obwohl ihm der Hutmacher versichert hatte, daß ihm die Kopfbedeckung ausgezeichnet stand, vor allem in Kombination mit seinem kurzen, dunklen Bart.

Er machte durchaus etwas her, fand Pieter, nicht zuletzt weil niemand unter dem Rang eines Meisters Samt tragen durfte. Das unterschied den Träger deutlich vom einfachen Volk, mehr als der Becher und der Ring, die nicht immer sofort bemerkt wurden.

»Dieses Barett steht Euch hervorragend, Meister«, sagte der Hutmacher noch einmal. »Und es sitzt auch perfekt, wenn ich Euch darauf hinweisen darf.«

»Die Paßform ist wirklich sehr gut«, erwiderte Pieter gedankenverloren. Er überlegte, was Lisa wohl davon hielt. Er hoffte, daß sie große Augen machen würde, auch wenn sie sicher nicht leicht zu beeindrucken war. Sie hatte zwar Respekt vor ihm, doch ab und zu war etwas Spöttisches in ihrem Blick, was Pieter nicht entging.

»Wenn der Meister auch noch eine Tracht aus demselben Material möchte, kann ich Euch meinen Bruder Elias empfehlen«, sagte der Hutmacher. »Elias ist einer der besten Meisterschneider von Antwerpen. Er zählt viele angesehene Bürger zu seiner verehrten Kundschaft.«

»Ich werde es mir überlegen«, versprach Pieter. Er konnte schlecht sagen, daß an eine solche Ausgabe kein Denken war, bis er seinen nächsten Lohn bekommen hatte. Er zog das Barett etwas schräger, was ihm ein schneidigeres Aussehen verlieh. »Dieses hier kaufe ich auf jeden Fall, ich werde es gleich aufbehalten.«

»Sehr wohl, Meister, eine ausgezeichnete Wahl«, beeilte sich der Hutmacher zu sagen.

Pieter hatte erwartet, daß sich jeder nach ihm umdrehen würde, wenn er mit seiner neuen Errungenschaft über die Straße ging. Doch man schenkte ihm nicht mehr Aufmerksamkeit als zuvor. Die einzige Ausnahme war der Hauptmann einer spanischen Patrouille, der auf dem Weg zur Stadtmauer an ihm vorbeikam. Er grüßte ihn im Vorbeireiten flüchtig, doch darauf legte Pieter überhaupt keinen Wert.

Als er den Grote Markt erreichte, sah er, daß dort irgend etwas los war. In der Mitte des Platzes hatte sich eine Menschenmenge versammelt, die eine Gruppe tanzender Indianer umringte. Pieter konnte die Rothäute selbst nicht sehen, sondern nur die großen Adlerfedern, die sie auf dem Kopf trugen. Außerdem hörte er durch den Lärm der Zuschauer die monotonen Trommelschläge, die den Tanz begleiteten.

Angelockt von dem Spektakel, kämpfte er sich zwischen den Leuten durch bis zu einer Stelle, von der aus er mehr sehen konnte.

Es waren acht Indianer, die bis auf einen Lendenschurz nichts anhatten. Der riesige Federschmuck auf ihrem Kopf schwankte im Rhythmus ihrer ekstatischen Bewegungen. Ihre Gesichter waren mit weißer, schwarzer und roter Farbe bemalt. Sie tanzten um den Mann mit der Trommel, der in der Mitte des Kreises hockte und die Augen geschlossen hielt, als würde er sich völlig auf den dumpfen Rhythmus konzentrieren, den er seinem bunt bemalten Instrument mit einem kurzen, dicken Stock entlockte.

Im Kreis standen auch einige spanische Soldaten mit ihren Musketen im Anschlag. Sie bewachten die Indianer und achteten gleichzeitig darauf, daß die neugierigen Zuschauer nicht zu nah herankamen. In Pieters Nähe standen drei Mönche, die Plakate mit einem Text trugen, den Pieter nicht lesen konnte. Er fing jedoch Fetzen von dem auf, was sie der Menschenmenge erzählten. Sie sagten, die Indianer seien lebende Beispiele für Menschen, die ohne Seele geboren seien. Urheiden nannten sie sie, völlig Wilde, kaum mehr als Tiere, die zufällig auf den Hinterbeinen liefen. Sie seien so entartet, daß sie die tapferen Kolonisten in der Neuen Welt angriffen und mit Pfeil und Bogen, Messern oder sogar Beilen töteten und dann die Haare ihrer Opfer abschnitten, um sie als Trophäe aufzubewahren. Doch wenn man sie erst einmal gezähmt hätte, wären sie gut geeignet, um einfache Arbeiten zu verrichten, sagten die Mönche beschönigend, im Tausch für Nahrung und Kleider. Die acht Indianer, die hier ihre heidnischen Tänze vorführten, waren auf der Reise nach Europa an

Bord gezähmt worden und sollten in den Dienst einiger Honoratioren der Stadt treten. Nach ihrem Tod dürften sie nicht auf geweihten Plätzen bestattet werden. Sie müßten verbrannt oder in brachliegendem Boden begraben werden.

»Ich wollte solche grausigen Gestalten nicht im Haus haben«, sagte eine üppig ausstaffierte ältere Frau, die neben Pieter stand.

»Sie sehen aber stark aus«, bemerkte eine jüngere Frau neben ihr.

»Ich würde gern mal ihre Frauen sehen«, sagte ein Mann. »Wenn die auch so kräftig sind ...« Er grinste geil.

Jemand anders sagte enttäuscht: »Man hatte mir erzählt, daß ihnen diese Federn auf dem Kopf wachsen!«

»Urheiden!« sagte Pieter kopfschüttelnd. »Sind wir das denn nicht alle?«

Die Frau neben ihm sah ihn an. »Was sagt Ihr, Meister?«

»Nichts«, antwortete Pieter schnell. »Ich habe nur so vor mich hingemurmelt ...«

»Eine schlechte Angewohnheit«, bemerkte eine andere Frauenstimme hinter ihm. »Es sei denn, daß all Eure Gedanken so rein sind wie das frischgewaschene Leinen auf dem Gras.«

»Lisa!« Pieter sah sie überrascht an. »Warum habe ich dich gerade nicht gesehen?«

»Ich bin nach Euch gekommen ...« Sie blickte auf sein neues Barett. »Einen schönen Hut habt Ihr da!«

»Samt«, sagte Pieter, der sich etwas töricht fühlte, als er wieder ihrem bekannten spöttischen Blick begegnete. »Schön warm an kühlen Tagen.« Er sah kurz zu den Indianern hin, dann wieder zu Lisa. »Lust auf ein Glas Wein? Die treiben es so toll, da bekomme ich schon vom Sehen allein Durst.«

Ihre Augen schienen kurz zu funkeln. »Gehört es sich denn, daß eine einfache Dienstmagd neben einem Meister über die Straße geht?«

»Unsinn«, sagte Pieter störrisch. Er besiegte ein kurzes Zögern und bot ihr den Arm an. »Sollen wir?«

Er nahm Lisa mit zum Wirtshaus *Das wilde Meer*, das an dem Ort lag, wo Jobbe früher immer in der Sonne gesessen hatte. Zu dieser frühen Stunde waren nicht viele Leute da. Sie wählten einen Tisch am Fenster.

»Ich komme sofort«, sagte der Wirt, der gerade weißen Sand auf den gefliesten Boden streute.

»So«, sagte Pieter, als sie saßen. »Und was bringt eine junge Dienstmagd dazu, ganz allein auf die Straße zu gehen?«

»Einkäufe«, antwortete Lisa. »Oder dachte Meister Bruegel vielleicht, daß das Essen im Schrank wächst?«

»Aber ich sehe gar keinen Einkaufskorb!«

»Die Bestellungen werden ins Haus geliefert. Oder dachte Meister Bruegel vielleicht, daß ich in der Lage wäre, allein einen Essensvorrat für siebzehn Leute zu schleppen?«

»Es tut mir leid, daß ich so dumme Fragen stelle«, erwiderte Pieter ein wenig pikiert.

»Vermutlich kann man nicht gleichzeitig ein großer Künstler sein und Ahnung vom Haushalten haben.«

»Du treibst die ganze Zeit deinen Spott mit mir, ist es nicht so?«

»Aber nein, wie kommt Ihr darauf?« Lisa beugte sich zu Pieter und dämpfte die Stimme. »Es gehört sich, daß man in Innenräumen die Kopfbedeckung abnimmt.«

»Oh!« sagte Pieter. »Entschuldige...« Hastig nahm er das Barett ab und legte es neben sich auf den Tisch. »Ich habe nicht mehr daran gedacht, ich...« Da kam ihm eine Idee. »Ich war durch dich abgelenkt«, sagte er tapfer. »Würdest du mich bitte duzen, wenn wir unter uns sind, Lisa?«

»Nur wenn wir unter uns sind... Pieter?«

»Meister Cock würde es wahrscheinlich nicht billigen.«

Der Wirt, der sich die Hände an seiner Schürze abwischte, erschien an ihrem Tisch, und Pieter bestellte Wein für sie beide. Der Wirt entfernte sich, kam aber gleich darauf zurück. »Hier ist ein Herr, der für Euch bezahlen möchte«, sagte er. »Unter der Bedingung, daß Ihr anstelle dieses laschen Traubensaftes Bier trinkt, so sagt er.« Er wies in eine dunkle Ecke auf der anderen Seite des Schankraums.

Pieter erstarrte, als er in die Richtung schaute und mit Mühe die gebeugte Gestalt erkannte, die dort allein an einem Tisch saß. Der Mann hob schwach die Hand zum Gruß. Sein Gesichtsausdruck war nicht zu sehen, da er ganz im Schatten saß.

»Bringt doch lieber Wein«, sagte Pieter zum Wirt, der mit den Schultern zuckte und wegschlurfte.

Neugierig fragte Lisa: »Ein Bekannter?«

Pieter nickte. »Gwijde Ortelius ...« Er sah durch Lisa hindurch, seine Stimmung war verdorben. »Der Vater des Mädchens, das ... mit dem ich ...«

Lisa streckte Pieter die Hand entgegen, er sollte seine hineinlegen. Er tat es ohne Zögern. »Ich kenne die Geschichte«, sagte sie. Sie zog ihre Hand zurück, als der Wirt die Bestellung brachte.

»Wir sollten besser gehen«, sagte Pieter, der Ortelius' Blick im Rücken spürte.

»Fliehen?« Lisa trank einen Schluck Wein. »Es hat keinen Sinn, vor der Vergangenheit wegzulaufen, sie bleibt von selbst hinter einem zurück, wenn man ihr Zeit gibt.«

»Ich fühle mich hier einfach nicht wohl ...«

»Er geht selbst weg.«

Pieter sah zu Ortelius auf, der neben ihrem Tisch stehenblieb. Zuerst erschrak er über dessen schlechtes Aussehen, doch dann sah er, daß der andere einfach nur betrunken war.

»Soso«, sagte Ortelius. »Meister Bruegel gibt mir nicht die Ehre, ihm und seiner neuen Eroberung etwas anzubieten?«

In förmlichem Ton sagte Pieter: »Das ist Lisa, die Dienstmagd von Meister Cock.«

»Soso, du stehst wohl auf Dienstmägde, was? Wenn du so weitermachst, wird in Antwerpen bald ein Mangel an Dienstmägden herrschen!« Er schwankte betrunken hin und her, aber seine Stimme klang fest.

»Ich will keinen Streit mit Euch«, sagte Pieter ruhig. Er merkte, daß der Wirt und die anderen Gäste zu ihnen herüberschauten.

Ortelius richtete sich in voller Länge auf und wies mit dem Finger auf Pieter. »Er hat meine Tochter umgebracht!« rief er laut. »Ohne ihn würde meine Anke noch leben!«

Nun begann Pieter doch wütend zu werden. »Gwijde, bitte!« zischte er.

Ortelius beachtete ihn nicht. »Nehmt euch in acht vor diesem Mann«, sprach er mit lauter Stimme weiter. »An ihm haftet ein tödlicher Makel, auf ihm liegt ein Fluch! Wo er hinkommt, ziehen dunkle Wolken auf ...«

Pieter rückte mit einer heftigen Bewegung seinen Stuhl zurück und stand auf. »Jetzt reicht's!« brüllte er. »Ich habe sie wahrscheinlich mehr geliebt als Ihr, Ihr habt kein Recht, mich vor aller Augen so zu beleidigen!«

»Was redest du von Recht? Du dürftest noch nicht mal das Recht haben, dein Gesicht in der Öffentlichkeit zu zeigen, wo du wieder andere unschuldige Mädchen ins Unglück stürzen kannst!«

»Pieter, tu's nicht!« flehte Lisa, als dieser mit einem Ruck seinen Dolch zog und die Spitze drohend vor Ortelius' Gesicht hielt.

»Noch ein unverschämtes Wort und es fließt Blut!« sagte Pieter heiser.

Im Schankraum erklang erschrockenes Gemurmel, einige Leute sprangen von ihren Stühlen hoch.

»Meine Herren, bitte!« flehte der Wirt. Er war hinter der Theke hervorgekommen, blieb aber in sicherer Entfernung stehen und hielt die Hände abwehrend vor sich.

Ortelius sah einen Moment verächtlich auf den Dolch vor seiner Nase, bevor er sagte: »Ist ja gut, ich gehe schon, nicht weil du einem unbewaffneten Mann einen Schrecken eingejagt hast, sondern um dich vor dir selbst zu schützen, *Meister* Bruegel. Denn weißt du, *ich* finde es nicht richtig, andere um meinetwillen ins Unglück zu stürzen ...« Dann kehrte er Pieter den Rücken zu und ging hinaus.

Pieter steckte den Dolch weg und ließ sich kraftlos auf den Stuhl fallen. »Ich habe mich mitreißen lassen ...« murmelte er.

»Er war dir gegenüber furchtbar ungerecht«, sagte Lisa besänftigend.

»Vielleicht verdiene ich ja seinen Groll ...« Pieter nahm seinen Weinbecher, trank ihn in einem Zug aus und warf eine klimpernde Münze auf den Tisch. »Ich will weg von hier, kommst du mit?«

Lisa stand schweigend auf und folgte Pieter nach draußen. Der Wirt und die Gäste des Wirtshauses blickten ihnen nach.

Sie gingen das Scheldeufer entlang in Richtung der nördlichen Stadtmauer. Die Luft war mild, ein leichter Wind wehte, und die Sonne kam nur ab und zu durch die hohe Wolkendecke. Auf dem tiefstehenden Wasser der Schelde trieb nur ein einsames Ruderboot. Schiffe, die Antwerpen anlaufen oder abfahren wollten, lagen wahrscheinlich vor Anker und warteten auf stärkeren Wind.

Pieter sprach kein Wort. Lisa unterbrach ihn nicht in seinen Gedanken, bis sie zum Stadtwall kamen. Dann fragte er: »Hast du Lust, noch ein Stück weiter mit mir zu gehen?«

Lisa zögerte. »Eigentlich müßte ich schon längst zu Hause sein...«

»Kannst du dir keine Ausrede einfallen lassen? Ich habe gehört, daß du darin gut bist.«

Lisa zog kurz die Augenbrauen zusammen. »Ich kann immer noch sagen, daß du mir befohlen hast, mit dir mitzugehen«, sagte sie. »Wer bin ich denn, daß ich einem Meister etwas verweigern könnte?«

»Gute Idee«, sagte Pieter, der in einer Stimmung war, in der ihm fast alles egal war.

Pieter und Lisa überquerten den Wassergraben und setzten ihren Spaziergang am Ufer fort.

Die Pflasterstraße ging in einen verlassenen Sandweg über, der von einem hohen Schilfgürtel auf der einen und Sträuchern und Baumgruppen auf der anderen Seite gesäumt wurde. Hunderte von Vögeln der unterschiedlichsten Arten waren auf dem trockengefallenen Schlamm emsig bei der Futtersuche. Manche flogen laut kreischend auf, als die beiden Spaziergänger vorbeikamen, andere ließen sich nicht stören und pickten gierig Würmer, Weichtiere und kleine Krabben aus dem Schlamm.

»Wohin gehen wir?« fragte Lisa.

»Nirgenwohin, genauso wie das Leben...« Pieter trat einen getrockneten Pferdeapfel weg.

»Liegt das nur an diesem Alten, oder bist du immer so fröhlich?«

Pieter zog es vor, nicht zu antworten. In die Ferne weisend, sagte er: »Dort drüben wohnt ein Freund von mir, Jobbe, der Fischer.«

»Ja, und?«

»Nichts, ich mußte nur gerade an ihn denken.«

Lisa sah Pieter von der Seite nachdenklich an. »Ich glaube, ich weiß, was du brauchst...« Sie nahm seine Hand und führte ihn zu den Sträuchern am Rand des Weges.

Zunächst ließ Pieter sie gewähren, überrascht von ihrer unerwarteten Annäherung. Sie fand eine mit Moos bewachsene Stelle, nicht einsehbar für die, die zufällig vorbeikamen und zog Pieter zu sich hinunter. Als sie seinen Gürtel zu öffnen begann, verspürte er kurz

Erregung, doch sie verschwand sofort wieder. Er hielt Lisas Hand fest. Als sie ihn fragend ansah, sagte er:

»Besser nicht, Lisa. Jetzt nicht, es tut mir mehr leid, als du dir denken kannst...«

Lisa seufzte. »Ich weiß nicht, ob ich dich dafür achten oder dumm finden soll.«

»Ich bin einfach nicht in der Stimmung, ist das so verwunderlich?«

»Ich bin noch nie einem Mann begegnet, der nicht in Stimmung ist.«

»Das klingt, als hättest du dich schon mit Dutzenden von Männern eingelassen!«

Lisa stand auf und strich ihre Kleider glatt. »So wenig anziehend bin ich nicht, weißt du.«

Pieter stand ebenfalls auf. »Du bist zweifellos besonders anziehend, Lisa. Aber die Wunde in meinem Herzen ist noch zu frisch.«

»Ich habe gehofft, ich könnte dich auf andere Gedanken bringen...« Mit einer toten Frau kann man nicht konkurrieren, dachte sie. Aber das sagte sie wohlweislich nicht laut.

Später, als sie zur Stadt zurückgingen, fragte Pieter nach langem Schweigen: »Wo leben deine Eltern?«

»Ich bin ein Findelkind. Sie haben mich vor die Tür der Beginen gelegt.«

Pieter sah sie erstaunt an. »Du bist in einem Kloster großgeworden?«

Lisa nickte. »Ich bin weggelaufen, als ich vierzehn war. Dieses scheinheilige Getue hat mich krank gemacht, und außerdem rückten mir manche Nonnen zu sehr auf den Leib. Aber ich habe dort einiges gelernt, ich kann lesen und schreiben, ein bißchen rechnen, ein paar Worte Französisch...«

»Was hast du denn die ganze Zeit getan, um am Leben zu bleiben?«

»Betteln, stehlen, ein bißchen betrügen, meine Jungfräulichkeit an reiche Bürger verkauft, die üblichen Dinge. Bis mich jemand, der mir wohlgesinnt war, bei Meister Cock als Dienstmagd vorgestellt hat. Seitdem geht es mir ganz gut.«

»Bist du immer so freigebig mit deinem Charme?«

»Ich habe mich von Anfang an zu dir hingezogen gefühlt, Pieter«, sagte Lisa ruhig.

Pieter blieb stehen und legte einen Arm um Lisa. Er drückte sie an sich und küßte sie auf den Mund. Es war ein Kuß ohne Leidenschaft, eine Geste, die eher etwas Prüfendes hatte.

»Besser als nichts«, sagte sie lächelnd, als er sie losließ.

»Ich brauche etwas Zeit, Lisa.«

»Eine neue Liebe ist das beste, um eine alte zu vergessen, zumindest wenn man sie vergessen will...«

Eine neue Liebe, dachte Pieter, als sie den Stadtwall passiert hatten und in Richtung der *Vier Winde* gingen. War dies eine neue Liebe? Jetzt schon? Das Schicksal ließ sein Leben eigenartige und vor allem schnelle Kapriolen schlagen. Glücklicherweise waren diese Kapriolen nicht immer gleich unangenehm, dachte er mit neuer Hoffnung.

»Ein Findling? Die Beginen?« Cock lachte schallend und klopfte sich auf die Schenkel. »Himmel, was lügt dieses Kind! Ihr Vater ist ein verhinderter Bildhauer, der mit seiner Frau auf einem Kolonistenschiff nach Amerika gefahren ist, um dort sein Glück zu versuchen. Sie haben Lisa bei mir untergebracht, weil eine junge Frau drüben noch nicht leben kann. Wenn sie sich erst mal richtig niedergelassen haben, lassen sie sie vielleicht nachkommen. Das war vor drei Jahren, seitdem habe ich nichts mehr von ihnen gehört. Vielleicht sind sie schon von den Indianern aufgefressen worden. Die Beginen!« Cock brach wieder in Gelächter aus.

»Aber...« Pieter sah ihn verstört an. «Warum macht sie das denn, dieses Lügen, meine ich. Was glaubt sie damit zu erreichen?«

»Ach, das Kind hat einfach zuviel Phantasie.«

»Das Kind? Sie ist fast zwanzig!«

»Zwanzig?« Cock grinste. »Nächsten Monat wird sie siebzehn.«

»Siebzehn? Aber sie hat doch gesagt... Himmel!«

»Ach, jede Frau hat ihre Untugenden«, sagte Cock philosophisch. »Du mußt einfach lernen, damit zu leben. Am Anfang habe ich versucht, ihr das Lügen abzugewöhnen, aber das habe ich schon lange aufgegeben. Es ist besser, darüber zu lachen.« Plötzlich wurde Cock ernst. »Hast du vielleicht Pläne mit Lisa?«

Diese direkte Frage erschreckte Pieter ein wenig. »Ich finde sie sehr nett. Und sie mich auch, glaube ich, wenn sie da nicht schon wieder gelogen hat. Aber Pläne ...« Pieter blickte abwesend. »Ich bin noch nicht so weit, um Pläne zu machen.«

»Wein oder Bier?«

»Pardon? Oh, Wein, bitte.«

Sie saßen in dem Raum, wo Cock seine Schreibarbeit erledigte und die Geschäftspapiere aufbewahrte. Cock winkte einem Schüler, ihre Becher an dem Weinfaß im Atelier zu füllen.

»Ich habe einigen Bekannten in Rom geschrieben, um deinen Aufenthalt dort zu regeln«, sagte Cock. »Ich denke, du solltest auf jeden Fall zu Giulio Clovio. Er ist ein hervorragender Miniaturist, von dem du viel lernen kannst, und ich könnte mir vorstellen, daß er sich mit dir gut versteht, auch wenn er nicht mehr der Jüngste ist.«

»Ich habe schon von Clovio gehört«, sagte Pieter mit Respekt in der Stimme. »Irgend jemand hat sein Werk mit dem Michelangelos verglichen.«

Cock nickte. »Nicht ohne Grund. Ich warte auf seine Antwort. Seit wir diesen Kurierdienst in Antwerpen haben, dauert es selten länger als sechs Wochen, bis ein Brief aus dem Süden zurückkommt.« Cock nahm dem Schüler die Weinbecher aus den Händen und reichte Pieter einen davon. »Wenn alles gut geht, kannst du noch in der günstigen Jahreszeit abreisen und dann über die Alpen ziehen.« Cocks Augen leuchteten, als er über den Rand seines Bechers Pieter ansah. »Die Alpen ... Ich hoffe, daß sie auf dich denselben überwältigenden Eindruck machen wie auf mich. Leider war ich selber nicht imstande, ihre majestätische Pracht und Größe wiederzugeben. Ich rechne damit, daß du es kannst.« Cock beugte sich nach vorn, um Pieters Aufmerksamkeit zu erhalten. »Es sind die Landschaften, die du bisher nur in deiner Phantasie gesehen hast, Pieter. Ich habe sie in manchen deiner Werke erkannt, sozusagen in einer sublimierten Form, und genau das hat mich so berührt ... Ich möchte in zwei oder drei Jahren eine Reihe von Stichen herausgeben, die ich *Die großen Landschaften* nennen werde. Das soll die Krönung meines Werkes werden. Und dafür brauche ich dein besonderes Talent. Deine Landschaftskompositionen strahlen vor allem die Nichtigkeit des Menschen gegenüber dieser Größe aus. Und genau dieses Gefühl erlebt man, wenn man am Fuße der Alpen steht und zu diesen gigantischen Schöpfungen der Natur hinaufblickt ...«

»Ich hoffe, daß ich Eure Erwartungen erfüllen kann.«

Cock lehnte sich zurück und trank seinen Becher aus. »Weite Reisen sind nicht ganz ohne Gefahr, ich habe es so geregelt, daß Maarten de Vos und Jacob Jonghelinck mit dir gehen können.«

Pieter kannte beide. Der Bildhauer Jonghelinck war ein kräftiger Bursche, der auf gefährlichen Passagen tatsächlich ein wertvoller Weggefährte sein könnte. Der Maler de Vos war dagegen ein dürres Kerlchen, von dem Pieter abgesehen von vielleicht ein bißchen Schläue nicht so viel erwartete.

»Habt Ihr Granvelle schon über Euer Vorhaben, mich auf Reisen zu schicken, informiert? fragte Pieter.

Cock zuckte mit den Schultern. »Der Kardinal kennt meine Pläne in etwa, und er hat bisher keine grundsätzlichen Einwände geäußert.«

»Ich möchte nicht irgendwo in Frankreich festgenommen werden, weil ich seine Zustimmung nicht habe, das Land verlassen zu dürfen!«

Cock nickte. »Vielleicht hast du recht, ich werde ihm Bescheid sagen lassen.«

In dieser Nacht schlief Pieter unruhig in dem kleinen Zimmer, das er in Cocks großem Haus für sich allein hatte. Es war, als würde ihm erst jetzt bewußt, daß seine Reise nach Südeuropa kein ferner Traum mehr war. Es stand ihm ein nicht zu unterschätzendes Abenteuer bevor, das durchaus ein paar Jahre dauern konnte.

Als er endlich einschlief, träumte er von fernen Landschaften mit himmelhohen Bergen und Aussichten, die kein menschliches Auge jemals sehen würde. Manchmal stand er allein auf einem Felsplateau und blickte hinab in eine schwindelerregende Tiefe, manchmal war ein Mädchen dabei, das weder Anke noch Lisa glich, aber dennoch Erinnerungen an beide wachrief. Das alles war sehr verwirrend. Erst als sich der Traum in einen Alptraum verwandelte und das Mädchen vor seinen Augen von herabfallenden Steinen zerschmettert wurde, so daß er voller Panik hochschreckte, wurde ihm klar, daß er doch von Anke geträumt hatte.

Und daß sie für immer gegangen war.

17

»Mit der Kutsche, mit Pferd und Esel oder zu Fuß, je nachdem, wie es sich ergibt. Es wird sicher eine anstrengende Reise«, sagte Pieter.

»Trotzdem würde ich gerne mitgehen«, sagte Lisa versonnen. »Endlich mal ein bißchen Abenteuer...«

Sie saßen in einem Wirtshaus an der Ecke der Gildekamerstraat, nicht weit von den *Vier Winden*. Hier trafen sie sich oft, wenn Lisa ihre täglichen Einkäufe erledigt hatte. Cock erlaubte ihr mit einem Augenzwinkern, daß sie ein Stündchen länger wegblieb, solange ihre Arbeit nicht darunter litt.

»Ich würde dich gerne mitnehmen. So habe ich die ganze Zeit nur Männer auf dem Hals.«

»Ach, Frauen gibt es überall, du wirst dich schon amüsieren.«

»Es gibt aber nur eine Lisa.« Pieter sah sie ernst an. »Manchmal träume ich von dir...«

»Ach ja? Und was träumst du dann?« Sie lachte frivol. »Bist du naß, wenn du nach solchen Träumen aufwachst?«

Pieter schüttelte leicht irritiert den Kopf. »Darum geht es mir nicht.«

»Stimmt, das habe ich schon gemerkt«, erwiderte sie barsch. »Sag mal, du bist doch nicht... andersrum? Ich habe gehört, daß das bei Künstlern öfter vorkommt.« Sie sah ihn plötzlich beunruhigt an.

»Ich weiß nicht, was ich von dir halten soll«, sagte Pieter kopfschüttelnd. »Sind eigentlich alle Antwerpener Frauen so frech?«

»Bald wirst du erfahren, wie sie anderswo sind.«

»Wahrscheinlich sanft, lieb und folgsam, so wie sich eine Frau gegenüber einem Mann verhalten sollte. Angeblich gibt es Länder, in denen Frauen nur ihre Augen zeigen dürfen, der ganze Rest muß bedeckt sein.«

»Umgekehrt wäre es besser: den Männern die Augen bedecken!«

Pieter grinste. »Die Natur hat die schönen Dinge geschaffen, damit wir sie ansehen.« Einer der zahlreichen hinterlistigen Tricks der Natur, die Aufrechterhaltung der Art zu sichern, würde Jobbe sagen.

»Auch in Antwerpen gelten noch immer Bestimmungen, die uns benachteiligen«, sagte Lisa. »Weshalb dürfen wir nicht ins Börsengebäude? Es gibt doch ich weiß nicht wieviele Frauen, die Handel treiben!«

»Zu eurer eigenen Sicherheit, denke ich. In der Börse kommt es immer wieder zu Prügeleien.«

»Da prügeln sie sich doch nur so oft, weil keine Damen da sind, die diese Hitzköpfe im Zaum halten!«

Pieter zuckte mit den Schultern. »Mir scheint, daß es eine Menge ernsterer Probleme gibt, die nach einer Lösung schreien.«

»Die eigenen Probleme sind immer die wichtigsten«, meinte Lisa.

»Anke hätte diesen Gedanken für egoistisch gehalten«, sagte Pieter. Kaum hatte er diese Worte ausgesprochen, da bereute er sie schon. »Entschuldige«, sagte er. »Ich hätte diesen Namen nicht erwähnen dürfen...«

»Ach, Pieter...« Als wollte sie Zeit gewinnen, nahm Lisa ihren Becher und trank einen Schluck Wein. »Ob du diese Gedanken nun aussprichst oder nicht... Wenn du die ganze Zeit mit versteinertem Gesicht dasitzt, ohne daß ich weiß, was los ist, finde ich das auch nicht gerade angenehm.«

»Ich bin keine sehr amüsante Gesellschaft, was?«

»Ich habe schon Schlimmeres erlebt.« Lisa lachte über sein betrübtes Gesicht, aber sie wurde sofort wieder ernst. »Ich finde es schlimmer, daß du mich völlig vergessen wirst, wenn du unterwegs bist.«

»Ich vergesse nicht so schnell jemanden.«

Lisa sah ihn nachdenklich an. »Nein, das stimmt wohl...«

»Und wenn du noch frei bist, wenn ich zurückkomme...« Pieter zögerte.

»Ja?« fragte Lisa erwartungsvoll.

»Dann können wir vielleicht wieder da beginnen, wo wir nun aufhören müssen.«

»Warum müssen wir denn aufhören? Wir haben doch noch ein paar Wochen vor uns.«

»Es wäre nicht gut, Lisa, nicht jetzt, wo ich für so lange Zeit weggehe.«

»Du willst wohl freie Hand haben, was?«

Pieter seufzte. »Ich versuche nur, vernünftig zu sein.« Das war nur die halbe Wahrheit, dachte er. Der wichtigste Grund für seine Zurückhaltung gegenüber Lisa waren die Gespenster in seinem Kopf. »Ich hoffe, daß du auf mich wartest«, sagte er. »Ich habe bestimmt nicht vor, mit einem italienischen Mädchen zurückzukommen. Ich spreche ja nicht mal ihre Sprache.«

»Manche Dinge kann man sehr gut tun, ohne dabei zu sprechen.«

»Lisa!«

»Sollen wir nach Hause gehen?«

Während Pieter dem Wirt winkte, um zu bezahlen, sagte er verstimmt: »Allmählich verstehe ich, warum man Frauen den Zutritt zur Börse verwehrt.«

Bevor Lisa etwas erwidern konnte, flog die Tür des Wirtshauses auf. In der Öffnung stand Selle, einer von Cocks Schülern. Als er Pieter sah, ging er sofort auf ihn zu. »Entschuldigt, Meister Bruegel«, sagte er. »Meister Cock läßt fragen, ob Ihr direkt zur Werkstatt kommen könnt.«

Pieter erstarrte. »Doch nicht schon wieder etwas Schlimmes?«

»Wir haben hohen Besuch, Meister Bruegel, Vikar Licieux ist da.«

»Oh nein!« sagte Pieter. Er wurde blaß.

»Warum ist das denn so furchtbar?« fragte Lisa beunruhigt.

»*Die sieben Plagen von Ägypten*, das Bild für Bram, es steht mitten in der Werkstatt!«

»Ja, und?«

Pieter sah sie einen Moment sprachlos an. »Ach, du verstehst auch gar nichts!« rief er wütend und lief, ohne auf sie zu warten, mit Selle hinaus.

Als sie Cocks Laden erreichten, waren nur noch ein paar Schaulustige auf der Straße, die sich gerade redend und gestikulierend auf den Weg machten. Manche blieben stehen, um Pieter und Selle nachzublicken.

Pieter betrat das Haus. »Da ist er ja, fünf Minuten nach zwölf!« begrüßte ihn Cock.

Pieter warf sofort einen kurzen Blick in die Ecke, in der sein Gemälde gestanden hatte. Die Staffelei war noch da, aber das Bild war weg.

»Der Vikar liefert das Bild persönlich bei Abraham Ortelius ab«, sagte Cock. »Zumindest hat er das gesagt.« Er sah Pieter beunruhigt an. »Da stimmt doch was nicht, Pieter! Licieux hatte eine Eskorte spanischer Soldaten bei sich, er ist hier mit seinem dicken Wanst reingeprescht wie ein getakeltes Schiff.«

»Was hat er gesagt?«

»Daß Monseigneur nicht erfreut sein wird.«

»Warum habt Ihr ihm erzählt, daß *Die sieben Plagen von Ägypten* für Bram sind?«

»Weil er danach gefragt hat und ich mich nicht traue, diesen Handlanger des Kardinals anzulügen. Sein Herr erfährt doch sowieso alles, und der ist imstande, den ganzen Laden in Brand stecken zu lassen!«

»Ich hätte das Bild nicht so offen stehen lassen dürfen«, warf Pieter sich vor. Allerdings war das auch auf Cocks Bitte hin geschehen, der es für eine gute Werbung hielt. »Habt Ihr ihm von den beiden anderen Gemälden erzählt, die Bram schon hat?«

Cock schüttelte den Kopf. »Danach hat er nicht gefragt.«

»Granvelle mag es nicht, wenn ich ohne sein Wissen Aufträge erhalte. Bram wird große Schwierigkeiten bekommen... Ich muß sofort zu ihm!« sagte Pieter. Er sah plötzlich Bram vor sich, wie er blutüberströmt niedersank, während Granvelles Soldaten sein Haus kurz und klein schlugen.

»Ortelius kann sich schon selbst helfen.«

»Es wird Zeit, daß Granvelle die Sache mit mir ausficht, statt andauernd hinter meinem Rücken auf andere lozugehen!«

»Ausfechten? Er wird dich einfach fertigmachen!«

»Meister Cock hat recht, Pie... , äh, Meister Bruegel«, sagte Lisa, die inzwischen ebenfalls zurückgekommen war.

»Sieh zu, daß du in die Küche kommst«, befahl ihr Cock in harschem Ton. »Und ihr, Leute, an die Arbeit! Steht nicht so faul rum!« Letzteres war an die Schüler gerichtet, die Pieter und Cock neugierig umringten.

Pieter ging zur Tür. »Wünscht mir Kraft«, sagte er.

»Warte, ich komme mit«, rief Cock. Während sie aus dem Haus eilten, sagte er mißmutig: »Dich kann man nicht allein losgehen lassen!«

Pieter erwiderte nichts, sondern murmelte nur: »Dieser Fettsack Licieux...«

In der Pottenbakkersstraat, in der Abraham Ortelius wohnte, standen mehrere Leute in den Türen ihrer Häuser. Sie sahen neugierig nach draußen, hielten sich aber gleichzeitig bereit, wenn nötig sofort wieder ins Haus zu flüchten.

Licieux' Kutsche und die Eskorte warteten mitten auf der Straße. Der Vikar war anscheinend allein zu Ortelius gegangen.

»*Hee, là bas!*« rief der spanische Offizier, als Pieter zu Ortelius' Tür ging und anklopfte. Er drehte sein Pferd und ritt so nah an Pieter und Cock heran, daß diese einen Schritt zurückweichen mußten. »*Qu'est-ce-que tu veux ici?*« wollte er wissen.

»Verreck doch, elender Kerl!« murmelte Pieter wütend, doch Cock sagte schnell:

»*Visiter notre ami Ortelius, est-ce-que c'est interdit, peut-être?*«

»*Qui es tu?*«

»*Cock et Bruegel*«, sagte Cock zum Offizier, der mißtrauisch auf die Trinkbecher an ihrem Gürtel schaute.

Der Offizier schüttelte den Kopf und wies mit seiner behandschuhten Hand gebieterisch ans Ende der Straße. »*Circulez!*«

In dem Moment öffnete sich die Haustür. Licieux trat hinaus und sah sich mit verärgertem Gesicht um, bis er Cock und Pieter erblickte. »Nun denn, Meister Bruegel fühlt sich wohl berufen, wieder einmal das Schicksal herauszufordern«, sagte er mit unverhohlenem Spott in der Stimme.

»Ich fühle mich berufen, eine Ungerechtigkeit zu verhindern!« erwiderte Pieter und versuchte, ruhig zu bleiben. Er achtete nicht auf Cock, der direkt hinter ihm stand und ihn warnend anstieß.

Der Vikar hob hochmütig den Kopf. »Ist es denn nicht ungerecht, wenn man der Kirche etwas vorenthalten will, was ihr rechtmäßig zusteht? Du bist schon einmal gewarnt worden, keine Aufträge unter der Hand anzunehmen, Meister Bruegel!«

»Habe ich vielleicht nicht mal das Recht, einem Freund einen Dienst zu erweisen?«

»Einem Freund einen Dienst erweisen?« Der Vikar lachte spöttisch. Dann winkte er Pieter und Cock ins Haus.

Sie folgten Licieux ins Wohnzimmer. Neben der offenen Tür standen zwei Soldaten, die sich in entspannter Haltung auf ihre Musketen stützten.

Ortelius stand auf der gegenüberliegenden Seite des Raumes am Fenster. Als er Pieter erkannte, sah er ihn unruhig an.

Der Vikar setzte sich vorsichtig auf einen Stuhl, als wäre er nicht sicher, ob dieser sein Gewicht tragen konnte. Er machte eine auffordernde Geste in Ortelius' Richtung. »Erzählt es ihm selbst«, sagte er.

Ortelius wandte den Blick ab. »Es tut mir leid, Pieter«, sagte er. »In der letzten Zeit ging es mir nicht gerade gut, ich brauchte unbedingt Geld...«

Pieters Blick wanderte von Cock, der erstaunt eine Augenbraue hochzog, zum Vikar, der ihn herausfordernd ansah. Verständnislos fragte er: »Was meint er?«

Der Vikar hob wieder den Kopf, eine Geste, die Pieter mittlerweile haßte. »Er hat deine Werke verkauft, das meint er. Wahrscheinlich hatte er schon einen Käufer für sie, als er dir den Auftrag gegeben hat, aber das will er nicht zugeben.«

»Bram, ist das wahr?« fragte Pieter.

»Du hörst es«, antwortete Ortelius unwillig. »Nochmals, es tut mir leid, aber ich habe keine andere Möglichkeit gesehen, aus dieser schwierigen Situation herauszukommen. Ich hatte die Absicht, die Bilder zurückzukaufen, sobald es mir wieder etwas besser geht.«

»Du hättest mir ruhig die Wahrheit sagen können«, sagte Pieter vorwurfsvoll.

»Ich wollte dich nicht kompromittieren.«

Als Pieter Cock fragend ansah, erklärte dieser: »Für den Fall, daß der Handel auffliegt, ist es besser, wenn man dich für einen Trottel hält statt für jemanden, der versucht hat, heimlich Geschäfte zu machen, das meint er.«

Pieter sah den Vikar an. »Was werdet Ihr mit Meister Ortelius machen?«

»Hm...« Licieux strich eine imaginäre Falte am Ärmel seiner seidenen Kutte glatt. Mit Abscheu sah Pieter, daß seine Fingernägel lang und spitz gefeilt waren. »Wir können es nicht tolerieren, daß jemand versucht, Eigentum der Kirche zu unterschlagen.«

Pieter ignorierte Cocks warnenden Blicke. »Eigentum der Kirche? Welches Eigentum der Kirche?« rief er aufbrausend.

»Als solches müssen wir deine Werke betrachten, solange sie nicht durch Vermittlung der Kirche den Besitzer gewechselt haben.«

»Ich erwarte in Kürze ein paar große Aufträge«, sagte Ortelius mit ruhiger Stimme. »Sobald ich das Geld dafür bekommen habe, werde ich die beiden Bilder zurückkaufen. Bis dahin habt Ihr sie in Kommission.«

»Selbstverständlich werdet Ihr auch mit einer Buße belegt«, sagte Licieux. Er sah Cock tadelnd an. »Ich erwarte, daß Ihr euch Eurer Verantwortung bewußt seid!«

Letzteres hörte sich fast wie ein Anraunzer an. Cock kniff die Augen zusammen, aber er erwiderte nichts.

Der Vikar hievte seinen korpulenten Körper hoch und richtete die Kutte. »Vorläufig werde ich es hierbei belassen«, verkündete er. »Aber ich werde die Angelegenheit natürlich verfolgen.«

»Was werdet Ihr mit dem Gemälde machen, das Ihr mitgenommen habt?« fragte Pieter.

Ohne ihn anzusehen, erwiderte der Vikar: »*Die sieben Plagen von Ägypten?* Die Frömmigkeit der Menschen läßt zu wünschen übrig, aber biblische Szenen kommen offensichtlich immer besser an ... Ich denke, daß Monseigneur dieses Werk eingehend betrachten möchte. Wenn es seine Zustimmung findet, wird es wahrscheinlich in seine Privatsammlung aufgenommen.« Dann schritt er zur Tür und verließ mit seiner Leibwache das Haus.

Draußen ertönte das laute Hufgetrappel der Pferde. Pieter wartete, bis die ungebetenen Gäste aus der Straße verschwunden waren, bevor er sagte: »Oh, was wäre das für ein überwältigendes Vergnügen, diesen fetten Wanst mit einem Messer platzen zu lassen!«

»Das bezweifle ich sehr«, sagte Cock. »Ich glaube, es würde furchtbar stinken!«

Ortelius verließ endlich das Fenster und sank kraftlos auf einen Stuhl. Mißmutig sagte er: »Man kann heutzutage nicht mal einen Furz lassen, ohne daß es diese elenden Pfaffen erfahren.« Er sah zu Pieter auf. »Kannst du mir vergeben?«

»Was kümmert mich ein Bild mehr oder weniger? Vielleicht hattest du ja sogar recht, mich als Dummkopf hinzustellen.«

Cock grinste verächtlich. »Dummköpfe haben bei der Kirche ein Stein im Brett, weil sie nicht nachdenken. Haben sie nicht einen Spruch erfunden, daß die im Geiste Armen selig sind und das Himmelreich ihrer ist?« Er setzte sich ebenfalls auf einen Stuhl. »Hast du nicht etwas zu trinken? Vor Aufregung habe ich eine ganz trockene Kehle bekommen.« Er wartete, bis Ortelius Bier und Krüge auf den Tisch gestellt hatte und fragte dann: »Kannst du die Gemälde wirklich zurückkaufen, oder war das nur eine Ausrede?«

Ortelius nickte, während er die Krüge füllte. »Ich habe sie sozusagen versetzt, ein guter Bekannter hat sie als Pfand genommen.«

Cock erhob seinen Krug. »Auf bessere Zeiten!«

»Bessere Zeiten?« Ortelius blickte skeptisch. »Die kommen nicht von selbst, Hieronymus, da müssen wir schon selbst etwas unternehmen.«

Cock nickte. »Der Widerstand wächst, selbst die Katholiken sind nicht einverstanden damit, daß Philipp auf eigene Faust Bischöfe ernennt und Bistümer verteilt. Jeder hat seine eigenen Gründe, warum er Veränderungen will, und diese Gründe werden von Tag zu Tag zwingender.«

»Dann trinken wir darauf«, sagte Ortelius wenig begeistert. »Auf einen glücklichen Ausgang!«

Cock setzte seinen leeren Krug auf den Tisch und stand auf. »Ach ja, wo wir schon mal hier sind: Sozusagen zur Entschädigung könntest du unserem jungen Freund die Karten besorgen, die er für seine Reise in den Süden braucht.«

»Selbstverständlich«, sagte Ortelius. »Er bekommt die besten Karten der Welt.«

»Hoffentlich muß ich sie nicht unterwegs für ein Stück Brot verpfänden...« meinte Pieter ironisch. Er tat so, als würde er Ortelius' tadelnden Blick nicht bemerken.

»Angesichts der Umstände ist es wohl das beste, wenn du möglichst bald abreist, Pieter«, sagte Cock. Vielleicht haben sich die Wogen etwas geglättet, wenn du zurückkommst.«

»Ja«, sagte Pieter zustimmend. »Je schneller, desto besser...«

Inzwischen war es wirklich das Wichtigste, möglichst weit von Granvelle entfernt zu sein. Aus dem frostigen Schatten des Primas zu gelangen schien wichtiger als alles andere. Einschließlich Lisa.

Kaum zwei Wochen später reiste Pieter zusammen mit Maarten de Vos ab. Jacob Jonghelinck mußte noch eine Weile an einem wichtigen Auftrag arbeiten und sollte dann den beiden Malern nachreisen.

Der Drang zu flüchten war stärker als die Unsicherheit und die Angst vor der langen Reise. Zwar war es nichts Ungewöhnliches, daß vielversprechende Künstler nach Italien gingen, um sich dort zu vervollkommnen, aber solch eine Reise war nicht ungefährlich. Die Wege waren nicht in allen Gebieten gleich gut, zudem lagen überall Banden und Strauchdiebe auf der Lauer.

Als besonders riskant galt die Überquerung der Alpen; so mancher Reisende, der sich auf unsichere Seitenpfade gewagt hatte, um neue Aussichten zu entdecken, war verunglückt oder hatte sich einfach verirrt. Eine Wanderung durch die Alpen in den Wintermonaten wurde als schierer Selbstmord betrachtet.

Der einzige Abschied, der Pieter wirklich schwerfiel, war der von Marieke Coecke und Mayken. Als er sie umarmte, wurde ihm schwer ums Herz, und das hatte er nicht einmal bei Lisa erlebt.

Er wollte auch noch zu Jobbe gehen, aber dazu fand er keine Zeit mehr. Außerdem hatte er die Vermutung, daß man ihn ständig beobachtete, und er wollte Jobbe nicht verraten.

Einen Moment dachte Pieter daran, einen Schüler, dem er vertrauen konnte, mit einer Nachricht zu dem Fischer zu schicken, aber auch diese Idee verwarf er aus demselben Grund. Das alles war zu riskant.

Pieter und Maarten de Vos reisten an einem grauen Tag zu Beginn des Frühjahrs 1552 in Richtung Frankreich ab. Sie wurden von ein paar Freunden verabschiedet und machten sich dann in aller Stille auf den Weg.

»Jetzt geht es also los«, sagte Maarten fröhlich, als sie die südlichen Stadttore hinter sich gelassen hatten und der Kutscher die Pferde mit der Peitsche antrieb.

Pieter nickte, sagte aber nichts. Er blickte durch das schmutzige Fenster der Kutsche auf die vorbeiziehende Landschaft, ohne sie wahrzunehmen. Nun, wo sie wirklich unterwegs waren, war der Drang zu flüchten plötzlich von ihm gewichen. Zum ersten Mal schien ihm wirklich bewußt zu werden, was ihm nun bevorstand. Er konnte Maartens Fröhlichkeit nicht teilen.

18

Maarten de Vos sprach gut französisch, und das vereinfachte die Reise. Wahrscheinlich war es sogar der Hauptgrund, weshalb Cock wollte, daß sie zusammen reisten. Aber auch Pieter lernte im Laufe der Zeit ein paar nützliche französische Sätze. Das Geld, das sie bei sich hatten, war bald aufgebraucht. Doch wie man ihnen vorausgesagt hatte, war es nicht schwierig, mit Zeichnen und Skizzieren die Börsen immer wieder zu füllen. Vor allem Maarten hatte Erfolg. Er konnte sehr gut weibliche Figuren zeichnen, die er mit üppigen Formen und tiefem Dekolleté darstellte. Diese kleinen Arbeiten fanden großen Absatz in den Herbergen, in denen Pieter und Maarten oft die Abende und Nächte verbrachten. Vor allem Zeichnungen von Wirtinnen und Dienstmädchen gingen sehr gut. Oft verkaufte er sie an den Meistbietenden, wobei manchmal buchstäblich um sie gekämpft wurde. Pieter zeichnete vorzugsweise Landschaften sowie Straßen und Gebäude von Orten, durch die sie kamen. Er bot sie auf den Märkten an, die überall abgehalten wurden. Manchmal versuchte auch er Frauen zu zeichnen, doch jede seiner Figuren bekam ungewollt etwas Karikaturistisches, fast Gespenstisches, was die weinseligen Franzosen in den Herbergen eher abstieß, als freigiebig machte. Außer einmal in Portarlier, einem Dorf an der Saône, nicht weit entfernt von der schweizerischen Grenze.

Maartens sinnliche Zeichnungen fanden wieder viele Käufer, so daß auch Pieter noch einmal einen Versuch wagte, allerdings mehr auf Drängen ihrer Gesellschaft als aus eigenem Antrieb. Sobald jedoch die in seiner Phantasie entstandenen Figuren auf dem Papier ihr wahres Gesicht zu zeigen begannen, wandten sich die Interessenten einer nach dem anderen ab.

Ein Mann dagegen, der allein abseits saß und trank, kam näher und schaute interessiert zu. Schließlich kaufte er nicht nur die Zeichnung, sondern bat Pieter zudem, eine etwas größere Arbeit in derselben Art anzufertigen, für die er noch mehr Geld zahlen wollte.

Der Mann erzählte, daß er ein großer Bewunderer von Hieronymus Bosch sei und in Pieters Figuren denselben makabren Stil erkenne. Als Pieter in gebrochenem Französisch sagte, daß auch er Boschs Werk schätze, entspann sich ein tiefsinniges Gespräch, das so lange dauerte, bis alle Gäste den Schankraum verlassen hatten und Maarten drängte, endlich ins Bett zu gehen.

»Ein fruchtbarer Abend«, meinte Pieter, als sie in ihrem Zimmer waren. Maarten stimmte zu. »Wenn wir so weitermachen, kommen wir reicher zurück, als wir abgereist sind.«

Aber die beiden hatten nicht immer so viel Glück. So wurden sie einige Male beraubt. Das erste Mal von einem gewöhnlichen Dieb, der, während sie schliefen, in ihr Zimmer eindrang und ihre Börsen mitgehen ließ.

Kaum eine Woche später war es wieder soweit. Sie waren klüger geworden und trugen ihr Geld auch nachts am bloßen Leib, aber diesmal wurden sie von zwei jungen Huren beklaut, die auf ihr Zimmer mitgegangen waren. Sie merkten es erst am nächsten Morgen, als die Damen schon längst verschwunden waren. Natürlich wußte niemand, wer sie waren und wo sie wohnten, obwohl die Herberge, wo es passierte, eindeutig ihr Stammlokal war. Pieter und Maarten mußten ohne einen Cent meilenweit laufen, bis sie ein anderes Dorf erreichten, wo sie wieder arbeiten konnten.

Einmal wurden sie auch von einem Kutscher ausgeplündert. Er hielt an einer einsamen Stelle am Weg, forderte mit vorgehaltener Pistole ihr Geld und Gepäck und fuhr davon. Pieter und Maarten hatten nicht mal mehr Papier zum Zeichnen. Sie mußten ein paar Tage bei einem Bauern auf dem Feld arbeiten, bis sie genug Geld hatten, um sich neue Sachen kaufen zu können.

Mehr als einmal schliefen sie notgedrungen unter freiem Himmel, sei es aus Geldmangel oder weil die Entfernung zwischen zwei Orten so groß war, daß sie die bewohnte Welt nicht rechtzeitig erreichten.

Obwohl die Nächte immer milder wurden, je weiter sie nach Süden gelangten, machten sie an verlassenen Orten im Freien kaum ein Auge zu aus Angst vor Dieben, Mördern und vor allem wilden Tieren, die nachts in den Wäldern umherstreiften. Die größeren unter ihnen ließen sich zwar nie sehen, doch allein schon ihre hörbare Anwesenheit war bedrohlich genug. Während Maarten glaubte, es seien

Wölfe, meinte Pieter, daß das Heulen eher wie das Gejammer von Geistern hingerichteter Übeltäter klang.

Doch am Morgen trieben die Sonne und die fröhlich zwitschernden Vögel die Gespenster der Nacht wieder dorthin, wo sie hingehörten, an die finsteren Stätten voll Schimmel und Verrottung.

Wenn sie Glück hatten, war ein Gebirgsbach in der Nähe, wo sie ihren Durst löschen und sich mit dem klaren, eiskalten Wasser waschen konnten. Das Essen war oft ein größeres Problem, wenn sie wieder einmal kein Geld hatten und es noch dazu im weiten Umkreis keinen einzigen Bauernhof gab, wo sie etwas bekommen konnten. Und für Beeren und Wildfrüchte war es noch zu früh im Jahr.

Doch dann kamen sie wieder ins nächste Dorf oder Städtchen, in dem sie arbeiten konnten, bis sie genug Geld beisammen hatten, um mit Karren oder Kutsche zu reisen und nach einer warmen Mahlzeit in einer Herberge zu übernachten.

In Lyon lernten sie einen Kunsthändler kennen, für den Pieter einige Wasserfarbenbilder anfertigte. Es waren einfache Stadtansichten, ohne viel Liebe gemalt. Pieter selbst fand sie nicht besonders, trotzdem waren sie um vieles besser als alles, was der Händler in seinem Laden anbot, und der Mann zahlte ihm eine anständige Summe. Dieser Glückstreffer ermöglichte es Pieter und Maarten, auf bequeme Weise direkt nach Rom zu reisen, wo sie an einem warmen Tag ankamen.

Zusammen mit dem Gepäck und den Landkarten hatte Pieter auch Cocks Kontaktadressen verloren, wo sie hätten unterkommen können. Der einzige, an den er sich noch erinnerte, war Giulio Clovio, der von Cock wegen seiner Verdienste als Miniaturist in den Himmel gehoben worden war. Da Pieter für diese feinere Arbeit ebenfalls besonderes Talent besaß, hatte Cock ihm ans Herz gelegt, mit diesem Künstler unbedingt Kontakt aufzunehmen. Zwar war Cocks Brief nicht beantwortet worden, doch wie Cock gesagt hatte, gingen öfter Briefe verloren.

Der Kutscher, der sie nach Rom gebracht hatte, stammte aus Parma und konnte ihnen deshalb im hektischen, lebhaften Rom nicht weiterhelfen. Er kannte nur eine Herberge außerhalb der Stadt, wo er sich vor der Rückreise nach Parma mit seinen Pferden ausruhen und stärken wollte.

Sie bezahlten den Mann und sahen dem Wagen nach, der sofort in dem chaotischen Verkehr voller Kutschen und Karren, Reiter und Fußgänger verschwand.

»Die Springbrunnen«, erinnerte sich Maarten, nachdem er eine Weile nachgedacht hatte. »*Fontana di Trevi*, angeblich sind dort die ganzen Künstler. Da finden wir sicher jemanden, der uns helfen kann.«

Er sprach einen jungen Burschen an, der auf das Wort *fontana* mit einer Sturzflut von italienischen Worten reagierte und ausladende Armbewegungen machte, die alle in westliche Richtung wiesen.

Pieter und Maarten überquerten einen großen Platz, auf dem es von Tauben wimmelte und schlugen einen Weg in die Richtung ein, die ihnen der Bursche gezeigt hatte.

»Wir brauchen neue Kleider«, sagte Maarten, »sonst halten sie uns noch für Bettler.«

In Frankreich war es ihnen nie aufgefallen, daß sie recht schäbig herumliefen, aber hier in dem sonnigen und lebendigen Straßenbild zogen sie mit ihren schmutzigen, verschlissenen Klamotten alle Blicke auf sich.

»Farben«, sagte Pieter, der Maarten nicht gehört zu haben schien. »Was für Farben! Kein Wunder, daß diese Stadt so große Künstler hervorgebracht hat...« Er war so sehr damit beschäfigt, um sich zu blicken, daß er ein paarmal stolperte. »Ich glaube, wir haben zu Hause nicht mal die Farbe, um all diese Nuancen wiederzugeben.«

»Die Sonne scheint stärker, und die Luft ist trockener«, meinte Maarten. Er stieß Pieter an. »Schau mal dort!« Er zeigte auf zwei große Italienerinnen mit langen, schwarzen Haaren, die schwatzend und lachend auf der anderen Straßenseite entlanggingen. »Ich fange schon an, Rom zu lieben!« rief er. Maarten hatte eine Schwäche für große, sinnliche Frauen. »An denen kann man sich wunderbar festhalten«, hatte er einmal zu Pieter gesagt.

Pieter sah gleichgültig zu den beiden Frauen hinüber, die Maartens unverhohlenes Interesse bemerkt hatten und kichernd den Blick senkten. »Du mit deinen lüsternen Gedanken, sei bloß vorsichtig«, warnte er. »Vergiß nicht, daß wir hier direkt am heiligen Zentrum der katholischen Macht sind!«

»Davon merkt man aber nicht sehr viel, hier herrscht eine frivole

Atmosphäre!« Maarten sah den jungen Frauen nach, bis sie zwischen den anderen Fußgängern verschwunden waren. »Das waren bestimmt vier von den berühmten Hügeln Roms. So was sieht man nicht in Flandern...«

»Und es gibt keine Spanier«, sagte Pieter, dem anderes wichtiger war.

Die letzten spanischen Soldaten hatten sie in Mailand gesehen, einem Bistum, das noch in das Rechtsgebiet Philipps II. fiel.

Pieter fragte sich, wie es nun wohl zu Hause aussah. Er fühlte sich freier als jemals zuvor. Flandern schien ihm auf einmal eine irreale Welt voller Trostlosigkeit und Schatten zu sein. Trotzdem überkam ihn Heimweh, wenn er die ihm vertraute Umgebung an seinem geistigen Auge vorüberziehen ließ. Es kam ihm fast so vor, als täte er mit diesem Gefühl der sonnenüberfluteten Stadt um ihn herum unrecht.

»Ich habe gehört, daß sie hier die tollsten Bordelle der Welt haben, ganz in der Nähe des Vatikans«, sagte Maarten. »Diese reichen Geistlichen verlangen natürlich Qualität. Wenn wir genug Geld haben, müssen wir unbedingt mal dort hingehen.«

»Du bist der verdorbenste Kumpan, den ich kenne«, stellte Pieter kopfschüttelnd fest. »Kannst du denn nie an was anderes denken?«

»Selten«, erwiderte Maarten vergnügt. »Und diese Sonne macht es nur noch schlimmer, mein Blut ist regelrecht am Kochen.« Er schnaubte und scharrte mit einem Fuß auf dem Boden, als wäre er ein Stier. Passanten sahen zu ihm hinüber und lachten. Maarten lachte freundlich zurück. »Ich liebe Rom!« rief er wieder.

Pieter lachte auch. Allmählich begann er, Maartens Gesellschaft zu schätzen. Dessen Unbekümmertheit bildete ein gutes Gegengewicht zu seiner oft melancholischen Stimmung.

Am Trevibrunnen herrschte reges Treiben. Außer Händlern verschiedener Nationalitäten tummelten sich dort vor allem Wallfahrer aus aller Herren Länder, die wegen des päpstlichen Segens nach Rom gekommen waren und damit die Besichtigung der Stadt verbanden.

Maler jeden Alters hatten ihre Staffeleien auf dem Platz aufgestellt, um vor Publikum ihre Eindrücke auf Leinwand festzuhalten. Manche fertigten von geduldig posierenden Passanten Porträts an, die sie sofort zu Geld machten.

Es waren auch Pantomimen da, die den Zuschauern mit dem Körper Geschichten erzählten, und Sänger und Musikanten, die allein oder in Gruppen ihre Künste zu Gehör brachten. Ein italienisches Theaterensemble gab auf einer aus Kisten zusammengebauten Bühne unter lautem Geschrei eine Vorstellung. Die Zuschauer griffen großzügig in ihre Börsen, als die Künstler nach der Aufführung mit dem Hut in der Hand durch die Menge gingen.

»Das ist wahrhaftig eine Stadt, in der Künstler geschätzt werden«, bemerkte Maarten.

»Aber die Konkurrenz ist groß«, meinte Pieter.

»Was macht das schon, wenn man der Beste ist?«

»Vielleicht sind alle die Besten. Cock hat gesagt, daß sich hier die herausragendsten Künstler der Welt einfinden.«

»Selbstunterschätzung und falsche Bescheidenheit!« Maarten schlug Pieter auf die Schulter. »Komm, laß uns mit ein paar Kollegen Bekanntschaft machen.«

Von diesen Kollegen stammte mehr als einer aus den Niederlanden. Manche waren wie Pieter und Maarten nach Italien gekommen oder geschickt worden, um sich in ihrer Kunst zu vervollkommnen, andere dagegen hatten zu Hause keinen Erfolg gehabt und hofften, hier mehr Glück zu haben.

»In einem warmen, sonnigen Land wie diesem ist es weniger schlimm, arm zu sein«, erklärte einer von ihnen. Er hieß Alonsius van Utrecht und malte recht ansehnliche Wasserfarbenporträts. »Giulio Clovio? Sicher kenne ich den, jeder kennt den alten Clovio. Aber wenn ihr ihn sehen wollt, müßt ihr Geduld haben, er ist in der Schweiz und wird nicht so bald zurückkommen.«

»Da geht unser einziger Kontakt dahin«, sagte Maarten.

»Sucht ihr eine Unterkunft? Kein Problem in Rom, es gibt Orte, wo reisende Künstler fast umsonst unterkommen können. Ich werde euch den Weg zeigen.«

»Eine fabelhafte Stadt, dieses Rom«, meinte Maarten.

Doch Alonsius schien dem nicht ganz zuzustimmen. »Du wirst deine Meinung ändern, wenn du dich einmal an der Großartigkeit sattgesehen hast«, entgegnete er. »In Rom gibt es viel Schönheit, aber ihr fehlt etwas. Diese ganze Schönheit ist zerbröckelt und stammt zudem aus verschiedenen Zeiten, dadurch wirkt alles etwas unecht. Rom hat zwar ein Herz, und das schlägt auch ziemlich heftig, aber es hat keine Seele wie zum Beispiel Amsterdam oder Antwerpen. Nach einer Weile bekommt man hier das Gefühl, in einem großen Theater zu leben, dessen Vorhang noch aufgehen muß. Die Kulisse steht, und jeder ist mit seiner eigenen Rolle beschäftigt, aber niemand weiß, wann die Eröffnungsvorstellung stattfindet.« Alonsius lachte. »Jetzt hört mich mal! Wie komme ich dazu, eine mehr als zweitausend Jahre alte Stadt zu kritisieren, in der ein großer Teil der Geschichte der zivilisierten Welt geschrieben wurde?«

»Ich glaube, ich weiß, was du meinst«, sagte Pieter. Er blickte nachdenklich um sich. »Ich bin gerade erst angekommen, und ich finde alles wunderschön, aber trotzdem... Nein, ich glaube nicht, daß ich hier für immer bleiben könnte.«

Alonsius sah sich mit kritischem Blick sein Werk an. »Mein Kunde ist mittendrin weggegangen«, sagte er. »Und ich glaube, ich weiß auch, warum. Das Bild ist schlecht. Nun denn...« Er begann seine Sachen zusammenzupacken. »Wenn ihr mir ein Glas Wein bezahlt, werde ich euch zu der billigsten Unterkunft in Rom führen. Billig und trotzdem schön, außerdem gibt es keine Mücken, was will ein notleidender Künstler noch mehr?« Er rasselte die Worte mit demselben Tempo herunter wie die Italiener. »Die Gründer von Rom waren zwei Jungen, die mit Wolfsmilch gesäugt wurden, was soll man dazu sagen? Sie waren Abkömmlinge des trojanischen Helden Äneas. Er wollte mit seiner Brut nichts zu tun haben und ließ sie am Ufer des Tiber zurück. Die beiden schmeckten so fade, daß die Wölfe sie nicht auffressen wollten.« Alonsius grinste. »Nun denn, Romulus und Remus wurden von einer Wölfin angenommen und später mehr oder weniger freiwillig einem Hirten übergeben, der sie großzog. Romulus wurde später der erste König von Rom. Ihr könnt diese Geschichte noch im Wappen der Stadt wiederfinden. Gehen wir?« Er hatte seine Sachen unter den Arm genommen und führte sie in Richtung einer Schenke, vor der Tische und Stühle standen.

Sie saßen in der Sonne, tranken Wein, schauten auf das bunte Treiben und hörten den Erzählungen von Alonsius zu, der es als seine Pflicht zu betrachten schien, die Neulinge über alles zu informieren, was in Rom so los war.

Pieter wurde allmählich schläfrig. Antwerpen schien ihm weit weg und ohne jede Bedeutung. Fast konnte er sich wieder mit dem Leben versöhnen. Doch nicht ganz. Selbst jetzt, in dieser vergnüglichen und angenehmen Stunde, hatte er noch immer ein leicht bedrückendes Gefühl, als würde ihn ein Zipfel von Granvelles Schatten noch über tausend Meilen erreichen.

Im selben Moment erblickte Pieter einen Mann, der einige Tische weiter saß und ihn direkt ansah. Er war eher unauffällig, braungebrannt und schwarzhaarig wie die meisten hier. Als sich ihre Blicke trafen, sah er Pieter noch ein paar Sekunden unverhohlen an, dann wandte er sich ab.

»Bitte, nicht hier!« seufzte Pieter laut.

Maarten sah ihn erstaunt und beunruhigt an. »Hast du wieder ein Gespenst gesehen?«

Pieter wandte sich Alonsius zu. »Kennst du vielleicht den Mann, der dort...«

Doch der Mann war verschwunden.

Maarten folgte Pieters starrem Blick. »Ich glaube, du verträgst den Wein nicht so gut«, sagte er. »Wen glaubst du denn gesehen zu haben?«

»Jemanden, der mich etwas zu interessiert ansah...« antwortete Pieter. »Überall sehe ich Spione, als wäre ich so wichtig...«

»Vielleicht hast du dich gar nicht geirrt«, meinte Alonsius. »In Rom laufen tatsächlich eine Menge Lakaien der spanischen Krone herum, wie übrigens überall. Es wäre gar nicht so verwunderlich, wenn sie Fremde, die gerade angekommen sind, beobachten.«

»Ja, so wird es gewesen sein«, sagte Pieter. Das Licht und die Farben erschienen ihm auf einmal weniger hell, als wäre vorzeitig der Abend angebrochen. Und die Fröhlichkeit der vielen Passanten wirkte plötzlich gekünstelt, als wären sie alle Statisten eines befremdenden Schauspiels, das Pieter nicht verstand.

»Du hast recht, Alonsius«, sagte er. »Mit dieser Stadt stimmt etwas nicht, sie scheint nicht wirklich echt zu sein...«

»Vielleicht stimmt aber auch mit uns etwas nicht«, sagte Alonsius tiefsinnig. »Vielleicht sehen wir die Dinge durch die falsche Brille.«

»Es kommt nur darauf an, was man selbst davon hält.« Pieter trank seinen Wein aus, der ihm nun nicht mehr schmeckte. »Ich glaube, ich bleibe nicht hier, ich werde in den Süden weiterreisen. Cock hat mir gesagt, daß dort die Landschaften besonders schön sind.«

Alonsius machte ein bedenkliches Gesicht. »Im Süden ist es nicht sehr sicher, ich habe gehört, daß man dort einen Angriff der Türken befürchtet.«

»Das ist genau das Richtige für mich«, erwiderte Pieter. »Ich würde gerne mal eine richtige Seeschlacht malen.«

»Solltest du dich nicht erst ein paar Tage ausruhen?« fragte Maarten. »Außerdem war abgemacht, daß wir hier auf Jonghelinck warten. Es kann durchaus sein, daß er die Kontaktadressen hat.«

»Ich kann dich nicht zwingen, mit mir zu gehen.«

»Du bist gar nicht imstande, allein zu reisen, du kannst gar nicht auf eigenen Füßen stehen!«

»Ich will mich nicht in eure Angelegenheiten einmischen«, warf Alonsius ein, »aber an eurer Stelle würde ich erst versuchen, hier etwas Geld zu verdienen. Ich weiß, wo man günstig an Pferde kommen kann; mit denen könnt ihr dann wesentlich unabhängiger reisen.«

»Wir haben noch Geld«, sagte Pieter. »Bring uns morgen zu diesem Pferdehändler.«

Drei Tage später reisten sie ab. Maarten ging mit, vor allem weil er nicht allein zurückbleiben wollte.

Sie ritten zuerst ans nahe Meer und dann weiter entlang der Küste in den Süden. Da sie keine Karten mehr besaßen, war das die einfachste Route und wahrscheinlich auch die kühlste. Während der heißen Stunden des Tages wehte meistens ein frischer Seewind aus Nordwesten. Außerdem ritten sie oft über lange Strecken direkt am Wasser, so daß die Pferde ihre Hufe in der Brandung erfrischen konnten. Zumeist war es nicht schwer, in den flachen Dünen ein bequemes Nachtlager zu finden, und die Tiere schienen nichts dagegen zu haben, das trockene Dünengras zu fressen.

Sie hatten für wenig Geld zwei kleine Araberstuten erworben, die zwar schon etwas altersschwach waren, aber durchaus noch ihren Zweck erfüllten, wenn man sie nicht zu sehr antrieb. Und da weder Pieter noch Maarten erfahrene Reiter waren, mußten sie sich sowieso in gemächlichem Tempo fortbewegen. Ein Reitpferd war etwas ganz anderes als die Zugpferde auf dem Land, auf denen Pieter als Kind oft gesessen hatte. Am Abend des ersten Tages hatten beide offene Blasen am Gesäß, woran auch die verschlissenen Sättel schuld waren. Deshalb konnten sie am zweiten Tag kaum sitzen, so daß sie zu Fuß den Strand entlang trotteten und die Pferde hinter sich herführten. Am dritten Tag hatten sie einen kräftigen Muskelkater, der selbst das Gehen zur Qual machte. Erst am vierten Tag hatten sie sich soweit erholt, daß sie wieder auf die Pferde steigen konnten.

Als sie Neapel erreichten, wollte Maarten ein paar Tage in der Stadt verbringen, aber Pieter war dagegen. Er schien von einem merkwürdigen Drang besessen, immer weiter zu ziehen, und das am liebsten so schnell wie möglich.

»Neapel ist eine Stadt von Dieben«, erklärte er. »Ich denke nicht daran, unsere Pferde und das wenige Geld, das wir noch haben, zu verlieren. Wir sind schon zu oft beraubt worden.«

Maarten protestierte. »Wer sagt denn, daß Neapel eine Stadt von Dieben ist? Vielleicht können wir ja hier unsere Börsen etwas auffüllen, das wäre nämlich mal wieder angebracht!«

Doch Pieter war unerbittlich.

So reisten sie weiter, zur einen Seite die italienische Landschaft, die von Tag zu Tag üppiger wurde, zur anderen das ruhige, unentwegt blaue Meer. Sie aßen vor allem Fisch, den sie oft umsonst bei den Fischerhütten bekamen, auf die sie immer wieder stießen. Manchmal wurden sie jedoch auch von einem Fischer verjagt, der ihnen wegen ihres verwitterten Aussehens und ihrer merkwürdigen Sprache nicht traute. Hin und wieder durften sie im Tausch für ein Einzel- oder Gruppenporträt bei einer Fischerfamilie die Nacht verbringen.

Maarten war mit all dem nicht zufrieden. »Die Fischer haben immer so häßliche Töchter«, klagte er. »Ich fange an, die Zivilisation sehr zu vermissen! Was willst du eigentlich beweisen? Daß die Erde eine Kugel ist? Ich dachte, das wüßte schon jeder!«

»Ich verspreche dir, daß wir nicht weitergehen als bis dorthin, wo das Land aufhört«, sagte Pieter.

»Je weiter wir reisen, desto weiter ist auch unser Rückweg. Hast du vielleicht auch mal daran gedacht?«

»Das ist beim Reisen nun mal so.«

»Ich hätte in Rom bleiben sollen, bei all den schönen Frauen«, murrte Maarten.

»Du bist ein freier Mensch, Maarten. Niemand hindert dich, umzukehren.«

»Jetzt, wo wir schon mehr als die Hälfte der Strecke hinter uns haben? Jetzt will ich auch wissen, was dich so unwiderstehlich in den Süden zieht!«

»Ich will nur dort gewesen sein, wo ich nun schon die Möglichkeit dazu habe.« Und ich will so weit wie möglich vom kühlen Norden weg sein...

Nachts lauschte Pieter dem ruhigen Rauschen der flachen Brandung und den Geräuschen ihrer Pferde. Manchmal wurden die Tiere unruhig, wenn sie Witterung von etwas Bedrohlichem aufnahmen, das mit dem Wind über die Wälder und Sträucher zog. Ihr unruhiges Schnauben ließ Pieter oft aus dem Schlaf hochschrecken, der meistens nicht mehr als ein Dösen war. Dann setzte er sich auf und starrte auf einen schwarzen Waldrand oder auf dichtes Gebüsch, das im leichten Landwind raschelte, welcher die Seebrise des Tages abgelöst hatte. Maarten wachte selten auf. Sobald er die Augen schloß, schien sein Leben bis zum nächsten Morgen unterbrochen zu sein.

In den vielen schlaflosen Stunden dachte Pieter noch oft an zu Hause. Manchmal gelang es ihm kaum, sich vorzustellen, daß es mehr als tausend Meilen weit entfernt noch eine andere Welt gab, mit einem Leben, das einfach weiterging, ohne daß er dabei war. Dann fragte er sich, was Marieke und Mayken, Lisa, Cock, Jobbe und all die anderen wohl gerade taten und ob sie manchmal an ihn dachten, so wie er an sie dachte. In diesen Momenten fühlte er sich völlig abgeschnitten von ihnen.

Nur die Zeit kann diesen Schmerz lindern, dachte er. Aber sie schien von Tag zu Tag langsamer zu vergehen, als verwirrte die ständige Gegenwart und Unveränderlichkeit des scheinbar unendlichen Meeres sein Zeitgefühl.

Die ersten unheilvollen Botschaften erreichten Pieter und Maarten, als sie nur noch zwei Tagesreisen von ihrem Ziel entfernt waren. Zur rechten Seite zeichnete sich bereits der Horizont der sizilianischen Küste gelblich ab. Sie begegneten Boten und einigen Gruppen von Flüchtlingen, die berichteten, daß Schiffe mit türkischen Plünderern einen großen Angriff auf Reggio di Calabria begonnen hatten.

»Das war es dann«, sagte Maarten. »Laß uns sofort dem klugen Beispiel der Flüchtlinge folgen und in die andere Richtung reiten!«

Pieter griff in seine Hüfttasche und holte ein Stück gedörrten Fisch hervor. Kauend sagte er: »Das ist ein Geschenk Gottes, dieser Angriff, meine ich. Diese Chance bekommen wir vielleicht nie mehr wieder. Laß uns zusehen, daß wir in Reggio sind, bevor das Spektakel vorbei ist.« Er steckte sich das letzte Stück Fisch in den Mund und stieß die Fersen in die Flanken seines Pferdes, das aufschreckte und sich trottend in Bewegung setzte.

»Du bist verrückt!« rief Maarten, als er Pieter eingeholt hatte. »Das kann lebensgefährlich werden!«

»Sicher ist es nur in der Hölle«, antwortete Pieter unbeirrt. »Das ist der einzige Ort, wo man nicht noch tiefer fallen kann.« Und er spornte sein Pferd so lange an, bis es zu galoppieren begann.

Am frühen Morgen des nächsten Tages sahen sie im Südwesten am klaren Himmel dunkle Rauchwolken, die von der Küste aus langsam landeinwärts zogen.

»Wir haben Glück«, sagte Pieter. »Sie sind noch da!« Ungeduldig trieb er sein Pferd mit einem biegsamen Zweig an, den er von einem Strauch abgeschnitten hatte. »Ich will es sehen!« rief er.

»Verdammt, du bist wie ein kleines Kind!« klagte Maarten. »Gleich fallen die armen Tiere tot um, und wir können zu Fuß weiter!«

Doch Pieter hörte nicht auf ihn, das einzige, was ihn interessierte, waren die deutlich sichtbaren Zeichen der Gewalt in der Ferne.

Eine Stunde später konnten sie schon die Kanonenschüsse der angreifenden Schiffe und der Verteidigungsgeschütze hören. Als sie ein Stück weiter geritten waren, sahen sie von einer Erhebung des Küstenweges aus in weiter Ferne, an der schmalsten Stelle der Straße von Messina, die angreifenden türkischen Karaken wie weiße Punkte auf dem Wasser. Hin und wieder war vor dem dunklen Blau des Meeres das Blitzen ihrer Geschützmündungen zu erkennen.

»Schade, daß wir noch nicht da sind«, sagte Pieter. Er hatte sein Pferd zum Stehen gebracht. »Die Sonne steht genau richtig...«

»Unglaublich«, murmelte Maarten. »Einfach unvorstellbar...« Zum ersten Mal seit Tagen tat ihm wieder das Gesäß weh, doch er versuchte den Schmerz zu ignorieren und bemühte sich, Pieter zu folgen, der seinem Pferd wieder die Peitsche gab.

Sie begegneten mehreren Gruppen von Menschen, die aus dem belagerten Reggio kamen, zumeist Leute, die nur geschäftlich dort gewesen waren und nun die unsichere südliche Spitze Italiens verließen. Manche rieten den beiden, nicht weiterzureiten, doch Pieter hörte gar nicht hin, sondern spornte sein Pferd ungeduldig weiter an.

Schließlich hatten sie sich dem Kriegsschauplatz so weit genähert, daß sie die Kanonenkugeln fliegen hören konnten. Zu Maartens Erleichterung brachte Pieter sein Pferd endlich zum Stehen. Das Tier war so erschöpft, daß es schnaubend und zitternd den Kopf hängen ließ und keinen Huf mehr rührte.

»Das ist eine gute Stelle«, erklärte Pieter. Ohne abzusteigen, holte er Papier und Stift aus der Tasche und begann emsig zu zeichnen.

Maarten mußte zugeben, daß der Anblick großartig war. Zugleich aber auch grausam.

Sie standen auf einem flachen Hügel, von dem sie auf die Stadt und die türkische Karakenflotte hinunterblickten. Diese manövrierte in Schußweite vor der Küste hin und her. Die Schiffe suchten günstige Feuerstellungen und versuchten gleichzeitig, eine möglichst geringe Angriffsfläche für die Geschütze zu bieten, die von den Stadtmauern aus das Feuer erwiderten. Offensichtlich bereitete der abflauende Wind der Flotte Probleme; das Tempo und die Wendigkeit der Karaken ließen zunehmend nach. Doch ihre Kanonen hatten bereits großen Schaden in der Stadt angerichtet. An vielen Orten schlugen Flammen hoch. Dichte, schwarze Rauchwolken verdeckten die Sicht auf ganze Viertel. Die Straßen schienen nahezu verlassen. Alle, die keine Waffe bedienen konnten, waren vor den tödlichen Kanonenkugeln geflüchtet. Sie hielten sich in großen Gruppen außerhalb der Stadtmauern auf. Alle anderen waren mit den kaiserlichen Truppen in ihren farbigen Uniformen an den westlichen Verteidigungsanlagen in Position gegangen, um einen eventuellen Einfall der Türken abzuwehren.

In der Mauer an der Seeseite hinterließen die Geschosse klaffende Breschen, doch es es sah aus, als könnten die Türken wegen des fehlenden Windes ihre Angriffspläne nicht ausführen. Die Schiffe konnten ihre Segel kaum noch halten und bewegten sich immer langsamer. Dadurch gewannen die Verteidiger an der Mauer Zeit, um ihre Kanonen in genaue Position zu bringen, so daß sie die Flotte immer öfter trafen. Mehrere Karaken brannten, bei manchen war der Mast gebrochen, einige Schiffe sanken bereits. Überlebende versuchten sich mit Ruderbooten in Sicherheit zu bringen.

Nach einigem Zögern hatte auch Maarten seine Zeichensachen ausgepackt.

»Du zeichnest die Stadt und ich das Meer«, sagte Pieter, ohne von seiner Arbeit aufzuschauen. »Wir können dann später sehen, was wir zusammen daraus machen.«

Er hatte kaum ausgesprochen, da flog direkt über ihren Köpfen ein Geschoß vorbei, das ein Stück weiter in eine Flüchtlingsgruppe einschlug. Es gab einen gewaltigen Knall, die Menschen schrien vor Schmerzen und Entsetzen.

Maarten packte die Zügel seines Pferdes. »Da sind Verletzte«, schrie er. »Wir müssen ihnen helfen!«

Pieter schüttelte ungeduldig den Kopf. »Es sind genug Leute zum Helfen da.« Er zeichnete angestrengt weiter. »Aber vielleicht kannst du eine Skizze von den Verwundeten machen...«

»Um Gottes willen, Pieter, hast du denn kein bißchen Gefühl im Leibe?«

»Es gibt Momente, in denen man wichtigere Dinge tun muß«, antwortete Pieter. »Wir würden doch nur im Weg herumstehen.«

Widerwillig machte sich Maarten wieder an die Arbeit, aber er brachte nicht viel zustande. Er konnte die Klagelaute der Opfer und das furchtbare Geschehen in der getroffenen Stadt nicht mißachten.

Auf dem Meer stellte ein Schiff nach dem anderen das Feuer ein. Je nach Position drehten sie mit großer Mühe bei oder fielen ab, um langsam Kurs auf das offene Meer im Süden zu nehmen, wo sie sicher waren.

Die Verteidiger feuerten noch ein paarmal auf die davonfahrende Flotte. Eine Kugel schlug in das Heck einer Karake ein und richtete dort solch eine Verwüstung an, daß das Schiff aus dem Ruder lief und an der Steuerbordseite von einer anderen Karake gerammt wurde. Es kenterte sofort und begann zu sinken.

Das Feuer wurde eingestellt. Das Jubeln auf den Befestigungsanlagen war weithin zu hören.

Pieter ließ die Zeichnung sinken und blickte zur Stadt, wo die Menschen vom Wall aus wie Ameisen in die Straßen strömten, um an verschiedenen Orten die Brände zu löschen. Mit tonloser Stimme sagte er: »Jetzt ist es vorbei...«

»Das klingt ja so, als würdest du das bedauern!« rief Maarten entrüstet.

»So viel Zerstörung und Leid für nichts«, sagte Pieter. »Ja, ich finde es sehr traurig, diese ganze Sinnlosigkeit...«

Maarten sah ihn befremdet an. »Vorhin habe ich gedacht, das alles würde dir überhaupt nichts ausmachen.«

»Auch Gewalt hat ihre Schönheit«, erklärte Pieter abwesend. »Reine Schönheit, die es nur geben kann, wenn man sie frei von jedem Gefühl sieht. Findest du ein brennendes Herdfeuer nicht schön?«

»Wo ist denn da der Zusammenhang?«

»Denkst du denn dabei an das arme, langsam gewachsene Holz, das von den Flammen verzehrt wird?«

»Aber Pieter, du willst doch nicht einen simplen Baumstamm mit Menschen vergleichen?«

»Bäume, Tiere, Menschen, wo ist da der Unterschied? Alles lebt, alles ist Teil der Schöpfung, jedes Lebenwesen nimmt darin einen gleich wichtigen Platz ein...«

»Dann stimmt es also doch?«

»Was?«

»Man hat mir erzählt, daß für dich der Wert des Menschen nur sehr gering ist.«

»Nicht geringer als der von anderen Lebewesen.«

»Ich dachte, daß das Leben eines Menschen das höchste Gut ist.«

»Warum?«

»Weil...« Maarten suchte nach Worten, aber es fiel ihm nichts ein. Verwirrt schüttelte er den Kopf. »Das weiß doch jeder!«

»Warum kannst du dann nicht meine Frage beantworten?« Pieter grinste über Maartens Gesicht und packte seine Zeichensachen weg. »Jedes Lebewesen hält sich selbst für äußerst wichtig, aber nur der Mensch kann darüber reden und dadurch seine eigene Wichtigkeit zur Diskussion stellen. Letzteres ist somit eine einzigartige Gabe, warum sollte man dann keinen Gebrauch davon machen?«

»Ich kann dir nicht folgen«, sagte Maarten, der sich wie ein dummer Junge vorkam.

»Das liegt daran, daß du Jobbe nicht kennst.«

»Und wer soll dieser Jobbe sein?«

»Ein alter Freund, der auf das Wasser und die Fische blickte und dabei Weisheiten sammelte...«

»Willst du mich zum Narren halten?«

»Ein bißchen«, gab Pieter zu. Nach mehrmaligem Anspornen gelang es ihm, sein Pferd in Bewegung zu setzen. Das Tier trottete langsam den Weg entlang, wobei es immer wieder über Unebenheiten strauchelte. Doch Pieter trieb es nun nicht mehr an, all seine Hast war von ihm abgefallen.

»Es dauert nicht mehr lange, bis die Sonne untergeht«, sagte er. »Hoffentlich ist in Reggio noch eine Herberge stehengeblieben, wo wir eine Mahlzeit und ein Bett bekommen können. Ein gesunder Nachtschlaf würde mir gut tun...«

»Wie du willst«, antwortete Maarten. Er war nicht versessen darauf, in einer brennenden Stadt zu übernachten, aber er begann endlich einzusehen, daß es keinen Sinn hatte, mit Pieter zu diskutieren, wenn dieser sich etwas in den Kopf gesetzt hatte.

Sie fanden zwar eine Unterkunft in Reggio, aber inmitten des schweren Rauchs, der in der ganzen Stadt hing, und den vielen Trümmern und Staubwolken war der Aufenthalt alles andere als angenehm.

Am nächsten Morgen ließ Pieter seinen Freund allein und verschwand ohne viel Worte. Erst gegen Mittag kam er zurück.

»Wir können noch heute abreisen«, verkündete er munter.

»Abreisen?« Maarten sah ihn ungläubig an. »Pieter, ich kann kaum noch auf meinem Hintern sitzen!«

»Kein Problem«, sagte Pieter vergnügt. »Die Pferde sind verkauft, wir reisen mit dem Schiff weiter.«

»Wie bitte?!«

Pieter nickte und setzte sich zu Maarten an den Tisch, wo dieser gelangweilt die letzte Stunde verbracht hatte. Er winkte dem Wirt und bestellte Wein für beide. »Ich habe eine Überfahrt auf einer Galeasse gebucht, die uns zuerst nach Messina bringt und dann an der nördlichen Küste von Sizilien nach Palermo weiterfährt.«

»Soll das ein Witz sein?«

»Aber nein! Wo wir jetzt schon so weit gekommen sind, will ich auch die Gelegenheit nutzen, Sizilien zu sehen. Außerdem wollte ich schon immer eine Seereise machen.«

»Lieber Gott, laß das einen Alptraum sein, laß mich bitte in einem Bordell in Rom aufwachen!«

»*Grazie*«, sagte Pieter zum Wirt, der den Wein brachte. »Ich hatte nicht genug Geld, um die Überfahrt zu bezahlen, aber der Kapitän hat sich mit dem Versprechen zufrieden gegeben, daß ich eine schöne Zeichnung von seinem Schiff machen werde. Wenn sie ihm nicht gefällt, werden wir einfach über Bord geworfen. Prost!« Er hob seinen Becher.

»Pieter, jetzt geht es wirklich zu weit!«

»Warum? Reisen ist doch vergnüglich und lehrreich!«

»Ich hasse Schiffe!«

»Aber es ist doch viel bequemer, als auf dem Pferd zu reiten. Nenn mir auch nur einen Grund, es nicht zu tun!«

»Ich kann dir mindestens drei nennen: Türken, Seeräuber und Seekrankheit!«

Pieter trank einen kräftigen Schluck Wein. Dann sagte er: »Ich habe mich erkundigt. Die Türken haben erst mal die Nase voll und werden nicht so schnell zurückkommen, und Seeräuber sind während der letzten Monate in dieser Region nicht mehr gesichtet worden. Was die Seekrankheit angeht: Wir sind mitten in der Schönwetterperiode, was soll denn da passieren?«

»Pieter, ich werde schon seekrank, wenn ich nur zu lange in eine Waschschüssel gucke!«

»Es ist keine lange Reise, außerdem bleiben wir die ganze Zeit vor der Küste. Gleich nach Sonnenaufgang morgen früh geht's los, und gegen Mittag sind wir schon in Messina, wo es etwas gemütlicher als hier ist, wie ich gehört habe.« Er verschwieg Maarten, daß das Schiff in Messina nur anlegen würde, um Passagiere an Land gehen zu lassen und andere aufzunehmen. »Noch Wein?«

»Nein, danke«, sagte Maarten resigniert. »Mir ist jetzt schon schlecht...«

Am nächsten Morgen gingen Pieter und Maarten an Bord einer kleinen Galeasse, die *Murro di Porco* hieß.

Pieter beobachtete nebenbei alle Passagiere, die aufs Schiff kamen.

Erst als er sicher war, daß ihm niemand besondere Aufmerksamkeit widmete, verließ er seinen strategischen Posten am Landungssteg und ging zum Heck.

Dann wurden die Trossen losgeworfen. Da der Wind nicht stark genug war, wurde das Schiff von sechzehn Männern gerudert. Kurz darauf passierten sie die Straße von Messina.

Pieter stand auf dem Heck an der Reling und blickte auf das langsam kleiner werdende Reggio, von dem hier und da noch immer schwarze Rauchwolken aus schwelenden Häusern hochstiegen.

»Ein trauriger Anblick«, sagte er zu Maarten, der mit blaßem Gesicht neben ihm stand und sich an die Reling klammerte, als fürchte er, jeden Moment über Bord zu fallen. »Traurig, aber trotzdem inspirierend...«

Dann drehte er der italienischen Küste den Rücken zu und richtete den Blick auf das unbekannte Land, das vor ihm lag.

19

»Es sind nur gute hundert Seemeilen, hat der Kapitän gesagt. Morgen früh sind wir schon in Palermo.«

Maarten sah Pieter unglücklich an. »Heißt das, daß wir auch noch die Nacht auf diesem treibenden Ungeheuer verbringen müssen?«

»Natürlich. Kann man sich etwas Schöneres vorstellen, als von den sanften Wellen des Meeres in Schlaf gewiegt zu werden?«

»Bitte, hör auf!« flehte Maarten, der wieder blaß wurde und eine Hand auf den Magen legte.

Bis Messina hatte sich Maarten recht gut gehalten. Er hatte sogar kaum protestiert, als sich herausstellte, daß Pieter ihm nur die halbe Wahrheit erzählt hatte und sie nicht von Bord gehen konnten. Doch als die *Murro di Porco* die nordöstliche Spitze von Sizilien umfahren hatte, wurde ihm immer schlechter. Die Ruderer konnten sich ausruhen, denn nun wurden die Segel gehißt. Eine kräftige Brise kam auf und ließ das Tauwerk knarren. Die Galeasse neigte sich etwa zehn Grad gegen den starken Wind und schaukelte mit dem Seegang unablässig auf und ab. Hin und wieder flogen Gischtfetzen über den Vordersteven. Das Schiff fuhr wie von selbst, so daß die Seeleute nicht viel zu tun hatten. Sie saßen zusammen auf Deck. Zwei von ihnen musizierten auf sechssaitigen Lauten, während die anderen mit erstaunlich wohlklingenden Stimmen bekannte italienische Lieder sangen. Doch Maarten konnte ihre gute Laune nicht teilen.

»Du hast mir versprochen, daß wir dort, wo das Land aufhört, an Land gehen würden«, sagte er vorwurfsvoll.

»Diese Insel gehört noch zu Italien«, erwiderte Pieter. »Dieses bißchen Wasser bei Messina, wo man schon das andere Ufer sieht, kann man nur schwer als das Ende der Welt bezeichnen!«

»Ich hasse es, mit dem Schiff zu fahren! Das Meer ist nicht für Menschen gemacht, alles ist schief und bewegt sich!«

Pieter lachte. »Und du hast mich mal einen Griesgram genannt. Wer ist denn jetzt der Griesgram?«

»Das werde ich dir noch heimzahlen!« drohte Maarten, woraufhin er Pieter den Rücken zuwandte und sich jammernd und seufzend über die Reling lehnte.

Pieter klopfte ihm aufmunternd auf die Schulter. »Mach ruhig weiter, ich werde jetzt etwas zu essen suchen.«

»Hol' dich der Teufel!« schimpfte Maarten.

Bis zum Abend kam die *Murro di Porco* schnell voran, dann flaute der Wind rasch ab. Schließlich fuhr das Schiff nur noch im Schneckentempo. Die Delphine, die sich eine ganze Weile am Steven der Galeasse getummelt hatten, verschwanden wie durch Zauberhand, als hätten die Tiere nun, wo ihr großer Spielkamerad kaum noch von der Stelle kam, die Lust verloren.

»Ist nur Intermezzo«, sagte der Kapitän, als ihn Pieter um eine Erklärung bat. Er war klein und dick und hatte seine fettigen, schwarzen Haare im Nacken zusammengebunden. Seinen schwierigen Namen hatte Pieter sich nicht merken können. »Lohnt nicht, Ruderer arbeiten zu lassen. Bald kommt Landwind und wir fahren über anderen Bug weiter. Was ist mit meiner Zeichnung?«

»Fast fertig«, antwortete Pieter, der den ganzen Nachmittag daran gearbeitet hatte. Besonders große Mühe hatte er auf die Takelage des Schiffes verwendet, die er vom Deck aus sehen konnte. Pieter mochte Schiffe; wenn er sie zeichnete, waren ihre Formen immer üppiger als die seiner weiblichen Figuren. Voller Begeisterung versah er seine Galeonen, Karaken und Galeassen mit sich aufbauschenden Segeln. Dabei widmete er den Details oft so viel Aufmerksamkeit, daß seine Zeichnungen beinahe dazu geeignet waren, einem Schiffsbauer als Anleitung zu dienen.

»Wir sind gut vorangekommen«, sagte der Kapitän. Er wies auf einen Berggipfel, der sich über der gebirgigen Küste erhob. »Wir sind am Trefinaite vorbei, das heißt, wir haben etwa die halbe Strecke.«

»Ich habe es nicht eilig«, sagte Pieter. Er sah in die Richtung, in die der Kapitätn gezeigt hatte. Berge und Hügel reihten sich ohne Unterbrechung aneinander. Die höheren Gipfel wurden an der westlichen Seite von der untergehenden Sonne rot angestrahlt. Die östlichen Hänge waren pechschwarz und wirkten zweidimensional. »Vor mir das Licht, hinter mir schwarze Schatten...«

Er hatte flämisch gesprochen, so daß der Kapitän fragte: »Pardon?«

»Etwas, das ich nicht übersetzen kann, mein Französisch ist zu schlecht.«

»Ich war in deinem Land«, erzählte der Kapitän. »Vor sechs Jahren, um flämische Galeone zu holen, in Antwerpen gebaut für Reeder aus Venedig, die *Azurro d'Ascoli*. Mit Fockmast vor dem Vorderkastell. Schönes Schiff, aber launisch. Damit will ich nicht in Sturm kommen. Fährt nach Afrika.«

»Antwerpen?« fragte Pieter. Er hatte große Mühe mit dem Französisch des Kapitäns, das gespickt war mit italienischen Wörtern. Zum Glück sprach er recht langsam, so daß Pieter Zeit hatte, die Wörter, die er verstand, aneinanderzureihen. »Ich komme aus Antwerpen.«

»Schöne Stadt«, sagte der Kapitän nickend. »Auch lebendig, aber kalt...«

Schön, lebendig und kalt, dachte Pieter. So sehen sie uns also... »Sind manchmal auch spanische Spione bei Euch an Bord?«

Der Kapitän sah ihn fragend an. »Pardon?«

»Ach, ist schon gut...« Pieter blickte auf die Küste in der Ferne, die immer dunkler wurde.

»Frauen in Antwerpen nicht kalt, aber teuer.« Der Kapitän lachte. »Sehr teuer. In Italien viel billiger!«

Das wird Maarten gern hören, dachte Pieter. »Ich werde mal nach meinem Freund schauen«, sagte er.

»Ist noch krank?«

Pieter nickte. »Maarten de Vos mag das Meer nicht.«

»Ts, ts«, machte der Kapitän mitfühlend, aber es klang nicht sehr ernstgemeint.

Pieter fand Maarten mittschiffs neben dem Mast in einer großen Taurolle. Er lag auf der rechten Seite und hatte die Beine bis zum Kinn angezogen. Da das Schiff für kurze Strecken konstruiert war, gab es keine Kajüten unter Deck. Als Pieter ihn anstieß, fragte er hoffnungsvoll: »Sind wir da?«

»Du mußt nur noch die Nacht überleben.«

»Oh, mein Gott!«

»Maarten, das Schiff bewegt sich kaum noch! Und du verpaßt einen großartigen Sonnenuntergang.«

»Sag mir Bescheid, wenn wir im Hafen liegen.« Maarten legte einen Arm über den Kopf, als wollte er nichts mehr hören.

»Träum süß«, wünschte ihm Pieter.

Kurze Zeit später kam tatsächlich von der sizilianischen Insel aus Wind auf. Der Kapitän hatte das Schiff weit genug von der Küste weggelenkt, um nicht gegen die launenhaften Fallwinde aus den hohen Bergen ansteuern zu müssen. Als die Mannschaft die Segel stellte, wurde es noch einmal hektisch auf Deck, doch dann kehrte wieder Ruhe ein. Bei Einbruch der Nacht hatten die Seeleute aufgehört zu musizieren und zu singen. Diejenigen, die nichts zu tun hatten, schliefen lang ausgestreckt auf dem Deck, während die meisten der wenigen Passagiere an der Reling saßen. Man sprach leise miteinander, als hätte jeder Ehrfurcht vor der Stille des nächtlichen Meeres und dem majestätischen Sternenzelt über ihren Köpfen. Da der Wind vom Land her wehte, war das Meer nun vollkommen ruhig. Die *Murro di Porco* schien nicht mehr zu fahren, sondern durch die Nacht zu schweben.

Pieter blickte vom Heck hinunter auf das gurgelnde Kielwasser, in dem die leuchtenden Organismen, die durch das passierende Schiff gestört wurden, blau-weiß aufblitzten. Beim Anblick des Meeres überkam ihn stärker als jemals zuvor ein Gefühl der Zeitlosigkeit. Der Mond war nicht zu sehen, aber durch das Licht der Sterne schien das Meer fast so hell zu sein wie am Tag. Nur das Land an der Luvseite war eine pechschwarze, gezackte Mauer, die aus dem Wasser emporragte. Aber es war ein Licht wie von einer anderen, unwirklichen Welt, in dem Grau und Silber vorherrschten.

Ein Licht, das keine Menschenseele jemals auf einem Bild wiedergeben kann, dachte Pieter mit Bedauern. Ebensowenig wie ein Dichter jemals seine vagen, ungreifbaren, fast mystischen Gedanken in Worte fassen könnte, die das nächtliche Meer in ihm hervorrief. Aber vielleicht waren das auch keine Gedanken, die man mit anderen teilen konnte, vielleicht waren es sogar Gedanken, die nur der Einsame denken konnte.

Jobbe hatte immer behauptet, daß Einsamkeit auch ihre guten Seiten habe. »Man lernt dadurch seinen eigenen Platz in der Welt kennen«, hatte er einmal gesagt. »Und vor allem, wie unbedeutend dieser Platz ist...«

Pieter drehte sich um und lehnte sich an die Reling, um über das silbern scheinende Deck mit seinen scharf abgehobenen, schwarzen Schatten zu blicken. Ein Schiff mit einer Handvoll Passagiere und Seeleute. Reisende auf dem Weg von irgendwo nach nirgendwo, so schien es ihm. Durch eine Nacht, die vielleicht ewig dauern würde, als hätten sie durch das Loswerfen der Trosse ihre Nabelschnur, die sie mit der wirklichen Welt verband, für immer durchtrennt...

Illusionen, dachte Pieter. Die Wirklichkeit lag tausend Meilen hinter ihm, aber die Verbindungen existierten immer noch. Verbindungen, die aus Schatten, finsteren Gedanken und Erinnerungen bestanden, konnten nicht gelöst werden.

Die mystische Stimmung, in der er sich eben noch befunden hatte, verflog. Die *Murro di Porco* war wieder eine normale, leicht ramponierte Galeasse mit einem heruntergekommenen Kapitän, die langsam die dunkle Küste Siziliens entlangfuhr, mit Handelsware und Passagieren auf dem Weg von Messina nach Palermo, wie sie es vielleicht schon tausendmal getan hatte.

Pieter verließ das Achterdeck und machte sich auf die Suche nach einer Stelle, wo er ein paar Stunden schlafen konnte.

Wie der Kapitän vorausgesagt hatte, erreichte die *Murro di Porco* die Bucht von Palermo am späten Vormittag.

Im Hafen herrschte großer Betrieb. Der Kapitän lief an der Steuerbordreling hin und her wie ein Hund, der Ratten wittert, und schrie dem Steuermann und den Ruderern Befehle zu. Mit ungeschickten Ruderschlägen brachten sie das Schiff an die hölzerne Anlegestelle. Schließlich schafften sie es, anzulegen, so daß die Trossen ausgeworfen werden konnten. Auf dem Kai standen junge Burschen, die sich darum balgten, wer die großen Schlingen um die Poller legen durfte.

Pieter gab dem Kapitän eine Papierrolle. »Eure Zeichnung«, sagte er.

Der stämmige Italiener entrollte das Blatt, warf einen flüchtigen Blick auf das Bild und nickte zustimmend. »Das tilgt deine Schuld«, sagte er, während er die Zeichnung schnell und geschickt wieder aufrollte. Er gab Pieter und Maarten die Hand. »*Au revoir et bonne chance*«, sagte er. Dann ließ er die beiden stehen und wandte sich einem anderen Passagier zu.

Während sie den Landungssteg hinuntergingen, sagte Maarten: »Du vergeudest dein Talent, Pieter. Diese Zeichnung war bestimmt zehn Überfahrten wert!«

Pieter zuckte mit den Schultern. »Ich habe gern zufriedene Kunden, und außerdem habe ich die Reise genossen.«

»Ich auch«, sagte Maarten. »Sogar sehr!« Das Schiff war kaum im Hafen gewesen, da war er schon wieder ganz der Alte.

»Ich habe unterwegs wunderschöne Landschaftsansichten gesehen. Ich möchte möglichst schnell über Land zurück, um diese Berge aus der Nähe zu sehen. Es scheint auch einen tätigen Vulkan zu geben, den Ätna. Cock hatte recht, hier könnte man ewig zeichnen und malen, ohne daß einem die Motive ausgingen. Es wird übrigens Zeit, daß ich ein paar Arbeiten nach Hause schicke.«

Sie waren auf dem Kai angekommen. Maarten blieb mitten in dem Trubel stehen und sah Pieter an. »Ich hoffe bei Gott, daß du dich erst mal ein paar Tage ausruhst.«

Pieter sah ihn erstaunt an. »Ausruhen? Wir haben gerade mehr als einen Tag und eine Nacht auf unserem Hintern gesessen!«

»Gut, aber es gibt noch ein anderes Problem: Wir haben so gut wie keinen *Sou* mehr! Wovon sollen wir denn leben?« Als Pieter nicht sofort antwortete, fragte Maarten ungeduldig: »Nun?«

»Du hast recht«, sagte Pieter unwillig. »Wir brauchen Geld.« Er sah sich mit prüfendem Blick um. »Jedenfalls ist hier die Konkurrenz nicht so groß wie in Rom, offenbar gibt's hier sogar gar keine Rivalen.«

»Um so besser.« Maarten wies auf die Stadt. »Sollen wir uns erst mal um eine Unterkunft kümmern?«

Palermo war eine Stadt voller Palmen, reizvoller Villen, riesiger Paläste, imposanter Kirchen, beeindruckender Klöster, großer Plätze und prachtvoll angelegter Gärten. Sie schien nicht für das gewöhnliche Volk gebaut zu sein. Nur in der Nähe des Hafens lagen einige bescheidenere Viertel. Dort gab es auch ein paar einfache Herbergen.

Pieter und Maarten fanden ein Zimmer, das sie vor Sonnenuntergang bezahlen mußten, sonst würde es ein anderer bekommen. Der Wirt sagte, es gebe nur wenige Betten, aber viele Reisende. Daß sie nicht sofort weggeschickt wurden, hatten sie nur der Tatsache zu verdanken, daß die Frau des Wirtes deutscher Herkunft war und er wegen ihres fremden Akzentes dachte, sie seien es auch.

Die Wirtsleute hatten auch eine Tochter, Lucreze, der Maarten sofort versprach, am Abend eine Zeichnung von ihr zu machen, so perfekt, wie sie es noch nie zuvor gesehen hätte.

»Knackig«, sagte er mit lüsternem Blick, als sie wieder draußen standen. »Sie scheint ein bißchen frech zu sein, so mag ich die Frauen!«

»Sie ist höchstens fünfzehn.«

»Pieter, eine Frau mißt man nicht in Jahren, sondern an den Rundungen!«

»Diese italienischen Madonnen sind nicht nach meinem Geschmack.«

»Sie sind aber viel unterwürfiger als unsere Antwerpener Frauen!«

»Gerade deshalb«, sagte Pieter. Er streckte die Hand aus. »In diese Richtung?«

Sie erreichten den *Quattro Canti*, einen großen, sonnenüberfluteten Platz, auf dem ein reges Treiben herrschte. Hier gab es zahlreiche Geschäfte, Tavernen und bunte Marktstände. Massen von fein gekleideten Spaziergängern flanierten herum, die scheinbar nichts anderes zu tun hatten, als ihre Zeit mit *dolce far niente* zu verbringen.

»Hier sollten wir bleiben«, sagte Maarten, als sie auf der Mitte des Platzes standen. Er fing an, sein Zeichenmaterial auf dem Mäuerchen eines großen Blumenbeetes auszubreiten.

Noch bevor sich Pieter und Maarten richtig niedergelassen hatten, kamen schon die ersten Neugierigen herbei. Es dauerte nicht lange, und sie waren wie gewohnt an der Arbeit; Maarten fertigte mit geschickter Hand Porträts an, und Pieter zeichnete die Dinge, die ihn wegen ihrer Schönheit oder anderer Besonderheiten reizten.

Die Zeit verging wie im Fluge. Sowohl Pieter als auch Maarten machten mehrere der Skizzen zu Geld, so daß sie auf jeden Fall ihr Zimmer bezahlen konnten. Pieter zeichnete gerade mit schnellen Strichen eine außergewöhnliche, von vier Schimmeln gezogenene Kutsche, die in der Nähe auf ihren Eigentümer wartete. Plötzlich unterbrach er seine Arbeit. Direkt vor ihm stand eine hochgewachsene Frau, die in ihrer Kleidung aussah, als wäre sie auf dem Weg zum Ball des Königs. Sie war mittleren Alters, groß, dunkel und hatte ein aristokratisches Aussehen. Ein paar Schritte weiter stand ein ebenfalls auffällig herausgeputzter junger Mann, der gelangweilt zu ihr hinüberblickte.

Die Frau sprach Pieter auf italienisch an. Als er sie fragend ansah, begann sie fließend französisch zu reden. Sie wies auf Maarten, der mit dem Rücken zu ihnen saß. »Euer Freund dort, malt er genausogut, wie er zeichnet?«

»Wir sind beide Meistermaler und Mitglied der Antwerpener Gilde, *Madame*«, antwortete Pieter. »Wir sind auf Studienreise.«

Die Frau nickte. »Ich möchte, daß Euer Freund ein Porträt von mir malt, lebensgroß. Natürlich nicht in der Öffentlichkeit. Im Garten meiner Villa. Er kann beim Dienstpersonal unterkommen, solange er daran arbeitet. Denkt Ihr, er würde das tun?«

»Daran zweifle ich nicht im geringsten, *Madame*, gewiß nicht, wenn das Honorar stimmt. Und ich bin mir sicher, daß er Euer Vertrauen nicht enttäuschen wird. Aber warum fragt Ihr ihn nicht selbst?«

»Er ist gerade mit einem Kunden beschäftigt, da möchte ich ihn nicht stören.«

In dem flüchtigen Blick, den die Frau auf Maarten warf, lag eine Zärtlichkeit, die Pieter nicht entging. Da geht Lucreze dahin, dachte er nicht ohne Schadenfreude.

Sie winkte ihrem Begleiter, der widerwillig herbeikam. »Gib diesem Herrn meine Karte und vereinbare ein Treffen für morgen«, befahl sie ihm. »Ich warte in der Kutsche.« Dann nickte sie Pieter zu und schritt zu der Kutsche, die Pieter gerade zeichnete.

»*Baronessa Elisabetta dell'Alcamo*«, las Maarten auf der parfümierten Karte, nachdem die Kutsche abgefahren war. »Wie sah sie denn aus, warum hast du mich nicht gerufen?«

»Mit ihr verglichen ist Lucreze der Wurm und sie der Apfel«, antwortete Pieter, den die große Neugier seines Freundes amüsierte.

»Himmel, wie schade, daß ich sie nicht gesehen habe!«

»Morgen um zwei Uhr, du mußt irgendwo eine Uhr finden, die du im Blick behalten kannst. Eine Baronin läßt man nicht warten.«

»Ein lebensgroßes Porträt, das bedeutet Arbeit für Wochen!«

»Ja«, sagte Pieter. »Daran habe ich auch gerade gedacht. Ich hatte nämlich nicht vor, so lange in Palermo zu bleiben.«

»Was hast du gegen diese Stadt? Es ist schön hier, und das Glück ist mit uns, warum sollten wir also nicht eine Weile hierbleiben?«

»Ich will die Berge zeichnen«, sagte Pieter, der keine Lust hatte, Erklärungen für seine Ruhelosigkeit abzugeben. »Das erwartet Cock von mir. Und dann muß ich nach Rom zurück, um mich bei Clovio zu melden. Außerdem habe ich noch die Alpen vor mir. Ach, Maarten, ich habe noch so viel zu tun, ich habe keine Zeit, lange an einem Ort zu bleiben.«

»Aber was machen denn ein paar Wochen mehr schon aus?«

Pieter schüttelte den Kopf. »Morgen, spätestens übermorgen sehe ich mich nach einer Möglichkeit um, wie ich in die Berge komme.«

Maarten blickte auf die Karte in seiner Hand. »Ich will diese Chance nicht ungenutzt lassen.«

»Dann werden sich unsere Wege vorläufig trennen.«

»Ist dir das ernst?«

»Es tut mir leid«, sagte Pieter. Er wich Maartens Blick aus.

»Sehen wir uns in Rom wieder?«

»Wenn du nicht zu lange wegbleibst.«

»Vielleicht will die Baronin ja auch noch andere Bilder...« Maartens Augen bekamen einen abwesenden Ausdruck.

»Sei bloß vorsichtig, eh du dich versiehst, hast du ein Duell mit irgendeinem eifersüchtigen Junker am Hals!«

»Ich werde dich vermissen, Pieter«, sagte Maarten ernst, »auch wenn du dich manchmal etwas merkwürdig benimmst.«

»Ich werde dich auch vermissen«, erwiderte Pieter. Er meinte es wirklich.

Zwei Tage später verließ Pieter Palermo und machte sich mit einem Esel in Richtung Osten auf, um über die Gebirgsroute seine Reise fortzusetzen. Unterwegs traf er andere Wanderer, mit denen er zeitweise gemeinsam weiterzog.

Bis San Stefano di Camastra folgte er dem leicht begehbaren Küstenweg, dann ging er landeinwärts weiter zum imposanten Trefinaite mit seinem Schneegipfel. Dort schlug er den Weg in südöstliche Richtung ein und gelangte schließlich zum Ätna.

Der über neuntausend Fuß hohe Vulkan mit seinen schneebedeckten Hängen und seiner schwarzen Rauchfahne faszinierte ihn so sehr, daß er ihn gleich dreimal, jeweils aus einer anderen Perspektive, zeichnete.

Er übernachtete in einem kleinen Dorf, das nicht weit vom Fuß des Ätnas entfernt lag. Von dort aus wollte er versuchen, den Vulkan ein Stück zu besteigen, doch sein Wirt riet ihm heftig davon ab. Der Krater sei ein Eingang zur Hölle, erzählte der Mann. Neugierige, die sich zu nah heranwagten, kämen meistens nicht mehr zurück. Der Teufel schickte ihnen böse Dämpfe, wodurch sie die Orientierung verlieren und ziellos über die hohen Hänge und Plateaus irren würden, bis sie sich schließlich völlig verzweifelt in eine der mit brennender Erde gefüllten Spalten stürzten.

Pieter fragte sich, woher die Dorfbewohner das wissen konnten, wenn nie ein Mensch von dort oben zurückgekehrt war, doch er hatte inzwischen gelernt, die Glaubwürdigkeit eines Wirtes besser nicht laut in Zweifel zu ziehen. Außerdem war ein feuerspuckender Berg so furchteinflößend, daß er eventuelle Neugierige von selbst abschreckte.

Als hätte eine höhere Macht eingegriffen, die Pieter von allen weiteren Plänen abbringen wollte, wurden das Dorf und seine Umgebung am späten Abend von einem kleinen Erdbeben erschüttert. Es war so leicht, daß ihm die Dorfbewohner kaum Beachtung schenkten. Doch Pieter, der solch ein Naturereignis noch nie erlebt hatte, erschien es einen Moment lang, als kündigte sich das Ende der Welt an. Der Boden unter seinen Füßen bebte, in den Schränken begannen allerlei Dinge zu klirren, gleichzeitig ertönte ein Grollen wie von einem unterirdischen Gewitter. Es dauerte nur ein paar Sekunden, aber als es vorbei war, schlug ihm das Herz bis zum Hals. Danach sprach er nicht mehr davon, auf den Ätna zu steigen. Nach einer unruhigen Nacht im Dorf machte er sich am nächsten Morgen früh auf den Weg.

Pieter hatte zunächst die Absicht gehabt, nach Messina zurückzureisen und dort eine Überfahrt zum Festland zu buchen. Doch nachdem er nun den beeindruckenden Ätna gesehen hatte, hielt ihn nichts mehr in Sizilien. So entschied er sich, im näher gelegenen Catania an Bord zu gehen.

Als Pieter ein Schiff gefunden hatte, das ihn bis nach Neapel bringen konnte, zögerte er nicht lange. Jetzt, wo Maarten nicht mehr da war, der ihn von einer längeren Seereise abgehalten hätte, konnten ihm auch Türken und Seeräuber nichts mehr anhaben.

Es hatte, fand er, durchaus seine Vorteile, allein zu reisen. Er konnte tun und lassen, was er wollte; außerdem arbeitete er besser, wenn ihn niemand ablenkte.

Und er mußte auch keine Erklärungen erfinden, wenn er sich beobachtet fühlte. Daran dachte er allerdings erst, als er nach langem Umherziehen wieder in Rom ankam und den ganzen Trubel der Weltstadt wie eine erdrückende Lawine über sich hinwegrollen fühlte.

Aber er konnte sich nicht noch länger seinen Pflichten entziehen, beschloß er. Wenn er jemals heimkehren wollte, mußte er hier seine Arbeit erledigen.

Er machte sich auf die Suche nach Giulio Clovio.

20

Das Pferd rutschte auf dem festgetretenen Schnee aus und drohte einen Moment zu fallen, doch der Kurier konnte es halten, indem er geschickt sein Gewicht auf dem Rücken des Tieres verlagerte. Er stieg ab, band die Zügel an den dafür bestimmten Pfahl vor dem Laden fest und holte eine Papierrolle aus der großen Satteltasche.

Von Pieter, dachte Cock, der vom Laden aus auf die winterliche Straße blickte. Pieter hatte es sich zur Gewohnheit gemacht, am Monatsende einige Zeichnungen loszuschicken, die drei Wochen später in Antwerpen ankamen.

»Aus Rom«, sagte der Kurier, als er eintrat. »Nehmt Ihr die Sendung an, Meister Cock?«

Das bedeutete, daß Cock wie immer die Kosten bezahlen mußte, wenn er die Blätter haben wollte. Er nickte und griff zu seiner Börse.

Doch meistens war es das Geld wert, dachte Cock, als er die Rolle öffnete. Diesmal waren es zwei Skizzen; die eine zeigte die bei Rom gelegene Stadt Tivoli, die andere eine im Bau befindliche Galeasse auf einer Schiffswerft. Es lag auch ein Brief dabei, der die akkurate Handschrift von Giulio Clovio trug. In ihm äußerte sich der alte Meister begeistert über die Zusammenarbeit mit Pieter. *Maestro Pietro Brugole* nannte er ihn. Sie hatten eine Arbeitsweise entwickelt, bei der Pieter die Landschaft malte und Clovio die menschlichen Figuren einfügte. Außerdem schien Pieter auch große Fortschritte auf Clovios eigenem Spezialgebiet, den Miniaturen, zu machen. Clovio ließ sich fast lyrisch aus über *un quadretto di miniatura la metà fatto per mano sua et altra da maestro Pietro Brugole*. Zur Zeit arbeitet Pieter an einem neuen Meisterwerk auf Elfenbeinpapier, das er *Der Turmbau zu Babel* genannt hat, schrieb Clovio.

Das einzige, was er kritisch anmerkte, war Pieters Weigerung, den italienischen Stil in irgendeiner Hinsicht zu kopieren. Er behauptete, daß er es einfach nicht könne, kein Gefühl dafür habe, aber nach Clovios Meinung war es purer Starrsinn. An der Art und Weise, wie er dies schrieb, war jedoch zu merken, daß der alte Meister an Pieters

Weigerung, seinen eigenen, sehr persönlichen Stil an die römische Mode anzupassen, eher Vergnügen hatte.

Die letzten Zeilen des Briefes waren von Pieter diktiert worden. Er erzählte, daß es ihm bei Clovio gut gehe und er schon viel dazugelernt habe. Trotzdem wolle er auf jeden Fall nach dem Winter Rom verlassen, um seine Reise durch die Alpen fortzusetzen und dann den Heimweg anzutreten.

Zum Abschluß ließ er alle grüßen, wobei er Marieke Coecke und Lisa besonders erwähnte.

»Viele Grüße von Pieter«, sagte Cock später zu Lisa. »Er scheint dich noch nicht vergessen zu haben.«

Lisa errötete, aber sie konnte es verbergen, indem sie vorgab, sehr beschäftigt zu sein. »Wir haben einander ewige Treue geschworen«, sagte sie.

Ja, dachte Cock, das wird wohl so sein. Aber er ging nicht weiter darauf ein.

Als er später Marieke besuchte, um ihr Pieters Grüße zu überbringen, fragte diese: »Wie macht er sich dort?«

»Offenbar hervorragend, Giulio Clovio lobt ihn in den höchsten Tönen, und das will was heißen.«

Marieke nickte, als würde sie das nur wenig erstaunen. »Ich hoffe, die südliche Sonne kann seine Verbitterung vertreiben.«

»Wann kommt Pieterrr zurrrück?« fragte Mayken. Inzwischen hatte sie endlich gelernt, das R auszusprechen; seitdem rollte sie diesen Buchstaben, als wollte sie all das in den R-losen Jahren Versäumte nachholen.

»Das dauert noch sehr lange«, antwortete Cock. »Erst muß der Schnee weg, dann kommen die Blätter an die Bäume, und erst wenn diese Blätter braun geworden sind und wieder hinunterfallen, wird Pieter allmählich nach Hause kommen.« Er strich dem enttäuschten Kind über das Haar. »Es dauert lange, aber die Zeit wird schneller vorbeigehen, als du denkst.«

»Habt Ihr noch etwas vom Kardinal gehört?« fragte Marieke.

»Sein Vikar kommt regelmäßig vorbei und schaut sich die Arbeiten an, die Pieter schickt. Er scheint immer genau zu wissen, wann wieder etwas angekommen ist.«

Marieke schüttelte den Kopf. »Was wollen sie nur von ihm?«

Cock warf instinktiv einen Blick nach draußen. »Es ist gar nicht so verwunderlich, daß Granvelle Pieter vor seinen Karren spannt. Jeder kann sehen, daß dieser Junge Gold wert ist.«

»Ich hoffe, daß es nur das ist«, seufzte Marieke.

Der Winter in Rom war kälter, als Pieter erwartet hatte. Zwar fiel weder Schnee, noch gefror es sehr, aber er war davon ausgegangen, daß sich das ganze Jahr über ein großer Teil des Lebens unter freiem Himmel abspielen würde, was nicht der Fall war. Doch Pieter machte das wenig aus. Er logierte bei Clovio, der ein vermögender Mann war mit einem großen Haus, in dem außer der Werkstatt auch noch einige Zimmer beheizt wurden.

Clovios Frau war schon vor Jahren gestorben, und seine beiden Töchter lebten in der Schweiz. Er hatte eine ältere Dienstmagd, die bei ihm wohnte und den Haushalt führte. Zur Befriedigung seiner anderen Bedürfnisse, die sich hin und wieder noch bemerkbar machten, besuchte er eines der großen Bordelle am Rande des Vatikans.

Pieter begleitete ihn einmal, aber er fühlte sich in dem Etablissement höchst unbehaglich. Es war ein großer Raum mit mehreren Alkoven, und die wartenden Kunden waren von ihnen nur durch eine Gardine getrennt. Manche machten sich nicht einmal die Mühe, diese Gardine zuzuziehen, während sie ihre auserwählte Prostituierte besprangen.

Maarten hätte es hier vielleicht gefallen, aber er war noch immer nicht aufgetaucht. Möglicherweise hatte ihn die Baronin als logierenden Hausmaler angestellt. Oder er war von einem eifersüchtigen Ehemann oder Geliebten mit dem Rapier durchbohrt worden...

Jacob Jonghelinck war inzwischen doch noch in Rom eingetroffen, aber ihn sah Pieter nur selten. Jonghelinck hatte sich einer Gruppe von Bildhauern angeschlossen, mit denen er arbeitete und meistens auch loszog, wenn nicht gearbeitet wurde.

Eine Zeitlang hatte sich Pieter in dem großen, turbulenten Rom ein wenig einsam gefühlt. Bis er eines Tages während eines Abendspaziergangs am Fiume Tevere zu seinem großen Erstaunen seinem alten Zimmergenossen Frans Floris begegnete.

»Rom ist wie eine Senkgrube«, sagte Floris zur Begrüßung. »Hier fließt der ganze Dreck zusammen!«

Pieter freute sich über das Wiedersehen, auch wenn ihm damals der andere mit seinem ständigen Zynismus manchmal auf die Nerven gegangen war. Doch Floris war auf jeden Fall kein Heuchler.

»Und?« fragte Floris. »Inzwischen der Gilde beigetreten, wie ich vernommen habe?«

»Sie konnten mich nur schwer ablehnen«, antwortete Pieter.

Floris nickte. »Sie nehmen jeden, der den Daumen in eine Palette stecken kann.«

»Dich auch?«

»Sogar mich, Coecke war ein guter Lehrmeister. Er war zwar ein Waschlappen, aber er kannte sein Fach.«

»Ich finde überhaupt nicht, daß Meister Coecke ein Waschlappen war.«

»Das ist deine Sache, aber du kannst nicht leugnen, daß Marieke Verhulst im Hause Coecke die Hosen anhatte. Er konnte es in Brüssel allein nicht schaffen, der arme Kerl ging einfach daran zugrunde.«

Pieter wollte schon protestieren, aber er hielt sich rechtzeitig zurück. Mit Floris zu streiten hatte keinen Sinn. Nicht nur, daß dieser sich selten aufregte, sondern er hatte auch nie ganz unrecht.

Um das Thema zu wechseln, fragte Pieter: »Wie lange bist du schon in Rom?«

»Drei Wochen. Ich habe gehört, daß du bei Clovio bist, aber ich war nicht sicher, ob du überhaupt noch mit gewöhnlichen Leuten sprichst. Wie ist der Alte denn so?«

»Ein wahrhaftiger Künstler, Clovio ist vor allem im Kleinen groß.«

»Das mußt du aufschreiben, man könnte es gut für seinen Grabstein verwenden.«

»Er macht sehr schöne Miniaturen. Ich versuche, seine Kunst zu erlernen, aber ich werde nie so gut sein wie er.«

»Scheint mir entmutigend zu sein, mit dieser Aussicht würde ich noch nicht mal anfangen.«

»Selbst halb so gut wie Clovio ist noch immer sehr gut.«

»Auf jeden Fall muß man nicht viel Geld für Farbe ausgeben. Was benutzt er denn als Handstütze? Einen Zahnstocher?«

Pieter grinste. »Komm doch mal vorbei.«

»Lieber nicht, diese fummelige Arbeit würde mich nur nervös machen... Wie lange bleibst du noch hier?«

»Sobald der Winter vorbei ist, reise ich über die Alpen nach Hause.«

»Ich habe auch vor, in diese Richtung zu gehen.«

Zu Pieters Erleichterung schlug Floris nicht vor, gemeinsam zu reisen. Er hatte Zweifel daran, ob er ihn lange Zeit ertragen könnte.

»Noch Ärger mit Spionen gehabt?«

Pieter erschrak. »Warum fragst du das?«

»Weil man dich damals scheinbar immer im Auge behalten hat.«

Pieter zögerte. »Ich bin nicht sicher... Ich habe ein paarmal bemerkt, wie mich jemand beobachtete. Sogar hier, in Rom...«

»Das muß nichts bedeuten, es gibt genug Italiener, die auf ein junges Bleichgesicht wie dich stehen.«

»Warum verschwinden sie dann sofort, wenn sich aus Versehen unsere Blicke treffen?«

»Hm, vielleicht denken sie ja, daß du viel zu teuer für sie bist?« Floris warf einen Blick auf den feinen Samtanzug, den Pieter für den Winter hatte anfertigen lassen. Er verdiente gut bei Clovio, und der italienische Meisterschneider hatte beste Arbeit geliefert.

»Meine Kleidung ist kein Luxus. Ich bin halb erfroren, weil ich davon ausging, daß hier immer Sommer ist.«

»In Antwerpen liegt der Schnee ungefähr ein Fuß hoch.«

»Das habe ich gehört, ja. Ich bekomme manchmal Briefe, oder besser gesagt, Clovio bekommt sie...« Pieter sah den anderen abwesend an.

»Heimweh?«

»Manchmal, ein bißchen...« Er hatte Heimweh, ja. Er sehnte sich nach manchen Menschen und vor allem nach dem Gefühl, zu Hause zu sein. Aber er verspürte auch immer noch die andere Macht, die ihn in die entgegengesetzte Richtung zu treiben versuchte.

»Ich muß weiter«, sagte Floris. Er sah zum Fluß, in dem sich das Abendrot mit einer Illusion von Wärme spiegelte. »Ich habe noch eine Verabredung.«

»Mit einer italienischen Dirne?«

Floris grinste. »Ich habe es dir schon mal gesagt: Irgendwann kommst du auch noch dahinter. *Arrivederci!*« Er klopfte Pieter ermunternd auf den Arm und lief davon.

Pieter blickte ihm nach, bis er in der Dämmerung verschwunden war.

Er versuchte sich eine zierliche, italienische Schönheit an der Seite des recht groben Floris vorzustellen. Das Bild, das ihm seine Phantasie vorzauberte, war nicht so komisch, wie er es sich gewünscht hatte. Statt dessen weckte es ein wenig Neid in ihm.

Er dachte zuerst an Anke und dann an Lisa im fernen Flandern. Zum ersten Mal im Leben bedauerte er es, daß er nie richtig lesen und schreiben gelernt hatte. Er wußte, daß es ihm helfen würde, wenn er in einem langen Brief voller schöner Sätze und Verse sein Herz ausschütten könnte. So konnte er seine Herzensergießungen nur über eine Zwischenperson loswerden, was der Intimität nicht gerade förderlich war. Außerdem hatte Clovio wenig Sinn für Romantik. Er nannte alles sentimentales Geschwätz, was nicht vom Verstand, sondern vom Gemächt diktiert wurde. »Eine gute Hure erlöst dich sofort von diesen lästigen Anwandlungen«, behauptete er. »Noch dazu ist das die billigste Lösung. Meine Frau, Gott habe sie selig, und meine beiden Töchter haben mich damals fast ruiniert!«

Pieter begab sich auf den Heimweg. Eine Hure konte ihm nicht helfen. Was er brauchte, konnte man nicht für Geld kaufen.

Das Weihnachtsfest kam und mit ihm Zehntausende von Pilgern, die die Stadt bevölkerten, um gemeinsam mit Papst Julius III. die Geburt des Heilands zu feiern.

Um Clovio einen Gefallen zu tun, begleitete Pieter ihn zum Weihnachtsgottesdienst auf dem Petersplatz.

Zuerst fühlte er sich unwohl, er hatte das Gefühl, dort nicht hinzugehören, ja sogar, daß es ihm nicht geziemen würde, auf diesem riesigen Platz mit der unüberschaubaren Menschenmenge zu stehen, wo der Papst unter freiem Himmel die Messe hielt.

Er sah die zahllosen erwartungsvollen Gläubigen und dazwischen all die Schwerkranken, Gebrechlichen und Krüppel, die von nah und fern gekommen waren, auf der Suche nach Trost und vielleicht auch Genesung.

Ein Gefühl tiefer Ehrfurcht überkam ihn beim Anblick der Zehntausenden von Menschen, die sich nicht kannten, aber hier dieselbe geistliche Verzückung erlebten und dieselben Gebete zu dem einen ungreifbaren Gott sprachen, in dessen Hände sie ihr Schicksal und ihr Leben legten.

Als sich am Ende der Konsekration eine ehrfürchtige, gespannte Stille auf den gewaltigen Platz herabsenkte, erreichte Pieters Verwirrung ihren Höhepunkt. Die Stille war so intensiv, daß sie in Pieters Ohren dröhnte. Er wankte kurz, als hätte er die ganze Zeit an einer Mauer aus Geräuschen gelehnt, die plötzlich umstürzte. Die Erfahrung war beängstigend, weil sie die enorme Kraft fühlen ließ, die in diesen schweigenden Menschen wohnte und die nur auf das Zauberwort zu warten schien, das sie befreite.

Ein heller Klang kleiner Glocken zerstörte die Magie des Augenblicks. Pieter merkte verwundert, daß er die ganze Zeit die Augen geschlossen hatte, als hätte er versucht, in seine eigene Seele zu blikken. Um ihn herum ertönte Gesang, aufkommende Freude verjagte endgültig die Verzauberung.

Da sah Pieter den Mönch, der ebenso wie er etwas abseits stand, ein paar Schritte von ihm entfernt. Er hatte eine dunkle Kutte an und seine Kapuze über den Kopf gezogen, so daß man die obere Gesichtshälfte nicht sehen konnte. Doch Pieter war fest davon überzeugt, daß der Mönch zu ihm blickte; vielleicht hatte er ihn auch schon die ganze Zeit beobachtet.

Er hatte das Gefühl, als würde sich ihm am ganzen Körper die Haut zusammenziehen, gleichzeitig strömte das Blut aus seinem Kopf. Er wußte, daß es eine irreale Angst war, ausgelöst durch eine sehr alte Erinnerung, die blitzartig lebendig wurde, eine Erinnerung an gehängte Ketzer und eine spottende Elster auf einem Galgen. Doch dieses Wissen konnte die Angst nicht vertreiben.

Pieter wandte mit Mühe den Blick von dem Mönch ab und sah sich nach Clovio um, der schräg hinter ihm gestanden hatte. Der alte Meister war jedoch in der Menge verschwunden.

Während er ängstlich vermied, noch einmal zu dem Mönch zu sehen, verließ Pieter den Platz. Er zwang sich, in möglichst lässiger Haltung zu gehen.

Niemand folgte ihm, das einzige, was er hörte, als er kurz darauf durch die leeren Straßen Roms nach Hause ging, war das Echo seiner eigenen hastigen Schritte.

Und das Echo von Jobbes ruhiger, vertrauter Stimme, die sagte: »Du kannst allem und jedem entkommen, nur nicht dir selbst und dem Tod...«

21

Einige Tage nach dem festlichen, turbulenten Jahreswechsel erhielt Pieter zum ersten Mal eine Nachricht von Maarten de Vos. Da Clovio den flämischen Brief nicht entziffern konnte, ging Pieter mit ihm zu Floris.

Maarten schrieb, daß er noch immer in Palermo sei und dort noch eine Weile bleiben würde. Es ginge ihm ausgezeichnet, und wenn es so weiterliefe, würde er wohl irgendwann ein wohlhabender Mann sein. Er habe entdeckt, daß sein Erfolg zunehme, wenn er die werten Herren und Damen schöner darstelle, als sie in Wirklichkeit seien. Nun werde er von einer Adelsfamilie zur nächsten geschickt, um Porträts zu malen. Er wünschte Pieter alles Gute und riet ihm, nicht auf ihn in Rom zu warten.

»Bin gespannt, wann ich endlich auch mal Glück habe«, sagte Floris bitter.

»Das ist keine Frage von Glück, sondern von Können und Talent«, entgegnete Pieter.

»Ja, das Talent, sich mit Baroninnen im Heu zu wälzen!«

»In Satin«, verbesserte ihn Pieter. »Baroninnen wälzen sich in Satin, oder vielleicht noch in Seide.«

Sie saßen auf einer Bank am Fluß, nicht weit entfernt von der Stelle, wo sie einander in Rom zum ersten Mal begegnet waren. Die Sonne schien wie an einem schönen Frühlingstag in Flandern, obwohl der Winter noch längst nicht vorbei war.

»Ich habe mich hier allmählich genug umgesehen, sobald das Wetter im Norden besser wird, mache ich mich aus dem Staub«, sagte Floris. »Zurück ins herrliche Grau, all die Farben hier bekommen meinen Augen überhaupt nicht.«

»Und deine italienische Dirne?«

»Wer?«

Pieter seufzte. »Es ist also vorbei?«

»Du hattest recht, es sind Dirnen, alle...« Floris starrte mürrisch vor sich hin, es schien nicht sein Tag zu sein.

»Ich habe genug Geld für die ganze Reise, so daß ich unterwegs nicht von der Freigebigkeit anderer abhängig bin«, sagte Pieter.

»Ich habe eine gut gefüllte Börse mitgenommen, und die ist noch nicht leer.«

»Ich will nicht direkt nach Hause reisen, sondern über die Berge durch die Schweiz und Deutschland. Wenn ich erst mal wieder zu Hause bin und arbeite, komme ich vielleicht nie mehr weg.«

Floris runzelte die Stirn. »Hast du vielleicht Angst, daß ich dich frage, ob ich mit dir gehen kann? Nein, du brauchst mir nicht zu antworten, ich will dich nicht zum Lügen verleiten.«

»*Herrlich ist die Einsamkeit... wenn man jemanden hat, dem man sagen kann, wie herrlich man es findet.*«

»Wie bitte?«

»Worte von Jobbe...« Pieter sah Floris an. Er zweifelte noch immer, ob Floris ein guter Gefährte sein könnte, doch allein wollte er die lange Reise auch nicht unternehmen. Er war gern allein, doch hin und wieder brauchte er auch Gesellschaft. Deshalb fragte er: »Sollen wir zusammen gehen?«

»Ich dachte, daß du das nie fragen würdest!«

»Unter einer Bedingung...« Pieter sah wieder vor sich auf den langsam fließenden Fluß. Eine Gruppe von Wildenten hinterließ auf der glatten Wasseroberfläche eine V-förmige Spur. Aus dem Osten ertönte lautes Glockengeläut.

Als Pieter weiter schweig, fragte der andere ungeduldig: »Ja?«

»Wenn sich herausstellen sollte, daß wir uns behindern, möchte ich, daß sich unsere Wege trennen.«

»Das möchte ich auch.«

»Dann reisen wir ab, sobald die Pässe im Norden begehbar sind.«

»Besser deine langweilige Gesellschaft als gar keine.«

»So sehe ich es auch«, sagte Pieter.

Clovio war über Pieters Pläne nicht erfreut. »In ein paar Jahren gehe ich selbst für immer weg«, sagte er. »Ich werde in die Schweiz ziehen, zu einer meiner Töchter. Warum bleibst du nicht so lange noch hier?«

»Ich bin Euch für vieles sehr dankbar«, erwiderte Pieter, »aber ich möchte hier keine Wurzeln schlagen.« Er wusch seinen Pinsel aus und tauchte danach die Spitze in eine Mischung aus Saftgrün und Ocker.

»Dieses *petimento* ist nicht ganz in Ordnung«, bemerkte Clovio. Er wies mit dem Pinselstiel auf die linke untere Ecke einer Stadtansicht von Lyon, die Pieter gerade aus dem Gedächtnis mit Temperafarbe malte.

Pieter machte zwei Schritte zurück und betrachtete sein Werk mit kritischem Blick. »Ihr habt recht, Meister, wie immer.«

»Ich kann dir mehr Geld geben«, versuchte Clovio ihn umzustimmen. »Du bist es wert. Ich glaube, daß ich von dir fast so viel gelernt habe wie du von mir.« Er zeigte auf die Leinwand, die auf Pieters Staffelei stand. »Vorher hatte ich keine Ahnung von den Möglichkeiten dieser Mechelner Wasserfarbentechnik.«

»Habe ich Euch schon erzählt, daß mir diese Technik eine Frau beigebracht hat?«

»Es ist mir bekannt, daß sich die Frauen dort oben im Norden recht ungewöhnlich benehmen.«

Ihre völlig unterschiedlichen Auffassungen darüber, wie Frauen zu sein hatten, waren schon mehrmals Anlaß für lebhafte Diskussionen gewesen, wobei Clovio in der Hitze des Gefechts oft italienisch sprach, so daß Pieter rein gar nichts mehr verstand. Wie lange er auch in diesem Land blieb, Italienisch würde er nie lernen.

Diesmal griff Clovio das Thema jedoch nicht auf, er schien andere Sorgen zu haben. »Du hast noch nicht auf meinen Vorschlag geantwortet.«

»Mehr Geld? Darum geht es nicht, Meister.«

»Ich wünschte, daß meine Töchter noch im Hause wären. Sie würden schon wissen, wie sie dich halten könnten!«

»Das bezweifle ich sehr, die italienischen Madonnen faszinieren mich nicht sehr.«

Clovio hob verzweifelt die Arme gen Himmel, eine seiner vielen theatralischen Gebärden, an die sich Pieter im Laufe der Zeit gewöhnt hatte, so daß er kaum noch darauf achtete. »Was gefällt dir denn hier nicht?«

»Ich mache nur meine Arbeit, wie es mir Meister Cock aufgetragen hat. Durch die Alpen ziehen, um neue Anregungen zu finden, gehört auch dazu.«

»Italien ist das schönste Land der Welt, kannst du denn hier nicht genug Anregungen finden?«

Pieter sah den anderen erstaunt an. »Warum geht Ihr dann in die Schweiz?«

Clovio starrte einige Sekunden auf das Temperabild, bevor er sich abwandte, den Pinsel niederlegte und sich auf einen Stuhl setzte. Ohne Pieter anzusehen, sagte er: »Es ist dir vielleicht noch nicht aufgefallen, aber ich werde alt...«

»Ich wünschte, meine Hand wäre so sicher wie Eure!«

Clovio machte eine ungeduldige Handbewegung. »Wenn ich mir demnächst nicht mehr selbst die Hose anziehen kann, will ich nicht von dem guten Willen einer launischen Dienstmagd abhängig sein. Meine ältere Tochter wird für mich sorgen, und ich will gehen, solange mich meine verschlissenen Knochen noch so weit tragen können.«

»Das bedeutet doch nicht, daß Ihr aufhören werdet, zu arbeiten?«

»Nicht solange ich noch mit Stößel und Pinsel hantieren kann. Ich jedenfalls habe noch genug Ideen!«

Pieter ging auf diesen Seitenhieb nicht ein. »Daran zweifle ich nicht«, sagte er.

»Wenn du bleibst, kannst du mit mir bis Besançon reiten.« Clovio beugte sich nach vorn und sprach mit Verschwörerstimme weiter. »Ich habe eine ungarische Kutsche bestellt, die so sanft fährt, daß man zu schweben glaubt.«

»Mit fliegenden Pferden?« fragte Pieter. Er setzte die Handstütze an die Leinwand und legte die rechte Hand auf sie.

»Das ist eine phantastische Erfindung, die Stöße werden von Lederriemen an den Rädern aufgefangen. Sogar die Pferde ermüden dadurch nicht so schnell.«

»Ich reise lieber auf dem Rücken eines Pferdes, die fangen selbst die Stöße auf, außerdem ist die Aussicht viel besser.«

Clovio seufzte und lehnte sich zurück. »Ich kann dich also überhaupt nicht umstimmen?«

»Es tut mir leid, mein Entschluß steht fest.«

»Diese Rastlosigkeit der Jugend!«

»Ich kann nicht ewig von zu Hause wegbleiben, Meister.«

»Ewig! Was wissen junge Burschen wie du von der Ewigkeit? Ihr, die ihr noch so viel Zeit habt, ihr seid immer gehetzt. Es sei Gott geklagt, daß ihr die Nutzlosigkeit von dieser Hetzerei erst dann erkennt, wenn das Ende schon bevorsteht und ihr nur noch wenig Zeit habt, es ruhiger angehen zu lassen... Orakeln macht mich immer durstig, wärst du so gut, mir einen Becher Wein einzuschenken?« Als Pieter seine Bitte erfüllt hatte, fuhr Clovio fort: »Marc Aurel wußte es schon vor vierzehn Jahrhunderten: *Wer das Heute gesehen hat, hat alle Dinge gesehen,* sagt er. *Die Dinge, die in der unfaßbaren Vergangenheit geschehen sind, und die Dinge, die in der Zukunft geschehen werden*... Mit anderen Worten: Lebe heute und überlasse es den Verrückten, Schatten und unerreichbaren Träumen hinterherzurennen.«

»Ich renne keinen Schatten hinterher«, sagte Pieter. Ich bin vor ihnen auf der Flucht... »Ich versuche nur, meine Aufgabe so gut wie möglich zu erfüllen.«

Clovio murmelte etwas auf italienisch, das wie eine Verwünschung klang. Dann sagte er: »Es sei so.« Er hob den Weinbecher. »Auf das nahende Ende einer lehrreichen und fruchtbaren Zusammenarbeit!«

Pieter hörte auf zu malen und sah Clovio an. »Das klingt so fatal und bedrohlich endgültig. Können wir das nicht etwas fröhlicher ausdrücken?«

»Ein Abschied ist selten fröhlich, sogar der Abschied von einem schlechten Nachbarn ruft eine gewisse Betrübnis hervor.«

Pieter legte die Malsachen hin und füllte seinen eigenen Becher. »Auf die guten Tage, die wir zusammen erlebt haben und noch erleben werden«, sagte er.

»Auch gut«, erwiderte Clovio. »Solange wir nur trinken können...«

Der Winter in Rom ging fast unbemerkt in einen frühen Frühling über. Die Bäume wurden immer grüner, und in den Beeten blühten Frühlingsblumen in Hülle und Fülle.

Clovio bemerkte Pieters wachsende Unruhe, aber er sagte nichts dazu, bis Pieter eines Tages selbst auf ihn zukam.

»Ich habe mit Reisenden gesprochen, die aus dem Norden gekommen sind«, sagte er eines Nachmittags, nachdem er einen Spaziergang durch die Stadt gemacht hatte. »Sie sind durch die Schweiz gereist, die Bergpässe sind wieder begehbar, sagen sie.«

Verärgert sagte Clovio: »Ach, diese dummen Berge! Mach einen Bogen um sie und geh über Südfrankreich nach Hause, so wie du gekommen bist. Das ist sicherer und bequemer, und die Zeit, die du dadurch sparst, kannst du hier verbringen.«

»Morgen fange ich mit den Vorbereitungen an.«

In dem Wissen, daß weiteres Diskutieren sinnlos war, sagte Clovio: »Deine noch unverkauften Werke...« Sein Blick schweifte durch die Werkstatt zu einigen Wasserfarbenbildern, die Pieter gemalt hatte. »... Ich habe nicht vor, sie zu verkaufen, ich möchte sie für meine eigene Sammlung behalten.«

»Ich schenke sie Euch, aus Dankbarkeit und zur Erinnerung.«

Clovio schüttelte den Kopf. »Ich möchte nicht, daß du in Antwerpen erzählst, Giulio Clovio sei ein Schmarotzer. Ich bestehe darauf, zu bezahlen, was sie wert sind. Aber denke nicht, daß ich das aus Altruismus mache. Du sollst Geld für gute Pferde und gute Herbergen unterwegs haben, damit das Wissen, das ich so mühsam in deinen ruhelosen Kopf gestopft habe, nicht dadurch verloren geht, daß du irgendwo in Gefahr gerätst. Was das angeht, habe ich übrigens noch etwas für dich...« Er ging zu einem Schrank in einer Ecke der Werkstatt, zog eine Schublade auf und holte eine flache, mit grünem Samt beschlagene Schachtel heraus. Er stellte sie auf einen Tisch und öffnete den Deckel. Darin lagen eine schlanke Radschloßpistole, ein Pulversäckchen und Kugeln.

»Ich würde es sehr schätzen, wenn du diese Waffe auf deiner Reise immer bei dir trägst«, sagte er. »In der Hälfte der Fälle funktionieren diese Dinger nicht, aber der Abschreckungseffekt ist auf jeden Fall groß genug, um das Gesindel auf Abstand zu halten.«

Pieter betrachtete die Waffe mit einer Mischung aus Abscheu und Respekt. »Ich weiß nicht mal, wie man damit umgeht.«

»Ich werde es dir beibringen. Wenn es schwierig wäre, hätten die Soldaten keine.«

»Meister Clovio, ich bin Maler und kein Gewalttäter!«

»Erzähl das mal den Räubern und Mördern, wenn sie es auf dich abgesehen haben!«

»Gewalt ruft meist nur Gegengewalt hervor.«

»Und keine Gewalt führt zu ausgeraubten Börsen.« Cock zog die Kordel des Pulversäckchens auf und schnüffelte am Inhalt. »Komm, mein Freund, wir gehen in den Garten. Wenn du erst einmal das erregende Gefühl von einer geladenen Waffe in deiner Hand erlebt hast, wirst du deine Meinung ändern.«

Clovio hat recht, dachte Pieter etwas später in dem großen Garten. Es war ein erregendes Gefühl, eine geladene Pistole auf ein Ziel zu richten, vor allem als dieses Ziel in seiner Vorstellung die Züge von Kardinal Antoine Perrenot de Granvelle bekam.

»Ein großer Schütze wirst du wohl nie werden«, sagte Clovio schmunzelnd, nachdem Pieter ein Dutzend Schüsse abgefeuert, aber nur einmal die mannshohe Figur getroffen hatte, die von Clovio auf die Mauer gemalt worden war. »Aber wie ich schon sagte, es ist der Abschreckungseffekt, der zählt. Und jetzt hören wir besser auf, ehe die Nachbarn die Miliz holen. Bürger dürfen nicht mit Feuerwaffen herumlaufen, also achte darauf, daß du sie immer unter den Kleidern trägst, am besten geladen.«

»Wie Ihr meint«, sagte Pieter, der nicht mehr Vertrauen zu der Pistole hatte als zuvor. Aber vielleicht konnte er sie irgendwo für gutes Geld verkaufen, dachte er.

Drei Wochen später verließen Pieter und Floris Rom.

Weniger bedürftig als auf der Hinreise und durch Erfahrung klug geworden, sorgte Pieter dieses Mal für gute Pferde, mit denen sie schnell vorwärtskamen. Außerdem hatten sie neue Karten, allerdings italienisch beschriftet und sicher nicht so gut wie die von Ortelius.

Sie reisten fast in einem Stück durch, bis sie nach ungefähr einer Woche am Lago Maggiore in das Alpengebiet gelangten. Hier wurden ihre Etappen kürzer. Die jahrhundertealte Heerstraße, der sie folgten, wurde immer hügeliger und war an manchen Stellen sogar gefährlich, da nach dem letzten Tauwetter Reste kleiner Lawinen und Schlamm zurückgeblieben waren. Hier und da war auch die Straße selbst in einem miserablen Zustand. Zwischendurch machten die Reisenden natürlich Rast, um Zeichnungen und Skizzen anzufertigen.

Eine der ersten Pausen machten sie im Tal des Ticino, südlich vom St. Gotthard.

Pieter betrachtete minutenlang die liebliche, mit Alpensüßklee bewachsene Alm, die sich vor ihm erstreckte, bevor er zu Papier und Zeichenstift griff. »Cock hatte recht«, sagte er. »Dieses Gebiet ist wirklich schön, es hat einen ganz anderen Reiz als alles, was ich bisher gesehen habe, es ist... ergreifender...« Sein Blick schweifte zu den Berghängen in der Ferne, an denen Laubwälder wuchsen und kleine Äcker lagen, die den Bauern in den Taldörfern gehörten. Weiter oben wuchsen große Buchenwälder, in denen vereinzelt Tannen, Kastanien, Eichen, Linden, Lärchen, Eschen und Ahornbäume standen. Zwischen diesen Wäldern erstreckten sich große Wiesen. Am Gipfel der Berge lag an manchen Stellen noch Schnee.

»Der Karte zufolge sind wir nicht mehr allzu weit vom St. Gotthard entfernt«, sagte Floris. »Ich schlage vor, daß wir direkt dorthin reiten. Ich habe noch nie einen Berg gesehen, der höher als siebentausend Fuß ist.«

»Es kommen noch höhere«, sagte Pieter. »Doppelt so hohe...« Er räumte die Zeichensachen beiseite und legte sich bäuchlings ins Gras, um einen Alpensüßklee aus der Nähe zu betrachten.

»Wäre es nicht einfacher, wenn du einen pflückst?« fragte Floris.

Als hätte er den anderen nicht gehört, sagte Pieter: »Hier findet man Schönheit sowohl im Großen wie im Kleinen.«

»Das ist überall so, wenn du nur die Augen aufmachst, um es zu sehen.«

Pieter hockte sich hin und nahm seine Zeichensachen. »Bald sind wir am St. Gotthard«, sagte er. »Und hier möchte ich die Nacht verbringen, in einer dieser Hütten dort drüben wird sicher eine Unterkunft zu finden sein.« Er wies auf ein paar Holzhütten, die in der Nähe des durch die Alm mäandernden Ticino an einem leicht ansteigenden Hang standen.

»Das sind Schafhirten, dort stinkt es bestimmt.«

Pieter schmunzelte. »Mein letzter Gefährte hat immer über den Fischgeruch geklagt... und über die häßlichen Töchter der Fischer.«

»Stört dich das denn nicht?«

»Ich bin auf dem Land aufgewachsen, da bin ich einiges gewohnt.«

»Und die häßlichen Töchter?«

»Auch im Häßlichen liegt Schönheit... wenn du nur die Augen aufmachst, um es zu sehen.«

»Wenn du so weitermachst, wird es nicht mehr lange dauern, bis sich unsere Wege trennen«, sagte Floris, aber er schmunzelte dabei.

Als Pieter seine Zeichnung fertig hatte, gingen sie zu den Hütten. Ohne große Mühe fanden sie eine Familie, wo sie gegen einen kleinen Betrag Kost und Logis bekamen. Der größte Teil des Raums der sowieso schon kleinen Hütte wurde von Stapeln mit Schafsfellen eingenommen, zwischen denen zwei kleine Jungen herumtollten. Aber es war warm und trocken, und schon nach einer halben Stunde hatten sie sich an den Geruch gewöhnt.

An einer der Wände hing ein großes, grobes Holzkreuz, vor dem eine Kerze brannte. Die meisten Alpenbewohner waren katholisch, nur hier und da lebten kleine protestantische Gemeinschaften.

»Pferde nicht gut für Reiten an Schluchten«, sagte der Hirte, der ein paar Brocken Französisch sprach. Er war groß, mager und hatte von der Arbeit unter freiem Himmel eine gegerbte Haut. »Springen zur Seite, wenn erschrecken von fallenden Steinen. Esel viel besser, Esel bleiben stehen, wenn erschrecken, nicht verunglücken damit.«

»Wir werden daran denken«, versprach Floris. »Aber Esel sind uns zu langsam, wir haben noch eine weite Reise vor uns.«

»Dann aufpassen«, sagte der Hirte in einem Ton, als würde er meinen: »Ihr müßt es selbst wissen.«

Sie verbrachten die Nacht in einer Ecke auf einem weichen, warmen Lager aus Schafsfellen.

»Das einzige, was mir jetzt noch fehlt, ist der warme Hintern eines Weibes an meinem Bauch«, sagte Floris noch, bevor er die Kerze ausblies.

Pieter nickte im Dunkeln. Er hatte gerade das gleiche gedacht, wenn es auch in seinen Gedanken nicht irgendeine Frau war. »Tröstliche Wärme...«

»Aber keine italienische Dirne!«

»Du hast mir nie erzählt, was eigentlich passiert ist mit... wie hieß sie nur wieder?«

»Sofia hatte eine schreckliche Familie, und die fand sie wichtiger als mich. Weiter will ich nichts mehr davon hören. Schlaf gut.«

»Schlaf gut.«

Familie... dachte Pieter. Die hatte er nicht mehr, bis auf seinen Bruder Dinus, für den er nichts mehr empfand. Vor seinem Vater hatte er Respekt gehabt, seine Mutter hatte er geliebt. Er vermißte sie, aber nicht die Familienbande. Das lag wahrscheinlich daran, daß er nie das warme Gefühl erlebt hatte, wirklich dazuzugehören. So wie er nirgendwo dazugehörte. Seine Kindheit, der Bauernhof, die Werkstätten von Coecke, Hieronymus Cock, Clovio, das alles waren Abschnitte seines Lebens, die an ihm vorbeizogen, als wäre er ein außenstehender Betrachter, der zufällig im Körper von Pieter Bruegel wohnte. Und dann gab es noch seine Träume, Alpträume und andere Hirngespinste, von denen er manche in Bildern festzuhalten versuchte.

Oft schienen es Wahnbilder eines anderen Menschen zu sein, die zudem von einer fremden Hand gemalt waren. So betrachtete er einige seiner Werke, wenn sie vollendet waren, manchmal mit Verwunderung, manchmal aber auch mit einer vagen Unruhe. Er konnte auf diese Weise leicht Abstand von ihnen nehmen, so daß er seine eigenen Fehler eher sah als seine Lehrmeister, etwas, das vor allem Coecke immer sehr erstaunt hatte.

Pieter blickte zu dem kleinen Fenster, durch das das Licht des Mondes und der Sterne schien. Ab und zu knackte das Holz der Hütte durch die schnell sinkende Nachttemperatur.

Ob er wohl jemals in einem Bett in einem eigenen Haus mit einer eigenen Frau schlafen würde? Vielleicht war solch ein Frieden für ihn nicht vorgesehen, dachte er betrübt. Es sei denn, er würde sich selbst finden und verstehen lernen.

»Ach, verdammt!« sagte Pieter laut und drehte sich verärgert auf die rechte Seite.

»Was?« fragte Floris verschlafen.

Pieter antwortete nicht mehr.

Der St. Gotthard bot einen beeindruckenden Anblick. Pieter und Floris zeichneten ihn aus verschiedenen Blickwinkeln, um später nach den Skizzen ein Gemälde anfertigen zu können.

Dann reisten sie nach Waltensburg am Oberrhein, von wo aus sie sich zwei Tage später in Richtung Osten aufmachten, um über die Bergwege nach Tirol zu reiten. Sie hatten keine feste Route, sondern ritten von einer Sehenswürdigkeit zur nächsten, die sie entweder auf ihren Karten eingezeichnet fanden oder auf die Einheimische sie hingewiesen hatten. Dadurch legten sie eine etwas sonderbare Zickzackstrecke zurück, die sie über ausgedehnte, manchmal reizvolle Almen und sich windende, gefährliche Bergpässe führte. Zwischendurch hielten sie an, um ohne Pferde auf eine Anhöhe zu klettern, die aus irgendeinem Grund verlockend schien, stets auf der Suche nach immer wieder neuen, eindrucksvollen Landschaften und Aussichten.

Sie ritten an Dutzenden kristallklarer Bergseen vorbei und verweilten bei den bizarrsten Felsenformationen. Nachdem sie sich in lieblichen Tälern ausgeruht hatten, setzten sie ihren Weg fort, auf dem sie Gletscher und von dunklen Schluchten durchschnittene Plateaus sahen.

Die Zahl ihrer Skizzen wuchs beständig. Pieter nahm die Gewohnheit an, seine Satteltasche, in der er die Blätter aufbewahrte, als Kopfkissen zu benutzen. Außerdem lag in der Nacht seine Pistole immer in Reichweite.

Am Anfang machte sich Floris ein wenig Sorgen über die geladene Waffe in der Hand eines Menschen, der öfters von Alpträumen verfolgt wurde, aber im Laufe der Zeit gewöhnte er sich daran und war im Grunde froh darüber, daß sie etwas hatten, mit dem sie notfalls Räuber in Schach halten konnten. Auf ihrer Alpenreise gerieten sie zwar nicht einmal in Schwierigkeiten, doch Pieter blieb immer wachsam. Die unerfreulichen Zwischenfälle in Frankreich waren ihm noch gut in Erinnerung, außerdem hatte er nun mehr Geld und eine Menge wertvoller Arbeiten bei sich.

Ihre Wanderungen führten sie über den westlich von Zernez gelegenen, sehr hohen Piz Kesch mit seinen ewig schneebedeckten Hängen nach Glorenzo und weiter nach Merano. Der Versuch, den etwa elftausend Fuß hohen l'Altissima in den Ötztaler Alpen zu erreichen, scheiterte, weil man nicht über die Wege in diesem Gebiet reiten konnte. Sie mußten unverrichteter Dinge nach Merano zurückkehren, wo sie ihren Weg in den Nordosten fortsetzten. Einige Tage später erreichten die beiden den Brenner. Dort erkundeten sie weite Teile der Umgebung, bevor sie nach Innsbruck weiterreisten.

Nachdem sie sich dort ein paar Tage von ihren anstrengenden Touren ausgeruht hatten, beschloß Pieter, diesmal in westlicher Richtung weiterzuziehen. Er wollte über die Lechtaler Alpen zum Bodensee reiten und von dort aus den Heimweg antreten.

Inzwischen war es Hochsommer, was das Reisen um einiges angenehmer machte. Am Anfang waren sie oft tagelang unterwegs gewesen, ohne auch nur einen Reisenden zu treffen, was allerdings auch daran lag, daß sie meist abgelegene Wege benutzten. Doch mit Beginn des Sommers begegneten ihnen auf den Heerstraßen allmählich immer mehr Reiter, Gespanne und sogar Wanderer. Manchmal sahen sie ein halbes Dutzend Leute an einem einzigen Nachmittag.

Pieter und Floris begannen ein wenig reisemüde zu werden, weil sie nun einer geraden Route folgten. Die Umwege über oft malerische, aber zugleich gefährliche Jagdwege wurden immer seltener, ebenso wie die Pausen, um Skizzen zu machen. Beiden war bewußt geworden, daß sie ein ganzes Stück vom Weg abgekommen waren und mehr auf die Zeit achten mußten, wenn sie im Herbst zu Hause sein wollten.

Sie folgten dem sich windenden Bett des Inn bis Landeck und reisten von dort weiter nach Sankt Gallen. Als Pieter und Floris noch etwa eine Tagesreise von dem See entfernt waren, gerieten sie zum ersten Mal in ernste Schwierigkeiten.

Sie hatten in Feldkirch übernachten wollen, doch als Floris dort erfahren hatte, daß es sechs Meilen weiter noch eine Herberge mit Zimmern gab, drängte er, weiterzureiten. So würden sie am nächsten Tag den See noch bei Tageslicht erreichen und genug Zeit haben, eine geeignete Unterkunft zu suchen, wo sie einige Tage bleiben konnten.

Pieter war einverstanden, vor allem weil ihm das lebhafte Feldkirch nicht besonders gefiel. Mit der österreichischen Landbevölkerung kam er gut zurecht, aber die Städter waren ihm im allgemeinen zu laut, außerdem prügelten sie sich gern, wenn sie ein paar Krüge Bier intus hatten. Der Gipfel des Vergnügens schien das Singen endloser Trinklieder zu sein, wobei sie nur allzu gern zwei Fremde wie Pieter und Floris in ihr ausgelassenes Zusammensein einbezogen. Wenn sie dann merkten, daß das den beiden Flamen wenig zusagte, waren sie beleidigt und wurden aggressiv.

Also ließen Pieter und Floris Feldkirch hinter sich und ritten weiter nach Sankt Gallen. Der Weg führte allmählich in nördliche Richtung, was sie daran merkten, daß sie die untergehende Sonne nicht mehr vor sich hatten, sondern linkerhand hinter den Hügeln verschwinden sahen.

Als sie die Herberge *Nur Mut!* fanden, dämmerte es bereits. Das aus Naturstein und Holz erbaute Gebäude stand ein Stück abseits des Weges direkt an einem Tannenwald. Vor der Tür standen zwei Pferde, ein Esel und ein großer Karren, dessen Pferde ausgespannt waren. Wahrscheinlich waren die Tiere in dem kleinen Stall untergebracht, der an der rechten Seite der Herberge angebaut war. Rechts von dem Gebäude lagen zwei Strohballen aufeinander, über die ein Segel gespannt war, um sie vor Regen zu schützen. Am Fenster des Schankraums hingen keine Gardinen, so daß gelbliches Licht von den Öllampen nach draußen fiel.

Pieter und Floris stiegen ab und banden ihre Pferde neben den anderen fest, die kurz schnaubten und unruhig die Ohren drehten.

»Warte eben«, rief Pieter, als Floris den Sattel abnehmen wollte. »Vielleicht haben sie keinen Platz für uns.«

»Dann schlafen wir eben im Stall«, sagte Floris. Er löste die Schnalle vom Gurt.

»Jetzt warte doch!« drängte Pieter verärgert. Er stand neben seinem Pferd und versuchte durch das Fenster der Herberge hineinzublicken. Die Scheiben waren jedoch so schmutzig, daß er kaum etwas sehen konnte.

Floris ließ den Sattel los und ging zu Pieter. »Was ist denn los?«

»Hier gefällt es mir nicht...«

»Sehr fröhlich sieht es wirklich nicht aus, aber wir haben keine Wahl.«

»Jetzt laß doch die Pferde, wir gehen erst mal rein.« Pieter griff zu seiner Pistole, die wie immer unter seiner Jacke am Hosengürtel steckte, und ging zur Tür.

Außer dem nicht mehr so jungen Wirt und seiner korpulenten Frau saßen in dem Schankraum fünf Männer an einem runden Tisch und spielten ein Würfelspiel. Alle blickten auf, als Pieter und Floris eintraten. Ein paar Sekunden war es totenstill, dann wandten sie sich wieder ihrem Spiel zu und redeten, lachten und fluchten wie zuvor.

Pieter ging zu dem mit Krimskrams übersäten Tresen. »Guten Abend, mein Herr«, sprach er den Wirt an. »Wir sind Reisende, auf dem Weg in den Norden. Habt Ihr ein Zimmer für die Nacht für mich und meinen Gefährten?« Er hatte sehr langsam und deutlich flämisch gesprochen, vermischt mit ein paar deutschen Wörtern, die er hier und da aufgeschnappt hatte. Meistens klappte die Kommunikation auf diese Weise ohne allzu große Probleme.

Der Wirt sah beide kurz berechnend an, bevor er antwortete: »Ich habe sogar zwei Zimmer frei.«

»Eins reicht aus, mein Gefährte und ich schlafen zusammen.« Pieter versuchte, das schmutzige Gelächter am Tisch zu ignorieren.

Der Wirt zuckte gleichgültig mit den Schultern. »Von Fremden nehme ich nur Bezahlung in Gold an.«

»Das ist kein Problem.«

»Vorher.«

»Natürlich, aber dürfen wir zuerst das Zimmer sehen?«

Der Wirt zuckte wieder mit den Schultern und wies mit der Hand zu einer Treppe in der Ecke des Raums. »Sucht euch eins aus, die beiden ersten Zimmer neben der Treppe.«

»Können wir auch noch etwas zu essen bekommen?«

»Sicher, zwei Gerichte stehen zur Auswahl: Bohnen mit Brot oder Bohnen ohne Brot.«

Wieder ertönte Gelächter.

»Dann mit Brot.« Pieter drehte sich um und ging zur Treppe, Floris folgte ihm. Sie schenkten den feixenden Würfelspielern keinen Blick.

»Hör doch mal«, sagte Floris, als sie oben waren. »Sie tuscheln wahrscheinlich über uns.« Er lehnte sich über das Treppengeländer und versuchte, etwas von dem zu verstehen, was unten gesagt wurde, aber die Stimmen waren zu leise.

Pieter drückte die Tür des ersten Zimmers auf und ging hinein. In dem kärglichen Licht, das durch ein Dachfenster fiel, fand er eine Lampe, die er anzündete.

Raschelnd rannte eine kleine, braune Ratte aus dem Zimmer.

Pieter sah mit Abscheu auf das einzige schmuddelige Bett im Zimmer. Es sah aus, als wäre es ein Jahr lang von ungewaschenen Gästen benutzt worden. »Geh bloß nicht zu nah dran, wenn du dir keine Flöhe holen willst«, sagte er zu Floris. »Ich wußte es, von dem Moment an, wo ich den Schuppen gesehen habe, wußte ich es. Hier bleibe ich nicht, auf keinen Fall!«

»Wir können nicht mehr viel weiter, die Pferde sind müde, um von mir mal ganz zu schweigen.«

»Wir finden sicher irgendwo eine Stelle unter Gottes freiem Himmel.« Pieter blies die Lampe aus und rannte hinaus.

»Wir haben es uns anders überlegt«, sagte er zum Wirt. »Wir reisen gleich weiter.« Er blickte aus den Augenwinkeln zu den fünf Männern am Tisch, die das Spiel unterbrochen hatten und gespannt in ihre Richtung sahen.

»Eure Bohnen sind fast fertig.«

»Bedauere, aber der Appetit ist uns auch vergangen.«

»Dann bezahl für die Bohnen, und für das Besichtigen der Zimmer.« Der Wirt tippte mit seinem schmutzigen Zeigefinger auf eine leere Stelle des Tresens. »Hier, in Gold!«

»Du kannst mich mal!« schnauzte Pieter und drehte ihm den Rükken zu.

Sofort sprangen die Männer am Tisch auf und versperrten ihm und Floris den Weg zur Tür. Drei von ihnen hatten einen Dolch gezogen.

Pieter bekam einen Moment lang Angst, doch dann stieg Wut in ihm auf. Blitzschnell zog er die Pistole hervor und richtete sie auf den kleinsten der fünf Männer, der sich gebärdete, als wäre er der Anführer der Horde. Er spannte langsam den Hahn. »Wer mir oder meinem Freund auch nur einen Schritt näherkommt, kann was erleben!« drohte er. Seine Stimmmme klang heiser, als wäre er erkältet. Er fühlte, wie die Schlagadern an seinem Hals klopften. »Paß auf den Kerl hinterm Tresen auf!« rief er Floris zu, der mit dem Dolch in der Hand nervös von einem zum anderen blickte.

Die Männer waren beim unerwarteten Anblick der Pistole zögernd stehengeblieben, doch der kleine Anführer schien nicht sonderlich beeindruckt. »Du hast nur einen einzigen Schuß«, stellte er fest. Er grinste, wobei er ein halbes Dutzend braune, kaputte Zähne entblößte. »Du kannst nur einen von uns treffen, und dann... dann werden wir dir Schießpulver in den Arsch stecken, zusammen mit einer brennenden Lunte!«

»Was wollt ihr von uns, was haben wir euch denn getan?«

»Wir mögen hier keine Ausländer, aber vielleicht lassen wir euch doch gehen, wenn ihr uns brav euer Gold gebt.« Der Anführer sah die anderen an. »Würden wir das tun?«

»Zu Fuß und mit nacktem Arsch werden sie sowieso nicht weit kommen«, sagte einer. Die anderen lachten.

Pieter richtete den Lauf der Pistole auf den Bauch des Anführers. Seine Hand zitterte kaum. »Du hast recht, ich kann nur einen treffen, aber der eine wirst du sein. Willst du kurz darüber nachdenken?«

Einer der anderen sagte: »Ich hatte einen Bruder, der an einem Bauchschuß verreckt ist, es hat Tage gedauert, bis er krepiert ist, man konnte ihn noch eine Meile weiter brüllen hören.«

»Halt's Maul!« schnauzte der Anführer. Er sah nervös auf die Pistole. »Oft tun's diese Dinger noch nicht mal...«

Pieter ließ sich nichts anmerken. »Ich habe gesehen, daß du gerne zockst. Willst du auch das riskieren?«

»Gib uns euer Gold, dann könnt ihr die Pferde und alles andere behalten.«

»Als ob du hier was zu sagen hast, *ich* habe die Pistole, Junge, *ich* bestimme, was hier läuft! Sag deinen dreckigen Handlangern, daß sie sich an die Wand da hinten stellen sollen. Und du und deine Frau auch!« Letzteres war an den Wirt gerichtet. »Na los, wird's bald?« brüllte Pieter, als sich der Anführer noch immer nicht rührte.

»Vielleicht sollten wir doch besser tun, was er sagt«, sagte der Anführer. »Diese fremden Großmäuler sind es nicht wert, was zu riskieren.« Er machte eine Handbewegung, woraufhin alle widerwillig zur hinteren Wand des Schankraums gingen. Der Wirt und seine Frau folgten ihnen.

»Meine Bohnen brennen an!« rief die Frau.

Jetzt nahm auch Pieter den Brandgeruch wahr, der aus dem Raum hinter dem Tresen kam. »Das ist wahrscheinlich das beste, was ihnen passieren kann«, stellte er fest. »Komm, Floris, wir verschwinden! Du zuerst!«

Sie gingen rückwärts zur Tür. Pieter hielt die Waffe auf den Anführer gerichtet, bis er durch die Tür schlüpfen konnte, die Floris ihm aufhielt.

In dem Moment, als sie sich umdrehten und zu ihren Pferden laufen wollten, sahen sie beide gleichzeitig eine Gestalt, die sich im Halbdunkeln an einer ihrer Satteltaschen zu schaffen machte.

»He!« rief Floris. »Bleib mit deinen schmutzigen Fingern von...« Er wich zurück. Der Unbekannte hatte einen Dolch gezogen und kam fluchend auf ihn zu.

Pieter zielte und spannte den Abzug. Die Treibladung zischte. Es kam ihm wie eine Ewigkeit vor, bis der ohrenbetäubende Schuß fiel. Der Angreifer schaffte es noch, nach Floris auszuholen, doch der konnte dem Dolch ausweichen. Dann brach er zusammen und blieb reglos liegen.

Pieter starrte fassungslos auf den Toten, der direkt vor seinen Füßen lag, und begriff kaum, was geschehen war, bis Floris ihn am Arm packte und wegriß.

»Sie kommen!« schrie er. Er machte die Zügel seines verschreckten Pferdes los und sprang wie ein Zirkusakrobat auf den Rücken des Tieres, was ihm noch nie zuvor gelungen war. In dem Moment, als Pieter ebenfalls aufstieg, flog die Tür der Herberge auf. Schreiend und fluchend stürmten die fünf Männer nach draußen.

Pieter riß an den Zügeln und stieß mit aller Gewalt die Fersen in die Flanken des Pferdes. Das Tier, durch den Tumult völlig verwirrt, schlug aus und traf mit der rechten Hinterhufe den ersten der Angreifer am Arm. Dieser schrie auf und wankte zurück. Endlich galoppierte das Pferd los in die Richtung, in die Floris verschwunden war.

Sie jagten eine ganze Weile über den immer dunkler werdenden Weg weiter, bis sie es wagten, die Pferde zum Stehen zu bringen und zu hören, ob sie verfolgt wurden. Doch es blieb still, totenstill.

»Sie werden nicht noch ein Opfer riskieren«, meinte Floris. »Du kannst das Ding doch wieder laden?«

»Nicht im Dunkeln. Können wir kurz absteigen? Ich fühle mich nicht gut...«

Pieter ließ sich vom Pferd gleiten und ging schwankend zum Wegesrand, wo er sich mit dem Kopf am Arm an einen Baum lehnte. Er glaubte sich übergeben zu müssen, aber so weit kam es nicht. Durch die schnelle Flucht hatte sich seine Aufregung ein wenig gelegt.

»Geht es?« fragte Floris besorgt.

Pieter stieß sich vom Baum ab und streckte den Rücken. »Ich habe schon einmal jemanden getötet, vor langer Zeit... Einen Hirten, der mich umbringen wollte...«

»Ich danke dir, Pieter. Als ich diesen Dolch auf mich zukommen sah...« Floris verstummte.

»Todesangst gehört zu den Tricks der Natur, die für die Arterhaltung sorgen, würde Jobbe jetzt sagen.«

»Deinen Jobbe würde ich gerne mal kennenlernen.«

Pieter legte eine Hand auf die Brust seines Pferdes. »Die Tiere sind triefnaß, wir müssen sie eine Weile langsam traben lassen.«

Sie gingen nebeneinander weiter und zogen die Pferde am Zügel hinter sich her. Am Abend waren vom Süden aus Wolken aufgezogen, so daß man weder Mond noch Sterne sehen konnte. Die Nacht wurde immer dunkler. Der Wind hatte sich gelegt; es war so schwül, als drohte ein Gewitter. Mücken summten aufdringlich um ihre Ohren, im Gebüsch zirpten Grillen.

Nachdem sie eine Weile schweigend dem Weg gefolgt waren, sagte Floris: »Jetzt fehlt nur noch, daß wir auf einen Braunbär stoßen.« Sie hatten auf ihrer gesamten Reise bisher nur zweimal einen gesehen, und das aus sicherer Entfernung.

»Ich bin müde«, klagte Pieter. Jetzt, wo die Spannung gewichen war, fühlte er sich völlig kraftlos. Mit jedem Schritt wurden seine Beine schwerer. »Bären hin oder her, ich will schlafen, zur Not auch auf einem Baum... Oh, verdammt!«

»Was ist denn?«

»Wenn nicht gerade ein Vogel über uns geflogen ist, war das ein großer Regentropfen!«

»Es war kein Vogel«, sagte Floris, der auch ein paar Tropfen spürte.

Während Pieter stehenblieb und nachsah, ob die Satteltaschen fest verschlossen waren, fielen die ersten großen, kühlen Tropfen auf den Weg, auf ihre Köpfe und auf die Pferde, zuerst langsam, dann immer heftiger, bis ein wahrer Wolkenbruch vom Himmel niederging. In der Ferne grollte der Donner zwischen den Bergen.

»Zum Glück ist es nur Wasser«, sagte Floris. »Ich kann mir Schlimmeres vorstellen... Sieh mal, ist das dort keine Höhle?«

Nun sah auch Pieter links des Weges das mannshohe Loch in der Kalksteinwand.

»Hoffentlich wohnt da drin keine Bärenfamilie«, sagte Floris. »Ich habe keine Lust auf eine Diskussion darüber, wer zuerst da war.«

»So nah am Weg bestimmt nicht, da sind sie schlauer.«

Pieter reichte Floris den Zügel seines Pferdes, um die Höhle zu inspizieren. Er wartete, bis es wieder blitzte, um etwas sehen zu können. Es war keine richtige Höhle, sondern nur eine Vertiefung in der Felswand, gerade groß genug, um sich unterstellen zu können.

Sie machten die Pferde an einem Baum fest und nahmen die Sättel mit.

»Hoffentlich werden die armen Viecher nicht krank«, sagte Floris. »Ich kann es mir nicht erlauben, ein neues Pferd zu kaufen.«

»Ich habe noch genug dabei. Aber vielleicht sollten wir mein Geld besser verteilen für den Fall, daß mir etwas passiert.«

»Das Ganze hat dich ziemlich mitgenommen, was?«

»Man wird immer durch Schaden klug. Sobald es hell ist, gebe ich dir die Hälfte von meinem Gold.«

»Du hast aber großes Vertrauen!«

»Warum nicht? In Zukunft liegt doch dein Leben in meiner Hand, oder?«

»Wie ich schon mal gesagt habe: Du hast einen merkwürdigen Humor!«

»Besser als gar keinen«, fand Pieter. Er fuhr mit dem Fuß über den Boden, der sich sandig anfühlte. »Sollen wir versuchen, etwas zu schlafen?«

»Es ist nur wenig Platz, wir müßten eng aneinander liegen.«

Sie suchten eine Haltung, in der sie sich möglichst wenig behinderten. Die nassen Kleider klebten ihnen zwar unangenehm am Körper, doch sie froren nicht.

Ein paar Meter vor ihnen rauschte der Regen. Zum Glück floß das Wasser von der Felswand zum Weg und nicht in die andere Richtung. Das Gewitter kam langsam näher. Der Donner schien zwischen den Bergen und in den Tälern endlos widerzuhallen.

Pieter drehte dem dröhnenden Spektakel den Rücken zu. Je länger er hinausschaute, desto mehr Gespenster und bedrohliche Gestalten glaubte er zu sehen.

»Ist dir nichts aufgefallen?« fragte Floris.

»Eine Menge.«

»Ich meine... Haben wir nicht gedacht, daß wir es nicht lange miteinander aushalten?«

»Das liegt daran, daß du nicht so viel dummes Zeug geredet hast, wie ich befürchtet habe.«

»Und weil du nicht so blöd bist, wie ich zuerst dachte. Was mir allerdings allmählich zum Halse heraushängt, ist das Reisen. Ich kann keine Berge mehr sehen!«

»Beruhige dich, ich habe es auch satt, wir nehmen jetzt den kürzesten Weg nach Hause.«

»Auf diese Weise verlerne ich das Streiten!«

»Da geht dein einziges Talent hin.«

Floris grinste im Dunkeln. »Du hast dich unter meinem Einfluß ganz schön gemausert.«

Pieter dachte kurz über Floris' Worte nach. Es stimmte, er war erwachsener geworden. Aber das hatte er der gesamten Reise zu verdanken und nicht nur Floris. Erwachsener und auch ein wenig mutiger. Wieviel würde wohl von diesem Mut übrigbleiben, wenn er wieder die Galgen sah und die Scheiterhaufen roch?

»Pieter?«

»Ja?«

Floris wartete, bis das Dröhnen eines Donnerschlages leiser wurde. Dann sagte er: »Irgendwann werde ich mich für das revanchieren, was du heute getan hast.«

»Vielleicht müssen wir beide Giulio Clovio danken für seine Voraussicht.«

»Du bist derjenige, der den Abzug gespannt hat, Pieter ...«

»Dann fang schon mal damit an, daß du jetzt den Mund hälst. Ich würde nämlich gerne versuchen, ein bißchen zu schlafen.«

»Soll ich für deine Seligkeit beten?«

»Hol' dich der Teufel!« antwortete Pieter und zog sich die Jacke über den Kopf, als wollte er das Gewitter und die ganze Welt von sich fernhalten.

22

»Lisa!«

Das Mädchen steckte den Kopf durch die Tür. »Ja, Meister?«

»Da ist jemand für dich im Laden.«

»Für mich?«

»Ein junger Mann. Ich weiß nicht, wie er aussieht, er hat zuviel Haare im Gesicht.«

Lisa zögerte. Die meisten ihrer Verehrer trauten sich nicht, in den Laden zu kommen.

»Los, Mädchen!« sagte Cock ungeduldig. »Laß ihn nicht warten, er hat eine weite Reise hinter sich.« Er hielt eine abgenutzte Satteltasche in der Hand, die er vorsichtig auf den Tisch legte, als wäre etwas Zerbrechliches darin.

Lisa wischte sich nervös die Hände an der Schürze ab und ging in den Laden. Bevor sie eintrat, lugte sie kurz durch das kleine Fensterchen in der Tür.

Der Mann, der sich die Händen auf dem Rücken einen Stich an der Wand anschaute, trug einen verschlissenen, grünen Samtanzug und hatte tatsächlich eine üppige, schwarze Mähne und einen langen, lockigen Bart, die beide dringend der Pflege bedurften. Er stand etwas abgewandt von Lisa. Sie erkannte ihn nicht sofort, obwohl ihr seine Haltung und der leicht gebeugte Rücken bekannt vorkamen. Erst als er sich zu ihr umdrehte und sie den müden Blick in seinen grauen Augen sah, wußte sie, wer er war.

»Pieter!«

Er breitete schweigend die Arme aus. Lisa lief auf ihn zu und fiel ihm um den Hals mit einer Vertrautheit, die sie vor seiner Abreise nicht gekannt hatten.

Pieter umklammerte den jungen, bebenden Körper, atmete gierig ihren Geruch ein und genoß ihre Wärme, die langsam durch seine Kleider drang. Erst nach einer Weile sagte er, ohne sie loszulassen: »Jetzt bin ich wirklich zu Hause. Ich hatte schon Angst, daß die ganze düstere Trostlosigkeit und die grauen Menschen hier in Flandern nur ein unangenehmer Traum sind. Es war mir, als sei ich der einzige, der lebt und atmet in einer Welt von Geistern...«

Lisa löste sich ein wenig aus seiner Umarmung, um ihm in die Augen zu schauen. »War es denn anderswo so viel schöner und besser?«

»Ich frage mich, ob Heimweh auch wieder so ein Trick der Natur ist. Obwohl... was könnte die Natur damit erreichen?«

»Wovon sprichst du?«

»Nur so ein Gedanke, vergiß es wieder.« Pieter sah sich im Laden um. »Hier scheint sich in der ganzen Zeit nicht viel verändert zu haben.«

»Aber du hast dich verändert«, sagte Lisa mit vorwurfsvollem Unterton.

»Ich weiß, meine Haare und mein Bart müssen geschnitten werden.«

»Das ist es nicht allein...« Lisa ließ Pieter nun ganz los und machte einen Schritt zurück, als wollte sie ihn aus der Distanz betrachten. »Du verhältst dich anders, du redest anders, und du hast einen anderen Blick...«

»Das liegt vielleicht daran, daß ich so lange keine Frau mehr hatte, dann verhält sich ein Mann manchmal etwas komisch.«

»Versuchst du mir etwa weiszumachen, daß du mir die ganze Zeit treu geblieben bist?«

»So ist es.«

Lisa lächelte ungläubig. »Stimmt das wirklich?«

Pieter hatte schon mit sich selbst abgemacht, daß die wenigen flüchtigen Erfahrungen mit Huren in Frankreich nicht zählten.

»Ja, wirklich«, sagte er. Er sah sie forschend an. »Und du?«

Die Antwort wurde ihr erspart, da Cock in dem Moment die Tür öffnete und fragte, ob sie im Laden Wurzeln schlagen wollten.

Als die drei in die Werkstatt kamen, hatten sich die Schüler und Gehilfen bereits um den Tisch versammelt, auf dem Cock einige von Pieters Zeichnungen ausgebreitet hatte.

»Das wird die Basis zu meiner nächsten Serie, den *Großen Landschaften*«, sagte Cock. »Du hast mich nicht enttäuscht, Pieter, ganz im Gegenteil.« Mit wachsender Begeisterung holte er immer mehr Zeichnungen aus der Satteltasche.

»Manche dieser Skizzen haben mich Blut, Schweiß und Tränen gekostet«, sagte Pieter. Als er sich seine Werke ansah, bekamen sie in seiner Vorstellung Farbe, jede Linie, jeder Strich, jeder Schatten ein Souvenir, Souvenirs, mit denen er die ganze Reise noch einmal erleben konnte.

»Du mußt mir alles erzählen«, sagte Cock. »Ich lechze nach deinen Berichten.«

»Du bist doch sicher furchtbar müde, oder?« fragte Lisa.

Pieter schüttelte den Kopf. »Ich habe mich ein paar Tage bei Floris in Brüssel ausgeruht, bevor ich hierher gekommen bin.«

Später, als sie einen Moment mit Pieter allein war, fragte Lisa: »Du hattest wohl keine Eile, zu mir zu kommen?«

»Ich wollte gut aussehen, bevor ich dir unter die Augen trete.« Er verschwieg wohlweislich, daß er vorher auch noch bei Marieke und Mayken gewesen war.

»Wo hast du denn so gut schleimen gelernt?«

»Das ist die Wahrheit«, erwiderte Pieter ernst.

»Hattest du Sehnsucht nach mir?«

»Die ganze Zeit.«

»Mach weiter, ich bin versessen auf solche Lügen.«

»Wir müssen möglichst bald einmal ernst miteinander reden, du und ich.«

»Ich kann es kaum abwarten.«

»Es sei denn, du bist nicht mehr frei.«

»Fändest du es sehr schlimm, wenn ich es nicht mehr bin?«

»Keine Spielchen, Weib! Hast du dein Versprechen gehalten oder nicht?«

»Habe ich dir denn etwas versprochen?«

Pieter seufzte. »Ich habe auf meiner Reise mehr als einmal zu hören bekommen, daß die Antwerpener Frauen viel zu frech sind. Jetzt frage ich mich, warum ich das wider besseren Wissens immer bestritten habe.«

»Männer werfen sich gerne in die Brust, du wolltest sicher nicht gerne zugeben, daß man damit bei uns nicht viel erreicht.«

Erneut wurden sie von Cock gestört, der von weitem rief: »Lisa, machst du dich bitte sofort daran, eine ordentliche Mahlzeit zu bereiten? Ich finde, daß Meister Bruegel ein Fest verdient hat!«

»Nur wenn du uns dafür bezahlst«, flüsterte Lisa, damit Cock es nicht hören konnte. Laut sagte sie: »Ich gehe sofort, Meister.«

Als Lisa weg war, sagte Pieter zu Cock: »Macht Euch keine Umstände, ich habe in Brüssel gesehen, wie teuer alles geworden ist.«

»Wenn Hieronymus feiern will, dann feiert er!« verkündete Cock. »Und jetzt will er feiern.« Plötzlich blickte er auf. Draußen ertönten Hufschläge auf den Pflastersteinen. Das Pferd blieb stehen, kurz darauf klingelte die Türglocke des Ladens.

Pieter sah Cock nach, als dieser zum Laden ging. Das wohlige Gefühl, wieder zu Hause zu sein, wich einer vagen Beunruhigung. Wieder zu Hause bedeutete auch, wieder in Reichweite bestimmter Leute zu sein, die nur mit den Fingern zu schnippen brauchten, um sein Schicksal zu besiegeln.

Als Cock kurz darauf zurückkam, hielt er eine Karte in der Hand, die er stirnrunzelnd las und dann Pieter reichte. »Das war ein Kurier... Kennst du Niclaes Jonghelinck?«

Pieter versuchte mühsam, die zierlichen Buchstaben auf der Karte zu entziffern. »Ist das nicht der Edelmann, der in diesem fürstlichen Haus hinter dem Korenmarkt wohnt?«

Cock nickte. »Einer der reichsten Edelleute in Antwerpen. Seinen Bruder kennst du, Jacob Jonghelinck. Er sollte zusammen mit dir nach Rom reisen.«

»Deshalb ist er also lieber allein losgezogen. Er ist nur zu seinem Vergnügen Bildhauer, ansonsten erstickt er natürlich im Geld. Was will dieser Niclaes?«

»Er lädt dich in sein Haus ein, morgen nachmittag. Jacob wird von dir erzählt haben, und jetzt will er wahrscheinlich ein Gemälde von dir. Du bist noch nicht richtig daheim, und schon kommen Aufträge rein. Werde ich denn überhaupt noch was von dir haben? Ich sehe schon, du scheinst wieder mal nicht sehr erfreut zu sein. Du bist doch hoffentlich in den Alpen nicht noch mißmutiger geworden?«

Pieter sah den anderen geistesabwesend an. »Woher weiß dieser Edelmann jetzt schon, daß ich wieder zu Hause bin?«

»Das ist so bei Berühmtheiten«, antwortete Cock vergnügt. »Ihr Ruf eilt ihnen Tage voraus.«

Pieter brachte kein Lächeln zustande. »Was ist denn so wichtig an mir, daß ich immer und überall belauert werde?«

»Ach, Pieter, es ist einfach Zufall, daß diese Einladung gerade heute kommt. Das Reisen hat dich wirklich nicht fröhlicher gestimmt, was?«

»Das einzige, was mich noch fröhlich stimmen könnte, wäre eine neue Plage, durch die sowohl die spanische Tyrannei als auch die kirchliche Obrigkeit vom Erdboden verschwinden würde.«

»Das wird auch passieren«, meinte Cock, der nun ebenfalls ernst wurde. »Aber nicht durch eine Plage.«

»Der Mensch lebt von der Hoffnung«, sagte Pieter.

Am nächsten Tag ging Pieter zu Niclaes Jonghelinck. Das riesige Haus muß aus zahllosen Zimmern bestehen, dachte er, als ihn ein Diener durch ein Labyrinth von Gängen führte, in dem er jede Orientierung verlor. Außer dem Diener sah er keine Menschenseele, bis er in einen größeren, als Wohnzimmer eingerichteten Raum geführt wurde. Dort erwartete ihn Jonghelinck. Pieter kannte ihn nicht, aber der Mann strahlte das typische Flair aus, das Menschen mit Geld immer besaßen und das sie vom gewöhnlichen Volk unterschied, selbst wenn sie sich nicht entsprechend kleideten.

Jonghelinck war klein und dick und hatte fröhliche, offene Augen, auch wenn sein Blick ständig hin und her wanderte, als dürfe ihm nichts in seiner Umgebung entgehen. Er stand auf, bedeutete dem Diener, daß er gehen könne, und zog einen Stuhl für Pieter heran.

»Ihr wißt, wer ich bin, und ich weiß, wer Ihr seid, also können wir uns einige Förmlichkeiten sparen«, begann er.

»Gut«, antwortete Pieter mit einem Anflug von Erleichterung. Es schien eine ganz andere Begegnung zu werden als die, auf die er sich vorbereitet hatte. Plötzlich fielen ihm zwei Gemälde an der Wand ins Auge.

Jonghelinck folgte seinem Blick und lächelte. »Eure Werke, ja. Ich habe mich mit Abraham Ortelius geeinigt, daß ich sie noch eine Weile behalten darf, gegen Bezahlung. Ich hätte sie gerne gekauft, aber er will sie um jeden Preis zurückhaben.«

Brams Geldgeber, dachte Pieter erstaunt. Nun denn...

»Also...« Jonghelinck sprang auf einmal energisch auf. »Vergebt mir meine Unhöflichkeit, möchtet Ihr eine Erfrischung? Meine Frau ist in Paris, und ohne sie bin ich hilflos.«

»Macht Euch keine Umstände, ich habe mir in den letzten Jahren das Essen und Trinken abgewöhnt, wenn es nicht notwendig ist.«

Jonghelinck sah ihn belustigt an. »So, ein asketischer Künstler!«

»Nicht wirklich, ich muß mich erst wieder an dieses Land, wo Milch und Honig fließen, anpassen.«

»Höre ich da einen gewissen Sarkasmus heraus?« Jonghelinck setzte sich wieder. »Kritik an der Politik des spanischen Reiches?«

»Das würde ich nicht wagen.«

»Macht Euch keine Sorgen, mir gefällt es, wenn ein Künstler ein wenig rebellisch ist, das gibt seinen Werken mehr Biß. Und sind nicht Eure rebellischen Neigungen sowieso überall bekannt?«

»Ist das so?«

Während er Pieter mit halb zugekniffenen Augen unter seinen buschigen Augenbrauen ansah, sagte Jonghelinck: »Ich habe recht gute Beziehungen zu Kardinal Granvelle.«

Pieter schwieg einen Moment, ehe er gelassen sagte: »Das habe ich mir schon gedacht.«

»So?«

»Ihr wußtet etwas zu schnell, daß ich wieder im Land bin.«

Jonghelinck lächelte. »Mit Gold kann man alles kaufen, Meister Bruegel, auch Informationen.«

Pieter nickte zustimmend. »Abraham will seine Bilder wiederhaben, also möchtet Ihr, daß ich für Euch etwas anderes male?«

»Genau.«

»Und da Ihr mit dem Kardinal befreundet seid, braucht die Kirche in diesem Fall nicht zu vermitteln?«

»Ich nehme die Vermittlung selbst in die Hand.«

»Etwas Ähnliches dachte Abraham auch.«

»Ortelius ist eine Zeitlang recht äh... unvermögend gewesen«, bemerkte Jonghelinck spitz.

Pieter nickte. »Sogar Respekt kann man mit Gold kaufen...«

»Vor allem Respekt«, verbesserte ihn Jonghelinck. Er lächelte breit. »Ich kann nicht umhin, Euch zu sagen, daß ich Euch überhaupt nicht für den naiven Bauernsohn halte, als der Ihr mir von manchen beschrieben wurdet.«

»Manchmal hat es seine Vorteile, für naiv und ein bißchen dumm gehalten zu werden.«

Jetzt lachte Jonghelinck laut auf. »Ich bin froh, daß Ihr nicht versucht, dieses Spielchen mit mir zu spielen.«

Pieter zuckte mit den Schultern. »Das hättet Ihr nicht verdient.«

»Wißt Ihr, Ihr beginnt mir immer mehr zu gefallen«, sagte Jonghelinck fröhlich. »Seid Ihr sicher, daß ich Euch mit nichts dienen kann? Etwas zu essen vielleicht?«

»Bitte nicht, ich bin gestern zum ausgiebigen Feiern gezwungen worden, und mein Magen ist an große Gelage nicht mehr gewöhnt.«

»Nun denn ...« Jonghelinck wies auf die Wände des Raumes. »Das ist ein großes Haus mit vielen, noch leeren Wänden ...«

»Ja?« fragte Pieter, als der andere nicht fortfuhr.

Jonghelinck sprang wieder auf und postierte sich breitbeinig, die Hände auf dem Rücken, vor einem von Pieters Gemälden, das die Vertreibung der Händler aus dem Tempel zeigte. »Diese Naturtreue, das menschliche Drama und die Poesie des Mysteriums, die an die Erwartungen und Gefühle der Betrachter appellieren ...« Er drehte sich zu Pieter um. »Solch ein Talent bewahrt mir meinen Glauben an die Menschheit.«

»Das ist zuviel der Ehre, Herr Jonghelinck«, sagte Pieter. Die freimütige Bewunderung des anderen machte ihn verlegen.

»Vielleicht stimmt das, möglicherweise lasse ich mich zu sehr von meinen eigenen Vorlieben leiten. Aber wie dem auch sei, ich würde es sehr schätzen, wenn Ihr einige Werke für mich machen würdet.«

»Einige?«

»Ein Dutzend.«

Pieter schluckte, bevor er sich vergewisserte: »Zwölf Gemälde?«

»Könntet Ihr das schaffen?«

»Ich denke schon, wenn Meister Cock mir die Zeit läßt.«

Jonghelinck betrachtete das nicht als Problem. »Das regle ich schon, auch was die Formalitäten mit der Gilde betrifft.«

»Und die Themen?«

»Das überlasse ich ganz Euch, aber denkt daran, daß ich vor allem Eure Landschaften bewundere. Die gewünschten Maße der Tableaus werden Euch noch mitgeteilt. Nun, was meint Ihr dazu?«

»Das bedeutet eine Menge Arbeit.«

»Die fürstlich honoriert werden soll. Es sei denn, daß Euch Geld nichts bedeutet.«

»Mir bedeutet vor allem die Freiheit etwas, die der Besitz von Geld mit sich bringt.«

Pieters Antwort rief bei dem anderen erneut ein Lachen hervor. »Ein Philosoph seid Ihr wohl auch noch, was? Also, sind wir uns im Grunde einig?«

»Natürlich sind wir uns einig, die Dummheit, ob gespielt oder nicht, hat Grenzen.«

Jonghelinck klopfte Pieter freundschaftlich auf die Schulter. »Sobald meine Gattin wieder zu Hause ist, müßt Ihr auf alle Fälle einmal zu Besuch kommen. Vielleicht befindet sich dann Euer Magen wieder in einem normalen Zustand, so daß Ihr die angenehmen Dinge des Lebens genießen könnt.«

»Ich fühle mich geehrt, Herr Jonghelinck.«

»Vielleicht lade ich auch den Kardinal ein, dann habt Ihr Eure beiden größten Bewunderer an einem Tisch.«

Das euphorische Gefühl, das Pieter kurz zuvor verspürt hatte, war schlagartig verschwunden. »Ich bedauere, aber ich fühle mich in der Nähe des Kardinals nicht wohl...«

»Dann machen wir es ohne ihn, wir werden sehen.«

Jonghelinck rief einen Diener, der Pieter hinausbegleitete.

Als sein Besucher das Zimmer verlassen hatte, stellte er sich ans Fenster und sah, wie der Diener Pieters Pferd am Zügel hielt, während der junge Mann aufstieg. Dann blickte er dem Reiter nach, bis er aus seinem Blickfeld verschwunden war.

»Er fühlt sich in der Nähe des Kardinals nicht wohl«, sagte er laut zu sich selbst. »Ist das nicht merkwürdig?« Es klang nicht einmal sarkastisch.

»Entschuldigt, daß ich es sage, Meister Bruegel«, sagte der Barbier, »aber Ihr bekommt schon graue Haare.«

»Ich weiß«, antwortete Pieter. Es ließ sich kaum leugnen, daß sich in seinem Haar und Bart die ersten weißen Strähnen zeigten. Eigentlich freute er sich sogar darüber, denn er war nicht sehr glücklich mit seinem dunklen, lockigen Haarschopf, der ihn zu sehr wie einen Fremden aussehen ließ, vor allem da er nun auch noch durch seinen langen Aufenthalt im Süden braungebrannt war. »Ihr braucht sie nicht herauszuschneiden.«

»Jeder nach seiner Façon«, sagte der Barbier, der selbst vollkommen kahl war.

Pieter war auf dem Weg zu Jobbe. Aus irgendeinem Grund fand er es wichtig, gut auszusehen, wenn er dem alten Fischer unter die Augen trat.

Nachdem er die Stadt verlassen hatte, machte er ein paar Umwege, wobei er sich immer wieder umblickte. Erst als er sicher war, daß ihm niemand folgte, schlug er den Weg zu Jobbes Hütte ein.

Die Behausung war noch genauso baufällig wie damals, als Pieter sie zum letzten Mal gesehen hatte. Trübsinnigen Gedanken ausgeliefert, blickte er eine Zeitlang auf seinem Pferd sitzend zu ihr, bis er endlich abstieg und zur Tür ging.

Es war ein ruhiger Herbsttag, die Sonne schien nur schwach durch die hohe Nebeldecke. Das graue Wasser der Schelde strömte gemächlich landeinwärts, und die dichten Schilfgürtel standen gebeugt, als betrauerten sie den vergangenen Sommer. Auf der anderen Seite, bei Liefkenshoek, lag ein englisches Handelsschiff vor Anker, um Schießpulver abzuladen, bevor es weiter stromaufwärts nach Antwerpen segeln durfte.

Jobbe war nicht da, doch die Einrichtung der Hütte ließ erkennen, daß noch immer jemand hier wohnte. Drinnen befand sie sich in einem wesentlich besseren Zustand, als würde der Bewohner das verfallene Äußere absichtlich so lassen, um keine Aufmerksamkeit zu erregen. Alle Löcher waren geschlossen, neben dem Ofen lag ein Vorrat Holzscheite, und der Boden war gefegt.

Pieter ging wieder hinaus, lief um die Bucht und folgte in nördlicher Richtung dem Pfad neben dem Schilfgürtel, an dem sich bei Ebbe der Schlick ablagerte. Nun war es fast Flut, so daß kleine Wellen gegen den niedrigen Wall plätscherten.

Jobbe saß ein Stück weiter im Schilf. Er holte gerade eine kleine Reuse ein, in der ein Hering und mehrere große Krabben waren.

Pieter hatte sich dem alten Mann lautlos von hinten genähert. Er blieb stehen und wollte warten, bis ihn der andere sah. Doch zu seiner Überraschung sagte Jobbe, ohne sich umzudrehen: »Wenn du vorhast, mir den Schädel einzuschlagen, mach es bitte sofort richtig!«

»Deine Ohren scheinen jedenfalls noch in Ordnung zu sein«, sagte Pieter.

»Pieter!« Jobbe ließ die Reuse fallen und nahm Pieter in die Arme. »Also hat sich die Mühe doch gelohnt, am Leben zu bleiben.«

»Du siehst überhaupt nicht so aus, als würdest du bald sterben«, fand Pieter. Jobbe sah sogar bedeutend besser aus als bei ihrem letzten Abschied.

»Wenn der Tod versucht, mir Angst einzujagen, zeige ich ihm meinen nackten Arsch, das hält mich am Leben.«

»Und wieder beim Fischen?«

»Um für mich selbst etwas zu fangen, brauche ich kein Boot.« Er holte den Hering und die Krabben aus der Reuse und warf den Fang in einen Holzeimer. Dann versteckte er das Netz im Schilf. »Du wirst mir sicher viel zu erzählen haben.«

Pieter hockte im Gras und sah Jobbe zu. Er erinnerte sich daran, wie er hier als Kind brütende Wasservögel gezeichnet hatte. Und wie er einmal von spanischen Soldaten auf grausame Weise gestört wurde.

»Bei Ebbe lege ich sie wieder aus«, sagte Jobbe. »Gehen wir?«

Pieter begleitete ihn zur Hütte, wo der Fischer das Feuer anzündete, um Wasser für die Krabben zu kochen.

Als er auf Jobbes Drängen von seiner Reise erzählen wollte, merkte Pieter, daß er, genauso wie am vorigen Abend an der Festtafel, nicht viel zu berichten hatte. Es kam ihm vor, als sei er soeben aus einem langen Traum erwacht, der die Mühe des Erzählens nicht wert war. Manche Erlebnisse auf seiner Reise sah er in beeindruckenden Szenen, in großartigen Tableaus vor sich, aber die konnte er nicht in Worte fassen.

»Ich fürchte, daß ich immer ein langweiliger Unterhalter bleiben werde«, meinte er. Als er noch klein war, hatte er seinen Spielkameraden oft selbsterfundene Gespenstergeschichten erzählt, doch selbst diese Gabe schien er nicht mehr zu besitzen.

»Dein Talent liegt in deiner rechten Hand, nicht in deiner Zunge«, sagte Jobbe. »Ich hoffe doch, daß ich irgendwann einmal deine Werke zu sehen bekomme.«

»Ich werde dir ein Gemälde schenken.«

Jobbe winkte ab. »Ich mag nicht daran denken, daß es geraubt und zerstört werden könnte! Dieser Schuppen ist nicht gerade ein Ort, an dem man etwas Wertvolles aufbewahren kann.«

»Haben sie dich noch mal belästigt?«

»Niemand sucht jemanden, der für tot erklärt wurde. Und Räuber und anderes Gesindel suchen meistens das Weite, wenn sie meine Visage sehen.«

»Ich habe dir etwas mitgebracht.« Pieter holte die Pistole unter dem Wams hervor und legte sie zusammen mit dem Pulversäckchen und den Kugeln auf den Tisch. »Floris und ich verdanken ihr unser Leben, aber jetzt brauche ich sie nicht mehr.«

»Eine schöne Handarbeit«, sagte Jobbe. Er nahm die Pistole in beide Hände und sah sie sich von allen Seiten bewundernd an. »Italienisch?«

»Ein Geschenk von Giulio Clovio. Ich wollte es zuerst nicht annehmen, aber zum Glück konnte er mich überreden.«

»Mich brauchst du nicht überreden«, sagte Jobbe. Er peilte über den Lauf und richtete ihn auf ein imaginäres Ziel.

»Kannst du damit umgehen?«

»Jeder Dummkopf kann doch einen Abzug spannen.« Er verzog das entstellte Gesicht zu einem teuflischen Grinsen. »Hast du gewußt, daß die erste funktionierende Feuerwaffe vor über hundert Jahren von einem Mönch angefertigt wurde? Er war Deutscher und hieß Schwarz oder so ähnlich.« Er legte die Pistole hin. »Falls ich irgendwann noch mal überfallen werden sollte, wird es ein angenehmer Gedanke sein, mindestens einen Saukerl mit in den Tod zu reißen. Vielleicht können wir dann im Jenseits bis in alle Ewigkeit weiterkämpfen. So haben wir zumindest was zu tun...«

Pieter blickte auf die Waffe. »Wie lange wird es wohl noch dauern, bis sich die Niederlande auflehnen?«

Das Wasser über dem Feuer kochte. Jobbe stand auf und warf die Krabben hinein. »Die Ketzer lehnen sich gegen die Macht, den Reichtum und die Alleinherrschaft von Kirche und Adel auf. Der Adel seinerseits bleibt katholisch. Die Bürger wiederum fühlen sich zu Luthers Lehre hingezogen. Die Bauern schwören auf Calvin, und die Armen denken, daß alles Heil von den Wiedertäufern kommt. Wohin soll dieses Chaos führen? Ach, ich werde es wohl nicht mehr erleben, wenn die Hölle ausbricht.« Er rührte mit einem Stock in dem Topf mit den Krabben. »Schade, daß ich keinen Pfeffer mehr habe«, sagte er.

»Ich werde dir welchen besorgen.«

»Das würde ich sehr schätzen. Bleibst du zum Essen?«

»Nein«, antwortete Pieter, der gesehen hatte, daß Jobbe kaum genug für sich selbst hatte. »Ich muß zurück nach Antwerpen. Ich habe so viel Arbeit, daß ich gar nicht weiß, wo ich anfangen soll.«

Jobbe nickte. »So furchtbar viel zu tun und so wenig Zeit...« Er zeigte wieder sein teuflisches Grinsen. »Ich schätze mich glücklich, daß es mir nicht so geht.«

»Ich arbeite gerne.«

»Ich auch, aber nicht zu hart und nicht zu lang und vor allem nicht für andere.«

»Ich brauche Geld, damit ich ein Haus kaufen und eine Familie gründen kann.«

Jobbe hörte auf zu rühren und starrte ins Feuer. »Eine Familie, jeden Tag dieselbe Frau im Bett...«

»Hast du noch was von meinem Bruder Dinus gehört?«

»Ich meide bekannte Gesichter, vor allem wenn diese Gesichter auch noch katholisch sind.«

Nachdenklich sagte Pieter: »Er und ich sind wirklich sehr verschieden...«

Jobbe sah ihn einen Moment aufmerksam an, bevor er sagte: »Höchst verschieden...« Er rührte weiter. »Sag mal, du denkst doch nicht etwa ans Heiraten?« Er schüttelte sich demonstrativ.

»Heiraten?« Dafür müßte er zuerst Granvelle um Erlaubnis bitten, dachte er bitter. Doch dazu konnte er sich noch nicht überwinden. Trotzdem würde er mit dem Kardinal sprechen müssen, und sei es nur, um zu verhindern, daß auch Lisa ein »Unglück« zustieß.

»Ich gehe jetzt, Jobbe«, sagte er plötzlich. »Aber ich komme bald zurück, mit dem Pfeffer.«

Jobbe wandte sich vom Topf ab und legte Pieter die Hände auf die Schultern. »Ich bin froh, daß du wieder zu Hause bist, Pieter. Ohne dich wäre ich bald weltfremd geworden. Nicht daß mich diese Welt viel kümmern würde, aber du weißt schon, was ich meine.«

»Ich glaube schon«, sagte Pieter. »Gibt es noch etwas, womit ich dir eine Freude machen kann, außer dem Pfeffer?«

»Bücher... Früher habe ich in der Stadt oft Bücher zum Lesen bekommen, und die vermisse ich. Wenn du mir hin und wieder ein

Buch besorgen könntest?« Der Fischer sah Pieter an, als bäte er ihn um einen riesigen Gefallen.

»Ich werde mich darum kümmern«, versprach Pieter. »Bis bald, Jobbe!«

»Bis bald, Pieter, und paß auf dich auf!«

Nachdem Pieter die Hütte verlassen hatte, schlug er spontan den Weg zu seinem Elternhaus ein. Er hatte nicht vor, Dinus zu besuchen, sondern wollte nur einen Blick auf den Bauernhof werfen.

Ein düsteres Bild erwartete ihn. Das Wohnhaus und die angrenzenden Gebäude sahen unversehrt aus, aber die umliegenden Äcker waren, soweit das Auge reichte, abgebrannt. Offenbar hatten die Spanier wieder einmal die Ernte von einigen Bauern zerstört.

Pieter hatte nur wenig Mitleid mit Dinus, trotzdem fühlte er Niedergeschlagenheit und machtlose Wut, als er sah, was die Besatzer angerichtet hatten.

Er ritt auf den Hof, machte sein Pferd fest und klopfte an die Tür des Wohnhauses. Erst nach dem dritten Mal wurde sie geöffnet. Er stand Auge in Auge seinem Bruder gegenüber, der ihn böse ansah.

»Ich habe dich kommen sehen«, sagte Dinus in harschem Ton. »Was willst du hier?«

Pieter machte einen Schritt zurück, als wiche er vor der Kälte, die sein Bruder ausstrahlte, zurück. »Ich habe gesehen, was passiert ist, und wollte ...«

»Du hast hier nichts zu suchen!«

»Dinus, ich versuche nur ...«

»Wann wirst du endlich kapieren, daß du an allem schuld bist, was hier passiert ist? Du mit deinem liederlichen und ketzerischen Verhalten!«

»Aber Dinus, ich war tausend Meilen weit weg von hier!«

»Das ist eine Strafe Gottes, und Gott sieht dich überall!«

»Warum sollte er dich für meine Fehltritte bestrafen? Sei doch mal vernünftig!«

»Es ist deine Schuld, daß über diesem Ort ein Fluch hängt!«

»Haben sie einfach so ohne Grund deine Äcker in Brand gesteckt?«

»Ich habe die Pacht zu spät bezahlt.«

»Ja, und?«

»Das kann damit nichts zu tun haben, denn jetzt kann ich überhaupt nichts mehr bezahlen. Meine Frau ist krank vor Schande!«

»Wollte denn dein reicher Schwiegervater diesmal nicht einspringen?«

»Mach, daß du wegkommst«, schnauzte Dinus. »Ich will dich hier nie mehr sehen, dreckiger Sünder!«

Kopfschüttelnd fragte Pieter: »Warum haßt du mich nur so?«

»Weil es dich gibt!«

»Dinus!«

»Ohne dich würden wir noch immer in Brüssel leben, und unsere Eltern würden in einem Schloß arbeiten! Ohne dich hätten wir nie im Dreck wühlen müssen!«

»Aber Dinus, ich war noch nicht mal auf der Welt, als Vater und Mutter Brüssel verlassen haben!«

»Sie wollten dort keine schwangere Dienstmagd haben, deshalb wurde Mutter rausgeworfen, und Vater gleich dazu. Ich war mit Kindern zusammen, die schöne Kleider trugen, die alle lesen und schreiben konnten und die französisch gesprochen haben.«

»Es ist also meine Schuld, daß Mutter schwanger wurde?«

»Wegen dir mußte sie von dort weg, ich habe sie das selbst einmal zu Vater sagen hören. Und ich hatte so sehr gehofft, daß du ein Findelkind wärst und nicht mein echter Bruder.«

»Das ist doch Wahnsinn!«

»Ich will, daß du auf der Stelle meinen Hof verläßt und deine verdammte Visage nie mehr hier blicken läßt!«

»Ist dir klar, daß ich der einzige Blutsverwandte bin, den du noch hast?« fragte Pieter niedergeschlagen.

Dinus hob die Hand, als wollte er Pieter schlagen. »Beleidige mich nicht mit solchem Gerede! Gott ist unendlich gerecht, er wird dich bestrafen und mir beistehen. Fahr zur Hölle!« Dinus ging einen Schritt zurück und schlug dröhnend die Tür zu.

Pieter schloß die Augen, als würde ihm das Geräusch in den Ohren weh tun. Dann drehte er sich um und ging zu seinem Pferd.

Als er aufgestiegen war, warf er noch einen letzten Blick auf die niedergebrannten Äcker, als sollte sich dieses Bild der Verwüstung in sein Gedächtnis einbrennen.

Dann ritt er weg, ohne sich noch einmal umzudrehen.

23

Es war ein langer, strenger Winter. Wieder loderten die Flammen auf, in denen die Leichen derjenigen verbrannt wurden, die die Kälte nicht überlebten. Jeder hielt sich fern von diesen stinkenden Rauchwolken, die einmal in der Woche im Süden der Stadt aufstiegen. Manchmal nahmen die schwarzen Wolken durch das launische Spiel des Windes furchterregende, dämonische Formen an; bei ihrem Anblick machten viele Menschen das Kreuzzeichen und verkrochen sich schnell in ihren Häusern, oder sie flüchteten in die Wirtshäuser, wo sie gemeinsam mit anderen Trost und Kraft im Alkohol suchten. Trotz der Teuerung blieben Bier und Wein billig, und das Trinken half, die Kälte und das Elend zu vergessen.

Die Schelde fror zwar dieses Mal nicht zu, doch der Schlickboden war zum großen Teil unter Eis- und Schneemassen begraben. Als man deswegen vom Ufer aus kaum noch fischen konnte, ging Pieter regelmäßig zu Jobbe und brachte ihm Brot und Fleisch.

»Ich bin froh, daß ich dich so gut erzogen habe«, sagte Jobbe einmal. »Es macht keinen Spaß, jeden Tag mageres Kaninchen zu essen.«

Pieter war sicher, daß man im weiten Umkreis schon lange keine Kaninchen mehr fangen konnte. »Ich komme ganz gern mal ab und zu an die frische Luft«, sagte er.

Jobbe sah ihn forschend an. »Du fühlst dich noch immer schuldig, nicht wahr?«

»Schuldig? Warum? Weil du wegen mir an den Bettelstab gekommen bist, für immer als Krüppel herumlaufen mußt, im Kerker gelandet bist und dort beinahe den Tod gefunden hast? Dachtest du, daß mir solche Kleinigkeiten den Schlaf rauben würden?«

»Ach, Junge...« Jobbe stand auf, um eine großes Holzscheit aufs Feuer zu legen. In seiner Umgebung herrschte zum Glück noch kein Holzmangel. Und nötigenfalls würde er seine eigene Hütte anstekken, hatte er gesagt. »Wenn du nicht gewesen wärst, wäre sicher ein anderer gekommen, der mein Schicksal in genau dieselbe Richtung gelenkt hätte. Es ist mir ein Trost, daß du es gewesen bist.«

»Dann belassen wir es dabei, daß ich gerne mal rauskomme.«

»Wie steht es inzwischen mit dir und deinem Mädchen?«

»Lisa?« Pieter sah ins knisternde und knackende Feuer. »Ich habe so viel zu tun, daß für Liebeleien kaum Zeit bleibt.«

»Das ist nicht gut, Junge.« Jobbe tippte sich an den Kopf. »Denk dran, daß es sich hier oben stauen kann, wenn es unten nicht gut durchfließt.«

Pieter lächelte. »Wir haben vor, nach dem Winter zusammenzuziehen.«

»Das klingt aber nicht sehr begeistert.«

»Lisa ist nicht Anke...«

»Sie hat doch Titten und einen Arsch?«

»Das ist nicht das einzige, worauf es ankommt...«

»Diese Künstler!« sagte Jobbe mit mitleidiger Stimme.

»Manchmal kann sie sehr nett sein, und sicher liebt sie mich auch...«

»Was stört dich denn dann?«

»Mir fehlt etwas...«

»Leidenschaft? Sei froh, daß du damit nichts zu tun hast! Glaub mir, damit hat man nur Ärger, krank wird man davon.«

»Es ist noch etwas anderes. Sie lügt in einem fort, ich ertappe sie andauernd bei Unwahrheiten.«

»Ein kleines Problem, wenn du ihr nie glaubst, kann nichts passieren.«

Pieter grinste. »Ich wünschte, ich wäre so wie du...«

»Weißt du, was du tun mußt? Du mußt ein Kerbholz machen. Jedesmal, wenn du sie bei einer Lüge erwischst, schneidest du eine Kerbe rein. Sag ihr, daß du sie mit demselben Stock zur Tür rausprügeln wirst, wenn er voll ist. Dann wird sie sich schon in acht nehmen.«

»Das ist eine gute Idee«, meinte Pieter. »Ich habe mir schon gedacht, daß du wieder Rat weißt.«

»Aber nimm einen Stock, der lang genug ist.«

»Um viele Kerben machen zu können?«

»Nein, um feste schlagen zu können!«

Das Ende des Winters kündigte sich mit unverhofftem Tauwetter an. Statt Kälte und Eis plagten die Menschen nun Schlamm und Überschwemmungen. Die meisten Wege waren über Wochen unbenutzbar, sogar innerhalb der Stadtmauern hatte sich so manche Straße in einen Pfuhl aus Schlamm und Dreck verwandelt, den man nur mühsam watend passieren konnte. Einige Straßen und Häuser standen unter Wasser und Schimmel und Fäulnis breiteten sich ungehemmt aus. Als würde das nicht reichen, brach auch noch eine Rattenplage aus. Die ausgehungerten Tiere drangen dreist überall ein, fraßen die wenigen Nahrungsmittel, die es noch gab, und schreckten nicht einmal davor zurück, kleine Kinder in ihrer Wiege anzufallen. Manche von ihnen erlitten schlimme Verletzungen, die seltene, unheilbare Infektionskrankheiten hervorriefen und zum Tode führten.

Der Adel und die Bürger blieben von all dem Leid nahezu verschont. Sie saßen in ihren sicheren, warmen Steinhäusern und ließen die notwendigen Einkäufe von Dienstboten erledigen. Für die Abwicklung ihrer Geschäfte an der Börse oder im Hafen stand ihnen jederzeit irgendein Transportmittel zur Verfügung, so daß sie keine nassen Füße bekamen. Die einfachen Leute sahen dies alles mit Neid, aber ihr eigenes Elend war meist so groß, daß sie nur murrten, beteten oder fluchten. Wer doch den Mut fand, die geballte Faust zu erheben, rannte meistens einer spanischen Patrouille in die Arme, die nur darauf wartete, diese Hand abzuhacken. Auf diese Weise blieb die Ruhe gewahrt, während zugleich in Europas wohlhabendster Stadt die namenlosen Armen krepierten. Viele von ihnen standen an den Türen der mit Reichtümern vollgestopften Kirchen, um sich ein wenig aufzuwärmen. Denn wer zu schmutzig oder zu krank war, zu sehr stank oder kein Geldopfer bringen konnte, wurde nicht hineingelassen.

Durch Vermittlung der Gilde bekam Pieter ein Haus in der Nähe der Werkstatt, in das er Ende April zusammen mit Lisa einzog.

Von Kardinal Granvelle hatte er noch nichts gehört, was ihn einerseits erleichterte, aber auch beunruhigte. Pieter hatte zwei Briefe zum Schloß geschickt und um eine Audienz gebeten, doch bislang war keine Antwort gekommen. Es schien, als hätte Granvelle das Interesse an seinem Schützling verloren. Aber im Grunde seines

Herzens wußte Pieter, daß das nicht stimmte. Wahrscheinlich war der Kardinal zu sehr mit anderen Dingen beschäftigt.

Pieter hatte Cock von seinem Problem erzählt, aber der meinte, daß er sich über sein Zusammenleben mit Lisa nicht zu viele Sorgen machen bräuchte. Seine Ausbildung war schließlich beendet, so daß es ihm frei stand, sein Privatleben so zu gestalten, wie er es wollte. Das beruhigte Pieter ein wenig, auch wenn er manches lieber aus dem Munde Granvelles gehört hätte.

Das Diner bei Niclaes Jonghelinck war nicht besonders vergnüglich gewesen. Jonghelinck hatte ein paar Bekannte eingeladen, die alle gespannt darauf waren, dieses Phänomen, das so gekonnt mit dem Pinsel umgehen konnte, kennenzulernen. Vielleicht hatten sie gehofft, etwas von der Magie, die seine Gemälde ausstrahlten, auch in ihm zu finden. Doch der junge Meister war so verschlossen, daß sich einer nach dem anderen frustriert abwandte.

»Sie haben mich angestarrt, als wäre ich eine Kirmesattraktion«, erzählte er später Marieke. Sie war noch immer die einzige, bei der er wirklich sein Herz ausschütten konnte. »Das hat mich so verlegen gemacht, daß ich nicht mehr wußte, wie ich mein Besteck halten soll.«

»Waren denn keine hübschen Edelfräulein da?« erkundigte sich Marieke beiläufig.

»Zwei, aber die stanken meilenweit gegen den Wind nach Riechwasser. Ich glaube, die waschen sich nie.«

»Und wie war das Essen?«

»Das diente nur dazu, ihr schönes Service zu zeigen. Auf jedem Teller lag ein kleiner Happen, so daß sie alle Teller brauchten, die es im Haus gibt. Ich war froh, als ich hinterher zu Hause noch ein Stück gesalzenen Speck gefunden habe.«

Doch die Geschäfte mit Jonghelinck liefen gut. Pieter lieferte etwa alle drei Monate ein Gemälde ab und wurde jedesmal sofort in Gold bezahlt.

Als er in sein eigenes Haus eingezogen war, richtete er gleich eine Werkstatt ein, um auch dort arbeiten zu können, wenn ihm der Sinn danach stand. Und um Bilder malen zu können, die er lieber nicht in der Öffentlichkeit zeigte.

So hatte ihn der vergangene Hungerwinter zu einem großen Gemälde inspiriert, das den Kontrast zwischen Karneval und Fasten zeigen sollte. Es wurde ein sehr aufwendiges Bild, auf dem Dutzende menschlicher Figuren auf jeweils eigene Weise zur Darstellung des Themas beitrugen. Pieter arbeitete hin und wieder daran, als Abwechslung zu den ewigen Landschaften, die ihn allmählich doch ein wenig zu langweilen begannen.

Lisa konnte sich nicht für das Bild begeistern. »Du malst immer nur furchtbar häßliche Menschen!« sagte sie einmal mißbilligend.

»Ich male die Menschen so, wie sie sind«, erwiderte Pieter.

»So häßlich?« Lisa stellte sich zwischen Pieter und seine Staffelei. »Findest du mich denn auch so abstoßend?«

Pieter machte einen Schritt zurück, damit Lisa nicht mit dem Rükken an die nasse Farbe kam. Leicht gereizt sagte er: »Du bist schön, aber du bist auch eine Ausnahme.«

»Warum malst du mich dann nicht?«

Pieter fragte sich, warum jede Frau ständig gemalt werden wollte. »Du wärst auf dem Bild bei weitem nicht so schön«, sagte er.

»Ach nein? Und warum nicht?«

»Weil ich immer unter die Haut blicke, hinter diesen schönen Schein, und versuche, die wahre Natur der Menschen zu malen.«

»Muß diese wahre Natur denn immer häßlich sein?«

»Leider ist es so, ja.«

»Dann findest du wohl meine wahre Natur auch häßlich?«

»Ja, denn ich würde deine Lügen sehen und auch malen, und die Lüge ist grundsätzlich häßlich.«

»Du bist ein furchtbarer Kerl!« rief Lisa wütend und lief in eine andere Ecke der Werkstatt.

Pieter tauchte den Pinsel in Rußschwarz und setzte die Handstütze ans Bild. »Vorhin, als ich nach Hause kam, habe ich dich gefragt, ob du heute noch draußen gewesen bist. Du hast gesagt nein, weil es den ganzen Tag geregnet hat.«

»Ja, und?« fragte Lisa verstimmt.

»Wie kommen dann die nassen Fußabdrücke in den Flur? Und dein blaues Schultertuch war auch noch ganz feucht.«

»Ja, das stimmt. Aber weißt du, warum ich dich belüge? Weil ich diese dummen Fragen hasse, als würdest du mir nicht vertrauen!«

»Du bringst es dazu.« Pieter legte den Pinsel hin und ging zu dem

Schrank, in dem er den Kerbstock aufbewahrte. »Und noch eine Lüge...« Er schnitt eine neue Kerbe in den Stock.

»Du widerlicher Kerl!«

Pieter legte den Stock in den Schrank zurück und ging zu Lisa. Er ignorierte ihr Sträuben und nahm sie in die Arme. »Abgesehen davon bist du ein tolles Weib«, sagte er.

»Oh, du...!« Sie versuchte sich aus Pieters Armen zu winden, doch als seine Hände begierig über ihren Körper wanderten, ließ ihr Widerstand schnell nach.

Eine halbe Stunde später, im Bett, sagte sie: »Wenn du nicht so ein guter Liebhaber wärst, würde ich mich von dir nicht so beleidigen lassen.«

»Wenn du nicht so ein heißes Weib wärst, hätte ich dich schon längst auf die Straße gesetzt.«

Lisa sah ihn wütend an, doch dann begann sie zu lachen. »Es gibt weniger vergnügliche Arten, sich gegenseitig im Zaum zu halten.«

»Wieviele Freier hast du eigentlich vor mir gehabt?«

»Du würdest es mir doch nicht glauben.«

»Manche deiner Lügen finde ich sehr interessant.«

»Vierzehn, und wenn du es wagst, dafür eine Kerbe in diesen dummen Stock zu machen, werde ich einen anderen Stock bearbeiten!«

Er zog kurz ein schmerzverzerrtes Gesicht, als sie ihm auf grobe Weise vormachte, was sie meinte. »Dieses eine Mal werde ich ein Auge zudrücken«, versprach er schnell.

»Aber ich möchte trotzdem, daß du mich malst...«

»Vielleicht werde ich das auch mal tun.« Pieter streckte sich träge. »Ich habe noch ein biblisches Thema im Kopf, bei dem ich dich vielleicht als Modell für ein paar Figuren brauchen kann.«

»Und welches Thema ist das?«

»*Der Sturz der aufrührerischen Engel*«, antwortete Pieter halb im Ernst.

»Manchmal denke ich, du arbeitest zuviel«, sagte Cock.

Pieter erschrak. Er war so intensiv mit einem Bild beschäftigt, das den westlichen Teil des Bodensees darstellte, daß er Cocks Schritte gar nicht gehört hatte. Für den Entwurf hatte er sowohl von seinem starken visuellen Erinnerungsvermögen Gebrauch gemacht als auch Skizzen benutzt, die an Ort und Stelle entstanden waren. So ging er bei den meisten seiner Landschaften vor, seit er in Italien gewesen war.

»Merkwürdig, daß Ihr das nie sagt, wenn ich mit Entwürfen für Eure Stiche beschäftigt bin«, bemerkte Pieter. Er trat einen Schritt zurück und legte Pinsel und Palette nieder, ohne den Blick von dem Gemälde abzuwenden.

»Vielleicht liegt das daran, daß du an ihnen nie so intensiv arbeitest wie an den Bildern für deinen reichen Auftraggeber.«

Pieter massierte die Finger seiner rechten Hand. »Höre ich da eine gewisse Mißbilligung heraus, Meister Cock?«

»Nenne es ruhig Neid, du brauchst kein Blatt vor den Mund nehmen. Was ist mit deiner Hand los?«

Pieter hörte auf zu massieren und sah auf seine Finger, die er abwechselnd krümmte und streckte. »Manchmal, wenn ich zu lange an einem Stück gearbeitet habe, tun mir die Finger und das Handgelenk etwas weh. Vielleicht habt Ihr recht, und ich arbeite wirklich zuviel. Ich sollte mich auf die Malerei beschränken.«

»Das wäre nicht klug«, sagte Cock, der die spaßige Bemerkung ernst zu nehmen schien. »Du hast mit Jonghelinck großes Glück gehabt, aber es kann durchaus sein, daß du danach jahrelang keinen einzigen Auftraggeber mehr zu sehen bekommst. Und was dann?«

»Dann komme ich einfach zu Euch zurück! Ich bin so gut, daß Ihr mich nicht abweisen könnt.«

Noch immer ernst sagte Cock: »Ich habe auch meine Prinzipien, Pieter!«

»Ach, ich meine das alles doch gar nicht so.«

»Das weiß ich, ich aber schon.«

»Ich werde es mir merken«, sagte Pieter, dem das Gespräch allmählich lästig wurde.

Er wußte, daß er in der letzten Zeit reizbar war. Und er wußte auch, warum. Es lag an Dingen, die ihn belasteten. So gab Lisa ihm nicht alles, was er von einer Frau erwartete. Außerdem hatte er ein Gefühl von Unsicherheit, das er einfach nicht verlor. Und auch das Gefühl, eine Marionette zu sein, an deren Fäden jeden Moment gezogen werden konnte.

»Pieter...« Cock warf einen kurzen Blick auf die anderen in der Werkstatt. Niemand beachtete ihn. Mit gedämpfter Stimme sagte er: »Wir haben heute abend eine Versammlung. Ich habe die Erlaubnis bekommen, dich einzuladen.«

Pieter sah ihn verwundert an. »Eine Versammlung? Wir?«

»Schola Caritatis.«

»Oh!« rief Pieter. Seit Cock ihm vor ein paar Jahren von dieser Ketzersekte erzählt hatte, hörte er den Namen zum ersten Mal wieder. Er hatte ihre Existenz fast schon vergessen.

»Kommst du?«

»Könnte meine Anwesenheit denn von Nutzen sein?«

»Es wird Zeit, unsere Macht zu stärken, Pieter. Die politische und religiöse Situation in den Niederlanden beginnt unerträglich zu werden. Und sie wird sich bestimmt nicht bessern, wenn Granvelle demnächst zum Bischof ernannt wird und ohne jede Beschränkung jedem seinen Absolutismus aufzwingen kann.«

Als Pieter den Namen des Kardinals hörte, durchfuhr ihn ein Schreck. Seine rechte Hand begann wieder zu schmerzen.

»Granvelle? Bischof? Kommt es also doch dazu?«

»Du weißt, wie schnell das heute geht, er ist imstande, sich selbst zu ernennen!«

»Können wir denn etwas dagegen unternehmen?«

»Du und ich allein nicht, aber wenn wir viele sind, gelingt es uns vielleicht. Der Widerstand schwelt, Pieter, aber wenn er keine Anführer hat, bleibt er machtlos.«

»Und Schola Caritatis könnte diese Führung übernehmen?«

»Wir können zumindest einen Plan machen.«

»Ist das alles nicht wahnsinnig gefährlich?«

»Wenn du Angst hast, nehme ich dir das nicht übel. Ein Soldat, der keine Angst hat, lebt nicht lange.«

»Eigentlich will ich nur malen und nichts mit Politik zu tun haben.«

»Jeder von uns hat mit Politik zu tun, Pieter. Ehrlich gesagt hatte ich von jemandem, dessen Vater und Mutter von den Besatzern umgebracht worden sind, eine härtere Haltung erwartet!«

»Im Grunde bin ich ein Feigling, ich habe mich nicht selbst gemacht.«

Cock legte eine Hand auf Pieters Schulter. »Wenn es wirklich drauf ankommt, bist du kein Feigling, das hast du schon bewiesen.«

Pieter seufzte und sah mit einem bedauernden Blick auf sein halbfertiges Gemälde. »Ich habe diese ewigen Landschaften satt ...«

»Ich habe schon bemerkt, daß deine Begeisterung nachläßt.«

»Es gibt anderes, was ich malen möchte; die Menschen und ihr unsinniges Tun ...«

»Was hält dich davon ab? Bewahr dir die Landschaften für meine Stiche und geh ansonsten deinen eigenen Weg.«

»Wie rührend, daß Ihr so selbstlos seid!«

»Wie willst du denn dein Brot verdienen, wenn Jonghelinck dein *unsinniges Tun* nicht gefällt?«

»Geld«, sagte Pieter verstimmt. »Immer nur Geld, ich hasse Geld!«

»So reden nur Leute, die eine gut gefüllte Börse haben. Aber du hast mich geschickt von meinem Anliegen abgebracht. Kommst du heute abend oder nicht?«

»Können wir denn nicht zusammen gehen?«

»Jeder geht allein und einen anderen Weg, damit wir nicht auffallen.«

»Dann sagt mir, wo ich hin muß«, sagte Pieter.

Das Wirtshaus *Der weite Horizont* sah auf den ersten Blick völlig harmlos aus, außer daß an der Tür ein Mann stand, der Pieter mißtrauisch fragte, was er wolle.

»Ich will zur Besprechung von Anna Jacobas Hochzeit«, antwortete Pieter, wobei er sich ein wenig lächerlich vorkam.

Kurz zuvor hatte er noch gedacht, daß Cock ihn auf den Arm nehmen wollte, aber der abgesprochene Satz tat seine Wirkung. Der Mann ließ ihn mit einer einladenden Geste hinein.

Im Schankraum saßen etwa dreißig Männer und Frauen, die aßen und tranken. Die meisten schenkten dem Eintretenden kaum Beachtung. Pieter hatte eigentlich erwartet, eine Gruppe von Habenichtsen vorzufinden, aber es waren einige teuer gekleidete Personen anwesend, die der gebildeten Schicht anzugehören schienen.

Da Cock noch nicht zu sehen war, ging Pieter an den Tresen, bestellte ein Bier und sah unsicher zu all den Unbekannten hinüber. Bis ihm ein Mann auffiel, der ihn gespannt anstarrte. In dem Moment, als sich ihre Blicke trafen, sah der Mann in die andere Richtung, doch Pieter hatte ihn bereits erkannt.

»Pardon«, sagte Pieter zu dem Wirt, der schon ein paarmal versucht hatte, auf sich aufmerksam zu machen. Der Mann hatte einen Bierkrug vor ihn hingestellt und schnippte mahnend mit den Fingern. »Ja, natürlich«, sagte Pieter verwirrt und griff nach seiner Börse.

Er hatte gerade den Krug an die Lippen gesetzt, als ihm jemand auf die Schulter klopfte. Vor Schreck verschüttete er sein Bier.

»Ein unruhiges Gewissen!« sagte eine vertraute Stimme hinter ihm.

Pieter drehte sich hastig um. »Floris!«

»Psst!« machte Floris. »Hier werden keine Namen genannt, geschweige denn gerufen!«

»Floris, ich wußte nicht, daß du...«

Der andere lächelte. »Ich wußte auch nicht, daß du... Da kann man mal sehen, man reist zusammen um die halbe Welt, und noch immer bleiben einem Dinge verborgen. Wie geht es dir?«

»Ich habe im letzten Jahr sicher tausend Berge und Täler gemalt und gezeichnet, jetzt kann ich für den Rest meines Lebens keine Alpen mehr sehen!« Er sah an Floris vorbei zu einem Tisch hinten im Raum.

Ohne sich umzudrehen, fragte Floris: »Noch ein Bekannter?« Als Pieter nickte, sagte er: »Sei vorsichtig, manche von diesen Männern sind alles andere als Trottel. Sie wissen, daß sie auf den Scheiterhaufen kommen können, wenn ihr Name außerhalb von diesem Wirtshaus bekannt wird. Je dümmer du dich also stellst, desto besser. Ich weiß ja, daß du das gut kannst.«

Kurz darauf öffnete sich die Tür. Cock trat herein, warf einen kurzen Blick auf Pieter und Floris und ging dann geradewegs zu einem Tisch, an dem noch ein Stuhl frei war, als wäre er für ihn reserviert.

Mit leiser Stimme fragte Pieter: »Was passiert hier jetzt eigentlich?«

»Hier sitzen verschiedene Leute, die Kontakte zur kirchlichen oder weltlichen Obrigkeit haben. Sie tauschen Informationen aus, so daß wir alle Bescheid wissen, was sich hinter den Kulissen abspielt.

Außerdem werden manche damit beauftragt, bestimmte Dinge herauszufinden oder bestimmte Personen zu beeinflussen, wenn das möglich ist. Nenn es ruhig Spionage. Heute abend geht es wohl vor allem darum, wie wir in größerem Umfang neue Mitglieder werben können.«

Es dauerte eine Weile, bis etwas passierte, und da das Bier seine Wirkung tat, wurde an den Tischen immer lauter geredet. Doch schließlich erhob sich an Cocks Tisch ein Mann, der um Aufmerksamkeit bat.

»Johan de Wachter«, flüsterte Floris Pieter ins Ohr. »Er ist Gewürzhändler.«

De Wachter war ein großer, korpulenter Mann. Er trug einen braunen Lederanzug, der ziemlich abgetragen aussah, und unförmige, völlig verstaubte Schaftstiefel. An seinem Gürtel hing ein großer, krummer Dolch, wie ihn Pieter damals im Süden gesehen hatte.

»Freunde, Brüder«, begann er. »Da ich kein großer Redner bin, werde ich mich kurz fassen und auf das Wesentliche beschränken. Dies ist das erste Mal, daß wir es gewagt haben, mit mehr als drei oder vier Leuten zusammenzukommen. Verschwörungen sind gefährlich, auch wenn wir ein edles Ziel vor Augen haben. Aber das meinen natürlich alle Verschwörer, daß sie ein edles Ziel haben ...« Er grinste kurz über seine eigenen Worte. »Wir suchen nicht die Gewalt, wir wollen uns noch nicht mal mit den Katholiken streiten, nein, im Gegenteil, wir wollen das Ende von all dem Morden und Foltern im Namen eines Gottes, der schon ein sehr bösartiges Wesen sein muß, wenn Er das alles billigt!« Er wartete, bis das zustimmende Gemurmel verstummt war. »Die Religion selbst bekämpfen wäre falsch, man darf den Gutgläubigen nicht die Illusion rauben, daß sie nach dem ganzen Elend auf dieser Welt ein besseres Leben erwartet.« Dem schien nicht jeder zuzustimmen, doch de Wachter fuhr unbeirrt fort: »Wenn es einen Gott gibt, wird es Ihm sicher nicht so wichtig sein, wie man Ihm dient, wenn man nur einigermaßen anständig lebt und seinen Nächsten nicht zu sehr betrügt ...« Er grinste wieder. »Und das, Brüder, muß unserer Ausgangspunkt sein: Jeder muß für sich selbst entscheiden, welcher Religion er hinterlaufen will, und er hat dabei alle Andersdenkenden verdammt noch mal in Ruhe zu lassen!« Erneut allgemeines zustimmendes Gemurmel. »Und die kirchlichen -

und weltlichen Amtsträger, die das anders sehen, soll der Teufel holen!« Einige schlugen begeistert mit ihrem Krug auf den Tisch, aber der Redner machte schnell eine abwinkende Handbewegung. Er warf er einen beunruhigten Blick zum Fenster, hinter dem es inzwischen dunkel geworden war. »Es gibt viele, die so denken wie wir. Heute sind wir zusammengekommen, um uns zu überlegen, wie wir all diese Menschen vereinen und eine Macht bilden können, mit der wir etwas unternehmen können. Manche von uns haben lang und breit darüber nachgedacht und werden uns nun ihre Ideen darlegen. Hört gut zu, und wer meint, etwas Wesentliches beitragen zu können, zögere nicht, laut zu reden. Ich gebe nun dem Philosophen Coornhert das Wort.«

Nachdem sich de Wachter hingesetzt und den Wirt um ein neues Bier gebeten hatte, stand ein anderer Mann auf, der seine Zuhörer eine Weile schweigend ansah, bevor er zu sprechen begann. Abgesehen von ein paar grauen Haarbüscheln an den Ohren war er völlig kahl; auf seinem Schädel spiegelte sich die Flamme einer Öllampe, die schräg über ihm an der Decke hing.

»Religion ist eine der größten treibenden Kräfte in der Gesellschaft, neben Geldgewinn, Macht und fleischlicher Liebe. Wenn diese vier treibenden Kräfte gleichzeitig in starkem Maße in einer Person vorhanden sind, haben wir es meistens mit einem Despoten oder einem kirchlichen...« Der Mann, der an der Tür die Straße im Auge behielt, hatte ihn mit einem warnenden Ruf unterbrochen. Coornhert setzte sich sofort hin und tat so, als würde er sich lebhaft mit seinen Tischgenossen unterhalten.

Plötzlich flog die Tür mit einem Schlag auf. Ein halbes Dutzend spanische Soldaten, gefolgt von ihrem Offizier, stürmte in den Raum. Pieter, der die ganze Zeit aufmerksam zugehört hatte, erstarrte. Sie postierten sich mit erhobenen Rapieren zu beiden Seiten der Tür, damit niemand entkommen konnte. Der Hauptmann hielt eine Pistole in der Hand, die er zur Decke richtete. Den Daumen der anderen Hand steckte er hinter seinen Waffengürtel. So ging er langsam in die Mitte des Raumes, wo er breitbeinig stehenblieb und die Anwesenden einen nach dem anderen forschend ansah. Wenn einer die Augen senkte, erschien ein Grinsen auf seinem Gesicht. Pieter und Floris, die schräg hinter ihm standen, blieb sein Blick erspart.

Man hat überhaupt keine Pferde gehört, dachte Pieter voller Panik. Die Spanier waren zu Fuß gekommen, damit man sie nicht bemerkte; das konnte eigentlich nur heißen, daß die Versammlung verraten worden war. Er sah sich nach dem Mann um, den er vorhin erkannt hatte, aber der spanische Offizier stand ihm im Weg.

In dem Moment sagte der Hauptmann in verständlichem Flämisch: »Soso, das ist wohl die Elite des Antwerpener Ketzerpacks?«

Oh, mein Gott, dachte Pieter. Es stimmte also. Bedeutete dies das Ende für uns alle?

»Mein tapferer Hauptmann«, sagte einer der Männer in der Mitte des Raums, »dürfen wir Euch fragen, was dieser zweifellos gutgemeinte Einfall und Eure Worte genau zu bedeuten haben?«

»Habt ihr mich nicht verstanden? Ich dachte, mein Flämisch sei recht gut!«

»Eurer Flämisch ist ausgezeichnet, Hauptmann. Aber der Grund für Eure Worte entgeht uns.«

»Oh ja? So dumm seht ihr gar nicht aus!«

»Hauptmann, darf ich Euch bitten, angesehenen Bürgern mit dem nötigen Respekt zu begegnen?«

»Angesehene Bürger, ha!« Der Hauptmann spuckte verächtlich auf den Boden. »Verschwörerisches Gesindel, das versucht, die Macht von Kirche und Thron zu untergraben!«

»Niemand ist schuldig, bis seine Schuld bewiesen ist, Hauptmann. Ich muß Euch deshalb nochmals und mit Nachdruck bitten, Euren Ton zu mäßigen.«

»Schweig, dreckiger Ketzer!« brüllte der Hauptmann, der plötzlich wütend wurde. Er richtete seine Waffe auf den Sprecher. »Noch ein ungebührliches Wort, und du brauchst nicht mal mehr deinen Prozeß abwarten!«

Plötzlich überschlugen sich die Ereignisse. Zu Pieters Erstaunen holte der Wirt unter dem Tresen eine Pistole hervor, richtete sie auf den Hauptmann und schoß ihm in den Rücken, bevor die erschreckten Soldaten an der Tür überhaupt reagieren konnten. Männer sprangen aufgeregt schreiend hoch, Tische und Stühle fielen unter großem Lärm um, Messer blitzten auf. Innerhalb weniger Sekunden wurden die Soldaten an die Wand gedrängt, wo sie mit Entsetzen der Übermacht von Angreifern in die Augen sahen. Einer von ihnen, offenbar mutiger – oder verzweifelter – als seine Kameraden, stieß blitzartig sein Rapier nach vorn, doch bevor er noch jemanden treffen konnte, riß ihm jemand mit einem Dolch den Arm vom Handgelenk bis zum Puls auf. Er ließ das Rapier fallen und starrte auf das Blut, das aus der Wunde strömte. Dann brach er zusammen.

Als wäre dies ein Signal, ließen auch die fünf anderen gleichzeitig die Waffen fallen und ergaben sich.

»Jetzt stehen wir vor einem Dilemma«, sagte de Wachter. Er fuhr mit dem Daumen über die Spitze seines türkischen Dolches. »Im Grunde sind wir gegen jede Gewalt, aber wenn wir diese unnützen Saukerle lebend laufen lassen, werden wir garantiert noch vor Sonnenaufgang alle aus den Betten geholt und sofort hingerichtet. Also, was tun?«

»Sie müssen dran glauben«, antwortete jemand mit ruhiger Stimme.

Ohne die Soldaten aus dem Auge zu lassen, fragte de Wachter den Wirt: »Ist dein Garten so groß, daß wir sie alle dort verscharren können?«

»Das schon, aber was ist, wenn man nach ihnen sucht?«

»Wir sollten sie besser in die Schelde werfen«, schlug ein anderer vor.

»Das ist furchtbar«, flüsterte Pieter Floris zu. »Sieh mal, die Trottel verstehen nichts von dem, was gesagt wird!«

»Was soll das denn, hast du etwa Mitleid mit ihnen?«

»Mitleid? Ich finde es schrecklich, daß sie es nicht kapieren, weil ich gerne sehen würde, wie sie sich vor Angst in die Hose machen!«

»In die Schelde mit ihnen!« riefen ein paar Leute zustimmend.

»Dann ist das also entschieden«, sagte de Wachter. »Es wird wohl nicht die erste und sicher nicht die letzte spanische Patrouille sein, die spurlos verschwindet. Gibt es einen Freiwilligen, der sie abschlachtet?«

»Ich mache das«, sagte ein kleiner, blonder Mann mit freundlichen Augen. »Für meine Frau und meine beiden Söhne, die von diesen Schweinen umgebracht worden sind!«

»Ich will aber keinen Dreck hier drin!« warnte der Wirt. »Macht es im Garten, dann könnt ihr sie sofort mit meinem Karren hintenrum wegschaffen.«

Ein paar Männer packten die Spanier und schleppten sie zusammen mit dem toten Hauptmann und dem ohnmächtigen Soldaten durch die Hintertür hinaus.

»Und jetzt zu dem Verräter«, sagte de Wachter grimmig. »Zumindest, wenn er unter uns ist...« Er blickte sich forschend um, als könnte er den Täter am Gesicht erkennen.

»Ich glaube, ich kenne ihn«, sagte Pieter.

»Du?« fragte Floris erstaunt, während sich alle Blicke auf Pieter richteten.

»Sprich, Meister«, forderte ihn de Wachter auf.

»Es gibt jemanden in unserer Mitte, mit dessen Verrat ich schon einmal zu meinem eigenen Schaden Bekanntschaft gemacht habe«, sagte Pieter. Nun, wo er eine wichtige Rolle spielen und zugleich mit einem alten Feind abrechnen konnte, verspürte er eine nicht unangenehme Erregung. »Ich habe sogar einen Zeugen, falls ihr an meinen Worten zweifelt.« Er sah Floris an. »Unser Freund Ditmar«, sagte er. »Er hat sich zwar sehr verändert mit dem Bart, aber wie ihr wißt, reicht mir ein Auge, ein Ohr oder eine Falte, um jemanden zu erkennen.«

»Was? Ist dieser Dreckskerl hier?« Floris sah blitzartig zu den Tischen hinüber.

In dem Moment sprang Ditmar auf der anderen Seite des Schankraumes hoch und rannte stolpernd zur Hintertür.

»Haltet ihn!« schrie de Wachter.

Ein Mann konnte den Flüchtenden gerade noch am Ärmel packen, aber der riß sich los und verschwand nach draußen.

»He, ihr da draußen, haltet ihn fest!« schrie de Wachter.

Floris gab Pieter, der wie erstarrt das Geschehen verfolgte, einen Stoß. »Ums Haus!« zischte er. »Lauf los!« Er rannte zur vorderen Tür und sprang hinaus.

Pieter zögerte kurz, aber dann folgte er seinem Freund, der in der dunklen Gasse neben dem Haus verschwunden war. Sie liefen an der Mauer vorbei, die den Garten des Wirtshauses von der Gasse abgrenzte, bis zu einer morschen Tür, vor der ein Karren mit ein paar leeren Bierfässern stand. Von der anderen Seite der Mauer her ertönten Schreie und Flüche, dann ein lauter Schlag, als wäre jemand gegen die Holztür gefallen. Die Tür sprang halb auf. Einer der spanischen

Soldaten versuchte hinauszuschlüpfen, doch er wurde sofort zurückgerissen. Eine Sekunde später hörten Pieter und Floris seinen Todesschrei.

»Da!« schrie Floris. Er zeigte auf die Mauer ein paar Schritte von ihnen entfernt, wo gerade zwei Hände und ein Kopf erschienen, die sich in dem fahlen Mondlicht bleich abzeichneten. Es war Ditmar, der das Chaos im Garten ausnutzen wollte, um zu entkommen.

Jemand versuchte ihn zurückzuhalten, aber er trat wild nach hinten, zog sich hoch, rollte über die Mauer und landete auf allen vieren in der Gasse.

Pieter hatte schon den Dolch gezogen, doch Floris kam ihm zuvor. Er wollte Ditmar packen, aber der andere stand schneller als erwartet auf, drehte sich um sich selbst und trat Floris mit aller Kraft zwischen die Beine. Als er abhauen wollte, stürzte sich Pieter von hinten auf ihn. Doch er schaffte es nicht, Ditmar den Dolch in den Rücken zu stoßen. Er versuchte, den anderen in die Zange zu nehmen, aber die Panik und der Fluchttrieb verliehen Ditmar ungeahnte Kräfte, so daß er nicht zu halten war. Er rammte Pieter den Ellbogen in den Magen, schüttelte den sich krümmenden Gegner von sich ab und rannte in Richtung Straße los. Doch er kam nicht weit, denn in dem Moment verstellten Männer, die durch die vordere Tür hinausgestürmt waren, das Ende der Gasse. Ditmar blieb stolpernd stehen, drehte sich um und lief wieder zurück.

Floris lag zusammengekrümmt und wimmernd auf dem Boden, während Pieter noch nach Luft rang, aber inzwischen waren auch durch die Gartentür Männer hinausgekommen, so daß Ditmar eingekesselt war. Er blieb vor Pieter und Floris stehen.

»Diese Dreckskerle wollen mich umbringen!« zischte er. Sein Blick wanderte von den langsamen herankommenden Männern zu Pieter. »Du dreckiger Ketzer!« Er ballte die Fäuste, als wollte er den anderen erneut angreifen.

Mit einer Hand am Magen richtete sich Pieter stöhnend auf. Der Dolch lag direkt neben seinen Füßen, aber er dachte nicht daran, ihn aufzuheben. »Sag mir nur eins…« Er mußte sich räuspern und begann noch einmal: »Hast du… hast du… Anke?…« Er sah das bleiche Gesicht des anderen gespannt, fast flehend an. Die Männer, die sie umringten, nahm er kaum wahr.

»Ja, das war ich«, antwortete der andere knurrend. Er blickte aus den Augenwinkeln auf die Waffe am Boden. »Ich selbst hab' ihr den Schädel eingeschlagen, Weiber und Ketzer verdienen es nicht besser!« Blitzartig bückte er sich nach dem Dolch, rollte über den Boden und sprang wie eine Katze wieder hoch. Drohend hielt er die Waffe in der Hand. »Und jetzt zu dir! Der Herr wird's mir lohnen!« schrie er und ging mit dem Dolch auf Pieter los.

Drei Männer wollten sich auf ihn stürzen, doch Floris, der noch immer auf dem Boden lag, reagierte schneller. Er stieß einen Fluch aus und trat mit aller Gewalt gegen Ditmars Beine. Die Klinge des Dolches verfehlte Pieters Kehle um Haaresbreite. Laut schreiend fiel Ditmar auf den Boden, wo sich sofort ein paar Männer auf ihn warfen. Man hörte nur noch ein paar dumpfe Schläge und Schmerzensschreie.

»In die Schelde mit ihm, zusammen mit seinen spanischen Kumpanen!« rief jemand.

»Still!« warnte eine andere Stimme, die wie die von de Wachter klang. »Zwei Mann, die die Leichen wegbringen, und der Rest verschwindet sofort!«

Plötzlich stand Cock neben Pieter. »Geht es?« fragte er besorgt. Er half Floris beim Aufstehen. »Und du? Alles noch heil?«

»Hier ist Euer Dolch«, sagte de Wachter. Er gab Pieter die Waffe und schlug ihm kräftig auf die Schulter. »Danke, Meister.« Dann drehte er sich um und verschwand.

Pieter hatte ihn kaum gehört. Er sah zu Floris, der etwas schwankend auf den Beinen stand und vorsichtig zwischen seine Beine tastete.

»Das hat verdammt weh getan!« sagte Floris. »Dieser Hundsfott!«

»Bitte, seht zu, daß ihr nach Hause kommt, alle beide!« sagte Cock ungeduldig. »Von Helden, die im Kerker verrotten, haben wir nichts. Wir reden morgen miteinander.« Er trat schnell einen Schritt zur Seite, um den Karren durchzulassen, der an ihnen vorbeirollte. Zwei gebeugte Gestalten, im Dunkeln nicht zu erkennen, schoben ihn.

»Geht!« drängte Cock. Dann ging er selbst eiligen Schrittes davon.

»Kannst du laufen?« fragte Pieter.

»Ich denke schon«, antwortete Floris. »Es ist schon wieder besser...« Er stützte sich auf den Arm, den Pieter ihm reichte. Gemeinsam machten sie sich auf den Weg.

Sie gingen dicht an den Hauswänden entlang und hielten ständig

Augen und Ohren offen, um rechtzeitig in einen dunklen Türeingang oder um eine Ecke zu verschwinden, falls sie klirrende Waffen oder Hufgetrappel hörten. Doch alles blieb still, es schien, als hätten sich alle Bewohner der Stadt nach den vergangenen Ereignissen angstvoll zurückgezogen.

Plötzlich blieb Floris stehen. »Wo gehen wir eigentlich hin?«

»Zu mir nach Hause«, erwiderte Pieter. »Du bleibst besser diese Nacht bei mir.«

»Ich habe ein Zimmer in einer Herberge bezahlt, es könnte Verdacht erregen, wenn ich nicht zurückkomme. Man weiß nie, wer noch dort logiert.«

»Läßt du mir nicht die Chance, mich bei dir zu bedanken?«

Floris grinste breit. »Ich brauche jetzt keine Schuldgefühle mehr zu haben, dieser dreckige Verräter hat mir einen großen Dienst erwiesen.«

»Dann trennen sich unsere Wege hier?«

»Fürs erste, ja. Ich habe allerdings das Gefühl, daß man dir sowieso nicht aus dem Weg gehen kann.«

Pieter grinste ebenfalls und drückte Floris die Hand. »Trotzdem danke«, sagte er.

»Paß auf dich auf!« sagte Floris ernst. Dann drehte er sich um und ging eilig davon.

Als Pieter nach Hause kam, fragte Lisa mißtrauisch: »Wo, zum Teufel, bist du gewesen?«

»Ich habe mit einem meiner Phantome gekämpft«, erwiderte Pieter. Er fuhr sich mit der Hand über den Magen, der von Ditmars Ellbogenstoß noch immer schmerzte.

»So? Und, hast du gewonnen?«

»Ein Freund war bei mir«, sagte Pieter abwesend. Er sah Lisa an und überlegte, ob er ihr mehr erzählen sollte. Er beschloß, es nicht zu tun, sie würde es doch nicht begreifen, dachte er.

24

»Was ist aus Eurer Begeisterung für Landschaften geworden?« fragte Niclaes Jonghelinck. Er hielt den Kopf schräg und betrachtete das etwa fünf Fuß breite Gemälde, das in der Mitte des Raums auf einem Ständer prangte. Das Bild war voller Menschen, die mit ihren Handlungen bekannte flämische Sprichwörter darstellten. Pieter hatte es fast genauso aufwendig gestaltet wie sein Werk *Der Kampf des Karnevals mit der Fastenzeit*, das noch immer nicht vollendet war.

»Wenn es Euch nicht gefällt...« sagte Pieter zögernd.

»Natürlich gefällt es mir«, unterbrach ihn Jonghelinck. »Ich finde es sogar hervorragend! Ich erkenne dieselbe Magie, dieselben von Dramatik erfüllten Vorstellungen... Es hat sich gelohnt, all die Monate Geduld zu haben.«

»Es tut mir leid, daß es so lange gedauert hat, aber wie Ihr seht, ist es ein sehr aufwendiges Gemälde.«

»Das Bild ist großartig«, sagte Jonghelinck. »Es ist zwar etwas ganz anderes, nach all den beeindruckenden Panoramen nun auf einmal eine Welt, die von tragischen menschlichen Figuren wimmelt.«

»Tragisch? Findet Ihr das?«

»Ja, sie sind tragisch, jede einzelne. Sie strahlen die Ohnmacht von nackten, neugeborenen Tieren aus. Und diese Sprichwörter sind eindeutig nur ein Vorwand, um die Nutzlosigkeit ihres ganzen Tuns darzustellen.« Jonghelinck schüttelte den Kopf. »Ist das die wirkliche Welt, wie nur Ihr sie sehen könnt? Sind wir unbegabte Sterbliche denn so blind?... Nein, wir sind nicht blind«, berichtigte er sich selbst. »Wir sehen es auch, nur wissen wir nicht, daß wir es sehen, bis uns ein Kunstwerk wie dieses plötzlich die Augen öffnet...«

»Das ist zuviel der Ehre, Herr Jonghelinck.«

»Ihr habt noch nicht auf meine Frage geantwortet: Warum plötzlich diese ganz anderen Themen?«

»Ich habe zu viele Landschaften zeichnen und malen müssen. Für Meister Cock mache ich sie übrigens noch immer, die Kunden bekommen einfach nicht genug davon.«

Jonghelinck sah Pieter forschend an. »Seid Ihr sicher, daß dies der wahre Grund ist?«

»Nein«, gab Pieter zu. »Das ist nicht der wahre Grund, zumindest nicht der einzige...« Er spitzte die Lippen, betrachtete sein eigenes Bild und versuchte, es mit den Augen eines anderen zu sehen. Meistens gelang ihm das recht gut, aber jetzt hatte er Mühe damit, denn die Gefühle, mit denen er an dem Bild gearbeitet hatte, bewegten ihn noch immer.

»Es spukt in meinem Kopf«, sagte er. »Die Dinge, die ich um mich herum sehe, geraten zu einem wirren Durcheinander, das mich verrückt macht, wenn ich es nicht in Bilder umsetzen kann...« Es war nur eine schwache Beschreibung dessen, was in ihm vorging.

»Wir können Gott danken für diese Gespenster!« Jonghelinck lächelte und wandte dem Gemälde den Rücken zu. »Tee, Bier oder Wein?«

»Gerne Tee, wenn es nicht zuviel Mühe macht.«

»Wir gehen in den Salon, dort sitzt jemand, der die Gelegenheit nutzen wollte, Euch zu sehen. Wir sollten ihn nicht unnötig lange warten lassen.«

Als Pieter Jonghelinck schmunzeln sah, bekam er ein ungutes Gefühl. Er versuchte sich zu erinnern, ob in der Nähe eine Kutsche und Wächter gewesen waren, aber er hatte nicht darauf geachtet.

Der Besucher, der bürgerliche, schwarze Kleidung trug, saß mit dem Rücken zur Tür und las in einem kleinen Buch.

Jonghelinck war Pieter in den Salon vorausgegangen. »Kommt doch herein«, forderte er ihn freundlich auf. »Ihr steht da, als wäre das eine Löwenhöhle!«

Nein, dachte Pieter, keine Löwenhöhle, viel schlimmer als das... Zögernd ging er über den glänzenden Holzboden in die Mitte des Salons.

»Scheu ist eine Eigenschaft, die die meisten wahren Künstler besitzen«, sagte Granvelle, ohne von seinem Buch aufzublicken. »Was nicht heißen muß, daß wahre Künstler auch große Künstler sind.«

»Für mich ist Meister Bruegel ein großer Künstler«, sagte Jonghelinck ruhig. »Aber meine Kenntnis ist natürlich nicht so groß wie Eure, Monseigneur.«

»Ach, das Talent hat er ja, aber seine Haltung läßt zu wünschen übrig, es fehlt etwas Wesentliches, das ihn über den Plebs erheben könnte ...« Granvelle schlug das Buch zu, warf es neben sich auf die Bank und machte mit dem Oberkörper eine Vierteldrehung, um Pieter anzusehen. »Wenn du noch ein paar Schritte näherkommen könntest, würde das die Unterhaltung vereinfachen.«

Bürgerliche Kleidung, dachte Pieter beunruhigt, während er der Aufforderung folgte. Weiß der Himmel, was er alles hört und sieht, wenn er so getarnt herumläuft! Gleichzeitig bewunderte er aber auch den anderen ein wenig für seinen Mut, sich so ungeschützt unters Volk zu begeben.

»Seid gegrüßt, Monseigneur«, sagte Pieter. »Es ehrt und überrascht mich, Euch hier zu treffen.«

»Aber scheinbar keine angenehme Überraschung. Ich sehe, daß du meine Kleidung mißbilligst. Bedenke jedoch, daß ich es angenehm finde, manchmal die Paramente meines Amtes abzulegen, genauso wie es für einen Soldaten eine Erleichterung ist, wenn er seinen Küraß ausziehen darf.«

»Das kann ich mir vorstellen, Monseigneur«, sagte Pieter vorsichtig.

»Ja, dein Vorstellungsvermögen dürfen wir gewiß nicht unterschätzen«, meinte der Kardinal sarkastisch. Er wandte den Blick zu Jonghelinck. »Würdet Ihr so gut sein, Niclaes, und mich mit unserem Zögling allein lassen?«

»Sicher, Monseigneur. Ich werde mich um den Tee kümmern.« Jonghelinck machte eine leichte Verbeugung und ging zur Tür des Salons, die er geräuschvoll hinter sich zuzog.

Granvelle wies beiläufig auf einen Stuhl. »Setz dich, Pieter. Die Umstände eignen sich vortrefflich für ein zwangloses Gespräch.«

Pieter gehorchte und sah den anderen mißtrauisch an. Der Kardinal war abgemagert. Die pergamentartige Haut seines asketischen Gesichts spannte über den stark hervortretenden Wangenknochen, auch seine Augen lagen tiefer als zuvor. Doch er strahlte wie immer Energie und Unbeugsamkeit aus.

Ich habe mich auch verändert, dachte Pieter mit einem Gefühl des Unbehagens. Aber das scheint er nicht einmal zu bemerken. Vielleicht ist es noch gar nicht so lange her, daß er mich gesehen hat.

»In den letzten Jahren hatte ich wenig Zeit für dich.«

Pieter war erstaunt über den Ton des anderen, er klang fast entschuldigend.

»Was nicht heißt, daß ich über dein Tun nicht informiert gewesen wäre.«

»Ich habe Euch ein paarmal geschrieben, Monseigneur, und um eine Audienz gebeten.«

»Damals war ich im Ausland... Ich vermute, daß du mit mir über dieses Mädchen, Lisa, sprechen wolltest?«

»Ja, Monseigneur.« Pieter begann sich wieder unbehaglich zu fühlen.

»Hast du vor, sie zu heiraten?«

Pieter zögerte. »Lisa ist nicht...«

»Nicht die Richtige, was immer das auch bedeuten mag. In diesem Fall rate ich dir, dich so schnell wie möglich von ihr zu trennen.«

»Ist das nur ein Rat, Monseigneur, oder muß ich das als Anweisung betrachten?« Pieter erschrak über seine eigenen Worte, aber der Kardinal reagierte eher gleichgültig.

»Tu, was du nicht lassen kannst, aber bedenke, daß du in Sünde lebst.« Granvelle sprang plötzlich auf und stellte sich mit den Händen auf dem Rücken ans Fenster. »Das bringt mich auf etwas anderes...«

Jetzt kommt es, dachte Pieter. Wenn der Kardinal diese für ihn typische Haltung einnahm, teilt er ihm immer unheilvolle Botschaften mit.

»Gehst du manchmal in das Wirtshaus *Der weite Horizont*?«

Pieter war froh, daß Granvelle sein Gesicht nicht sehen konnte. »Ich bin schon mal dort gewesen, ja, zusammen mit meinem Freund Frans Floris.« Lüge nie jemanden an, der alles weiß!

»Soso, du bist schon mal dort gewesen...«

Pieter versuchte seine Angst zu bekämpfen, als er den höhnischen Klang der Stimme des anderen hörte.

»Vor vier Monaten wurde eine Patrouille spanischer Soldaten dorthin geschickt, weil man uns auf eine Versammlung von Ketzern hingewiesen hatte. Die Patrouille ist seit diesem Abend zusammen mit ihrem Hauptmann spurlos verschwunden. Der Gastwirt ist später auf der Folterbank gestorben...« Granvelle drehte den Kopf und sah Pieter an. »Weißt du etwas von Ketzerversammlungen im *Weiten Horizont*?«

Hatte der Gastwirt alles verraten? »Es ist lange her, daß ich dort gewesen bin«, sagte Pieter ausweichend.

»Hm... Wird *Der weite Horizont* auch von Meister Cock besucht?«

»Früher ging er manchmal hin, ja«, antwortete Pieter. Seine Stimme klang heiser. »Es war ein beliebtes Lokal, in das viele Leute kamen, Gildemitglieder, wohlhabende Bürger und andere.«

»Ketzer!« sagte Granvelle verächtlich. Er schien das Wort regelrecht auszuspucken. »Protestanten! Wiedertäufer! Freidenker! Rebellen!« Er wandte sich ruckartig vom Fenster ab und sank auf den Stuhl, auf dem er zuvor gesessen hatte. »Ich schwöre bei Gott, daß ich all den teuflischen Verschwörungen gegen die eine wahre Kirche und gegen die Krone ein Ende bereiten werde. Nicht mehr lange, und ich bin Erzbischof und Primas der gesamten Niederlande, dann kann das große Aufräumen beginnen. Ich werde alle subversiven Elemente ausrotten, so wahr mir Gott helfe! Der Absolutismus ist die einzige Antwort auf diese verdammten Abtrünnigen, die wie Ratten die gefestigte Ordnung aushöhlen.«

Pieter war zu erleichtert, daß sich Granvelles Wut mehr gegen einen allgemeinen Feind richtete statt gegen ihn, als daß er sich gefragt hätte, warum der Kardinal solche Worte in seinem Beisein aussprach.

Zögernd sagte er: »Ich habe keine Ahnung von Politik, Monseigneur.«

Granvelle richtete den Blick auf Pieter, aber es schien einen Moment zu dauern, bis er ihn wirklich ansah. »Entweder stellst du dich auf die richtige Seite, oder du läßt die Finger ganz davon!« mahnte er.

»Ich möchte nichts anderes als in Frieden meine Bilder malen.«

»Frieden!« rief der Kardinal höhnisch, als wäre es ein verwerfliches Wort.

»Monseigneur...« Pieter zögerte kurz, aber dann fuhr er fort: »Eine Frage, die mich schon lange beschäftigt...« Er schwieg abwartend.

Granvelle machte eine ermunternde Geste. »Frage, aber rechne nicht mit einer Antwort.«

»Als ich im Süden war, hatte ich oft das Gefühl, daß ich beobachtet werde...«

»Ja, und?«

»Ich habe mich gefragt... ob Ihr vielleicht über meine Sicherheit wachen ließet.«

»Du wolltest fragen, ob ich dich beobachten ließ«, stellte Granvelle gelassen fest. »Hältst du dich denn für so wichtig?«

»Nein, Monseigneur, aber es war so.«

»Mein bester Pieter, in großen Handelsstädten wie Antwerpen und Rotterdam sind so viele Fremde tätig, daß es unmöglich ist, sie alle zu beobachten, aber in anderen Orten ist das sehr wohl der Fall. Dort ist jeder Fremde ein potentieller Spion, den man im Auge behält, so einfach ist das.«

»So habe ich es noch nicht gesehen«, sagte Pieter, den der plötzlich normale Gesprächston des anderen etwas verwirrte.

Es klopfte an der Tür. Jonghelinck trat ein, zusammen mit einer Dienstmagd, die ein Tablett mit Teegeschirr trug.

Als wäre dies ein Zeichen zum Aufbruch, stand der Kardinal auf. »Ich muß gehen. Es tut mir leid, daß ich nicht zum Tee bleiben kann, Niclaes. Ihr braucht mich nicht hinausbegleiten.«

Jonghelinck machte eine bedauernde Geste. »Der Knecht hält hinten Euer Pferd bereit.«

Granvelle wandte sich Pieter zu, der ebenfalls aufgestanden war. »Ich will, daß du mich und meinen Geheimrat malst, sobald ich als Bischof eingesetzt bin. Rechne auf jeden Fall damit.«

»Wie Ihr wünscht, Monseigneur«, erwiderte Pieter.

»Und grüße Jobbe, den Fischer von mir«, sagte Granvelle beiläufig, bevor er sich abwandte und zur Tür schritt.

Als hätte er ein Gespenst gesehen, starrte Pieter auf die Tür, durch die Granvelle verschwunden war.

»Ist alles in Ordnung?«

»Nein«, antwortete Pieter, als er den Blick von der Tür abgewandt hatte. »Habe ich Euch nicht schon gesagt, daß ich mich in der Nähe des Kardinals unwohl fühle?«

»Mir scheint aber, daß Ihr es gar nicht so schlecht hinter euch gebracht habt«, meinte Jonghelinck vergnügt. Er nahm einen Schluck Tee und nickte beifällig. »Wißt Ihr, was mir auffiel, als ich Euch mit ihm da sitzen sah?« Er lächelte. »Ihr habt beide denselben düsteren Augenaufschlag, auch wenn es sonst nur wenig Ähnlichkeit gibt.«

Pieter sah den anderen an. »Herr Jonghelinck, wie gut kennt Ihr eigentlich den Kardinal?«

»Hm...« Jonghelinck blickte nachdenklich. »Nicht so gut, wie ich es gerne würde, der Kardinal hat nicht gerade das Herz auf der Zunge, was in seiner Position natürlich auch nicht geht. Was uns zusammengebracht hat, ist, daß wir beide leidenschaftliche Kunstliebhaber sind. Er ist ein Mann mit Prinzipien, und er ist in seinen Worten und Taten konsequent. Im übrigen glaube ich, daß er seine Mutter liebt. Er spricht nie von ihr, aber er besucht sie oft im Burgund.«

»Das klingt ja fast so, als wäre er ein Mensch.«

Jonghelinck sah Pieter erstaunt an. »Was meint Ihr damit?«

Pieter zuckte mit den Schultern. Er trank einen Schluck von dem Tee, den Jonghelinck aus Indien hatte mitbringen lassen.

»Was ist das nur mit Euch und ihm?« Jonghelinck schüttelte den Kopf. »Daß Ihr euch nicht wohl fühlt in dieser Aura von Macht, die ihn umgibt, kann ich nachvollziehen. Aber wißt Ihr, was das Eigenartige ist?« Jonghelinck setzte vorsichtig seine Porzellantasse ab und sah Pieter an. »Das Eigenartige ist, daß ich manchmal den Eindruck habe, daß er seinerseits vor Euch ein wenig Angst hat!«

Pieter sah ihn ungläubig an. »Was sagt Ihr da?«

»Ich weiß nicht, was genau der Anlaß war, wir sprachen jedenfalls über Euch und Euer Werk, und da sagte er plötzlich etwas wie: *Pieter Bruegel ist imstande, zu malen, was nie gemalt werden dürfte...*«

»Damit kann er alles mögliche gemeint haben.«

»Ja, aber es war die Art und Weise, wie er es gesagt hat. Einen Moment schien es wirklich, als habe er... Angst. Und danach war er nicht mehr zu genießen. Es war eine Erleichterung, als er endlich ging.«

»Dann spricht er mir eine Macht zu, die ich nicht besitze.«

»Er ist zu klug, als daß er die Macht eines Künstlers unterschätzt.«

»Na, und? Er braucht nur mit den Fingern zu schnippen, und ich führe mein letztes Kunststück an einem Strick vor!«

»Er ist ein viel zu großer Kunstliebhaber, als daß er ein Talent wie Eures einfach so zerstören würde. Das ist vielleicht seine Schwäche.«

»Kardinal Granvelle und Schwäche, das klingt fast wie eine... wie heißt das nur wieder?«

»Eine Kontradiktion?«

»So etwas, ja.«

»Der Kardinal ist durchaus ein Mensch, Pieter!«

Ein Mensch, der wie ein Gott über Leben und Tod entscheidet, dachte Pieter, war das auch eine Kontradiktion? »Ich muß jetzt auch gehen«, sagte er, weil ihm plötzlich Jobbe einfiel. Er versuchte, seine Eile zu verbergen. »Meine Angelegenheiten sind vielleicht weniger wichtig, aber sie müssen auch erledigt werden.«

Er verließ die Stadt und ritt sofort über den Scheldeweg in den Norden. Die Vision von einer niedergebrannten Hütte und einem Galgen mit Jobbes Leiche trieb ihn so sehr an, daß er seine sonst übliche Vorsicht vergaß. Die Hütte stand jedoch unversehrt an der Bucht, während der Fischer selbst gerade in aller Ruhe eine Reuse reparierte.

»Du mußt weg von hier«, sagte Pieter. »Und zwar sofort!«

Jobbe sah in ärgerlich an. »Hoho, warum denn so schnell?«

»Sie müssen mir gefolgt sein, Jobbe. Sie wissen, daß du noch lebst!«

»Wenn dem so ist, werden sie das sicher schon eine ganze Weile wissen, warum soll ich mich dann plötzlich beeilen?«

»Jobbe, bitte, du mußt zusehen, daß du von hier wegkommst!«

»In Himmels Namen, Pieter, ich habe keine Lust, zu flüchten. Wohin sollte ich überhaupt mit meinen verschlissenen Knochen?«

»Dann tu es für mich!« Pieter lief eilig zum Fenster und spähte durch die schmutzige Scheibe nach draußen. Die Umgebung lag im goldenen Licht der Herbstsonne. Es rührte sich nichts.

»Warum willst du das? Ich falle dir doch nur zur Last!«

»Verdammt noch mal, Jobbe, muß ich dich wegtragen?«

Jobbe grinste. »Das würde ich gerne erleben!«

»Ich verstehe nicht, daß du noch lachen kannst!«

»Du hast noch nie viel Sinn für Humor gehabt.«

Pieter seufzte und ließ sich auf einen Hocker fallen. »Ich gehe nicht weg ohne dich.«

»Dumm, sehr dumm. Wenn sie dich bei mir finden, wirst du vielleicht auch gehängt.«

»Mein Hals scheint nicht in Gefahr zu sein, was man von deinem nicht sagen kann. Ich frage mich manchmal, was du verbrochen hast, daß sie dich so hartnäckig verfolgen.«

»Hartnäckig? Aber mein bester Pieter, wie lange lassen sie mich schon in Ruhe?«

Weil sie ein Spiel mit mir treiben, dachte Pieter. Weil dieser teuflische Granvelle mit mir spielt. Er hält mich noch immer an der Leine, und manchmal zieht er daran, um mich wieder zur Raison zu bringen.

Pieter ließ mutlos den Kopf hängen. »Du hast recht, das alles hat mit mir zu tun, nur mit mir ...«

»Jetzt fang nicht schon wieder an!«

»Es ist einfach so. Ich habe wieder etwas verbrochen, das ist der Grund, weshalb dieser Sauhund deinen Namen fallen ließ.«

»Welcher Sauhund?«

»Granvelle.«

»Ach, der ... Und, was hast du verbrochen?«

Pieter sprang auf und ging wieder zum Fenster, um nach draußen zu blicken. »Ich habe an einer Versammlung von Ketzern und Freidenkern teilgenommen.«

»Du?« fragte Jobbe erstaunt. »Gehst du jetzt in die Politik?«

»Es endete in einem Desaster.« Pieter erzählte Jobbe, was geschehen war.

Als er schwieg, sagte Jobbe: »Dieser Gastwirt hat auf jeden Fall den Mund gehalten, sonst wäre der ganze Haufen schon längst festgenommen und verurteilt worden. Wieder ein mutiger Mann weniger ...«

»Trotzdem schien Granvelle alles zu wissen!«

»Ach, Junge, dieser Bluthund vermutet nur alles. Er ist auch nur ein Mensch.«

»Das hat Jonghelinck auch gesagt«, sagte Pieter mißmutig. Plötzlich ertappte er sich dabei, wie er beim Reden mit den Händen auf dem Rücken nach draußen schaute, wie es der Kardinal immer tat. Schnell drehte er sich um und rieb sie nervös aneinander, als wären sie kalt. »Er ist so menschlich wie eine Ratte mit dem Gift einer Natter!«

»Pieter, tu mir den Gefallen und geh nach Hause, geh zu deiner Lisa. Ich sterbe nicht, bevor meine Zeit gekommen ist.«

»Vielleicht ist deine Zeit aber gekommen!«

»Dann gibt es nichts, was du oder ich noch tun können. Ach, Pieter, ich bin nur noch ein Sack alter Knochen, der nichts mehr bedeutet, noch dazu ein beschädigter Sack!« Jobbe grinste verbittert. »Eigentlich sollte ich es als Ehre betrachten, wenn sie sich noch die Mühe machen wollen, mich hinzurichten.«

»Wegen mir...«

»Eine noch größere Ehre!«

»Gegen so viel Sturheit komme ich nicht an.« Pieter ging zu Jobbe und umarmte ihn. »Bis bald, hoffe ich.«

»Warte, ich habe noch was«, sagte Jobbe, als Pieter ihn losließ. Er nahm ein Buch vom Tisch und reichte es ihm. »Würdest du das dem Besitzer zurückgeben? Meine letzte Zeit darf nicht von dem Gedanken getrübt werden, daß ich jemandem noch etwas schuldig bin.«

»Hast du es zu Ende gelesen?«

»Nein... Ich kann zum Lesen nicht mehr gut genug sehen.«

»Ich könnte dir eine Brille besorgen.«

»Eine Brille! Auf diesem Kopf? Die würde ja noch nicht mal halten. Nein, gib das Buch zurück, ich fand es übrigens auch nicht so gut.«

»Wie du willst.« Pieter nahm das Buch. »Kann ich sonst noch etwas für dich tun?«

»Ja, sieh zu, daß du wegkommst.«

Das ist genau das, was ich nicht will, dachte Pieter, aber er gehorchte und ging zur Tür. »Bis bald«, sagte er nochmals, als wollte er sich selbst davon überzeugen, daß es nicht der letzte Abschied war.

Jobbe hob wortlos die Hand.

Langsam ritt Pieter in die Stadt zurück. Im Westen ging am Horizont die Sonne blutrot unter. Vor ihr hingen ein paar schwarze Wolkenfetzen. Pieter zitterte, obwohl es nicht kalt war. Es schien, als würde eine innerliche Kälte durch seine Haut dringen.

Nun machten sich überall die Kreaturen der Dunkelheit auf, um ihre teuflischen Taten zu vollbringen. Die dunklen Stadtmauern in der Ferne erschienen Pieter grimmiger als jemals zuvor, als wären sie errichtet, um die Einwohner einzusperren statt den Feind abzuwehren. Aber dort war zumindest Wärme, es waren Menschen da, mit denen man zusammensein konnte. Jobbe dagegen saß allein und wehrlos in seiner verfallenen Hütte, die noch nicht einmal vor Ungeziefer Schutz bot.

Pieter brachte das Pferd zum Stehen. Wäre es nicht doch besser gewesen, bei dem Fischer zu bleiben? Nein, er konnte nichts tun und hätte womöglich nur sein eigenes Leben in Gefahr gebracht. Und vielleicht hatte Jobbe auch recht, und seine Sorgen waren völlig unnötig.

Er ritt weiter, nun schneller, um noch vor Einbruch der Dunkelheit zu Hause zu sein.

Als Pieter am nächsten Morgen aufwachte, schämte er sich fast dafür, daß er so tief geschlafen hatte.

Lisa schlief noch. Sie lag mit geöffnetem Mund da, aus dem ein wenig Speichel rann.

Eigentlich ist sie noch nicht mal schön, stellte Pieter fest, als er sie mit kritischem Blick betrachtete. Er war ihr in die Falle gegangen, weil sie so gut mit dem Hintern wackeln konnte und er in dem Moment Trost gesucht hatte. Vielleicht war der Rat, den Granvelle ihm gegeben hatte, gar nicht so schlecht, dachte er mit einem bitteren Gefühl.

Er erhob sich, ohne Lisa zu wecken, und machte sich auf zu den *Vier Winden.*

Kaum war Pieter in der Werkstatt angekommen, nahm ihn Cock beiseite.

»Ende nächster Woche findet wieder eine Versammlung statt«, sagte Cock, fast im Flüsterton. »Diesmal in der *Schmutzigen Ente.*«

»Himmel, Meister Cock!« sagte Pieter erschrocken. »Ihr seid euch überhaupt nicht darüber im klaren, was für ein gefährliches Spiel Ihr spielt!« Er erzählte ihm von seiner Begegnung mit Granvelle.

Als Pieter zu Ende gesprochen hatte, sagte Cock grimmig: »Jetzt wissen wir also, warum der arme Wirt vor einer Weile spurlos verschwunden ist.«

»Ditmar muß einige Leute verraten haben, und auf die werden sie sicher ein Auge haben. Ich glaube, daß Granvelle nur noch auf Beweise wartet.«

Cock schüttelte langsam den Kopf. »Wenn er Namen wüßte, würde er diese Beweise sicher auf der Folterbank herauspressen lassen.«

»Vielleicht sind zu viele wichtige Namen dabei, Leute, die man nicht einfach so festnehmen kann, wenn man seiner Sache nicht sicher ist.«

»Dieser Gedanke würde Granvelle nicht abhalten. Nein, Pieter, wir müssen bestimmt mehr als zuvor auf der Hut sein, aber ich glaube nicht, daß er Namen kennt.«

»Er erwartet, in Kürze Bischof zu werden.«

Cock nickte. »Ich weiß, das wird die Lage sicher nicht verbessern. Je schneller wir aktiv werden, desto besser. Deshalb die Versammlung nächste Woche. Und wegen der bedeutenden Rolle, die du letzte Woche gespielt hast, wird man sich deine Anwesenheit sicher wünschen. Schola Caritatis ist dir dankbar, Pieter.«

»Ich mache mir Sorgen!«

»Sollen wir denn wie Angsthasen in unseren Höhlen hocken bleiben und zittern, bis wir abgeschlachtet werden? Du kannst nicht fernbleiben, ohne dein Gesicht zu verlieren, Pieter.«

»Mir ist mein Hals wichtiger als mein Gesicht!«

»In der Schola Caritatis sind einige wichtige Leute, die auf die Karriere eines jungen Künstlers großen Einfluß ausüben können...« meinte Cock in beiläufigem Ton.

»Größeren als Granvelle?«

»Ich bin diese Diskussion leid«, sagte Cock ungehalten. »Können wir mit dir rechnen?«

»Wenn Ihr dieses Mal keine Heldentaten von mir erwartet.« Pieter dachte plötzlich an Jobbe und dessen Worte: Helden laufen immer voraus, weil sie weniger vom Gewicht ihres Gehirns behindert werden.

Verwundert fragte Cock: »Warum lächelst du?«

»Mir fiel gerade etwas ein...« Pieter hatte Jobbes Geschichte bei seinem Bericht über die Begegnung mit Granvelle weggelassen. Niemand wußte von Jobbes Entkommen. »Sogar mein eigener Schatten weiß es nicht«, hatte er Jobbe einmal versichert. Und trotzdem war das Geheimnis kein Geheimnis geblieben...

In diesem Moment kam Lisa durch den Laden in die Werkstatt. Sie warf Pieter einen vorwurfsvollen Blick zu und verschwand ohne ein Wort in Richtung Küche.

»Die Liebe ist ewig, so lange sie dauert«, stellte Cock fest. Dann drehte er sich um und ging weg.

Am Mittag ritt Pieter sofort zu Jobbes Hütte.

Meistens hielten ihn die Torwächter nicht auf, und auch jetzt machten sie nur lustlos eine Geste, daß er weiterreiten dürfe.

Möglicherweise waren ihnen seine zahlreichen Ritte in den Norden aufgefallen, dachte Pieter. Sicher hatten sie das dann auch ihren Vorgesetzten gemeldet. Es wäre klüger gewesen, jedesmal ein anderes Tor zu nehmen. Aber dieser Gedanke kam reichlich spät.

Zu seiner Erleichterung fand er Jobbe gesund und munter an seinem gewohnten Platz im Schilf, wo er gedankenverloren die Vögel betrachtete.

»Meine Henker scheinen frei zu haben«, sagte er zur Begrüßung.

»Treib mit solchen Dingen nicht deinen Spott!« bat Pieter. Er war auf dem Pferd sitzen geblieben und sah auf den Fischer hinunter. So konnte er zugleich die Umgebung im Auge behalten.

»Piet, der Wicht, immer gleich ernst...«

»Piet, der Wicht?«

Jobbe grinste. »So hat dich mal dein Bruder Dinus genannt.«

»Dinus, dieser Frömmler!« sagte Pieter verächtlich.

»Ich hätte immer gerne einen Bruder gehabt, oder eine Schwester. Nichts ist besser, um seine Aggressionen loszuwerden, wie uns das Beispiel von Kain und Abel lehrt.«

»Ich kann nicht bleiben. Ich wollte nur eben schauen, ob es dir gut geht. Brauchst du irgendwas?«

»Alles, was ich brauche, ist da: Wasser, Wolken, Luft zum Atmen, die Sonne, die mich aufwärmt, ein Fleckchen, wo ich sitzen kann, und gleich ein Fisch zum Essen. Und demnächst ein Platz in der Hölle bei all den netten Sündern, sogar meine Zukunftsaussichten sind gut.«

»Es freut mich, daß du ganz der Alte bist.«

»Mich auch«, stellte Jobbe vergnügt fest. »Hast du schon das Buch seinem Besitzer zurückgegeben?«

»Es gehört mir, ich versuche, lesen zu lernen.«

»Das habe ich mir schon gedacht. Was dir die Wirklichkeit nicht gibt, mußt du in deinen Träumen erleben, was, Junge?«

»Bis bald«, sagte Pieter verstimmt. Er wendete sein Pferd.

»Grüße mir die große, böse Welt!« rief Jobbe ihm noch nach.

Als der Hufschlag von Pieters Pferd nicht mehr zu hören war, erstarb das Lächeln auf Jobbes entstelltem Gesicht. »Die große, böse

Welt!« wiederholte er noch einmal laut. Dann fragte er leise das langsam vorbeiströmende Wasser: »Was habe ich dieser Welt nur getan?«

Das Wasser flüsterte und gurgelte eine Antwort, aber es war eine, die kein Mensch verstehen konnte.

25

»Dank Meister Bruegel hat sich unsere Vermutung bestätigt«, sagte de Wachter. »Joris ist auf der Folterbank gestorben, und da wir noch immer alle auf freiem Fuß sind, hat er uns nicht verraten.«

Mißtrauisch sagte ein Mann: »Ich finde es nicht richtig, daß sich unter uns einer befindet, der so enge Beziehungen zu Kardinal Granvelle unterhält!«

Pieter blickte auf. Als er in der *Schmutzigen Ente* eingetroffen war, hatten ihm mehrere Unbekannte wohlwollend die Hand gedrückt. Diese Welle der Sympathie hatte in ihm ein warmes Gefühl hervorgerufen, das ihn nun schlagartig verließ.

»Enge Beziehungen?« rief er aufbrausend. »Zu diesem Ungeheuer? Er hat meine Eltern und meine letzte Frau umbringen lassen!« Hier und da ertönten zustimmende Laute. Davon ermutigt, fuhr er in wütendem Ton fort: »Er beschützt mich nur, weil er mit mir Geld machen kann. An dem Tag, an dem ihm jemand den Hals durchschneidet, wird im Hause Bruegel gejubelt, darauf könnt ihr euch verlassen!«

Dieser rebellische Ton war genau das, was einige der Anwesenden hören wollten. De Wachter beeilte sich, die lauten Bravorufe zum Verstummen zu bringen. Als es wieder still geworden war, sagte er: »Meister Bruegels Loyalität steht hier nicht zur Diskussion. Und ganz gewiß können uns seine Kontakte zum Kardinal von Nutzen sein. Statt dessen sind heute die Veränderungen an der Ordnung, die zur Zeit in den Niederlanden stattfinden. Herr Danckaert?«

Der modisch gekleidete, ältere Herr, der nun aufstand, sah Pieter einen Augenblick scharf an, bevor er das Wort ergriff. »Mein Name ist Hans Danckaert, Kaufmann aus Nürnberg und bereits Mitglied der Sankt-Lukas-Gilde, als Meister Bruegel noch dachte, daß man Tempera ißt.«

»Das denke ich noch immer«, erwiderte Pieter. »Ich male lieber mit richtiger Farbe.«

Danckaert zog eine Augenbraue hoch, sagte aber nichts, bis das

Gelächter um ihn herum verstummt war. »Tatsächlich finden zur Zeit in den Niederlanden große Veränderungen statt, die von Kräften bewirkt werden, die viel größer sind als unsere. Angesichts dessen sollten wir uns allen Ernstes fragen, ob es unter diesen Umständen überhaupt noch Sinn hat, unsere Sekte zu einer mächtigen Gemeinschaft auszubauen, mit allen damit verbundenen Gefahren und Risiken.«

»Prima, dann können wir ja wieder nach Hause gehen«, sagte jemand, was erneutes Gelächter hervorrief.

Pieter fragte sich, warum die Stimmung viel gelassener war als beim letzten Mal. Vielleicht lag es an dem Wirtshaus. *Die schmutzige Ente* war ein gemütliches Lokal mit einem jungen Wirt, der nicht von seiner Frau lassen konnte. Immer wieder kniff er ihr in den Hintern, woraufhin sie zu jedermanns Freude jedesmal einen hohen Schrei ausstieß.

Floris war nicht gekommen, aber dafür saß ein anderer alter Bekannter von Pieter unter den Leuten. Wenn Pieter jedoch in seine Richtung sah, erwiderte der Mann seinen Blick mit leeren Augen, als würde er ihn nicht erkennen.

Sein Anblick hatte bei Pieter eine Vielzahl von Erinnerungen geweckt, so daß die Rede eines früheren Sprechers fast völlig an ihm vorbeigegangen war.

Der Drucker Plantin befand sich ebenfalls unter den Anwesenden. Pieter überlegte, ob Plantin sich noch an den alten Fischer erinnerte, dem er vor langer Zeit das Lesen beigebracht hatte. Eine gewisse Scheu hielt ihn jedoch davon ab, den Drucker darauf anzusprechen.

Pieter versuchte, sich auf Danckhaert zu konzentrieren, der wieder zu sprechen begonnen hatte. »Vor kurzem ist es im Schoße des Adels, genauer gesagt im Staatsrat, dessen Vorsitzender unser aller Freund Granvelle ist, zu den ersten Zusammenstößen zwischen den Mitgliedern der Consulta und den Unabhängigen mit Graf von Egmont an der Spitze gekommen. Nun mag der Graf zwar ein Aristokrat mit einem vortrefflichen Charakter sein – und ein hervorragender Feldherr, sonst hätte er nicht vor kurzem die Schlacht von Gravelingen gewonnen – doch als Politiker brilliert er sicher nicht. Aber er hat es geschafft, Prinz Wilhelm von Oranien auf seine Seite zu bringen, und der ist ein genialer Denker, auf den unsere Nation ihre Hoffnung setzen muß. Nun denn, diese beiden Köpfe haben mit Nachdruck den Abzug der spanischen Infanterieregimente verlangt, um den weiteren Zusammenbruch des Landes und einen allgemeinen Volksaufstand zu vermeiden, und sie scheinen sich damit durchzusetzen.«

Danckaerts Worte versetzten diejenigen, die diese Neuigkeit noch nicht erfahren hatten, in Aufruhr. Von allen Seiten wurde um nähere Erklärung gebeten.

»Das bedeutet jedoch noch lange nicht, daß wir von dem Joch befreit sind«, erklärte Danckaert. »Die spanischen Truppen sollen nämlich durch wallonische ersetzt werden. Doch die sind auf jeden Fall weniger grausam, und außerdem sprechen sie alle französisch.«

»Und wann soll das alles passieren?« wollte jemand wissen.

»Das weiß ich nicht. Der Beschluß selbst ist noch streng geheim, weshalb ich euch auch rate, die Neuigkeit nicht zu verbreiten, bevor sie von höherer Stelle bestätigt wurde.«

»Dann kann es doch noch Jahre dauern!«

»Wichtig ist, daß endlich Veränderungen zum Guten bevorstehen. Und noch etwas. Wegen der miserablen Regierungspolitik sind in der letzten Zeit mehrere Antwerpener Bankiers bankrott gegangen, was in höheren Kreisen zu noch größerer Unsicherheit und Beunruhigung geführt hat.«

»Diese Sorgen möchte ich auch mal haben!« rief der Wirt vom Tresen aus.

»Das bedeutet noch mehr Widerstand gegen Philipp, und zwar aus einer mächtigen Ecke, und das ist wichtig.«

Wie in einer Vision sah Pieter plötzlich ein Bild vor sich. *»Der Kampf der Sparbüchsen gegen die Geldkoffer«*, murmelte er vor sich hin. Das schien ihm ein gutes Bildthema für Jonghelinck zu sein, der neben vielen anderen Tätigkeiten auch als Bankier aktiv war.

»Und dann der religiöse Aufruhr«, fuhr Danckaert fort. »Es beginnen sich Strömungen abzuzeichnen, bei denen man sich fragen kann, ob sie überhaupt noch aufgehalten werden können. Die Lutheraner wollen sich jeder Aktion in der Öffentlichkeit enthalten, was im Moment vielleicht das Vernünftigste ist. Dieser fanatische Haufen von Mennoniten dagegen hat es darauf abgesehen, die Macht an sich zu reißen, was sie nur den Kopf kosten kann. Die Kalvinisten wiederum würden furchtbar gerne den Staat reformieren und ihrer Kirche unterwerfen. Und das alles in einer großen Hafenstadt mit all den Dock- und Schiffswerftarbeitern, Abenteurern und Herumtreibern, von denen die meisten Hunger leiden, während in den katholischen Kirchen überall haufenweise Schätze liegen!« Danckaert schüttelte den Kopf. »Was können wir mit unserer schwachen Gruppe in diesem Hexenkessel, der kurz vorm Überkochen steht, unternehmen?«

»Sollen wir denn überhaupt nichts tun?« fragte de Wachter.

»Die Stimme der Vernunft ist nie so laut wie die der Dummheit, deshalb schlage ich eine sanfte Vorgehensweise vor. Angesichts der Tatsache, daß wir mehrere angesehene Personen auf unserer Seite haben, scheint es mir das Beste zu sein, zu versuchen, die verkehrten Strömungen von innen zu schwächen und die richtigen Maßnahmen anzuregen. Das kann sowohl mit Einfluß als auch mit Geld erreicht werden. Viele Leute in Regierung und Verwaltung leben von Bestechungsgeldern, das sollten wir ausnutzen ...«

Danckaert redete noch lange weiter, aber als er sich in Einzelheiten erging, schweiften Pieters Gedanken ab. Er fürchtete, daß sie ihn bitten würden, auf Granvelle Einfluß auszuüben, und das war sicher das letzte, was er wollte. Er wäre überhaupt nicht dazu imstande, aber es war nicht einfach zu erklären, daß ihn jede Begegnung mit dem Kardinal schaudern ließ.

Außerdem hatte er Angst, verraten zu werden. Sein Blick wanderte über die Anwesenden, er versuchte ihre wahren Absichten von den Gesichtern abzulesen. Doch Verräter sahen immer ganz normal aus, dachte Pieter. Erst wenn sie in der Falle saßen, verhielten sie sich wie die Ratten, die sie waren.

Nun ergriff Cock das Wort. Er sprach über einen Rederijker-Wettbewerb, den er im nächsten Jahr organisieren wollte und der der größte seiner Art werden sollte. Cock versprach, daß man vor allem streitbare Künstler für ihn gewinnen wollte. Insbesondre Rederijker, die keine Angst hatten, Kirche und Regierung anzuprangern. Das Fest sollte mehrere Wochen dauern.

Pieter war erleichtert, als der letzte Sprecher die Versammlung schloß und allen ans Herz legte, nicht in Gruppen nach Hause zu gehen. Die meisten zogen es jedoch vor, noch etwas zu bleiben, Bier zu trinken und miteinander zu reden.

Als Pieter aufstand, tippte ihm jemand auf die Schulter. Er drehte sich um. Vor ihm stand der Bekannte, den er zuvor gesehen hatte.

»Grüß dich, Pieter«, sagte er.

»Gwijde!« Zögernd drückte Pieter die Hand, die ihm der andere reichte. »Ich dachte, Ihr hättet mich nicht erkannt. Ein Bier?«

Gwijde Ortelius nickte. »Ich muß mich endlich bei dir entschuldigen...«

»Ach, das ist doch alles so lange her.« Pieter winkte dem Wirt, der nickte und zwei Krüge nahm.

»Lange her, aber nicht vergessen. Mir ist erst später bewußt geworden, daß auch du unter diesem schrecklichen Ereignis sehr gelitten haben mußt...« Er nahm den Krug, den der Wirt ihm reichte. »Zum Wohl!« Er trank in gierigen Zügen. Als der Krug leer war, verzog er jedoch angeekelt das Gesicht. »Und das nennen sie Bier!« sagte er verächtlich.

»Eigentlich ist mir erst später klar geworden, wie sehr ich Anke geliebt habe...« sagte Pieter leise.

»Ich habe wieder eine Frau. Das hilft gegen die Einsamkeit, aber sie kann mir meine Tochter nicht ersetzen.«

Pieter nickte. »Ich habe auch eine Frau, die Anke nicht ersetzen kann, niemals.«

»Du hast schon was am Hals mit der Familie Ortelius, was? Mein verrückter Bruder mit seinen Gemälden...«

Pieter zuckte mit den Schultern. »Was bedeuten schon ein paar Gemälde oder ein paar Goldstücke?«

»Für Menschen, die sie nicht haben, viel«, sagte Ortelius. Er reichte Pieter die Hand. »Ich muß gehen, meine Frau wartet.«

Pieter nickte. »Bis bald, Gwijde.«

Er starrte noch eine ganze Weile gedankenverloren auf die Tür, durch die Ortelius weggegangen war, bevor er beim Wirt bezahlte. Er winkte Cock zu, der sich ein Stück weiter an einem Tisch unterhielt, und ging hinaus.

Nach der Helligkeit im Wirtshaus schien die Straße besonders dunkel zu sein. Pieter wartete, bis sich seine Augen an die Dunkelheit gewöhnt hatten. Danach schlich er, wie immer mit einer Hand am Dolch, an den Häusern vorbei, damit Straßenräuber oder patrouillierende Spanier nicht gleich auf ihn aufmerksam wurden.

Er war nicht der einzige, der um diese Zeit durch die Stadt ging. Unterwegs begegneten ihm schemenhafte, schwarze Gestalten, deren Gesichter nicht mehr als weiße Flecken waren. Meistens wechselten sie die Straßenseite, wenn sie jemanden bemerkten. Das nächtliche Antwerpen wurde immer gefährlicher. Wer klug war, sah zu, vor Einbruch der Dunkelheit zu Hause zu sein. Wer das nicht tat, war dumm, betrunken oder tat irgend etwas Suspektes. So sahen es auch die Spanier, die jeden zur Vernehmung festnahmen, der ihnen nach Sonnenuntergang über den Weg lief.

Als Pieter den Schlüssel in das Schloß seiner Haustür steckte, verharrte er plötzlich. Auf der anderen Straßenseite schien sich etwas zu bewegen. Schnell schlüpfte er ins Haus, schlug die Tür hinter sich zu und schob den Riegel vor.

Unter der Tür des Wohnzimmers fiel gelbes Licht hindurch, aber es blieb still, als hätte ihn Lisa nicht gehört.

Pieter ging lautlos im Dunkeln die Treppe hinauf und betrat das Schlafzimmer. Dort spähte er vorsichtig durch die Gardine auf die Straße hinunter.

Die schwarze Gestalt stand mitten auf dem Bürgersteig und sah zum Fenster hinauf, als wüßte sie, daß er dort war.

Pieter wich vor Schreck so schnell zurück, daß er gegen eine Ecke des Bettes stieß. Während er sich das Bein rieb, schlich er wieder wie ein Dieb zum Fenster, obwohl man ihn von der Straße aus sicher nicht sehen konnte.

Der Mann auf der anderen Seite war genauso plötzlich verschwunden, wie er aufgetaucht war. Pieter drückte das Gesicht an die kleinen Scheiben und blickte links und rechts die Straße hinunter, doch er konnte niemanden mehr sehen. Plötzlich flog hinter ihm mit einem Schlag die Tür auf.

»Was treibst du denn hier im Dunkeln? Wann bist du überhaupt nach Hause gekommen?« Mit einer Öllampe in der einen und dem Brotmesser in der anderen Hand stand Lisa im Türrahmen und sah ihn erstaunt an.

»Himmel, Weib!« rief Pieter entrüstet. Er ließ sich aufs Bett fallen und faßte sich ans Herz. »Du hast mir vielleicht einen Schrecken eingejagt!«

Lisa kam ins Zimmer. »Ich dachte, ich hätte etwas gehört, einen

Einbrecher oder so...« Sie fuchtelte mit dem Messer. »Ich hätte ihn in Stücken wieder rausgeschmissen!«

Tapfer war sie, das mußte man ihr lassen, dachte Pieter. Vielleicht tapferer als er... Sein Herzklopfen ließ nach, er stand wieder auf. »Ich dachte, ich hätte jemanden gesehen, der unser Haus beobachtet. Jetzt bin ich mir nicht mehr so sicher, vielleicht habe ich mich geirrt.«

Lisa stellte die Lampe auf ein Schränkchen und ging zum Fenster, um selbst hinauszuschauen. »Ich sehe keinen Hund«, stellte sie fest. Forschend sah sie Pieter an. »Im Wirtshaus gewesen?«

»Ich bin nicht besoffen«, antwortete Pieter unwillig. Er nahm die Lampe. »Sollen wir runtergehen?«

»Wir können auch hier bleiben.« Sie blickte zum Bett und dann wieder zu Pieter. Ihr Ausdruck veränderte sich. »Manchmal bist du gar nicht so schlecht, wenn du einen in der Krone hast...«

»Mir ist jetzt nicht danach, Lisa.«

»Vielleicht kann ich dich ja umstimmen?« Sie hob ihren Rock bis zum Bauch hoch und schob obzön ihren Unterleib nach vorn.

Sie hatte nichts drunter. Pieter starrte ein paar Sekunden bei dem warmen Licht der Öllampe auf ihre weißen Schenkel und den dunklen Fleck ihres Schamhaares. Ihr Anblick erregte ihn nicht und stieß ihn nicht ab, er ließ ihn einfach gleichgültig.

»Ich habe wirklich andere Dinge im Kopf«, sagte er.

Lisa schnaubte verächtlich und ließ den Rock fallen. »Das merke ich mir, falls du mal wieder große Lust haben solltest.«

Doch Pieter war mit seinen Gedanken wieder bei der unheimlichen Gestalt, die er durch das Fenster gesehen hatte. Er mußte an Granvelle denken, doch es war absurd, zu glauben, daß der Kardinal hier im Dunkeln sein Haus beobachtete.

Er ging vor Lisa die Treppe hinunter, die flackernde Lampe vor sich haltend, als wollte er mit ihr bedrohliche Schatten verjagen.

»Was ist denn überhaupt los?« wollte Lisa wissen, als sie im Wohnzimmer saßen. »Warum erzählst du mir nichts?«

»Du würdest es doch nicht verstehen.«

»Ach ja, die Seelenregungen eines Künstlers, was?« Lisa lachte höhnisch. »Ist es das, oder hast du irgendwo ein anderes Weib?«

»Früher warst du nicht so grob, Lisa.«

»Früher hast du mich auch mehr beachtet!«

»Weil du nicht so grob gewesen bist.«

Lisa schnaubte. »Das Huhn und das Ei«, sagte sie.

»Und hör endlich mit diesem Schnauben auf!«

»Wenn du so gerne der Herr im Hause bist, hättest du dir damals eine von diesen italienischen Dirnen mitbringen müssen!«

»Ich habe keine Lust, mit dir zu streiten...«

»Du hast doch mittlerweile zu gar nichts mehr Lust!«

Nicht mehr lange, und ich hasse sie, dachte Pieter. Womöglich frage ich mich dann, warum es immer die Falschen sind, die ermordet werden...

Plötzlich sagte er: »Möchtest du noch immer gemalt werden?«

Erstaunt über den plötzlichen Themenwechsel, sah Lisa ihn an. »Ja...« sagte sie zögernd.

»Ich möchte ein Bild nach einer Zeichnung malen, die ich vor langer Zeit gemacht habe. Es gibt ein paar Figuren in Haltungen, für die du sehr gut posieren könntest.«

»Haltungen? Welche Haltungen?« fragte Lisa mißtrauisch.

»Stell dich nicht so dumm, du weißt schon.«

»Meinst du... nackt?«

»Würde dir das schwerfallen?«

Lisa begann auf einmal zu grinsen. »Mir nicht, aber dir vielleicht!« Sie fuhr sich mit der Zunge über die Oberlippe.

Pieter tat, als würde er die Zeichen ihrer Erregung nicht bemerken. »Sollen wir gleich anfangen?«

»Jetzt?«

»In der Werkstatt sind mehrere Lampen, dort ist es hell genug zum Arbeiten.«

»Nun, wenn du meinst...« Sie grinste noch immer, als würde ihr schon der bloße Gedanke Freude bereiten.

»Nun denn, worauf warten wir noch?«

Pieter holte die Zeichnung aus seinem Archiv und breitete sie neben einer bereits grundierten Leinwand aus, die auf einer Staffelei stand.

»Himmel, wie gruselig!« rief Lisa angeekelt. »Du meinst doch nicht etwa, daß ich dafür posieren soll?«

»*Der Triumph des Todes*«, sagte Pieter. »Das wird ein Werk für Kardinal Granvelle. Hältst du es denn nicht für eine Ehre, an einer

Wand seines Palastes prangen zu dürfen?« Er zündete noch ein paar Lampen an.

»Aber es wird mich doch sowieso niemand erkennen.«

»Du und ich wissen aber, daß du es bist.«

»Aber all die Figuren sind tot, es sind Leichen!«

»Wenn du für sie posierst, werden es beseelte Leichen«, sagte Pieter. »Und das ist keine Kontra... äh... Kontradiktion. Sie sollen eine besondere Wirkung haben, die ich ihnen unmöglich geben kann, wenn ich sie aus der Phantasie male. Eine Wirkung, durch die die absolute Machtlosigkeit des Menschen gegenüber dem Tod noch deutlicher zutage tritt.«

»Aber so kannst du mich doch nicht malen?«

»Ich will nur, daß du mich inspirierst. Zieh dich schon mal aus.«

»Ich finde das... sündig«, sagte Lisa, während sie das Band ihres Hemdes öffnete. »Es kommt mir vor, als würde ich über den Tod spotten...«

»Im Gegenteil, malen wir nicht seinen ewigen Sieg?« Pieter mischte auf einer Palette Malmittel und Pigmente. »Magst du denn auf einmal keine Sünden mehr?«

»Das kommt darauf an«, erwiderte Lisa. Sie ließ ihr letztes Kleidungsstück auf den Boden fallen. »Wie willst du mich?«

»Je obzöner, desto besser. Sei einfach du selbst.«

Der sarkastische Klang seiner Worte entging ihr. »So vielleicht?« Sie beugte sich nach vorn und sah ihn zwischen den Beinen hindurch an.

»Ich wußte, daß du begreifen würdest, was ich will.«

»Aber so wird mir schwindlig.«

»Du brauchst nicht so stehenzubleiben, ich will verschiedene Posen sehen. Du sollst mich inspirieren.«

Lisa ging zu einem Tisch. »Es fängt an, mir Spaß zu machen...«

»Das habe ich mir gedacht«, sagte Pieter. Er betrachtete lange die Zeichnung und legte dann die Handstütze an die Leinwand.

»Und so?« Sie lehnte mit dem Hintern am Tisch, spreizte die Beine und streckte sich weit nach hinten.

»Ausgezeichnet, mach so weiter.«

»Hast du auch geguckt?«

»Es geht mir um die Atmosphäre, nicht so sehr um die Bilder.«

»Die Atmosphäre!« Sie legte sich mit gespreizten und angezogenen Beinen auf den Tisch.

»Noch besser wäre es, wenn ich mehrere Modelle hätte, dann könntet ihr wie weggeworfene Körper aufeinanderliegen.«

Lisa rutschte vom Tisch hinunter. »Hast du eigentlich lüsterne Hintergedanken oder nicht?«

»Ich will nur malen«, antwortete Pieter wahrheitsgetreu.

»Und so?«

»Ja, gut«, sagte Pieter abwesend. »Sehr gut...« Die Gefühle, mit denen er damals den Entwurf für das Gemälde gezeichnet hatte, begannen erneut von ihm Besitz zu ergreifen. Er achtete kaum noch auf das, was Lisa tat. Bis sie eine Weile später plötzlich neben ihm stand.

»Verdammt noch mal, du malst ja einen verdorrten Baum!« rief sie aufbrausend. »Willst du mich zum Narren halten?«

»Natürlich nicht, Weib.« Pieter wies auf die Zeichnung und versuchte seine Verstimmung zu verbergen. »Es dauert noch Wochen, bis ich zu den Figuren komme, was hast du denn gedacht?«

»Aber...«

»Du solltest mich inspirieren, und das tust du. Wenn ich soweit bin, werde ich genau wissen, wie ich die Leichen darstellen muß, für die du posiert hast.«

»Oh...« Lisa legte einen Arm um ihn. »Ich weiß aber auch so wenig über deine Arbeit, du erzählst mir fast nie etwas davon.«

»Wie lange arbeitest du schon bei Cock? Wenn es dich wirklich interessieren würde, wärst du schon bald selbst Malerin!«

»Vorwürfe, immer nur Vorwürfe!« Lisa lief wütend weg und zog mit ruckhaften Bewegungen ihre Kleider an.

Ohne den Blick vom Bild abzuwenden, sagte Pieter: »Du brauchst nicht auf mich zu warten. Geh ruhig ins Bett.«

»Der Teufel soll dich holen!« schrie Lisa und verschwand.

Pieter ließ den Pinsel sinken und starrte auf die Tür, die hinter Lisa zugefallen war. Eigentlich verdient sie das nicht, dachte er mit einem leichten Selbstvorwurf. Eigentlich müßte ich besser zu ihr sein...

Doch dann gewannen wieder andere Gedanken die Oberhand, die alten finsteren Gedanken, die von Angst und Rachegefühlen begleitet wurden. Sein Blick wanderte zu der neben ihm auf dem Tisch ausgebreiteten Zeichnung.

Totenglocken, das Heer des Todes, brennende und sinkende Schiffe, eine makabre Landschaft, in der die Verrottung triumphierte, der Tod am Galgen, der Tod als Henker, das Netz des Todes, der Wagen des Todes, der Pilger mit durchgeschnittener Kehle, der sterbende Kaiser, der Narr, der Spieler, die Geliebten, die Mutter und der Kardinal, vor allem der Kardinal, mit letzter Kraft weiterstolpernd, umfaßt von den Skelettarmen des allgegenwärtigen Todes, der sich wollüstig grinsend von all dem Verfall und Verderb nährte...

Pieter arbeitete verbissen weiter, bis sich das Licht in der Werkstatt durch die erste Morgenröte veränderte. Erst dann legte er den Pinsel nieder und ging ein paar Schritte zurück. Während er sich seine verkrampfte rechte Hand massierte, sah er lange mit vor Müdigkeit brennenden Augen auf das Ergebnis seiner manischen nächtlichen Arbeit. Schließlich wandte er sich ab, ging zum Fenster und blickte die Hände auf dem Rücken durch die staubigen Fenster auf die graue Straße. Zu dieser frühen Stunde war niemand unterwegs außer einem schäbig gekleideten, gebückten Mann, der mit einer Schaufel und einem großen Jutesack die Pferdeäpfel vom vergangenen Tag einsammelte.

Pieter verließ das Fenster, nahm die Zeichnung vom Tisch, rollte sie sorgfältig zusammen und legte sie weg. Dann nahm er eine Ölkanne und goß langsam den Inhalt über das Bild auf der Staffelei, wobei er darauf achtete, daß das Öl die ganze Leinwand durchtränkte. Dann machte er mit einer Zunderbüchse Feuer und sah aus einiger Entfernung seelenruhig zu, wie die Flammen sein Werk der letzten Nacht verzehrten.

»Verdammt noch mal, was machst du da?«

Verstört sah Pieter zu Lisa auf, die mit strähnigen Haaren in ihrem langen, weißen Nachthemd an der Tür der Werkstatt stand.

»Es war nicht gut«, sagte er matt. »Der Tod wollte nicht lebendig werden...«

»Hast du mich dafür die ganze Nacht mit kalten Füßen schlafen lassen?«

»Kalte Füße!« Pieter schüttelte den Kopf und starrte auf den Baum mit der Totenglocke, der in Flammen aufging.

Der Holzrahmen zerbrach mit einem krachenden Geräusch, die brennenden Stücke des Bildes fielen auf den Boden.

Pieter trat die qualmenden Reste aus. »Sein eigenes Werk vernichten verschafft eine gewisse Befriedigung«, stellte er fest. »Vielleicht sollte ich das öfter tun ...«

»Ich finde das nicht lustig!«

»Ich auch nicht«, sagte Pieter ruhig. Während er sich wieder die Hand rieb, fragte er: »Ist noch Brot da? Ich habe Hunger.«

»Sieh doch selbst nach!« rief Lisa und ging weg.

Dann eben nicht, dachte Pieter gelassen. Was bedeutet schon ein bißchen Hunger?...

Er war nicht in Arbeitsstimmung an diesem Morgen. Statt in die *Vier Winde* zu gehen, besuchte er Marieke Coecke.

»Dich sehe ich auch nur noch, wenn du Probleme hast«, sagte Marieke vorwurfsvoll nach einem Blick in sein Gesicht.

»An meinen Problemen sind immer andere schuld«, sagte Pieter.

»Das ist nun einmal so beim Zusammenleben. Tee?«

Pieter nickte. Marieke sah älter aus. Vielleicht war das schon länger so, und er hatte es nur noch nicht bemerkt. Wie ihm auch zuvor nicht aufgefallen war, wie schnell die kleine Mayken heranwuchs.

Ein wenig verwundert sah Pieter das Kind an. Das war nicht mehr der kleine Wicht, der ihn einst Pietew Bwuegel genannt hatte. Sie kletterte auch nicht mehr spontan auf seinen Schoß, und sie hatte Verhaltensweisen entwickelt, die sehr an Koketterie denken ließen.

Marieke folgte Pieters Blick. »Unsere Mayken wird groß, nicht wahr? Das fällt sicher besonders auf, wenn man sie eine Zeitlang nicht gesehen hat.«

Mayken errötete und lächelte verlegen.

»Sie wird schon eine richtige Frau«, meinte Pieter, woraufhin Mayken noch röter wurde und nervös an ihrem Rock zu nesteln.

»Sie lernt auch malen«, sagte Marieke. »Sie ist gar nicht schlecht.« Mit langsamen Bewegungen stellte sie Becher auf den Tisch.

»Bei diesen Eltern war das auch nicht anders zu erwarten«, meinte Pieter. Nur mit Mühe gelang es ihm, die Augen von Mayken abzuwenden. Er schämte sich ein wenig für die begierigen Gedanken, die ihr Anblick in ihm auslöste. Alles in allem war sie noch ein Kind, dachte er. Er zwang sich dazu, seine Gedanken in eine andere Richtung zu lenken. »Wie laufen die Geschäfte?«

»Wir verhungern nicht, das will in diesen Zeiten schon was heißen. Wasserfarbenbilder sind sehr gefragt, und ich habe auch noch immer ein paar Schüler.« Marieke setzte sich an den Tisch und sah Pieter forschend an. »So, was ist denn diesmal los? Ich höre doch immer nur, daß es dir augezeichnet geht.«

»Ach, vielleicht habe ich gar nicht das Recht, zu klagen...« Pieter starrte in seinen Becher. Das Gebräu war nicht sehr warm, aber zumindest süß, so daß es seinen Hunger ein wenig stillte. Auf keinen Fall wollte er Marieke um etwas zu essen bitten.

»Lisa?«

»Das auch, ja, es läuft nicht mehr so gut...«

»Du hast immer gewußt, daß Lisa nicht die richtige Frau für dich ist.«

»Wenn man ein paar Jahre im selben Bett geschlafen hat, ist es genauso, als wäre man verheiratet. Man zieht nicht so schnell einen Schlußstrich.«

»Ist es das, was du willst, die Sache beenden?«

»Ich bin noch nicht sicher...«

»Besser ein kurzer, heftiger Schmerz, Pieter, als eine lange, schleppende Krankheit. Aber ich weiß, wie Männer sind, sie trennen sich nicht so schnell von ihrer Frau, solange sie keine andere im Auge haben.«

»Ich werde einstweilen nach einer anderen Ausschau halten«, sagte Pieter halb im Ernst. Unwillkürlich warf er einen kurzen Blick auf Mayken, die schnell die Augen senkte.

»Und wie steht es um deinen Freund, diesen Fischer?«

»Granvelle weiß, daß er noch lebt.«

»Oje!«

Pieter nickte grimmig. »Er weiß es schon lange.«

»Und?«

»Dieses Ungeheuer wartet einfach ab.«

»Hast du vielleicht wieder etwas ausgefressen?«

»Nichts, womit ich Euch belasten will.«

»Ja, also...« Marieke legte eine Hand auf seine. Pieter...«

»Was hat dieser Kerl nur gegen mich?« rief Pieter aufbrausend. »Wieviele Jahre schaut er mir nun schon bei allem, was ich tue, über die Schulter?«

»Das Gefühl haben viele, Pieter«, erwiderte Marieke in beschwichtigendem Ton.

»Aber nicht so, immer und überall läßt er mich beobachten, vielleicht sogar im Bett!«

»Vielleicht sollte das deiner Eitelkeit schmeicheln.«

»Eitelkeit? Der kann mich...« Pieter hielt sich noch rechtzeitig zurück. In leiserem Ton fuhr er fort: »Es macht mich noch verrückt...«

»Vielleicht ändert sich das, wenn er erst einmal Erzbischof ist, vielleicht ist er dann so beschäftigt, daß er keine Zeit mehr für solche Spielchen hat.«

»Spielchen!«

Marieke neigte den Kopf, als wollte sie sich entschuldigen. »Nein, du hast recht, es sind keine Spielchen, zumindest nicht für die Opfer.«

»Manchmal macht mich das alles so müde...«

»In deinem Alter schon?«

Pieter trank seinen Tee aus und rückte den Stuhl zurück. »Ich habe das Gefühl, daß ich jeden Tag eine Woche älter werde«, sagte er beim Aufstehen.

»Dann wirst du mich ja bald eingeholt haben!« sagte Marieke. Es klang wie ein Scherz, aber sie schaute ihn dabei ernst an.

Pieter blickte verwirrt auf Mayken. Wie sollte er sich nun von ihr verabschieden? Früher hatte er ihr immer einen schmatzenden Kuß gegeben, aber das schien ihm plötzlich unmöglich zu sein. Er löste das Problem, indem er ihre Hand nahm und mit einer höfischen Verbeugung die Lippen auf sie drückte. »Auf Wiedersehen, schönes Edelfräulein«, sagte er.

»Wiedersehen, Pieter«, sagte Mayken, die wieder errötete.

Marieke begleitete ihn zur Tür. Sie drückte ihn kurz an sich und sagte: »Schon dich ein bißchen, Pieter. Du siehst nicht so gut aus, wie du eigentlich solltest.«

»Ich habe mich die ganze Nacht mit dem Tod rumgeschlagen...« Pieter schüttelte den Kopf, als wollte er einen bösen Gedanken vertreiben. »Auf Wiedersehen, und danke.«

»Danke wofür?«

»Daß es dich gibt...«

Er ging in die *Vier Winde* und arbeitete an einem Entwurf für einen Stich. Es war eine Stadtansicht von Neapel vom Meer aus gesehen, nach einem Gemälde, das er in Rom für Clovio gemalt hatte.

Pieter mußte die ganze Zeichnung aus der Erinnerung machen. Am Anfang bereitete ihm das wenig Mühe; wie immer hatte er besonders an der Darstellung der Segelschiffe großes Vergnügen. Doch dann ließ allmählich seine Konzentration nach, und er konnte sich an viele Details nicht mehr erinnern. Nach einiger Zeit wurde es so schlimm, daß er verärgert die Zeichensachen hinwarf und das Blatt von sich wegschob.

Er wußte, daß es nicht am Schlafmangel lag. Der würde sich erst am Abend bemerkbar machen. Der Grund war vielmehr, daß er immer öfter an die gespenstische, dunkle Gestalt denken mußte, die er am vorigen Abend vom Schlafzimmerfenster aus gesehen hatte. Und jedes Mal sah sie bedrohlicher aus.

Pieter verwünschte seine eigene Vorstellungskraft und ging sich einen Becher Wein zapfen. Er trank ihn stehend in einem Zug aus und zapfte sofort einen zweiten, die neugierigen Blicke einiger Schüler ignorierend.

Er machte sich Sorgen um Jobbe. Da lag der Hase im Pfeffer. Er hätte den alten Sturrkopf sofort mit zu sich nach Hause nehmen sollen. Sie hatten Platz genug, um ihn zu verstecken.

»Verdammt noch mal, ich hole ihn!« sagte er laut. »Ob er will oder nicht!« Er leerte den Becher und lief aus der Werkstatt. Die Schüler blickten ihm nach. Einer von ihnen tippte sich an den Kopf, ein paar andere grinsten.

Pieter ging nach Hause und sattelte sein Pferd. Als er sich auf den Weg machte, war es schon spät am Nachmittag.

Um nicht zu sehr aufzufallen, ritt er in langsamem Tempo aus der Stadt. Wie immer überzeugte er sich davon, daß er nicht verfolgt wurde. Dieser Blick nach hinten schien ihm zur zweiten Natur geworden zu sein.

Es regnete nicht, aber der Himmel war bedeckt, und es wehte ein kühler Nordwestwind. Die Natur hatte etwas Trübseliges, als würde sich die düstere Atmosphäre, die Antwerpen immer mehr beherrschte, auch schon auf die umliegenden Felder ausbreiten.

Das Pferd hustete ein paarmal stark, wobei es, ohne stehenzubleiben, den Kopf bis zum Boden senkte. Im letzten Winter hatte es eine Entzündung der Luftwege gehabt, die nicht völlig ausgeheilt war. Auch das Tier wurde alt, wahrscheinlich dauerte es nicht mehr lange, bis es geschlachtet werden mußte.

Fleisch für Hungrige, dachte Pieter. Es war ein Wunder, daß es bisher noch nicht aus seinem unbewachten Stall gestohlen worden war, denn inzwischen verschwanden andauernd Pferde, die von den Dieben geschlachtet wurden.

Als sich Pieter Jobbes Hütte näherte, wurde er vorsichtiger. Immer wieder stellte er sich in die Steigbügel und blickte sich um. Wie üblich sah er keine Menschenseele, doch seine Unruhe wuchs.

Die Hütte war leer, aber im Ofen lag ein noch glühender, verkohlter Holzblock. Alles sah ganz normal aus. Außer daß die Pistole fehlte, die Pieter seinem Freund gegeben hatte. Sie hatte immer an einem Nagel in der Schlafecke gehangen, nun war der Nagel leer. Pieter hatte Jobbe oft gedrängt, die Pistole tagsüber bei sich zu tragen, doch er war damit auf taube Ohren gestoßen.

»Er hat mehr Angst, als er zugeben will...« sagte Pieter laut.

Er verließ die Hütte und ging um die Bucht herum zum Scheldeufer.

Jobbe saß neben einer Weide auf einem Holzhocker und starrte auf das graue Wasser. Er hatte sich eine zerfranste Decke gegen die Kälte umgelegt.

»Es erstaunt mich jedesmal aufs neue, dich noch frisch und munter vorzufinden«, sagte Pieter.

»Mich auch, jeden Morgen«, erwiderte Jobbe, ohne Pieter anzusehen. »Menschen, die leben wollen, sterben, und diejenigen, die sterben wollen, bleiben am Leben. Das ist doch wirklich himmelschreiend...«

»Warum trägst du dann die Pistole bei dir, wenn du so gerne sterben willst?«

»Weil ich nicht allein krepieren will, habe ich dir das nicht schon erklärt? Vielleicht solltest du mir besser nicht zu nahe kommen, denn wenn der Sensenmann kommt, schieße ich den tot, der neben mir steht.«

»Ich möchte, daß du mit mir kommst, Jobbe.«

»Fängst du schon wieder davon an?« Jobbe zog sich mit verstimmter Miene die Decke fester um den Hals. »Ich bleibe hier, deine Seelenruhe kann mir gestohlen bleiben!«

»Was muß ich tun, um dich zu überzeugen?«

»Mich zwanzig Jahre jünger machen und dafür sorgen, daß ich bei einer netten Dirne einziehen kann.«

»Das ist nicht der Moment für Witze, Jobbe.«

»Miesepetriger Bock!«

Pieter sah den anderen von der Seite an. Das markante Gesichtsprofil des Fischers wirkte grimmiger als sonst, was nicht nur an seinem Drängen liegen konnte.

»Ist etwas passiert?« fragte Pieter.

»Ja, Junge, es ist kälter geworden, und das gefällt mir nicht. Bald ist es wieder Winter, und damit werden meine alten Knochen nicht mehr so leicht fertig.«

»Warum gibst du nicht einfach zu, daß du Angst hast?«

»Wer Angst hat, bekommt auch Prügel, Pieter.«

»Kannst du zur Abwechslung nicht einfach mal mit ja oder nein antworten?«

»Nein.«

»Was nein?«

»Nein, ich habe keine Angst.«

»Du bist ein sturer, alter Esel!«

»Bock und Esel haben wir nun, jetzt fehlt nur noch eine Kuh, und wir können Weihnachten feiern.«

»Jobbe, bitte!«

»Nein, Pieter, ich sehe keinen Nutzen darin, meine letzten Lebenstage in einer staubigen Bude in der Stadt zu fristen.«

Pieter seufzte. »Gott weiß, daß ich alles versucht habe...«

»Er wird dich sicher reich dafür belohnen, so ist Gott nun mal.«

Pieter brummte etwas Unverständliches und ging weg. Als er schon ein paar Schritte entfernt war, rief Jobbe ihm nach: »Pieter!«

Pieter blieb stehen und drehte sich um. Jobbe sah noch immer aufs Wasser. »Ja?«

»Danke«, sagte Jobbe, ohne sich umzudrehen.

Pieter nickte matt und ging weiter.

Sein Pferd ruckte am Zügel, mit dem Pieter es an einem Baum

festgebunden hatte. Der Grund für seine Unruhe schien eine große Ratte zu sein, die in der Nähe saß und an etwas nagte. Pieter warf wütend einen Stein nach dem Tier, machte das Pferd los und stieg auf. Mit der Enttäuschung, erneut versagt zu haben, trabte er langsam davon.

Das Pferd hatte sich noch immer nicht beruhigt. Es drehte die Ohren gespannt in alle Richtungen und versuchte immer wieder, hinter sich zu blicken. Ab und zu strauchelte es, als würde es nicht auf den Weg achten.

Pieter klopfte dem Tier beruhigend an den Hals. »Nur ruhig«, sagte er. »Du brauchst nicht gereizt zu sein, weil ich nervös bin.«

Das schien zu helfen, das Tier trabte mit gleichmäßigeren Schritten weiter. Doch nachdem Pieter kaum eine halbe Meile geritten war, überfielen ihn plötzlich heftige Zweifel. Das Gefühl, Jobbe im Stich zu lassen, und der Drang, sofort umzukehren, wurden plötzlich so stark, daß er sein Pferd mitten auf dem Weg zum Stehen brachte. Einen Moment glaubte er zu hören, wie Jobbe seinen Namen rief.

Er wendete das Pferd und galoppierte in die Richtung, aus der er gekommen war. Das Tier keuchte und schnaubte, doch Pieter achtete nicht mehr darauf.

Als er die Bucht erreichte, an der die Hütte stand, wurde er langsamer und ritt im Schritt um die kleine Einbuchtung zum Scheldeufer.

Jobbe saß noch immer an derselben Stelle, nur lehnte er nun mit der Schulter an der Weide und hielt den Kopf vornübergebeugt, als würde er schlafen.

Pieter hielt an und stieg ab. Er nahm sich vor, Jobbes Proteste zu ignorieren und mindestens bis zum nächsten Tag bei ihm zu bleiben. Erst als er nur noch wenige Schritte von ihm entfernt war, bemerkte er, daß Jobbe völlig bewegungslos dasaß.

Er blieb stehen und starrte mit Entsetzen auf den kurzen, dicken Schaft des Armbrustpfeils, der aus dem Rücken des Fischers ragte.

»Jobbe!« Ohne auch nur eine Sekunde daran zu denken, daß der Mörder noch in der Nähe sein könnte, ließ sich Pieter neben dem alten Mann auf die Knie fallen. »Verdammt noch mal, Jobbe, und ich habe dich noch gewarnt!« Er riß sich zusammen und versuchte den Kummer, der ihn wie eine Lawine zu überrollen drohte, mit Wut zu verdrängen. Wut, weil jemand so unglaublich feige sein konnte, einen alten Mann mit einem Schuß in den Rücken zu ermorden, Wut auf einen Gott, der so etwas zuließ, Wut auf Jobbe, der nicht auf ihn hatte hören wollen.

»Nicht fluchen, Pieter, wenn es einen Gott gibt, wird er nun ganz nah sein...«

»Himmel, Jobbe! Ich dachte...«

»Mein Leib ist schon tot, aber meine Zunge zuckt noch...« Jobbe sprach heiser, als würde ihm die Kehle zugedrückt.

»Einen Doktor!« rief Pieter voller Panik. »Ich muß...«

Jobbe machte eine schwache Bewegung mit der linken Hand. »Ich hab's hinter mir, Junge...«

»Hast du... hast du Schmerzen?« Pieter versuchte, nicht auf das grauenhafte Ding in Jobbes Rücken zu schauen.

»Zuerst dachte ich, ein Landstreicher hätte mir einen Tritt in den Rücken gegeben...« Jobbe hustete, aus seinem Mundwinkel rann blutiger Speichel. »Himmel, jetzt tut es doch weh...« Sein entstelltes Gesicht verzog sich noch mehr.

»Verdammt!« fluchte Pieter. »Verdammt, verdammt, verdammt!!«

»He, Junge, bitte!«

»Ich wußte es, ich *wußte* es!«

»Ich wußte es auch, Junge...« Jobbe hob mühsam eine Hand, um sie auf Pieters zu legen. Er hustete wieder, diesmal spuckte er Blut. Plötzlich klang seine Stimme überraschend klar: »Du hast dein Bestes getan. Wenn ich von der Hölle aus etwas für dich tun kann...« Er versuchte zu grinsen, doch ein erneuter Hustenanfall verhinderte das. Dann schloß er erschöpft die Augen. Er sprach wieder, aber seine Stimme war wieder heiser. Fast flüsternd sagte er: »Ich habe noch ein Geheimnis, mit dem ich nicht... unter die Erde... will.« Jobbe versuchte tief Luft zu holen, aber dabei verzog er das Gesicht vor Schmerz und verdrehte die Augen.

»Jobbe, bitte, sprich jetzt nicht!«

»Warum?« fragte Jobbe plötzlich wieder klar. Er versuchte Pieter anzusehen, aber seine Augäpfel rollten zur Seite. »Sterben ist... doch nicht so angenehm...«

»Mein Gott, Jobbe!«

»Gott und Jobbe? Was für eine Kom... Kombination!« Wieder versagte ihm die Stimme. »Pieter...«

»Ja?« fragte Pieter, als der andere schwieg. »Ja, Jobbe?«

»Rosalie, deine Mutter...«

»Ja?«

»Sie lebt noch, sie...«

»Was?« Pieter konnte Jobbe kaum noch verstehen und glaubte, ihn falsch verstanden zu haben. »Was sagst du da?«

»Ich habe sie ge... gesehen, bevor sie wegging...« Jobbes Kopf sank gegen den Stamm der Weide. Er blickte starr auf die graue Schelde.

»Jobbe? Jobbe? Bitte, Jobbe!«

Pieter zog erschrocken die Hand zurück, als hätte er Angst davor, sich an dem toten Körper des alten Fischers anzustecken. Mit wankenden Knien stand er auf und blickte fassungslos auf Jobbe hinunter, der noch immer am Baum lehnte. Plötzlich schien der Fischer viel kleiner zu sein, als wäre sein entseelter Körper zusammengeschrumpft.

Pieter drehte sich um und ging geistesabwesend zur Hütte, um etwas zu suchen, womit er ein Grab ausheben konnte.

Er begrub Jobbe nah an der Schelde, die er so geliebt hatte, nicht weit entfernt von der Stelle, wo er ermordet worden war.

Als Pieter fertig war, überprüfte er die Pistole, die er unter der Decke in der Hand des Toten gefunden hatte, geladen und gespannt, als hätte Jobbe seinen Mörder erwartet. Er steckte sich die Waffe unter den Gürtel und ging zu seinem Pferd. Ohne sich noch einmal umzublicken, ritt er im schnellen Galopp um die Stadt herum nach Canticrode.

26

»König Philipp kehrt in seine Heimat zurück«, sagte Granvelle. »Es war vorauszusehen, daß seine Hoheit es hier nicht aushalten würde, eigentlich ist er sogar erstaunlich lange geblieben.«

Der Kardinal unterhielt sich im großen Sitzungssaal mit seinem Generalvikar. Außer den beiden war niemand anwesend.

»Der König hatte schon von Anfang an nicht viel für die Niederlande übrig«, bemerkte Licieux.

Ich auch nicht, dachte Granvelle, aber ich entziehe mich nicht meiner Verantwortung. »Zurückkommen wird er wohl nicht mehr, er hat Margarethe von Parma die Regierungsgewalt übertragen.« Doch ohne den Staatsrat, den Geheimen Rat und den Finanzrat ist die Regentin machtlos, dachte er. Und alle drei werden genau das tun, was ich ihnen sage. Meine Ernennung zum Erzbischof wird nicht mehr lange dauern, dann können wir endlich anfangen, hier ein für allemal Ordnung zu schaffen. Und die letzte, die mir in die Quere kommen wird, ist diese weichherzige Herrin Margarethe.

»Eine Frau!« rief Licieux mit unverhohlener Geringschätzung.

»Der wir Respekt schulden!« sagte der Kardinal tadelnd. Es gefiel ihm nicht, daß der Vikar seine Gedanken erriet und noch dazu aussprach.

»Natürlich, Monseigneur, ich bitte um Vergebung. Ich meinte es nicht so, wie es klang.« Licieux senkte den Kopf, was er immer tat, wenn er zur Ordnung gerufen wurde.

Granvelle gähnte hinter vorgehaltener Hand so kräftig, daß sein Kiefer knackte. »Das Ministeramt kostet mich viel Kraft«, sagte er. »Würdet Ihr so gut sein, mir einen Römer Wein einzuschenken?«

Er zog einen der mit rotem Samt bezogenen Stühle von dem großen Tisch zurück und setzte sich. Gedankenverloren starrte er vor sich hin. Es verging eine Weile, bis er endlich das erste Dossier des Stapels, der neben seinem Arm auf dem Tisch lag, aufschlug. Er besaß zwar ein Arbeitszimmer, doch meistens zog er es vor, im Sitzungssaal zu arbeiten, weil dieser größer war und eine schönere Aussicht bot.

Von seinem Arbeitszimmer aus konnte er nur den Innenhof des Schlosses sehen, was ein recht trostloser Anblick war.

Plötzlich ertönte im Gang vor dem Saal Lärm. Die große Tür wurde mit so viel Wucht aufgestoßen, daß sie mit einem Knall gegen die Wand flog. Pieter stürzte in den Raum, schlug die Tür hinter sich zu und drehte den großen Bronzeschlüssel im Schloß um.

Der Kardinal saß ein paar Sekunden wie erstarrt auf seinem Stuhl. Licieux ließ vor Schreck den Kristallrömer, den er gerade füllte, los. Das Glas fiel auf den Holzboden, ohne zu zerbrechen, sprang einmal auf und rollte dann weg. Die blutrote Weinpfütze rann schnell in die Spalten zwischen den Dielen.

»Weg von dem Schrank!« rief Pieter, als der Vikar unbemerkt eine Schublade aufziehen wollte, in der wahrscheinlich eine Waffe lag. »Setz dich an den Tisch!«

Als Licieux die Pistole in Pieters Hand sah, schrak er erneut zusammen und beeilte sich, dem Befehl zu folgen.

Draußen auf dem Gang wurde gerufen und heftig gegen die Tür geschlagen.

Während er die Pistole auf den immer noch regungslosen Kardinal gerichtet hielt, ging Pieter langsam am Tisch vorbei, bis er dem anderen gegenüberstand. Wütend warf er einen Armbrustpfeil auf den Tisch. Der Pfeil rollte bis vor Granvelle, und hinterließ dabei eine Dreckspur.

Granvelle starrte einen Moment auf das Geschoß, dann sah er langsam zu Pieter auf. »Was hat das zu bedeuten?« Er sprach mit tiefer Stimme, doch jedes Wort hatte die Schärfe eines Dolchs.

»Mörder!« zischte Pieter. Die Pistole zitterte in seiner Hand. »Dreckiger, feiger...«

»Schweig!« fuhr Granvelle ihn an, während er mit der rechten Hand heftig auf den Tisch schlug. »Schweig, bevor du mich dazu zwingst, dir die Zunge herausreißen zu lassen, um dich ein für allemal von deinen Unverschämtheiten zu heilen!«

»Nein!« sagte Pieter heiser. »Dieses Mal könnt Ihr mich nicht einschüchtern!« Er hob die Hand und zielte genau auf die Stelle zwischen Granvelles Augen. Die Waffe zitterte immer mehr. Er mußte sie mit beiden Händen festhalten, als er den Abzug spannte. »Jetzt hat's ein Ende damit, daß Menschen umgebracht werden!!« Seine

Stimme überschlug sich, er blinzelte mit den Augen, weil ihn brennende Schweißtropfen fast blind machten.

»Du bist ja wahnsinnig!« rief Licieux, der machtlos die Hände rang. »Das bedeutet deinen Tod!«

Das Klopfen an der Tür wurde immer heftiger, eine Stimme schrie, was los sei.

»Sorgt dafür, daß sie damit aufhören!« schnauzte Granvelle den Vikar an, ohne den Blick von Pieter abzuwenden.

Licieux reagierte jedoch nicht, sondern starrte wie gebannt mit weit aufgerissenen Augen auf Pieters Pistole.

Pieter legte den Finger an den Abzug. Bilder von Greta, von seinen Eltern, von Anke und Jobbe drehten sich ihm wie wahnsinnig im Kopf und hinderten ihn am Denken; blinde Rachsucht beherrschte sein Tun. Das einzige, was durch das Pandämonium in seinem Kopf zu ihm drang, waren Granvelles dunkle, stechende Augen, die nicht die geringste Angst zeigten.

Pieter wollte gerade den Abzug lösen, doch da bekam er einen heftigen Krampf in der rechten Hand. Ihm war, als würde jeder Knochen mit Nadeln durchstochen werden, die ganze Hand wurde hart wie Holz. Die Pistole fiel auf den Tisch, ohne loszugehen. Pieter krümmte sich stöhnend, hielt die schmerzende Hand fest und drückte sie gegen den Magen. Als nach ein paar Sekunden der größte Schmerz nachließ, löste sich auch der heiße Nebel in seinen Kopf auf, der ihn am Denken gehindert hatte. Die Pistole lag noch immer unberührt auf dem Tisch. Granvelle tat nichts anderes, als Pieter mit starrem Blick zu beobachten.

Licieux hechtete zu der Pistole, fand mit Mühe das Gleichgewicht wieder und richtete die Waffe auf Pieter. »Das war die Hand Gottes!« rief er triumphierend. »Der Allmächtige hat selbst eingriffen, um Eure Heiligkeit zu schützen vor der Verrücktheit eines ...«

»Schweigt, und laßt endlich diese dummen Wächter abziehen!« fuhr Granvelle ihn an. »Und findet sofort heraus, wie Pieter hier reinkommen konnte, ohne daß ich gewarnt wurde!«

»Aber, Monseigneur ...«

»Jetzt sofort!!«

»Ja, Monseigneur ...« Der Vikar machte eine hastige Verbeugung und eilte mit der Pistole in der Hand davon.

Als sie allein waren, sagte Granvelle: »Setz dich.«

Nicht so sehr die Stimme des anderen, als vielmehr sein zwingender Blick ließ Pieter gehorchen. Er rieb sich noch immer die Hand, obwohl sie mittlerweile kaum noch schmerzte. Als er mit unbewegter Miene dasaß, fühlte er nur noch bleierne Müdigkeit und völlige Erschöpfung. Seine Wut war in Lethargie umgeschlagen.

Granvelle schob mit einem Finger widerwillig den Pfeil von sich weg. »Man hat mich schon öfter mit dem Tod bedroht, niemand hat das überlebt. Selbst du mußt begreifen, daß ich mir, was das angeht, keine Gnade erlauben kann.«

Pieter reagierte nicht. Die Worte des Kardinals drangen zwar zu ihm durch, aber sie riefen keinerlei Gefühl hervor.

Granvelles Blick wanderte wieder zu dem blutverschmierten Pfeil. »An allem, was dir widerfährt, hast du selbst schuld. Warum will dir das einfach nicht den Kopf?« Seine Stimme klang unerwartet sanft.

»Ich will mein eigenes Leben leben«, brachte Pieter mit Mühe hervor. Regungslos sah er den Kardinal an, er fühlte sich wie betäubt, losgelöst von seinem Körper.

»Der freie Wille ist eine Illusion, Pieter.« Der Kardinal stand langsam auf, ging zum Fenster und blickte durch die farblosen Glasscheiben nach draußen.

Während Pieter auf Granvelles geraden Rücken sah, versuchte er in sich den übermächtigen Haß wiederzufinden, der ihn kurz zuvor erfüllt hatte. Verschwunden schien die blinde Wut, entladen in dem einen schrecklichen Moment, in dem er versucht hatte, den Abzug der Pistole zu lösen.

»Was ist mit deiner Hand?«

Die unerwartete Frage ließ Pieter aufschrecken. Er hörte auf, sich die Finger zu reiben. Welche Macht hatte ihn gelähmt?

Granvelle, der noch immer am Fenster stand, drehte sich um. »Nun?«

»Sie tut manchmal weh, wenn ich zu lange gearbeitet habe...« Pieter streckte die Finger. Der Schmerz war nun ganz verschwunden. »Eigentlich hat es in Frankreich angefangen, als wir draußen geschlafen haben...«

Granvelle nickte und blickte wieder hinaus. »Kälte und Feuchtigkeit...«

In dem Moment öffnete sich die Tür. Der korpulente Vikar trat ein und warf Pieter einen mißtrauischen Blick zu. »Monseigneur, ich habe...«

»Später«, unterbrach ihn der Kardinal. »Wartet in der Bibliothek.«

Licieux machte ein beleidigtes Gesicht, dann drehte er sich um und verließ den Raum.

Pieter wurde allmählich wieder klarer. Allmählich begann er, sich über Granvelles Verhalten zu wundern. Hatte er ihm gerade noch gedroht, so tat er nun, als hätte er Pieters mißglücktes Attentat bereits vergessen.

»Vielleicht können Kräuter helfen. Ich werde dir meinen Wundarzt schicken. Er hat in Paris studiert und weiß einiges mehr als diese Scharlatane, die sich als Arzt ausgeben.«

Es wurde dunkler im Saal, der Abend begann einzubrechen. Pieter sah sprachlos und mit wachsendem Erstaunen auf Granvelles Silhouette, in völliger Ungewißheit über sein eigenes Schicksal. Er verspürte abwechselnd Enttäuschung und Erleichterung darüber, daß sein Attentat gescheitert war.

Endlich wandte sich Granvelle vom Fenster ab und sah Pieter an. Vor dem hellen Fenster war zwar sein Gesichtsausdruck nicht zu erkennen, doch Pieter spürte den stechenden Blick des anderen.

»Du wirst mit niemanden darüber sprechen, was heute hier passiert ist«, sagte Granvelle. »Wie abgesprochen, wirst du mich in vierzehn Tagen als Erzbischof malen. Das genaue Datum wird dir noch rechtzeitig mitgeteilt. Du kannst gehen.«

Pieter blieb noch ein paar Sekunden ungläubig sitzen, dann erhob er sich mühsam von seinem Stuhl und ging mit steifen Beinen zur Tür. Er verließ den Saal, ohne es zu wagen, sich noch einmal umzudrehen.

Im Gang standen zwei spanische Soldaten, die Pieter argwöhnisch ansahen, aber sie ließen ihn ohne ein Wort passieren. Der Vikar war nirgendwo zu sehen.

Das gibt es nicht, dachte Pieter, als er nach Hause ritt. Niemand kann einen Mann wie Granvelle mit einer Waffe bedrohen und ohne Strafe weggehen. Ich träume, und gleich wache ich in einem Kerker auf, oder in der Hölle...

War Granvelle sich denn seiner absoluten Macht über ihn so sicher, daß er ihn nicht einmal als Bedrohung betrachtete?

Pieter blickte wieder auf seine Hand, die ihn vorhin im Stich gelassen hatte. Sie sah völlig unversehrt aus.

Ein göttlicher Eingriff? Pieter stieß ein verächtliches Brummen aus. Wenn dem Kardinal schon eine höhere Macht beisteht, dann ist sie eher der Teufel, dem er seine Seele verkauft hat. Doch auch dieser Gedanke brachte keine Ordnung in das Chaos von Unglauben und Verwirrung, das durch seinen Kopf spukte.

Als er nach Hause kam, sah ihn Lisa mißtrauisch an. Vorwurfsvoll sagte sie: »Meister Cock hat mich gefragt, wann du denn noch mal arbeiten kommst. Wo bist du wieder gewesen?«

Es war nicht gut, daß sie beide für den gleichen Meister arbeiteten, dachte Pieter. Aber das war längst nicht alles, was ihn an Lisa störte...

»Ich bin hundemüde«, sagte er. »Ich will mich jetzt nicht streiten.«

»Ich würde gerne wissen, wer die Nutte ist, bei der du dich immer so abrackerst!«

»Lisa, bitte!«

»Dann sag mir wenigstens, wo du dich rumtreibst!«

Pieter setzte sich hin, mit müden Bewegungen wie ein alter Mann. »Jobbe ist tot«, sagte er mit starrem Blick. »Man hat ihn umgebracht, ein Meuchelmörder...«

»Wer ermordet denn so einen alten Sack?«

»Verdammt noch mal, kannst du nicht mit etwas mehr Respekt über einen Toten sprechen?«

»Oha, oha! Seit wann bist du denn so taktvoll?«

»Ach, verreck' doch!« Pieter stand auf. »Ist noch Bier da?«

»Willst du wieder saufen, bis du vom Stuhl fällst?«

Pieter drehte sich um und sah Lisa scharf an. Plötzlich fühlte sie sich unwohl. »Sei vorsichtig, Lisa!« warnte er sie mit tiefer Stimme.

Er war kurz davor, sie zu schlagen, was er noch nie zuvor erlebt hatte. Aber er wußte, daß er sich danach wie ein Feigling vorkommen würde.

»Es tut mir leid«, sagte Lisa. »Ich habe nicht daran gedacht, daß dir dieser alte Fischer so viel bedeutet hat.«

Pieter brummte etwas Unverständliches, wandte sich ab und nahm einen Krug Bier. Saufen, bis er vom Stuhl fiel, dachte er. Für ein paar Stunden diese verdammte Welt dort draußen vergessen können ...

Er nahm wieder Platz und setzte den Krug an die Lippen. Er merkte nicht einmal, daß Lisa den Raum verließ und nicht mehr zurückkam.

Das Bier zeigte keinerlei Wirkung, es kam ihm vor, als würde er Wasser trinken. Der einzige Effekt war, daß er alle naselang pinkeln gehen mußte.

Er stand auf und ging in die Werkstatt, wo er einige Lampen anzündete. Dann breitete er die Zeichnung mit dem *Triumph des Todes* auf dem Tisch aus. Nach vorn gebeugt, die Hände auf den Tisch stützend, betrachtete er eine Zeitlang die makabren Darstellungen.

Nachdem er das Nötigste vorbereitet hatte, begann er zu malen. Er arbeitete mit derselben Besessenheit wie damals, als er die Zeichnung gemacht hatte.

Der Tod war endlich wieder lebendig geworden.

Pieter arbeitete vier Tage und Nächte ohne Unterbrechung. Er lebte von einem Stück Brot und einem Schluck Wasser. Manchmal, wenn er völlig erschöpft war oder seine Hand zu sehr schmerzte, sank er in den alten Lehnsessel, der in einer Ecke der Werkstatt stand, und schlief eine Stunde.

Am vierten Tag standen alle Figuren auf dem Bild. Nur die Landschaft im Hintergrund mußte noch ausgearbeitet werden. Pieter mußte aufhören. Er konnte vor Müdigkeit kaum noch die Augen aufhalten, außerdem zitterten seine Hände immer stärker, so daß ihm der Pinsel fast aus den Händen fiel.

Wütend über die Schwäche seines eigenen Körpers, warf er die Malsachen auf den Boden und verließ schwankend die Werkstatt. Mit Mühe gelang es ihm, sein Bett zu erreichen, dann brach er zusammen und schlief bis zum Mittag des nächsten Tages durch.

Als er aufstand und zum Fenster ging, um etwas erstaunt in die strahlende Sonne zu blicken, fühlte er sich merkwürdig gut. Sein Körper schien so leicht, als könnte er schweben, und in seinem Kopf war eine angenehme Leere, als wäre er ein wenig betrunken.

Dann fiel ihm sein Gemälde ein.

Das Werk stand unberührt auf der Staffelei. Als Pieter näher heranging, blieben seine Sohlen kleben. Der ganze Boden war voller

Farbkleckse. Seine Malsachen lagen noch genauso da, wie er sie am Vortag hingeworfen hatte. Die Palette war ebenfalls mit eingetrockneten Farbresten bedeckt, und die Pinsel sahen aus, als wäre ein kleines Kind mit ihnen zugange gewesen.

Doch die Figuren auf dem Bild gaben die Schmerzensschreie wieder, die aus dem Labyrinth seiner finstersten Gefühle an die Oberfläche gestiegen waren, als er mit der Arbeit begonnen hatte. Sogar Lisas obszöne Posen konnte man in der erniedrigenden Haltung mancher entseelter Körper wiederfinden.

Bei mindestens der Hälfte der Figuren konnte sich Pieter nicht mehr erinnern, daß er sie gemalt hatte, aber sie waren da, in all ihrer fast wollüstigen Grausamkeit.

Das Bild würde sich im Sitzungssaal von Canticrode gut machen, dachte Pieter. An der Wand gegenüber der Stirnseite des Tisches, so daß es jeder, der dort saß, sehen mußte.

Aber Granvelle würde ihm sicher den Rücken zuwenden, mit derselben Verachtung, mit der er den wirklichen Tod aussandte, um seinen Willen ausführen zu lassen...

Pieter aß ein Stück Brot mit Schweineschmalz und trank eine halbe Kanne Milch, bevor er an dem Gemälde weitermalte.

Er arbeitete nun ruhig und konzentriert, darum bemüht, daß das Bild eine möglichst große Wirkung ausstrahlte. Je länger er malte, desto leerer und desolater wurde die Landschaft im Hintergrund. So wie auch der Teich seiner Phantasie immer leerer wurde nach dieser furiosen Entladung grauenerregender Kreativität in den vergangenen Tagen und Nächten.

Deshalb wußte Pieter, daß das Bild gut war. Werke, die keine Leere in ihm zurückließen, waren letztlich immer banal und bedeutungslos gewesen.

Am späten Nachmittag kam einer von Cocks jüngeren Schülern zu Pieter. Als er ihm die Tür öffnete, sah der Junge einen Moment lang mit Respekt auf seine mit Farbe beschmierten Kleider, bevor er sagte: »Meister Cock läßt euch grüßen, Meister Bruegel, und er fragt, wie es um Lisas Gesundheit bestellt ist.«

»Lisas Gesundheit?« fragte Pieter erstaunt.

»Sie hat gestern gesagt, daß sie sich nicht gut fühle, und weil sie heute nicht arbeiten gekommen ist...« Der Knabe schwieg, als er Pieters Gesichtsausdruck sah. »Fühlt Ihr euch denn gut, Meister Bruegel?«

Pieter faßte sich. »Sag Meister Cock, daß ich seine Besorgtheit schätze, daß ich selbst morgen oder übermorgen wieder komme und sich über Lisas Zustand noch nichts Genaues sagen läßt.«

Der Junge rannte davon. Pieter blickte ihm kurz nach, bevor er in Gedanken versunken hineinging, um weiterzuarbeiten.

Als Lisa zur gewohnten Zeit nach Hause kam, schien sie nicht sehr erfreut, Pieter wieder bei der Arbeit zu sehen.

»Ich hatte erwartet, daß du noch in den Federn liegst«, sagte sie.

»Das Leben ist voller unerfüllter Erwartungen«, erwiderte Pieter. Ohne Lisa anzuschauen, fragte er: »Wie war dein Tag?« Mit äußerster Präzision malte er die Sprossen einer Leiter, die rechts oben im Hintergrund des Gemäldes an einem Galgen lehnte. Seine Hand hatte wieder leicht zu zittern angefangen, daher hatte er sie auf die Handstütze gelegt.

»Wie soll mein Tag schon gewesen sein? Wie immer: normal.«

»Gibt es was Neues in den *Vier Winden*?«

»Soviel ich weiß, nein, du weißt, daß ich mich nicht um den Laden und die Werkstatt kümmere.«

»Hat Meister Cock nicht nach mir gefragt?«

»Warum sollte er, denkst du vielleicht, daß du unentbehrlich bist?«

»Das ist niemand, und auf manche kann man sogar ganz gut verzichten...«

»Willst du damit was Bestimmtes sagen?«

»Was hast du heute mittag gegessen?«

»Pferdefleisch. Jetzt guck nicht so angewidert, man bekommt fast nichts anderes mehr.«

»Man kann noch genug bekommen, wenn man sich nur die Mühe macht, vor die Stadtmauern zu gehen.«

»Du hast leicht reden, du kommst ja vom Bauernhof!«

Pieter seufzte und hörte auf, zu malen. Während er den Pinsel auswusch, sagte er: »Karel war vorhin hier, er hat gefragt, wie es um deine Gesundheit bestellt sei.« Er sah Lisa mit fast gleichgültiger Miene an.

Lisa erwiderte schweigend seinen Blick, bevor sie sagte: »Du weißt, warum ich lüge. Weil ich keine Lust habe, deine dummen Fragen zu beantworten!«

»Ist es denn so viel schwerer, die Wahrheit zu sagen?«

»Du sagst mir doch auch nie, wo du dich rumtreibst!«

»Ich bin keine Frau.«

»Ha!« machte Lisa verächtlich.

»Wo bist du den ganzen Tag gewesen?«

»Du hast überhaupt kein Recht, mich so zu verhören!«

»Kann schon sein«, sagte Pieter ruhig. »Aber ich habe ein anderes Recht...« Er ging langsam zum Schrank und holte den Kerbstock. »Es ist noch Platz für zwei Kerben«, stellte er fest und betrachtete das Ende des Stocks mit gespieltem Interesse. »Nach heute also noch eine...« Er balancierte den Stock in der Hand und sah Lisa an. »Und jetzt werde ich dir so eine Tracht Prügel geben, daß du in den nächsten Tagen nicht mehr lügen brauchst, um nicht arbeiten gehen zu müssen.«

»He!« rief Lisa beunruhigt. Sie machte einen Schritt zurück. »Das wagst du nicht!«

»Oh doch«, sagte Pieter. »Und je lauter du schreist, desto besser, das ist gut für meinen Ruf bei den Nachbarn!«

Als Pieter drohend den Stock erhob, rief Lisa voller Panik: »Warte, du darfst mich nicht schlagen!«

»Vielleicht überlege ich es mir noch anders, wenn du mir ehrlich sagst, wo du heute gewesen bist.« Er stand nun direkt vor Lisa. Als wolle er seine Schlagkraft überprüfen, schlug er mit dem Stock in seine geöffnete linke Hand.

»Beim... beim Doktor!« stieß Lisa hervor. »Und bei... bei meiner Schwester in Mortsel...«

»Du hast noch eine Chance, dann schlag ich dir den Hintern grün und blau...«

Lisa machte eine abwehrende Handbewegung. »Bitte, Pieter, du weißt nicht, was du tust! Ich war wirklich bei einem Doktor.«

»Um deine Zunge untersuchen zu lassen?« Pieter erhob den Stock. »Los, beug dich nach vorn, dort über den Stuhl!«

»Nicht, Pieter, ich bin... schwanger!«

Pieter sah sie erstaunt an, während er den Stock noch immer in der Luft hielt. »Wie bitte?«

»Ich bin schwanger«, wiederholte Lisa, die angesichts seiner Reaktion Mut zu schöpfen schien. Fast triumphierend fügte sie hinzu: »Dachtest du vielleicht, daß das nie passieren würde?«

Pieter ließ den Stock sinken und nahm seinen Dolch. Während Lisa beunruhigt zusah, schnitt er die beiden letzten Kerben in den Stock. Als er damit fertig war, sagte er: »Der Stock ist voll, und das Maß auch.« Er warf den Stock in die Ecke, wo er polternd liegenblieb. »Es hat keinen Sinn mehr, daß ich mir noch die Hände an dir schmutzig mache. Diese Nacht kannst du noch bleiben, aber wenn du morgen früh weggehst, brauchst du nicht mehr zurückkommen.«

»Wie bitte? Weist du einer schwangeren Frau die Tür?«

»Bitte, Lisa, hast du denn überhaupt keine Würde im Leib? Vor einer Woche hattest du noch die Regel, glaubst du vielleicht, ich habe keine Augen im Kopf?«

»Oh!« machte Lisa und ließ die Schultern hängen. »Ich dachte immer, ich wäre Luft für dich...« Sie sah aus, als würde sie gleich in Tränen ausbrechen.

Pieter sah unglücklich auf sie hinunter. Er hatte sich diesen Moment anders vorgestellt, mit viel Geschrei und Geschimpfe und Vorwürfen von beiden Seiten.

»Wir hätten nie zusammenziehen dürfen...« sagte er hilflos.

»Du hast dich verändert, Pieter. Als ich dich das erste Mal gesehen habe, in den *Vier Winden*, warst du anders. Habe ich dich so verbittert gemacht? Ist es meine Schuld?« Sie sah zu ihm auf. Ihre Augen blieben trocken, aber es schien, als würde sie innerlich weinen.

»Jeder verändert sich, weil wir uns auf unser Lebensziel hin entwickeln. Niemand hat Schuld, wenn unsere Lebensziele weit auseinanderliegen.«

»Willst du wirklich, daß ich gehe?«

Es schien so leicht, einen Rückzieher zu machen, aber Pieter antwortete trotzdem tonlos: »Es ist besser für uns beide...«

»Dann kann ich auch nicht mehr bei Meister Cock arbeiten.«

»Wegen mir brauchst du nicht von ihm weggehen, ich bin sowieso nicht mehr so oft da.«

Lisa schüttelte langsam den Kopf. »Ich finde schon eine andere Stelle, ich bin den Gestank von Öl und Farbe und Kupfer eh leid...« Sie klammerte sich an die praktischen Probleme, um an die anderen nicht denken zu müssen. »Ich werde dieses Haus vermissen, ich habe gerne hier gewohnt.«

»Es ist ein schönes Haus«, gab Pieter zu. Aber nun empfand er dessen Leere. Lisa war noch da, sie stand neben ihm, und doch wirkte das Haus bereits verlassen. Ob es wohl besser war, einsam zu sein, als von einer unerwünschten Anwesenden gestört zu werden?

Plötzlich schlug er die Arme um Lisa und drückte sie an sich. Für einen Moment vergaß er allen Ärger, den sie ihm jemals bereitet hatte.

Lisa ließ ihn gewähren, die tröstende Gebärde schien ihr gut zu tun. Doch auf einmal schob sie ihn von sich weg. »Vorbei ist vorbei...« Sie rieb sich mit dem Handrücken heftig das rechte Auge. »Aber eines würde ich gerne noch wissen...« Sie sah Pieter eindringlich an. »Antworte mir bitte ehrlich: Ist eine andere im Spiel?«

Pieter schüttelte langsam den Kopf. »Ich hatte in der letzten Zeit kein großes Interesse an Frauen...«

Lisa ließ den Kopf hängen. »Gegen eine Rivalin kann man noch versuchen zu kämpfen...« Sie wandte sich ab. »Ich werde meine Sachen zusammensuchen.«

»Weißt du schon, wohin du gehst?«

»Zu meiner Schwester nach Mortsel, denke ich.«

»Die, bei der du heute auch gewesen bist?«

»Du brauchst nicht mehr bissig werden, Pieter. Das war übrigens die Wahrheit.«

»Der Kerbstock ist sowieso schon voll«, sagte Pieter mit vorgetäuschter Gleichgültigkeit.

Er hoffte, daß es ihm dieses Mal gelingen würde, sich zu betrinken.

27

Selten war es auf dem großen Markt in Antwerpen so lebhaft zugegangen. Massen von Neugierigen drängten sich um die zahlreichen Stände, hinter denen Händler mit lauter Stimme ihre Waren anpriesen, und um die unter freiem Himmel aufgebauten Bühnen, auf denen Volksstücke aufgeführt wurden und die Redner verschiedener Gilden einander in Eloquenz zu übertreffen versuchten, um den begehrten Preis des Rederijker-Wettbewerbs zu erobern. Sie führten kurze erbauliche Stücke auf, in denen allegorische Figuren wie Streit, Vergnügungssucht, Licht, Eifersucht und Habgier danach strebten, mit möglichst vollkommen formulierten Reimen einander den Rang abzulaufen.

Am frühen Nachmittag bestand das Publikum hauptsächlich aus einfachem Stadtvolk und Landbewohnern, die sich am liebsten von Possen unterhalten ließen. Die meisten stammten aus der Feder des zwei Jahre zuvor gestorbenen Jan van den Berghe. Die Themen und Personen, über die in den Stücken gespottet wurde, waren alle leicht wiederzuerkennen, so daß eine Lachsalve nach der anderen ertönte. Dieser Erfolg spornte die Spieler noch mehr an, so daß sie sich immer verrückter gebärdeten. Buntgekleidete Narren purzelten von der Bühne hinunter ins Publikum und bereiteten mit ihren lustigen Bocksprüngen vor allem den Kindern großen Spaß.

Am späten Nachmittag, wenn die höheren Stände kamen, sollten Mysterienspiele und erbauliche Geschichten gezeigt werden, allegorische Werke mit ernsthaftem, didaktischem Anliegen. Doch vorerst beherrschte Gelächter den Platz.

Überall flatterten fröhliche Banner, an mehreren Orten erklang Musik von Lauten und Brummtöpfen, und über allem hing der herrliche Geruch von Krapfen und gekochten Weinbergschnecken – von den Franzosen »caracoles« genannt. Dies alles trug zur festlichen Stimmung bei und ließ die schlechte Getreideernte wenigstens für kurze Zeit vergessen.

Selbst das Hämmern und Schlagen der Arbeiter, die zu Hunderten im Hintergrund am Bau des neuen Rathauses tätig waren, konnten den Leuten den Spaß nicht verderben. Im Gegenteil, ihr emsiges Tun schien das Ganze sogar noch mehr zu beleben.

Die Sankt-Lukas-Gilde hatte einen eigenen Stand. Unter einer Zeltplane, die man als Schutz vor Regen angebracht hatte, wurden Reproduktionen und Originalzeichnungen der eigenen Mitglieder ausgestellt. Außerdem waren ein paar – zumeist jüngere – Künstler anwesend und machten Skizzen und Porträts von Passanten, die dafür ein paar Cents übrig hatten. Wenn jedoch nicht gerade eine offenherzig gekleidete weibliche Schönheit zu sehen war, wurde der ernsthaften Arbeit zu dieser Tagesstunde aber nur wenig Beachtung geschenkt. Das normale Publikum hatte kein Geld für die teuren Reproduktionen, geschweige denn für die Originalwerke.

Große Aufmerksamkeit erregte dagegen ein langer Tisch, auf dem zahlreiche Spottbilder lagen, die oft den Hochadel oder die spanische Regierung zum Thema hatten. Sie waren billig und fanden reißenden Absatz. Meistens versteckten die Käufer ihre Neuerwerbung schmunzelnd unter den Kleidern, bevor sie das Zelt verließen.

Auf einer Ecke des Tisches lag ein Stapel unverdächtiger Zeichnungen, mit denen man schnell die anderen bedecken konnte, wenn Gefahr in Gestalt einer Patrouille oder irgendwelcher Amtspersonen drohte. Doch diese mischten sich zum Glück nicht allzuoft unter das Volk auf dem Marktplatz.

Ein großer Teil der Spottbilder stammte aus Pieters Hand. Zusammen mit Cock stand er etwas abseits und sah schadenfroh zu, wie sie vom Publikum begeistert aufgenommen wurden. Im Grunde verschaffte ihm diese Art Späße eine größere Befriedigung als der Verkauf eines teuren Gemäldes. In den vergangenen Wochen hatte er Dutzende dieser respektlosen Skizzen gemacht, eine derber als die andere. Es machte ihm nichts aus, daß der Gewinn kaum die Kosten für Papier und Bleigriffel deckte. Wenn nötig, hätte er sie sogar gratis unters Volk gebracht, wenn er den Menschen nur zeigen konnte, wie er über Kirche und Regierung dachte.

Doch sie waren nicht die einzigen, die die Obrigkeit verspotteten. Neben dem Zelt der Sankt-Lukas-Gilde stand ein Podest, auf dem der Dichter Pierre Schuttemate – nicht zum ersten Mal in dieser Woche – ein Lied zu Gehör brachte, in dem der spanischen Krone ein Seitenhieb nach dem anderen versetzt wurde. Offenbar war der wenig subtile Text ganz auf den Geschmack des Publikums zugeschnitten, denn die zahlreichen Zuhörer, die sich vor der Bühne drängten, bekundeten bei jeder treffenden Anspielung des Sängers lautstark ihren Beifall.

Die tapferen Männer von Oranien,
pfeifen jetzt auf Spanien.
Unser Volk kann sie nicht mehr leiden,
drum wird es höchste Zeit…

»*…zu scheiden!!*« brüllten die Zuhörer begeistert im Chor. Manche riefen statt dessen »*… darauf zu scheißen!!*«, was großes Gelächter und Gejohle hervorrief.

Mutter hätte daran ihre Freude gehabt, dachte Pieter. Er erinnerte sich an sie als eine lebhafte Frau, die äußerst temperamentvoll sein konnte. Auch wenn sie von seinem recht trübsinnigen Vater häufig gebremst wurde.

Seit Jobbe im Sterben gesagt hatte, daß seine Mutter noch leben würde, dachte Pieter wieder öfter an seine Eltern. Jobbes Tod lag nun schon mehr als ein Jahr zurück, aber seitdem hatte sich Pieter wiederholt gefragt, wo sie sein könnte. Wahrscheinlich würde er auf diese Frage nie eine Antwort bekommen. Er konnte sich auch nur schwer vorstellen, daß sie, wenn sie tatsächlich noch lebte, all die Zeit nie versucht hätte, ihn ausfindig zu machen.

In seinen Erinnerungen war sie keine Mutter, die sehr an ihm gehangen hatte, zumindest hatte sie das nie gezeigt. Inzwischen hatte Pieter jedoch einen gewissen Ruhm erworben, der ihr bestimmt zu Ohren gekommen sein mußte. Wenn sie schon nicht von Liebe getrieben würde, müßte sie doch wenigstens Neugier zu ihm geführt haben. Neugier oder Geldgier, denn er erinnerte sich auch daran, daß sie immer sehr auf Profit aus war. Sein Vater hatte das »eine gesunde Bäuerinnenmentalität« genannt…

Cock, der mit besorgter Miene über die Köpfe blickte, riß Pieter aus seinen Gedanken. »Allmählich treiben sie es zu bunt«, meinte er. »Wenn hier auch nur ein Offizier rumläuft, der ein bißchen Flämisch versteht, ist der Teufel los.«

»Es gibt Schlimmeres als spanische Offiziere«, murmelte Pieter. Plötzlich beunruhigt, sah er zu einem mageren, ganz in Schwarz gekleideten Mann hinüber, der wie ein kalter Schatten in ihr Zelt geschlichen war und sich nun aufmerksam die Spottbilder anschaute, ohne eines in die Hand zu nehmen. Doch als der Mann kurz den Kopf drehte und in seine Richtung blickte, sah Pieter, daß es ein völlig Unbekannter war.

»Noch ein paar Stunden«, sagte er, »und dann ist hier wieder alles brav und langweilig. Dann quatscht die alte Anna Bijns wieder vor armseligen fünf Frömmlern über die Segnungen der einzigen wahren Kirche und erzählt, wie falsch und sündig und verdammt all die anderen sind.«

»Die Zwangsherrschaft wäre besser zu ertragen, wenn wir wenigstens unsere Meinung öffentlich kundtun könnten.«

»Dann hätten Pierre Schuttemate und seine Zuhörer längst nicht so viel Spaß«, meinte Pieter. »Kein Vergnügen ist so groß wie das verbotene...« Er verstummte, als ihm erneut der dunkle Mann auffiel, der gerade in ihrem Zelt gewesen war. Nun stand er etwas abseits von den Zuhörern des Sängers, doch statt zu dem Künstler zu blicken, beobachtete er die ganze Zeit verstohlen das Publikum.

Pieter stieß Cock an. »Hier läuft ein merkwürdiger Kauz herum, der sehr geheimnisvoll tut. Dort, neben...«

Cock winkte ab. »Ich sehe ihn auch, aber für einen Spion verhält er sich etwas zu auffällig, findest du nicht?«

»Nur wenn man zufällig auf ihn achtet, ja...« Der Mann in Schwarz fing seinen Blick auf, drehte sich um und verschwand in der Menge. »Ich traue dem Braten nicht«, sagte Pieter. Er ging zum Tisch und deckte mit schnellen, geschickten Bewegungen die anstößigen Zeichnungen zu, bis der Stand einen völlig harmlosen Anblick bot.

»Ich glaube, ich werde für dieses Spektakel zu alt«, sagte Cock. »Es ist wie beim Liebe Machen, der Moment selbst ist noch vergnüglich, aber von all der Aufregung drumherum bleibt nichts mehr übrig. Mittlerweile denke ich immer öfter: Leute, Leute, warum hetzt ihr euch nur so ab?«

»Und trotzdem organisiert Ihr noch einen Wettbewerb, und was für einen!«

»Ich wollte in Schönheit von der aktiven Kunstwelt Abschied nehmen«, sagte Cock. »Nächstes Mal kannst du dir all die Sorgen und den Ärger aufhalsen.«

Pieter antwortete nicht, denn er hatte gerade einen Bekannten entdeckt, der sich durch die Leute in ihre Richtung drängte. »Bram!« rief er freudig überrascht. »Ich hatte nicht erwartet, dich mitten im einfachen Volk zu sehen!«

Ortelius ging auf den Scherz nicht ein. Er machte ein ernstes Gesicht und warf einen flüchtigen, fast scheuen Blick nach rechts und links, bevor er Pieter und Cock die Hand gab. »Ich komme, um euch zu warnen«, sagte er. »Vielleicht hat es ja nichts zu sagen, aber die ganze Umgebung des Marktes stinkt.«

Es stinkt war eine Art Kode geworden, der bedeutete, daß Spanier in der Nähe waren.

Pieter nickte. »Das habe ich schon erwartet.«

Ortelius war nervös, als wäre er selbst in Gefahr. »Wenn ihr hier belastende Dinge herumliegen habt, laßt ihr sie besser verschwinden, ganz verschwinden, meine ich.« Sein Blick wanderte zu dem singenden Dichter nebenan auf der Bühne. »Dieser Schlappschwanz sollte auch besser sein großes Maul halten!«

»So nervös kenne ich dich ja gar nicht«, sagte Pieter verwundert.

»Gwijde ist verschwunden, ich vermute, daß sie ihn wieder festgenommen haben. Deshalb bin ich etwas durcheinander. Nach dem Tod seiner Tochter ist er besonders leichtsinnig geworden...«

Cock hatte Ortelius' Worte nicht gehört. »Dort hinten wird ein Stück aufgeführt, wo Spanier mit Ringelschwänzen auftreten, die nur grunzen können.« Er grinste; offenbar sah er überhaupt keinen Anlaß, sich Sorgen zu machen.

»Künstler!« Ortelius sprach es wie ein Schimpfwort aus. »Also, ihr seid gewarnt!«

»Danke«, sagte Pieter, aber der andere war schon in der Menge verschwunden.

»Der denkt natürlich an seine eigene Position, jetzt, wo er wieder ganz oben ist«, bemerkte Cock spitz.

Pieter schwieg. Seit ihm Ortelius zu seinem 31. Geburtstag ein neues Pferd geschenkt hatte, wollte er kein böses Wort mehr über ihn hören. Aus Ortelius' Sicht war dieses Geschenk jedoch nur eine Art

Schuldentilgung, weil Pieter sich immer geweigert hatte, für seine Bilder Geld anzunehmen.

»Vielleicht sollten wir besser seinen Rat befolgen«, sagte Pieter. Er ging wieder zum Tisch. »Verbrennen scheint mir das Beste zu sein...«

»Aber Pieter, die ganze Arbeit!«

»Diese Kritzeleien mache ich im Handumdrehen neu.« Pieter begann die Spottbilder unter den anderen Zeichnungen hervorzuziehen.

»Pieter, ich finde das...«

Pieter sollte niemals erfahren, was der andere sagen wollte, denn in diesem Moment erhob sich unter den Leuten, die dichtgedrängt zwischen der Bühne und den Ständen standen, ein Tumult. Menschen schrien entsetzt auf, andere stießen wütendes Gebrüll aus, Kinder weinten. Inmitten des ganzen Lärms ertönten spanische Befehle und Waffengeklirr. Hier und da kam es zu Scharmützeln und Schlägereien, ganz in der Nähe stürzte ein Zelt ein, was die Verwirrung noch größer machte. Die Spanier schossen mit ihren Musketen in die Luft, plötzlich wimmelte es überall von blitzenden Kürassen, hin und her schwenkenden Hellebarden und in der Sonne aufblitzenden Rapieren. Soldaten stürmten auf die Bühne und zerrten den sich sträubenden Pierre Schuttemate hinunter, wobei sie links und rechts auf die protestierenden Zuschauer einschlugen.

»Steck das Ding weg, verdammt noch mal!« zischte Cock, als er den Dolch in Pieters Hand sah. »Willst du, daß sie dich über die Klinge springen lassen?!« Er wies mit einer raschen Kopfbewegung auf die Rückwand des Zeltes. »Sieh lieber zu, daß du wegkommst!«

»Da liegen noch Zeichnungen!« Pieter sah voller Panik zu den Spaniern hinüber, die die Menge mit ihren Stichwaffen brutal auseinandertrieb. Zwei Männer stürzten sich auf einen Spanier, doch zwei andere Soldaten stießen ihnen sofort ihre Rapiere in den Rücken. Während einer der beiden lautlos zusammenbrach, griff sich der andere an den Rücken und schrie wie am Spieß. Eine Frau, die sich kreischend über den am Boden liegenden Mann beugte, wurde mit einer Hellebarde erbarmungslos zur Seite geschleudert, wo sie regungslos liegenblieb, während flüchtende Menschen über ihren Körper stolperten.

»Scher dich weg!« schrie Cock Pieter an. »Weg, sag ich dir!«

Pieter zögerte noch immer, weil er für einen Moment geglaubt hatte, seinen Bruder Dinus inmitten einer Prügelei gesehen zu haben.

»Hau ab!« schrie Cock wieder.

Pieter riß sich zusammen, drehte sich um und lief zur Rückwand des Zeltes. Er hob die Plane hoch und kroch auf allen vieren unter ihr durch. Dabei fielen die Spottbilder, die er unter seinem Wams versteckt hatte, auf den Boden. Er wollte sie gerade zusammenraffen, als ein Schuß knallte und direkt vor seiner Hand Erde hochspritzte. Pieter erstarrte und sah zu einem Soldaten hoch, der langsam die Pistole in den Waffelgürtel steckte und mit einem triumphierenden Grinsen das Rapier zog. Doch in dem Moment stießen ihn von hinten rennende Menschen an. Er taumelte nach vorn und fiel auf Pieter.

Pieter machte sich mit wilden Schlägen von dem Soldaten los, sprang auf und rannte davon. Er rempelte ein paarmal Kämpfende an, wurde festgehalten, konnte sich aber wieder befreien, wich dem Hieb einer Hellebarde aus, sprang über am Boden liegende Menschen und erreichte schließlich den Rand des Marktplatzes. Dort blieb er kurz stehen und sah sich nach einem Fluchtweg um. Er war völlig außer Atem, vor seinen Augen tanzten Flecken. Überall waren Spanier, sowohl zu Fuß als auch zu Pferd. Auf allen Seiten wurden Menschen zu bereitstehenden Karren geschleppt, manche wehrten und sträubten sich bis zuletzt, andere waren ruhig und gefügig, wieder andere blutend und halbtot. Einigen gelang es, in dem Chaos zu entkommen und in den angrenzenden Straßen zu verschwinden. Andere traf auf der Flucht ein Schuß in den Rücken.

Plötzlich sah Pieter, daß an der Seite des Rathausbaus fast keine Soldaten waren. Doch kaum war er losgerannt, da hörte er hinter sich immer lauter werdendes Hufgetrappel. Er sprang zur Seite, mitten in eine Gruppe von Frauen und Kindern, die jammernd hin und her liefen und Freund und Feind im Wege standen. Die Pferde blieben stehen. Pieter hörte nur noch Geschrei und Flüche in mehreren Sprachen.

Rennend, stolpernd und springend erreichte er die Baustelle. Dort hechtete er über einen Haufen Steine und Bretter und landete unsanft in einem Gerümpelhaufen, wo er von einer Ladung Sand halb begraben wurde. Er befreite sich, stand auf und lief gebückt durch ein Labyrinth von Gerüsten und halb hochgezogenen Mauern. Plötzlich stieß er gegen einen großen, grobschlächtigen Mann, der ihn kurz forschend ansah und dann schnell auf ein Loch im Bretterboden zeigte. »Da rein«, sagte er.

Ohne zu zögern, ließ sich Pieter durch die Öffnung nach unten fallen, wo er mit den Füßen im Schlamm landete. Der Raum roch nach feuchter Erde. Durch die Ritzen zwischen den Holzplanken über seinem Kopf fiel schwaches Licht, so daß Pieter nach einer Weile etwas erkennen konnte. Allerdings gab es außer Erdwällen und hölzernen Stützbalken nicht viel zu sehen, denn ebenso wie das stattliche Rathaus befand sich auch der Keller noch immer im Bau.

Plötzlich hörte er über sich Gepolter und eine barsche Stimme, die auf französisch Fragen stellte. Schnell watete er durch den Schlamm bis in die dunkelste Ecke, wo er sich so klein wie möglich machte. Mit dem Dolch in seiner zitternden Hand wartete er auf den Moment, wo ein spanischer Soldat mit einer Fackel durch das Loch springen würde. Doch das geschah nicht. Die polternden Schritte über ihm entfernten sich. Kurz darauf steckte der Bauarbeiter, der Pieter geholfen hatte, den Kopf durch das Loch im Boden.

»Sie sind weg«, sagte der Mann. »Wenn ich du wäre, würde ich dort sitzen bleiben, bis es dunkel ist. Aber das mußt du selbst wissen.« Er zog den Kopf zurück und ging weg.

»Scheiße!« fluchte Pieter, teils aus Enttäuschung, teils vor Erleichterung, weil er vorerst entkommen war.

Er steckte den Dolch weg und versuchte eine etwas bequemere Haltung zu finden. Es dauerte noch Stunden, bis es dunkel wurde; so lange in dieser dreckigen Grube hocken zu müssen, war nicht gerade ein angenehmer Gedanke.

Beunruhigt fragte er sich, ob ihn die Spanier erkannt hatten. Seine Spottbilder trugen natürlich keine Signatur, aber sehr viele Leute kannten seinen Stil. Auf jeden Fall kannte Granvelle seinen Stil ...

»Dann soll er sich daran ergötzen!« rief Pieter grimmig. Seine Stimme klang in dieser Erdhöhle merkwürdig gedämpft, als hätte er Wasser in den Ohren.

Cock hatte sich bestimmt in Sicherheit bringen können. Das schaffte dieser Schlawiner immer, dachte Pieter. Schlimmer war es um all die armen Schlucker bestellt, die wieder einmal die Waffen ihrer Unterdrücker zu spüren bekommen hatten. Pieter biß sich auf die Lippen, als ihm bruchstückhaft die schrecklichen Szenen wieder vor Augen standen. Noch vor Ende dieser Woche, würden einige dieser wehrlosen Menschen auf dem Scheiterhaufen sein, wie schon so oft...

Dann dachte er an seinen Bruder. Er war nicht sicher, ob er Dinus wirklich gesehen hatte, so wie er auch nicht wußte, ob ihn das überhaupt berührte.

Pieters Augen gewöhnten sich immer mehr an das dämmrige Licht in der Grube. Aus einem Brett und ein paar Holzblöcken, die im Schlamm lagen, baute er sich eine Bank, auf der er die nächsten Stunden wenigstens sitzend verbringen konnte.

Über ihm nahm die riesige Schar von Bauarbeitern eifrig die Arbeit wieder auf. Sie sollte drei Jahre dauern.

Das Schlagen, Klopfen und Hämmern hielt ohne Unterbrechung an, bis die Dämmerung einbrach. Dann dauerte es nicht mehr lange, und es war völlig still.

Pieter ging mit steifen Knien zu der Öffnung. Er griff an den Rand und zog sich hoch, bis er um sich blicken konnte. Es war fast dunkel, auf der Baustelle rührte sich nichts.

Voller Angst, etwas umzuwerfen, machte sich Pieter vorsichtig auf die Suche nach einem Ausgang.

Auf dem Markt war noch keine Ruhe eingekehrt. Beim flackernden Licht der Fackeln waren schemenhafte Gestalten noch immer damit beschäftigt, Verwundete und Tote wegzutragen. Hier und da blitzten Kürasse und Helme von Soldaten auf, die bewegungslos das Treiben zwischen den Zelten und Ständen und auf dem umliegenden Platz beaufsichtigten. Über dem Platz lag eine beklemmende Stille. Pieter kam es vor, als würde er eine schaudererregende Szene aus einer imaginären Unterwelt sehen. Er erschauderte wirklich, denn er fror mit seinen nassen Füßen, und für die Kühle des klaren Abends war er nicht entsprechend angezogen.

Immer im Schatten bleibend, schlich er vorsichtig an der Baustelle entlang bis zu ihrer Rückseite, von wo aus er ungesehen in Richtung Schelde entkommen konnte.

Die Spanier trieben sich an diesem Abend in der ganzen Stadt herum. Pieter mußte sich zweimal vor einer Patrouille verstecken, bis er die Straße erreichte, in der die *Vier Winde* lagen. Dort mußte er sich zum dritten Mal schnell in Sicherheit bringen, weil sich vor dem Eingang des Ladens Soldaten postiert hatten.

Innerlich fluchend, ging er vorsichtig zurück, bis er von den Soldaten nicht mehr gesehen werden konnte. Nach kurzem Zögern schlug er den Weg zu Marieke Coecke ein.

Bereits nach seinem ersten leisen Klopfen öffnete sie ihm die Tür, als hätte sie ihn erwartet. Die schweren Gardinen vor den Fenstern waren zugezogen. Es brannte nur eine Kerze.

»Was für ein Elend«, sagte Marieke, nachdem sie Pieter umarmt hatte, als hätte sie ihn seit Jahren nicht gesehen. »Man hat mir gesagt, daß du wahrscheinlich entkommen bist.« Sie sah ihn von Kopf bis Fuß an. »Aber du siehst ziemlich mitgenommen aus.«

»Ich habe im Keller unter dem Rathaus gesessen.« Pieter sah sich mit suchendem Blick um. »Wo ist Mayken?«

»Im Bett, sie war völlig überdreht. Willst du etwas essen?«

»Ich bin völlig ausgehungert«, stellte Pieter plötzlich fest. Er hatte die ganze Zeit nicht einmal an Essen gedacht.

Marieke stellte Brot und Milch auf den Tisch. »Pierre Schuttemate und mehrere Redner und Schauspieler sitzen im Steen...« Sie hielt einen Moment inne und starrte vor sich hin. »Du weißt, was das bedeutet...«

»Noch mehr Tote«, sagte Pieter leise.

»Meister Cock sitzt in seinem eigenen Haus fest, er darf vorläufig nicht hinaus. Vielleicht so lange, bis sie dich gefunden haben?«

»Suchen sie mich denn?«

»Das würde mich nicht wundern.« Mariekes Stimme klang vorwurfsvoll.

Pieter ergriff ein Schauder. Er nahm ein Stück Brot, aber es schmeckte ihm nicht. »Es ist wohl besser, wenn ich nicht nach Hause gehe...«

»Du kannst diese Nacht hierbleiben.«

»Ich finde schon in den Ställen einen Platz zum Schlafen.« Er wollte sie und Mayken nicht in Gefahr bringen.

»Und morgen?«

»Ja, was wird morgen sein?«

»Möchtest du, daß ich mit Granvelle spreche?«

»Nein!« sagte Pieter schnell. »Nein, auf keinen Fall!« Nachdem Granvelle als Erzbischof eingesetzt worden war, hatte Pieter ihm sein Gemälde *Der Triumph des Todes* überbringen lassen und seitdem nichts mehr von ihm gehört. Dieses Schweigen war viel schlimmer als eine wütende Reaktion, die er erwartet hatte. »Dieser Unmensch ist imstande, seinen Zorn an dir auszulassen!«

»Dann solltest du Antwerpen am besten verlassen und für eine Weile woanders bleiben, bis sich die Lage wieder beruhigt hat. Warum gehst du nicht nach Amsterdam? Dort leben viele Künstler, du könntest da hervorragend arbeiten.«

»Vielleicht«, sagte Pieter nachdenklich. »Wenn ich aus der Stadt rauskomme... Vielleicht durch das Tor, an dem am meisten los ist, inmitten der ganzen Leute und Wagen, das könnte klappen, wenn man nicht nach mir Ausschau hält.«

»Ich werde dir ein paar Kleider von meinem seligen Mann geben.«

»Marieke...« Trotz des schwachen Lichts der Kerze konnte Pieter sehen, daß sich die Falten in ihrem Gesicht noch tiefer eingegraben hatten. »Warum tut Ihr das alles für mich?«

»Ich habe keinen anderen, um den ich mich kümmern kann, selbst Mayken braucht mich kaum noch...«

»Ich wünschte, ich könnte das irgendwann gutmachen.«

Marieke wandte den Blick ab und starrte in das flackernde Licht der tropfenden Kerze. »Es gibt etwas, womit du mich glücklich machen könntest, aber es ist noch zu früh, darüber zu sprechen...«

»Sagt es mir, ich will alles tun, was ich kann, um...«

»Später«, unterbrach ihn Marieke. »Später...« Sie sah Pieter an, nun wieder mit beherrschter Miene. »Ich habe einen Bekannten in Amsterdam, der dir weiterhelfen kann, wenn du dort ankommst. Ich werde dir seine Adresse geben.«

»Ich stehe immer mehr in Eurer Schuld.« Pieter stand auf. Er schob den Stuhl vorsichtig beiseite, denn er wollte keinen Lärm machen. »Seid Ihr einverstanden, wenn ich eben nach Mayken schaue, bevor ich gehe?«

»Ich werde dir eine Kerze geben«, sagte Marieke.

Mayken schlief. Sie lag auf der linken Seite und atmete lautlos mit halbgeöffnetem Mund. Ihr blondes Haar lag ausgebreitet auf dem Kopfkissen.

Pieter betrachtete sie eine Weile voll Zärtlichkeit. Dann bückte er sich und gab ihr einen sanften Kuß auf die Wange. Ihr Atem stockte kurz, aber sie wachte nicht auf. Sie roch süß, nicht wie ein Kind, dachte Pieter, sondern wie eine junge Frau. Ihr Geruch rief ein merkwürdiges Gefühl in ihm hervor, das ihn verwunderte und zugleich ein wenig erregte. Schließlich zwang er sich dazu, sich umzudrehen und das Zimmer zu verlassen. Lautlos schloß er die Tür hinter sich.

Später, als er wie ein Landstreicher in einem Pferdestall im Stroh lag, tröstete er sich damit, an sie zu denken. So gelang es ihm, die furchtbaren Gedanken an den vergangenen Nachmittag zu verdrängen und ohne Furcht vor grauenhaften Alpträumen einzuschlafen.

Im Morgengrauen sattelte er sein Pferd und verließ fast ohne Geld und ohne Gepäck notgedrungen die Stadt.

Er passierte ohne Schwierigkeiten die Torwächter und folgte dem Strom von Händlern und Reisenden, die in den Norden zogen.

Er fühlte sich wie ein Herbstblatt, das vom Wind fortgeweht wurde, ebenso willenlos und dem Schicksal ausgeliefert.

Bald würde der Winter kommen. Winter in Amsterdam, dachte Pieter. Er hoffte, daß er irgendwo einen Ort finden würde, wo er seine Füße wärmen konnte.

28

»Pieter Bruegel? Mit der Empfehlung von Marieke Coecke-Verhulst, nun denn...« Nestor van Mander sah von dem Brief auf, den Pieter ihm gegeben hatte, und musterte den Besucher interessiert von Kopf bis Fuß. »Überflüssig, diese Empfehlung. Euer Ruf ist Euch vorausgeeilt.«

Pieter war nicht sicher, ob der andere seinen Spott mit ihm trieb. »Ich wußte nicht, daß ich schon so berühmt bin«, sagte er vorsichtig.

»Sogar im rückständigen Amsterdam bekommen wir hin und wieder etwas mit. Warum seid Ihr hergekommen, wenn ich fragen darf?«

»Aus Angst vor dem Galgen.«

Der andere verzog das Gesicht. »Ich verabscheue Aufrichtigkeit!«

»Dann kenne ich die richtige Frau für Euch.«

Van Mander sah ihn erstaunt an. »Eine was?«

»Eine Frau, ein Wesen wie Ihr und ich, aber weniger behaart und mit noch ein paar abweichenden Kennzeichen.«

Van Mander lachte. »Danke, ich habe schon eine. Genever?«

»Gerne«, antwortete Pieter. Eine Stärkung konnte er gut gebrauchen.

Nestor van Mander gefiel ihm. Der schon etwas ältere Maler hatte von Marieke die Mechelner Wasserfarbentechnik gelernt und schien mit ihr gutes Geld zu verdienen. Er machte den Eindruck, als würde er nur wenig ernst nehmen, sich selbst wohl am allerwenigsten. Er wohnte in einem Steinhaus an den Achterburgwallen. Das Haus wirkte dank vieler Fenster hell und luftig, doch jedes Zimmer war vollgestopft mit Plunder. Van Mander war ein unermüdlicher Sammler von allem, was nicht zu schwer war, um es mitzunehmen, ob wertvoll oder nicht.

Frau van Mander, Charlotta, war klein und pummelig. Außerdem lachte sie nicht so schnell, wie Pieter feststellte, als er seinen dritten Genever trank. Sie sah etwas heruntergekommen aus, als würde sie zu van Manders Trödelsammlung gehören.

»Kinder? Gott behüte mich davor!« antwortete sein Gastgeber, als Pieter ihn danach gefragt hatte. »Als ob wir nicht schon genug Probleme mit uns selbst hätten!«

Pieter sah einen Anflug von Mißfallen über Charlottas volles Gesicht huschen, weshalb er das Thema wohlweislich nicht wieder ansprach.

»Ihr könnt hier wohnen und arbeiten«, bot van Mander an. »Wir haben genug Platz. Ich werde Euch nicht mehr berechnen, als Ihr anderswo auch bezahlen müßtet.«

»Ein freundliches Angebot, das ich gerne annehme, zumindest für die erste Zeit.«

»Wißt Ihr, was Ihr machen solltet?« Van Mander schlug einen vertraulichen Ton an. »Gemälde für die Neue Welt.« Er nickte wissend. »Von hier aus fahren regelmäßig Schiffe nach Amerika, die meisten mit Kurs auf Neuamsterdam. Habt Ihr schon mal von Neuamsterdam gehört?«

»Ja, ich habe davon gehört.«

»Dort sitzt ein Haufen von Opportunisten, die in kurzer Zeit ein Heidengeld mit allerlei Geschäften gemacht haben, über die man nicht laut reden darf. Sie bauen riesige Häuser, die sie mit Gemälden vollstopfen. Fast jedes Schiff nimmt eine Ladung mit für so einen *nouveau riche.*«

»So berühmt bin ich nun auch wieder nicht.«

»Es macht nichts, wenn sie drüben noch nie Euren Namen gehört haben. Hauptsache, es kostet viel.«

»Warum denn nicht hinfahren und dort arbeiten?«

»Zu diesem Pack? Wißt Ihr, wer da alles sitzt? Spanier, Engländer, Wilde und Gesindel!«

»Aber keine Kirche?«

Van Mander sah Pieter kurz an, bevor er sagte: »Die Kirche ist überall. Und seid etwas vorsichtig mit Bemerkungen dieser Art. Amsterdam und seine vier Bürgermeister sind streng katholisch. Noch einen Schluck?«

Pieter hob sein Glas. »Bin ich also wieder am falschen Ort gelandet?«

»Nicht direkt, vielleicht gefällt Euch ja unsere Getreidestadt. Es gibt nämlich unglaublich viele Wirtshäuser. Amsterdam ist übrigens durch den Bierhandel groß geworden. Außerdem sind die Frauen hier nicht so frech wie in Antwerpen.«

Charlotta stand auf. »Ich habe noch zu tun«, sagte sie und verließ das Zimmer.

»Seht Ihr, was ich meine?« fragte van Mander grinsend.

Pieter hielt sein Glas hoch und blickte durch das klare Getränk ins Licht. »Ich scheine nicht unter einem Glücksstern geboren zu sein, was Frauen angeht. Entweder bringe ich ihnen Unglück oder sie mir, nie geht es gut.«

»Irgendwo wartet die Richtige, Pieter.«

Pieter zuckte mit den Schultern. »Es geht auch ohne...«

Van Mander klopfte ihm väterlich auf die Schulter. »Ihr werdet Euch hier schon vergnügen.«

»Mir ist einmal prophezeit worden, daß es drei wichtige Frauen in meinem Leben geben wird. Zwei habe ich schon gehabt.«

»Aller guten Dinge sind drei.«

»Die erste war eine gute Frau...« Pieter leerte das Glas. Das Thema begann ihn zu langweilen. »Ich brauche Material zum Arbeiten. Könnt Ihr mir helfen, das ein und andere zu finden? Das scheint mir im Moment wichtiger zu sein.«

»Wie Ihr wollt«, antwortete van Mander.

Sie räumten aus einem großen und einem kleinen Zimmer den Plunder raus. In dem großen konnte Pieter arbeiten, im kleinen schlafen.

Er begann sofort voller Eifer mit einem Tafelbild. Es sollte die neue Version einer Miniatur werden, die er damals in Rom für Clovio gemalt hatte: *Der Turmbau zu Babel.* Dieses Werk würde ihn lange Zeit völlig in Anspruch nehmen und ihm kaum erlauben, an andere Dinge zu denken.

Eine Woche später kam Charlotta zum ersten Mal zu ihm, während er an der Arbeit war.

»Nestor ist ausgegangen«, begann sie. »Das macht er jeden Freitag. Dann kommt er sehr spät und stockbetrunken nach Hause.«

Pieter sah sie einen Moment an. Ihr freimütiges Reden verwunderte ihn. Wenn Nestor in der Nähe war, sagte sie selten mehr als nötig. Er bemerkte auch, daß sie gepflegter aussah. Sie hatte ihr Haar frisiert und trug saubere Kleider.

Während Pieter sich wieder seinem Bild zuwandte, sagte er: »Er hat mich gefragt, ob ich mitgehen will.«

»Hattet Ihr keine Lust auf ein bißchen Abwechslung?«

»Ich habe meine Abwechslung hier.« Pieter wies auf das Bild.

»Stört es Euch, wenn ich zuschaue?«

»Nein«, sagte Pieter, der es gewohnt war, von Schülern umringt zu sein.

Charlotta stand eine Weile neben Pieter und sah ihm schweigend zu. Dann sagte sie: »Ihr müßt schon eine unglaubliche Phantasie haben, um das alles aus dem Kopf malen zu können. Benutzt Ihr diese Phantasie auch schon mal für andere Dinge?«

»Andere Dinge? Was denn zum Beispiel?«

»Einfach andere Dinge, vergnügliche Dinge...«

»Ich habe nicht so viele andere Bedürfnisse.«

»Ich bin sicher, daß Ihr nicht so langweilig seid, wie Ihr vorzugeben versucht.«

Pieter lächelte. »Niemand findet sich selbst langweilig, denke ich.«

»Kann ich Euch etwas bringen, Bier vielleicht?«

»Gerne.«

Als Charlotta die Werkstatt verlassen hatte, um Bier zu holen, sah Pieter nachdenklich durch das große Fenster nach draußen, auf eine fremde Straße, an deren Anblick er sich noch nicht gewöhnt hatte. Offensichtlich macht sich Nestor Illusionen über die Untertänigkeit seiner Frau, dachte er.

»Bier aus dem Keller«, sagte Charlotta, als sie zurückkam. »Schön kalt.«

Pieter faßte den Krug an. »Mir ist nicht warm.«

»Ihr habt recht, es ist kühl. Das läßt einen nach Wärme verlangen...«

»Deshalb das kühle Bier?«

»Ich meine eine andere Art Wärme.«

Pieter nickte schweigend, stellte den Krug hin und nahm Palette und Pinsel.

»Erzählt mir nicht, daß Ihr dieses Bedürfnis nie habt, ein starker, gesunder Mann wie Ihr!«

»Manchmal schon, aber nicht so oft. Und jetzt ganz bestimmt nicht.«

»Wann denn dann?«

»Das kommt meistens völlig unvorhersehbar«, antwortete Pieter mehr oder weniger wahrheitsgetreu.

»Sagt mir Bescheid, wenn es soweit ist, vielleicht können wir dann Abhilfe schaffen.«

»Ich werde dran denken.«

So dreist habe ich sie selbst zu Hause noch nicht erlebt, dachte Pieter, als Charlotta weg war. Er fragte sich, wie gut Nestor seine Frau wohl kannte. Aber vielleicht war es ihm ja auch egal. Sonst würde er sie wohl kaum mit einem Junggesellen allein zu Hause lassen.

Am darauffolgenden Freitag kam Charlotta wieder zu ihm. Dieses Mal erzählte sie Pieter ungefragt, warum Nestor steif und fest behauptete, daß er keine Kinder haben wolle. Er würde es im Bett nicht bringen, sagte sie. Habe er noch nie gekonnt.

Pieter fühlte sich ein wenig hilflos. »Warum erzählt Ihr mir das?«

»Bald bin ich zu alt zum Kinderkriegen, dann ist mein Leben sinnlos gewesen...« Sie war rot geworden und hatte feuchte Augen.

»Wenn Euch das so wichtig ist, hättet Ihr Nestor schon längst verlassen müssen.«

»Ich will ihn nicht verlassen, ich liebe Nestor!«

»Man kann nicht alles haben.«

»Pieter!« Charlotta packte ihn fest am Arm. »Du kannst mir helfen!«

»Charlotta, bitte!«, sagte Pieter verlegen. Mit sanftem Druck löste er ihre Hand von seinem Arm.

»Du findest mich nicht anziehend!«

Ihre Stimme klang leicht hysterisch, so daß Pieter nun wirklich unruhig wurde. »Ich betrüge meine Freunde lieber nicht mit ihrer eigenen Frau.«

»Lügner! Bist du vielleicht kein richtiger Mann?«

Pieter legte die Malsachen hin. »Ich glaube, ich gehe mal eben an die frische Luft.«

»Feigling!«

»Charlotta...« Pieter versuchte die richtigen Worte zu finden. »Ich fühle mich sehr geschmeichelt, daß Ihr wegen so einer wichtigen Sache zu mir kommt, aber ich finde, daß wir das nicht tun können.«

»Weil ich nicht hübsch genug bin!«

»Wegen Nestor, es tut mir leid.«

»Er würde es verstehen.«

»Ja, das kann ich mir denken!«

»Das wirst du bereuen, Pieter!«

»Das würde ich bestimmt, wenn ich die Situation mißbrauchen würde.«

»Verdammt, Pieter, verstehst du denn nichts von Frauen?«

»Sehr wenig«, gab Pieter zu.

»Ach, verreck' doch«, schrie Charlotta und lief aus dem Zimmer.

»Ihr zieht euch zu sehr zurück«, sagte Nestor am nächsten Abend zu Pieter. »Kommt doch mal mit mir, Menschen treffen, die Flöhe aus dem Bart schütteln... Es gibt Leute, die Euch gerne mal kennenlernen würden.« Er zwinkerte.

Pieter warf einen verstohlenen Blick auf Charlotta, die so tat, als interessiere sie das Gespräch nicht. »Ihr habt recht«, sagte er. »Diese Stubenhockerei kann nicht gesund sein.«

»So gefallt Ihr mir«, sagte Nestor gutgelaunt.

Um Charlotta auszuweichen, ging Pieter tatsächlich am folgenden Freitag mit Nestor aus. Er konnte jedoch dessen Begeisterung für das Amsterdamer Vergnügungsleben nicht teilen. Nestor schien eine Vorliebe für Wirtshäuser zu haben, die hauptsächlich von weniger erfolgreichen Malern und Schriftstellern besucht wurden. Und das war nicht gerade Pieters Vorstellung von anregender Gesellschaft. Es wurde nur sehr tiefsinnig über Dinge gesprochen, von denen er selbst viel mehr Ahnung hatte oder die ihn nicht interessierten. Wohl aber zeichneten sie sich durch Trinkfreudigkeit aus. Bier und Genever flossen in Strömen, was auch eine Möglichkeit war, sich die Langeweile zu vertreiben und Erinnerungen an bessere Zeiten zu verdrängen.

Als sie nach Hause gingen, wußte nur noch Nestor wo sie wohnten. Pieter konnte selbst sein Zimmer nicht mehr finden, so daß Nestor ihn bis zum Bett schleppen mußte, bevor er in sein eigenes Schlafzimmer torkelte.

Spät in der Nacht merkte Pieter undeutlich, daß ihn jemand auf den Rücken drehte und an seinen Kleidern zu fummeln begann.

»Nestor?« murmelte er. Im grauen Licht, das durch das Fenster fiel, konnte er eine gespenstische, weiße Gestalt erkennen, die ihm mit ungeduldigen Bewegungen die Hose hinunterzog. Er mußte lachen, weil er Nestor in seinem weißen Nachthemd lustig fand. Doch als ihm eine warme Hand zielstrebig zwischen die Beine griff, erschrak er.

»Nestor? Verdammt, was tust du da?«

Pieter war jedoch zu betrunken, um die warmen Hände, die schändliche Dinge mit ihm taten, abzuwehren. Der silberne Fensterfleck schwankte hin und her wie ein Schiff auf rauher See, und es summte in seinen Ohren.

Er gab seine schwachen Versuche auf, die Hände wegzuschieben. Als er ruhig liegenblieb, fühlte er sich besser. Es war auch viel einfacher, den anderen einfach machen zu lassen. Doch als ihm erneut bewußt wurde, was da geschah, regte sich wieder sein Widerstand.

»Nestor, hör doch auf!« flehte Pieter. Er ärgerte sich über seine eigene Schwäche.

Es kam keine Antwort. Zunehmend befremdet sah Pieter, wie sein Belagerer das Hemd hochhob und sich rittlings auf seinen Unterleib setzte. »Um Himmels willen, Nestor!«

»Halt den Mund!« zischte eine Frauenstimme.

»Charlotta? Was machst... was machst du denn da?«

»Bleib ruhig liegen und sei still!«

»Oh, Himmel!« murmelte Pieter. Ihm wurde wieder schwindlig.

»Verdammt, du bist auch nicht viel besser als mein eigener Kerl!«

»Das kommt von... von dem Bie...«, rechtfertigte sich Pieter. Er bekam kaum mit, was Charlotta da unten alles anstellte, er merkte nur, daß sie sich immer ungeduldiger in alle Richtungen drehte und wendete. »Mir wird... schlecht...«, murmelte er. Er wandte den Kopf vom Fenster ab, um diesen hin und her schaukelnden Lichtfleck nicht mehr sehen zu müssen.

Charlotta stieß eine unverständliche Verwünschung aus, rutschte auf den Knien zurück und beugte sich nach vorn.

»Das kitzelt!« rief Pieter, als sich ihr hochgestecktes Haar löste und über seinen nackten Bauch strich. Er mußte plötzlich kichern, hörte aber sofort auf, weil sie ihn so kräftig gebissen hatte, daß er trotz seines Rausches den Schmerz spürte. Als er merkte, was Charlotta tat, fühlte er leichte Erregung. Doch als wollte ihn sein Körper sofort dafür bestrafen, überkam ihn zugleich eine neue Welle von Übelkeit, und dieses Mal konnte er sich nicht mehr dagegen wehren.

Mit letzter Kraft versuchte er Charlotta zu warnen, aber es war schon zu spät. Unter Schmerzen würgend, aber auch mit einem Gefühl der Erleichterung, kotzte er ein paar Liter Bier und Genever über sich selbst und Charlotta.

Als es vorbei war, fühlte er sich besser. Charlotta war verschwunden.

»Himmel...!« murmelte er stöhnend.

Er kroch aus dem Bett und zog sich den schmutzigen Wams aus. Dann warf er ihn auf die vollgekotzte Decke, rollte alles zusammen und schmiß das Bündel durchs Fenster auf die Straße. Ohne Licht zu machen, spülte er sich den Mund mit Wasser aus der Kanne aus, die auf dem Schränkchen neben seinem Bett stand, und spuckte das Wasser ebenfalls auf die Straße. Danach wusch er sich im Dunkeln, so gut es ging, stieg wieder ins Bett und legte sich auf den Rücken. Nun war er fast wieder nüchtern.

Bevor er einschlief, nahm er sich zwei Dinge vor: eine neue Bleibe suchen und nie mehr Bier und Genever zusammen trinken.

Drei Tage später kam Nestor in Pieters Werkstatt, was er nur selten tat, weil er selbst es auch haßte, bei der Arbeit gestört zu werden.

Er sah Pieter eine Weile über die Schulter. Auf der Leinwand wuchs der Babylonische Turm. »Technik kann man lernen«, sagte er, »aber Talent muß man haben. Marieke hat mir die Technik beigebracht, und das hat sie hervorragend getan, aber an Talent mangelt es mir völlig...«

»Nicht so bescheiden«, mahnte ihn Pieter. »Eure Arbeiten verkaufen sich doch sehr gut, oder?«

»Bei einem Publikum, das keine Ahnung von Kunst hat. Sie wollen nur schöne Bilder. Aber das hier...« Er wies mit einer theatralischen Gebärde auf die Holztafel. »Das ist für die Ewigkeit!«

»Wir werden nicht mehr dasein, um das zu erfahren.«

Nestor seufzte. »Warum sind es immer die größten Dreckskerle, die von Gott mit Gaben gesegnet werden?«

»Was meint Ihr damit?«

»Ihr habt mich schon verstanden.«

Pieter nickte. »Charlotta«, sagte er ruhig. Er war nicht aufgeregt, sondern fühlte sich eher leer.

»Schön, daß Ihr euch nicht dumm stellt.«

Pieter zuckte mit den Schultern. »Ihr werdet euch doch sowieso schon ein Urteil gebildet haben.«

»Nein, das habe ich nicht...« Nestor ging um das Bild herum und setzte sich auf die Ecke des Tisches. Mit verschränkten Armen sagte er: »Ich bin nicht diese zurückgebliebene Schnapsnase, für die Ihr mich wahrscheinlich haltet, Pieter.«

»Ich würde nie behaupten, daß Ihr zurückgeblieben seid.«

»Und ich kann mich zumindest noch auf den Beinen halten, wenn ich zu viel gesoffen habe.«

»Dafür habt Ihr meine Bewunderung und meinen Respekt.«

»Ich sehe, daß Ihr das alles recht gelassen nehmt.«

»Ich habe keinen Grund, nervös zu werden.«

»Ach nein?«

Pieter schüttelte den Kopf. »Nicht den geringsten.« Er streute eine winzige Menge Ocker auf seine Palette und mischte sie mit dem kleinen Finger unter einen Klecks rote Farbe. Dann rieb er sich den Finger an der Hosennaht ab. »Was hat Euch Charlotta denn erzählt?«

»Daß Ihr mehrmals versucht habt, sie zu verführen, jedesmal, wenn ich nicht zu Hause war.«

»Das habe ich mir gedacht.«

»Ist das alles, was Ihr dazu zu sagen habt?«

»Was möchtet Ihr denn hören?«

»Ich möchte, daß Ihr euch in lauter Panik Lügen ausdenkt und versucht, mir etwas vorzumachen, das hab' ich gern.«

»Ich habe wirklich versucht, sie zu verführen. Ist doch nicht so verwunderlich, wenn man schon länger keine Frau mehr hatte.«

Nestor sah Pieter mißtrauisch an. »Was bedeutet dieses zweideutige Gerede? Lügt Charlotta vielleicht?«

»Ich würde nie wagen, so etwas zu behaupten.«

»Pieter, sagt mir die Wahrheit!«

»Ich dachte, daß Ihr die gar nicht hören wolltet?«

Nestor zögerte. Schließlich sagte er: »Vielleicht nicht...« Er fuhr sich mit der rechten Hand übers Gesicht.

»Ich werde umziehen. Würdet Ihr mir helfen, eine Wohnung zu finden?« fragte Pieter.

Nestor sah Pieter an. Seine Augen waren vom Reiben gerötet. »Ihr wollt weggehen? Wegen Charlotta?«

»Mein Drang, unabhängig zu sein, zwingt mich.«

Nestor nickte. »Wenn Ihr meint...«

»Es ist für uns alle das Beste«, sagte Pieter leise.

»Gut...« Nestor richtete sich auf, als wollte er sich ermahnen. »Wir werden eine schöne Bleibe für Euch finden.« Er ging zur Tür.

»Danke«, sagte Pieter. »Und noch etwas, Nestor...«

Nestor, der schon die Klinke in der Hand hatte, drehte sich halb um. »Ja?«

»Ich habe Euer Vertrauen nicht mißbraucht«, sagte Pieter. »Das ist auf jeden Fall die Wahrheit.«

»Das habe ich mir schon gedacht«, sagte Nestor, doch seine Stimme klang alles andere als freudig.

Umziehen war einfach für jemanden, der nur wenige Besitztümer hatte. Nestor hatte für Pieter ein Haus direkt am IJ gefunden, so daß er vom Fenster seiner Werkstatt aus die Masten der Hochseeschiffe sehen konnte.

Pieter stand oft am Fenster. Das Meer zog ihn noch immer an; hin und wieder spielte er mit dem Gedanken, tatsächlich nach Amerika zu gehen. Doch jedesmal schreckte er davor zurück, sich von seinen Wurzeln zu lösen. Dafür war es zu spät. Er wurde zu alt für große Abenteuer, das hätte er zehn Jahre früher tun müssen.

Er setzte die Arbeit an seinem *Turmbau zu Babel* fort, einem über fünf Fuß breiten Werk über Hochmut und Niedergang. Nichtswürdige Menschen, die in ihrer Überheblichkeit versuchten, den Himmel zu erreichen, und dafür von Gott auf eine Weise bestraft wurden, die vermuten ließ, daß der Allmächtige Sinn für Humor besaß.

Er wird sicher geschmunzelt haben, dachte Pieter, über die Gesichter all dieser Bauarbeiter, die einander plötzlich nicht mehr verstanden. So wie er bestimmt öfter geschmunzelt oder sogar schallend gelacht haben wird, wenn er seinen »Herren der Schöpfung« wieder mal einen Streich gespielt hat.

Das Alleinsein brachte Pieter zur Ruhe. Er arbeitete konzentriert, aber ohne Eile, und machte lange Spaziergänge durch die Stadt, die so ganz anders war als Antwerpen. Es gab keine Scheiterhaufen und Galgen, und die Obrigkeit ließ von ihrer Anwesenheit wenig merken. Doch auch hier herrschte ein Kommen und Gehen von ausländischen Händlern und Seeleuten aus aller Herren Länder. Die Bevölkerung war nicht so ängstlich und scheu, außerdem schien längst nicht so großer Hunger zu herrschen. Vielleicht lag es daran, daß die fünfzigtausend Amsterdamer noch nicht von dem religiösen Tauziehen und der damit einhergehenden Repression, unter der Antwerpen so sehr litt, zermürbt wurden. Doch wenn Pieter das Verhalten der Menschen in seiner Umgebung beobachtete und ihren Gesprächen zuhörte, merkte er, daß es auch hier unter der Oberfläche schwelte. Die Unruhen im Süden ließen auch Amsterdam nicht unberührt.

Mehr als einmal machte Pieter einen weiten Ausritt entlang den riesigen Getreidefeldern und Gehöften im Umland. Oft nahm er seine Zeichensachen mit, um Skizzen für zukünftige Bilder anzufertigen.

Manchmal suchte er in sich selbst nach Anzeichen von Heimweh nach dem Landleben, aber es gab sie nicht. Er betrachtete die Bauern bei ihrem Tun wie ein Außenstehender, mit Interesse, aber ohne den Wunsch, dazuzugehören.

Doch er war eigentlich schon immer nur ein Beobachter gewesen, dachte er manchmal. Das Leben schien an ihm vorbeizuziehen, ohne daß er selbst daran teilnahm. Vielleicht war dies das Schicksal des Künstlers: zu registrieren, wie andere den Verlauf der Geschichte antrieben.

Hin und wieder kam ihm der Gedanke, daß er sich womöglich anders fühlen würde, wenn er Kinder hätte. Vielleicht könnten sie die Leere in seinem Leben ausfüllen. So bliebe nach seinem Tod nichts von ihm zurück außer seinen Bildern, nach denen irgendwann wahrscheinlich kein Hahn mehr krähen würde. Wenn ihm solche Gedanken im Kopf herumgingen, überkam ihn oft eine gewisse Ruhelosigkeit. Er war erst dreiunddreißig, doch manchmal merkte er bereits, wie die Zeit an seinem Körper Spuren hinterließ. Mehr als einmal war er nach einer kalten Winternacht beim Aufwachen steif gewesen, eine schmerzhafte Steifheit, die oft bis zum Mittag anhielt.

Wenn er Genever trank, so hatte er festgestellt, ließen die Steifheit und der Schmerz schneller nach. Doch der Genever verursachte ein immer stärkeres Brennen, irgendwo oben im Magen, so daß sein Heilmittel manchmal ärgere Qualen hervorrief als das Leiden selbst.

Er war nicht wie Jobbe, dachte Pieter mit etwas Bitterkeit. Jobbe wäre vielleicht hundert geworden, wenn man ihn nicht umgebracht hätte.

Doch an den ersten warmen Frühlingstagen ging es ihm wieder besser. Ihm war, als erwachte er wie die Natur zu neuem Leben. Kaum war er jedoch wieder bei Kräften, da kehrte auch die Ruhelosigkeit zurück.

Wie in jeder großen Hafenstadt gab es auch in Amsterdam viele Huren, aber sie konnten Pieter nicht trösten. Er sehnte sich nach viel mehr als nur fleischlicher Lust. Sein einsames Herumirren durch die Straßen der Stadt war sinnlos. Er hatte kein Ziel, und der Zufall kam ihm nicht zur Hilfe.

Es gelang ihm nicht, sich in Amsterdam heimisch zu fühlen. Mehr denn je war er ein Außenstehender. Und doch war die Sehnsucht nach Antwerpen nicht so stark, daß er zurückkehren wollte. Antwerpen hatte etwas Abschreckendes bekommen.

Marieke schickte ihm ab und zu Briefe, einfache Sätze in großen Buchstaben geschrieben, damit er sie entziffern konnte. Aus ihnen erfuhr er, daß Cock wieder arbeitete, Pierre Schuttemate dagegen tatsächlich auf dem Scheiterhaufen gestorben war. Der Philosoph Coornhert saß im Gefängnis. Auch Abraham Ortelius hatte eine Weile im Kerker zugebracht, weil er verdächtigt wurde, mit den Lutheranern zu sympathisieren, doch inzwischen war er wieder auf freiem Fuß. Sein Bruder Gwijde blieb unauffindbar. Der Drucker Plantin war ins Ausland geflüchtet, weil er der Aufwiegelei beschuldigt wurde.

Nichts wies darauf hin, daß Pieter gesucht wurde, doch gerade die Tatsache, daß sein Verschwinden scheinbar völlig unbemerkt geblieben war, schien sonderbar. Marieke riet ihm daher auch zwischen den Zeilen, noch eine Weile zu bleiben, wo er war.

Begierig suchte Pieter in den kurzen Briefen nach Neuigkeiten über Mayken, doch es hatte den Anschein, als würde Marieke, was das anging, absichtlich schweigen, sie verlor kein Wort über ihre Tochter, nicht ein einziges. Einmal versuchte er, einen Brief zu beantworten, um sich auf diese Weise nach Mayken zu erkundigen, doch er bekam die Worte nicht aufs Papier, und Nestor wollte er nicht um Hilfe bitten. So blieb seine Sehnsucht ungestillt.

Pieter war in diesem Winter zwar oft von seinen steifen Gliedern geplagt worden, doch die Hand hatte ihm nur wenig Probleme bereitet. Bis er eines Tages, als er gerade den *Turmbau zu Babel* vollendete, völlig unerwartet einen so heftigen Krampf in den Fingern bekam, daß er den Pinsel fallen ließ.

Voller Angst starrte er auf seine Hand, die sich wie zu einer Klaue verkrampfte. Es schien unendlich lange zu dauern, bis sich die Finger wieder entspannten, der Schmerz nachließ und er nur noch ein leichtes Vibrieren in den Knöcheln spürte. Weiterarbeiten konnte er an diesem Tag jedoch nicht mehr. Er versuchte es nicht einmal, sondern ging statt dessen einen Krug Genever holen. Er hatte gerade einen kräftigen Schluck genommen, als an seine Tür geklopft wurde. In der Hoffnung, daß es der Kurier mit einem Brief sein würde, öffnete Pieter sofort die Tür. Vor ihm stand ein elegant gekleideter Mann, der höflich das Barett abnahm. »Meister Bruegel?« Er warf einen flüchtigen Blick auf den Geneverkrug, den Pieter noch immer in der Hand hielt.

Mißtrauisch sah Pieter kurz zu der Kutsche hinüber, die auf der anderen Straßenseite wartete. »Und wer seid Ihr?«

»Philipp de Croy, Herzog von Aarschot. Ich komme geschäftlich, können wir miteinander reden?«

Pieter trat schweigend einen Schritt zur Seite, um den Herzog hineinzulassen. Bevor er die Tür schloß, blickte er noch einmal beunruhigt zu der prachtvollen Kutsche.

»Ich habe bei verschiedenen Gelegenheiten Euer Werk kennenlernen können«, sagte der Herzog. »Und ich muß sagen, daß ich jedesmal sehr beeindruckt war.« Er zog unaufgefordert einen Stuhl vom Tisch zurück und setzte sich.

»Ich fühle mich geehrt«, sagte Pieter. »Darf ich Euch etwas zu trinken anbieten?«

»Ich danke Euch, aber ich habe nur wenig Zeit.« Der Herzog sah sich kurz im Zimmer um.

»Ich wohne hier nur vorübergehend«, sagte Pieter entschuldigend.

Der Herzog nickte, als wäre ihm das bekannt. »Erklärt Ihr euch bereit, ein Gemälde für mich zu malen?«

»Gewiß, mein Herr. Habt Ihr ein bestimmtes Thema im Kopf?«

»Ich hege große Bewunderung für Eure Landschaften.«

»Es ist schon eine Weile her, daß ich zum letzten Mal Landschaften gemalt habe.«

»Das bedeutet doch nicht, daß Ihr es nie wieder tun werdet?«

Pieter zuckte mit den Schultern. »Das kommt darauf an...«

»Wieviel es Euch einbringt?« Der Herzog lächelte und warf eine Lederbörse auf den Tisch. »Würde das reichen?«

»Dem Geräusch nach zu urteilen, ja«, antwortete Pieter, ohne die Börse anzurühren. Er konnte das Geld gut gebrauchen, doch er wollte nicht den Eindruck erwecken, habgierig zu sein.

»Am liebsten wäre mir eine biblische Szene in einer großen Landschaft. Ich dachte dabei an...« Der Herzog sah Pieter scharf an. »... *Die Flucht nach Ägypten* oder etwas in dieser Art.«

Pieter massierte seine rechte Hand, die zu prickeln begonnen hatte. »Darf ich Euch fragen, wie Ihr an meine Adresse gekommen seid?«

Der Herzog lächelte verschmitzt. »Durch Erzbischof Perrenot de Granvelle, Euren Förderer, wenn ich richtig verstanden habe.« Er sah Pieter an, als wäre er gespannt auf dessen Reaktion.

Das Prickeln in Pieters Hand wurde plötzlich stärker, fast schmerzhaft. Sprachlos erwiderte er den Blick des Herzogs, bis er den Mut fand zu fragen: »Der Bischof... ist er in Amsterdam?«

Der Herzog nickte. »Wir sind zusammen hierher gereist. Der Bischof ist wegen Besprechungen beim hiesigen Rat der Weisen zu Besuch.«

Pieter starrte auf seine rechte Hand. Das Prickeln war in ein dumpfes Klopfen übergegangen. »Kommt er... Hat Monseigneur vor, mich mit seinem Besuch zu beehren?«

»Das scheint mir unwahrscheinlich, wir haben einen straffen Zeitplan. Soll ich dem Bischof Eure Grüße übermitteln, Meister Bruegel?«

»Das wird er sicher schätzen«, antwortete Pieter. Seine Worte sollten sarkastisch klingen, aber das mißlang fast völlig, weil er gleichzeitig versuchte, seine plötzliche Angst zu verbergen. Sehnsüchtig sah er auf den Geneverkrug, der inzwischen auf dem Tisch stand, aber er bezwang die Versuchung. Mit Mühe richtete er seine Aufmerksamkeit auf den Herzog.

»Nehmt Ihr meinen Auftrag an, Meister Bruegel?« fragte dieser.

Pieter blickte auf die Geldbörse, die noch immer unangerührt auf dem Tisch lag. »Da Ihr schon bezahlt habt...«

Der Herzog stand mit zufriedenem Gesicht auf. »Habt Ihr eine Vorstellung, wieviel Zeit Ihr für die Arbeit benötigt?«

»Kann ich Euch benachrichtigen lassen, wenn sie fertig ist?«

»Ja, natürlich«, antwortete der Herzog nonchalant. »Schickt eine Nachricht an den Bischof, dann werde ich es schon erfahren.« Er blickte auf Pieters Hände und runzelte die Stirn. »Fehlt Euch etwas?«

»Ein leichter Krampf, zu lange an einem Stück gearbeitet...« Pieter hörte auf, sich die Finger zu massieren. Es war eine fast zwanghafte Angewohnheit geworden.

»Seid vorsichtig mit diesen Händen. Sie sind Gold wert.«

Auch nachdem das Rattern der Kutsche von Herzog Philipp de Croy längst verhallt war, starrte Pieter gedankenverloren vor sich hin. Den Geneverkrug rührte er nicht an, er verspürte plötzlich keinen Durst mehr. Erst eine ganze Weile später nahm er die Börse und schüttete den Inhalt auf den Tisch. Es waren genug Golddukaten, um lange Zeit fürstlich davon leben zu können. Dieser Auftrag kam genau im richtigen Moment, dachte Pieter. Doch das hatte auch etwas Angsterregendes.

Er blickte auf seine rechte Hand. Der Schmerz und das Zittern hatten nachgelassen. Als wäre der Grund offensichtlich, sagte Pieter laut: »Dieser Mistkerl ist weg!« Nun griff er endlich zum Krug. »Möge sich die Erde auftun unter den Rädern Eurer teuren Kutsche und Euch für immer verschlingen!«

Er setzte den Krug an die Lippen und trank mit gierigen Schlucken, als wäre es Wasser. Er wußte, daß er das Brennen im Magen nicht mehr fühlen würde, wenn er nur rasch genug trank...

29

Im Wirtshaus *'t Sere Knietje* herrschte eine beklemmende Atmosphäre. Rauch und Staub, der Qualm der Öllampen, der widerliche Geruch von schalem Bier und Essen und die feuchte Wärme der lärmenden Gäste machten die Luft so stickig, daß jemand, der von draußen hineinkam, das Gefühl hatte, gegen eine Mauer zu laufen.

Abseits, in der dunkelsten Ecke des Schankraums, saß ein Mann allein an einem Tisch. Er lag mit Kopf und Brust auf der Tischplatte, die Arme hingen schlaff herunter. Mit seinen lockigen, schwarzgrauen Haaren und einem ebenso üppigen Bart sah er auf den ersten Blick wie ein schlafendes haariges Ungeheuer aus. Auf dem Tisch stand nur ein Geneverkrug, noch nicht mal ein Glas.

Der Wirt, der alle Hände voll zu tun hatte, schüttelte im Vorbeigehen den Krug, blies mit vollen Backen die Luft aus und nahm ihn mit zu dem großen Tresen.

»Bis auf den letzten Rest leergesoffen«, sagte er zu seiner nicht mehr ganz jungen Gehilfin, die gerade Bierkrüge füllte. »Ein Glück, daß er vorher bezahlt hat.«

Die Gehilfin sah kurz zu dem einsamen Trinker hinüber. »Wer ist das?«

Der Wirt zuckte mit den Schultern. »Niemand scheint ihn zu kennen, aber er hatte einen südlichen Akzent, als er noch was nüchterner war.« Er stellte den Krug in ein Regal. »Bevor wir zumachen, bitte ich ein paar Männer, ihn vor die Tür zu setzen.«

Die Gehilfin hatte aufgehört zu zapfen. »Vielleicht hat er Kummer, eine unglückliche Liebe oder so was...«

»Unglückliche Liebe!« höhnte der Wirt. »Ein Saufbold ist er, nichts anderes! Und jetzt mach voran, Rosa! Die Gäste warten!«

Später am Abend, als die meisten Gäste lallend und singend das Wirtshaus verlassen hatten und es ruhiger geworden war, fragte Rosa den Wirt: »Findest du es schlimm, wenn ich kurz mit ihm spreche?«

»Mit diesem Säufer? Mußt du selbst wissen. Hoffentlich kriegst du ihn wach, dann kann er auf eigenen Beinen rausgehen.«

Als Rosa an den Tisch trat, sah sie, daß der Mann wach war. Er hatte die linke Wange auf den Arm gelegt, doch seine Augen waren offen. Mit müdem Blick und fast ohne zu blinzeln, starrte er vor sich hin.

Rosa blickte eine ganze Weile auf ihn hinunter. Woher kannte sie nur diese jämmerliche Gestalt? Je länger sie ihn ansah, um so sicherer wurde sie, daß sie ihm schon einmal begegnet war, obwohl durch die Haare und den Bart nicht viel mehr als Augen und Nase zu erkennen waren. Vielleicht war er doch schon öfter im Wirtshaus gewesen, und der Wirt hatte ihn nur nicht erkannt.

Sie ignorierte die neugierigen Blicke einiger Gäste, zog einen Stuhl heran und setzte sich. Mit sanfter Stimme fragte sie: »Sind wir wieder wach?«

Die glasigen Augen richteten sich kurz auf sie, starrten dann aber wieder ins Leere.

»Nicht daß ich mich in deine Angelegenheiten einmischen möchte, aber ...« Sie zögerte, weil sie selbst nicht wußte, warum sie sich immer wehrloser Menschen annehmen wollte. »Ich möchte nicht, daß du wie ein Hund rausgeschmissen wirst, verstehst du? Ich weiß, daß du kein Landstreicher bist ...« Sie befühlte den Ärmel seines Samtwamses. Das Kleidungsstück hatte bessere Zeiten gekannt, doch Landstreicher trugen keinen Samt. »Meinst du, daß du auf den Beinen stehen kannst?«

»Warum stehen, wenn liegen so viel bequemer ist?«

Als Rosa die Stimme hörte, wuchs ihre Gewißheit noch mehr, daß sie den Mann kannte. Sie sah ihn einen Moment forschend an, dann packte sie ihn plötzlich an den Schultern und zwang ihn, sich aufzusetzen. Mit aufgeregter Stimme sagte sie: »Ich fresse einen Besen, wenn es nicht wahr ist, aber, bei Gott, ich kenne dich!«

»Ich habe Durst«, sagte der Mann, der auf seinem Stuhl etwas unsicher hin und her schwankte. »Ist es nicht deine Pflicht, deine Nächsten zu laben?«

»Sag mir erst, wer du bist«, forderte Rosa, die ihn noch immer unverwandt anstarrte. »Dann bekommst du Wasser.«

»Einer der Verdammten dieser Erde, wen interessiert das denn?« Der Mann sah sie an, sein Blick schien klarer zu werden. »Wasser, sagst du? Ich will mich nicht waschen, ich will trinken!« Plötzlich grinste er. »Der Satz hätte Jobbe gefallen ...«

»Jobbe? Jobbe, der Fischer?«

Der Mann rieb sich die Augen, fast hastig, als würde er sich jetzt wirklich bemühen, wieder klarer zu werden.

Plötzlich faßte sich Rosa ans Herz. »Pieter?« Ihr Unterkiefer fiel herunter, als hätte sie ihre Gesichtsmuskeln nicht mehr unter Kontrolle.

»Berühmt bis in den weiten Norden, Nestor hatte recht ...« Pieter schwieg und kniff die Augen zusammen. Doch auf einmal riß er sie weit auf. »Mutter?«

»Gott, Pieter!« Rosa umarmte ihren Sohn mit einer Leidenschaft, wie sie es seit Jahren nicht mehr erlebt hatte. Doch schon einen Moment später schob sie ihn weg und sah sich ängstlich im Schankraum um. »Komm«, sagte sie, plötzlich sichtlich nervös. »Es gibt hinten noch ein Zimmer ...« Sie zog Pieter hoch und schleppte ihn buchstäblich in einen kleinen Raum, in dem nur Gerümpel herumstand. Als sie allein waren, umarmte sie ihn noch einmal.

Pieter fühlte sich plötzlich viel nüchterner. »Fange ich an, Wahnbilder zu sehen? Habe ich denn so viel getrunken?«

Da flog die Tür auf, und der Wirt steckte den Kopf ins Zimmer. »Wird das hier lange dauern, Rosa? Draußen wartet noch Arbeit!«

»Jaja, ich komme schon«, antwortete Rosa, ohne den Blick von Pieter abzuwenden. »Gott, Pieter, wie hast du dich verändert!«

Pieter sah seine Mutter an. Du bist auch nicht mehr dieselbe, dachte er. In seiner Erinnerung war sie eine junge Frau gewesen.

»Ich habe oft von dir gehört, von deiner Malerei. Ich bin stolz auf dich, aber das konnte ich niemandem sagen.«

»Du bist nie zu mir gekommen«, sagte Pieter vorwurfsvoll.

»Ich durfte dich nicht mehr sehen ...«

»Wie bitte?«

»Ich ... Ich durfte deiner Laufbahn nicht im Wege stehen.«

Pieter erstarrte. »Granvelle?«

»Darüber will ich nicht sprechen ...«

»Auch das noch!« rief Pieter, der nun völlig nüchtern war. »Gibt es denn gar nichts, was dieser dreckige Mistkerl ...«

»Pieter, in Gottes Namen, schweig!« flehte Rosa. »Du weißt nicht, was du sagst!«

»Aber Mutter, dieser Deckskerl hat dich verbannt!«

»Das war der Preis für seine Hilfe, sonst hätten mich die Spanier umgebracht.«

»Seine Hilfe!« höhnte Pieter. Doch plötzlich fragte er in ganz anderem Ton: »Woher kannte er dich eigentlich?«

»Ach, Pieter, das ist doch alles nicht von Bedeutung...«

»Ich will es wissen!«

»Dein Vater und ich haben damals im Schloß *De Buerstede* in Brüssel gearbeitet...«

»Bevor ihr den Bauernhof gepachtet habt, das hat mir Dinus erzählt.«

Rosa nickte. »Ich habe dort als Dienstmagd gearbeitet und dein Vater als Stallknecht. In dieses Schloß sind viele hochstehende Personen gekommen, unter anderem Kardinal Granvelle. Der Kardinal hat sich sehr für Pferde interessiert, deshalb hat er sich manchmal mit deinem Vater unterhalten. Dadurch habe auch ich ihn kennengelernt.«

»Ist das alles?«

»Habe ich nicht gesagt, daß es unwichtig ist?«

»Und nur deshalb hat er dich aus den Händen der Spanier befreit?«

»Er hat meinen Namen auf der Liste der Gefangenen gesehen. Da hat er Licieux geschickt, um mich rauszuholen, unter der Bedingung, daß ich nach Amsterdam gehe und keinen Kontakt mehr zu dir aufnehme. Das Leben besteht nur aus solchen Zufällen, Pieter.«

Pieter fuhr sich durch das wirre Haar. »Warum seid ihr damals nicht im Schloß *De Buerstede* geblieben?«

»Sag, was soll dieses Verhör eigentlich?«

»Habe ich denn kein Recht darauf, meine Vergangenheit zu kennen?«

»Das gesamte Personal mußte gehen, weil das Schloß verkauft wurde.«

Pieter runzelte die Stirn. »Dinus hat gesagt, daß ihr gehen mußtet, weil du mit mir schwanger warst.«

Rosa sah ihn mißtrauisch an. »Hat er das gesagt?«

»Stimmt das?«

Rosa wandte den Blick ab. »Dinus hat dich schon immer gehaßt, Pieter. Das hat er nur gesagt, um dich zu verletzen, so ist er nun mal...«

Die Tür flog wieder auf. »Rosa, wird's nun bald?«

»Ich komme gleich«, antwortete Rosa. Sie wandte sich Pieter zu. »Ich muß wieder an die Arbeit.«

»Konntest du nichts Besseres finden, als dir in so einer Kaschemme die Nächte um die Ohren zu schlagen?«

»Ich habe nicht dein Talent, Pieter. Was machst du denn eigentlich hier?«

»Ich lasse mich inspirieren«, antwortete Pieter mürrisch.

»Es kommt mir vor, als hörte ich einen Fremden sprechen...« sagte Rosa leise.

»Was hast du denn erwartet?«

»Ja, du hast recht...«

»Brauchst du Geld?«

»Hast du denn zuviel?«

»Ich kann immer etwas abgeben.«

»Ich leide keinen Hunger.« Sie machte ein hilflose Gebärde. »Jetzt muß ich aber wirklich wieder an die Arbeit. Und ich wollte dich noch so viel fragen... Hast du Kinder?«

Pieter schüttelte unwillig den Kopf. »Keine Frau, keine Kinder...«

Sie gingen zusammen zur Tür. »Ich wünschte, ich könnte noch länger mit dir sprechen, aber ich traue mich nicht, dich zu bitten, noch einmal zu kommen.«

»Granvelle?«

»Ich habe Angst vor diesem Mann...«

»Manchmal ist mein Haß größer als meine Angst«, sagte Pieter. »Und das ist gerade einer dieser Momente.«

»Sei nicht zu hart in deinem Urteil, Pieter. Jeder glaubt an seine eigenen Beweggründe. Ist nicht jeder von der Richtigkeit seines Tuns überzeugt?«

»Das hört sich fast so an, als wolltest du diesen Mörder in Schutz nehmen!«

»Ohne ihn wäre ich tot.«

»Mein Vater ist tot!«

»Dein Vater war ein Hitzkopf, sonst hätten ihn die Spanier nicht auf der Stelle getötet. Wenn er zusammen mit mir im Kerker gelandet wäre, hätten sie ihn auch freigelassen.«

»Ist es nicht eher so, daß sie dich gehen ließen, weil du auf ihre schmutzigen Forderungen eingegangen bist?«

»Pieter!«

Die Tür flog zum dritten Mal auf. Doch noch bevor der Wirt den Mund aufmachen konnte, schnauzte ihn Pieter wütend an: »Geh mir aus dem Blick, dreckiger Ausbeuter, oder ich lasse dich über die Klinge springen!«

Der Mann war groß und kräftig, doch als er Pieters Augen sah, zuckte er nur mit den Schultern und zog sich wieder zurück.

»Du solltest jetzt besser gehen, Pieter«, sagte Rosa leise. »Und komm bitte nicht wieder...«

Pieter sah sie an, immer noch mit wütendem Blick, aber dann entspannten sich seine Gesichtszüge. »Wenn du das wirklich willst, werde ich es tun, auch wenn ich es nicht verstehe.«

»Wir haben keine andere Wahl, Pieter.«

»Perrenot de Granvelle«, murmelte Pieter vor sich hin. »Mein leibhaftiges Schicksal. Vielleicht sollte ich dankbar sein, nur wenigen ist es vergönnt, ihr Schicksal lebendigen Leibes zu sehen...«

»Oft ist es klüger, wenn man versucht, einen Menschen zu verstehen statt ihn zu bekämpfen.«

»Man merkt, daß ihr gute Freunde wart, Jobbe und du«, sagte Pieter spöttisch. Dann verließ er das Zimmer. Er ignorierte den Wirt, der ihm vom Tresen aus mißtrauisch nachblickte.

Rosa begleitete Pieter durch den nun fast leeren Schankraum bis zur Tür.

»Lebewohl, Pieter«, sagte sie. »Du hast mehr Chancen bekommen als die meisten anderen. Mach was daraus!«

Nach all den Jahren ein weiser elterlicher Rat, dachte Pieter. Doch er fühlte sich verraten. Er nickte nur, drehte sich um, ohne seine Mutter noch einmal zu umarmen, und ging weg.

Leise schloß Rosa die Tür hinter ihm.

Das Leben hat kein Mitleid mit Schwächlingen, dachte sie. Weinen konnte sie nicht, ihre letzten Tränen hatte sie vor vielen Jahren vergossen.

Äußerlich unberührt machte sie sich wieder an die Arbeit.

Die verlassene Landschaft auf dem Gemälde *Flucht nach Ägypten* war von unwirklicher, beklemmender Schönheit. Zum ersten Mal seit langem ließ sich Pieter wieder mitreißen von seiner einstigen Begeisterung für die Großartigkeit weiter Panoramen, so ehrfurchtgebietend, daß sie nur in der Phantasie eines gequälten Geistes existieren konnten, der sich nach überirdischer Vollkommenheit sehnt.

Er ließ das fast vollendete Werk einige Wochen stehen. Erst dann malte er, fast beiläufig, in die Mitte des Vordergrunds die fliehende Jungfrau auf ihrem Esel. Er fand, daß sie das Gemälde störte, aber er konnte sie nirgendwo anders unterbringen, wenn er dem Bildthema gerecht werden wollte.

Zuerst gab er ihr das Gesicht seiner Mutter. Doch in einer plötzlichen Anwandlung von Zorn übermalte er es wieder, bis nur noch ein Körper ohne Kopf übrigblieb. So überließ er das Bild wieder ein paar Tage seinem Schicksal, bis er der Jungfrau schließlich ein neues Gesicht mit nichtssagenden, neutralen Zügen gab. Dann schrieb er mit eckigen Buchstaben einen kurzen Brief an Herzog de Croy, in dem er ihm mitteilte, daß er sein Bild abholen könne.

Zwei Wochen später, an einem etwas düsteren Samstagnachmittag, klopfte es an seiner Tür.

»Das ist sicher der schöne Herzog«, sagte Pieter, der sich im Laufe der Zeit angewöhnt hatte, laut mit sich selbst zu sprechen. Er hatte gerade Brot und Käse gegessen. Während er sich mit dem Handrükken über das Kinn fuhr, öffnete er die Tür.

Völlig überrascht und sprachlos starrte er die unerwartete Besucherin an, bis sie schließlich sagte:

»Guten Tag, Pieter. Komme ich vielleicht ungelegen?«

»Mayken!« Pieter wankte einen Schritt zurück, um sie hineinzulassen, dann ging er auf sie zu und ergriff ihre Hände.

»Mayken!« rief er noch einmal.

»Jetzt wissen wir, daß ich es bin«, bemerkte Mayken.

»Ich kann es einfach nicht glauben!« sagte Pieter überflüssigerweise. »Komm rein, komm rein!«

Etwas unsicher breitete er die Arme aus. Da fiel ihm Mayken um den Hals, genauso wie damals, als sie noch klein war. Nur war es jetzt ein ganz anderes Gefühl.

Die Arme um seinen Hals geschlungen, flüsterte sie ihm ins Ohr: »Gott, Pieter, ich habe dich so vermißt!«

»Ich dich auch«, sagte Pieter ernst. »Ich glaube, ich habe jeden Tag an dich gedacht.« Vor allem dann, wenn ich Genever gebechert habe, um meine Einsamkeit zu ertränken...

Sie ließ ihn los und machte einen Schritt zurück. Lächelnd sagte sie: »Ich bin natürlich nicht allein gekommen...«

In der Tür erschien grinsend Floris, der Marieke am Arm hielt.

Floris' Gesicht verdüsterte sich, als er Pieter erblickte. »Du siehst furchtbar aus!« stellte er fest.

»Feinfühlig und taktvoll wie immer«, sagte Pieter. Er drückte Marieke an die Brust.

»Schämst du dich so sehr für deinen Schweinestall, daß du uns auf der Straße stehen läßt?« fragte Floris. Doch er berichtigte sich gleich. »Nein, dieser Kerl kennt keine Scham, wahrscheinlich hat er irgendeine Amsterdamer Dirne zu Besuch.«

»Ich lebe hier wie ein Mönch«, sagte Pieter, wobei seine Worte vor allem für Mayken bestimmt waren. »Kommt herein...«

»Ein Schweinestall ist es nicht«, stellte Marieke kurz darauf fest. »Aber gemütlich kann man es auch nicht gerade nennen. Ich hatte anderes von dir erwartet, Pieter.«

Pieter zuckte mit den Schultern. »Ich wohne hier nur vorübergehend, eigentlich denke ich die ganze Zeit daran zurückzukommen...«

»Auch darüber wollten wir mit dir sprechen«, sagte Marieke. »Aber wir sind hungrig und durstig von der Reise, was bist du eigentlich für ein Gastgeber?«

»Ich kümmere mich schon darum«, sagte Mayken, als sie Pieters verlegene Miene sah. »Zeig mir eben, wo alles ist.«

»Mayken wollte dich unbedingt besuchen«, sagte Marieke. »Zuletzt war sie nicht mehr zu halten. Und als dann auch noch Floris kam und nach deiner Adresse fragte, weil er etwas mit dir besprechen wollte, haben wir uns alle zusammen auf den Weg gemacht.«

»Großartig«, sagte Pieter, der Mühe hatte, den Blick von Mayken abzuwenden. Sie war noch reifer geworden, seit er sie zum letzten Mal gesehen hatte. Nun war sie wirklich eine junge Frau.

Später fragte Marieke: »Ich bin todmüde von der Reise, kann ich mich hier irgendwo hinlegen? Dann kannst du meiner Tochter und Floris etwas von der Stadt zeigen.«

Als sie auf der Straße standen, sagte Floris: »Nun mußt du nur noch mich loswerden, Pieter. Hast du eine Idee?«

»Ein Schiff nach Westindien?« schlug Pieter vor.

»Du brauchst uns nicht allein lassen«, sagte Mayken.

»Soll ich mir die ganze Zeit diese schmachtenden Blicke ansehen? Nein, danke!«

»Du bringst das Kind in Verlegenheit«, sagte Pieter tadelnd.

Floris grinste. »Hast du dir das Kind mal richtig angesehen? Sie wird bald sechzehn, Pieter. In dem Alter sind schon viele verheiratet, denk daran!« Er drehte sich um. »Bis später«, sagte er im Weggehen.

»Wohin gehst du?« rief Pieter ihm nach.

»Zu den Huren!« antwortete Floris, ohne sich umzudrehen.

»Ich finde ihn lustig«, sagte Mayken.

»Und ich ungehobelt!« sagte Pieter. Es war nicht ganz ernst gemeint. Er reichte ihr den Arm. »Sollen wir?«

Sie spazierten zum IJ.

Zum ersten Mal seit Monaten war sich Pieter seines verwahrlosten Äußeren bewußt. Als wollte er sich entschuldigen, sagte er: »Ich habe in der letzten Zeit viel zu tun gehabt...«

»Und großen Durst wohl auch, wie ich festgestellt habe«, antwortete Mayken. Pieters Sammlung von vollen und leeren Geneverkrügen war ihrem Blick nicht entgangen.

»Wenn es kalt ist, schmerzen mir die Glieder. Genever hilft dagegen.«

»Dann muß es dir aber oft schlecht gegangen sein, seit du in Amsterdam lebst.«

Pieter seufzte. »Fängst du auch schon an, mich zu betutteln? Können Frauen denn nicht anders?«

»Ach, bin ich jetzt auf einmal eine Frau?«

Er sah sie von der Seite an. »Ich wette, du hast in Antwerpen schon so manches Herz höher schlagen lassen.«

»Wie sieht es denn mit deinem Herzen aus, macht dir das auch zu schaffen?«

»Vielleicht schon, zur Zeit sind mir Frauen ziemlich egal.«

»Warum hast du mich vorhin so merkwürdig angesehen?«

»Dein Erscheinen ließ mich auf einmal wieder aufleben.«

Mayken lachte. »Dummes Geschwätz!«

Sie hatten eine Bank am IJ erreicht, ein Stück abseits des Treibens, und setzten sich.

Eine Weile blickten sie schweigend auf die kleinen und großen Segelschiffe, die wegen der schwachen Brise nur langsam vorankamen.

»Schiffe sind wunderliche Dinge, wenn man bedenkt, daß sie uns mit anderen Erdteilen verbinden, vom Wasser getragen, vom Wind vorangetrieben...« sagte Pieter.

»Man sieht es an vielen deiner Werke, daß dich Schiffe interessieren.«

»Ich wußte gar nicht, daß du dich für meine Malerei interessierst.«

»Es wird wohl noch mehr geben, was du nicht weißt.«

Pieter sah sie lächelnd an. »Was ist nur aus der kleinen Rotznase geworden, die kein R aussprechen konnte?«

»Und aus dem Flegel, der heimlich vom Wein meines Vaters getrunken hat...«

»Hast du das damals gesehen?« fragte Pieter erstaunt.

»Kleine Kinder sehen alles.«

»Himmel!«

Mayken lachte. »Du hattest Glück, daß ich keine Petze war.« Sie wurde wieder ernst. »Oder vielleicht habe ich dich auch zu sehr gemocht und deshalb nicht verraten.«

»Womit habe ich denn damals diese Verehrung verdient?«

»Ich fand dich immer nett. Du warst ganz anders als all die langweiligen, randalierenden Großtuer. Du warst immer sanft und... ja, lieb.«

»Vielleicht habe ich mich inzwischen verändert.«

Mayken schüttelte etwas störrisch den Kopf. »Ich erkenne noch immer denselben Pieter unter all dem wilden Haar...«

»Aber dann wohl einen Pieter, der dein Vater sein könnte«, sagte er mit trotzigem Unterton.

»Ich mag keine zwanzigjährigen Sprücheklopfer, die sich gerade mal die eigene Hose hochziehen können.«

»Soll ich mich jetzt geschmeichelt fühlen?«

»Die Reife hast du dem Fortschreiten der Jahre zu verdanken, das ist kein Verdienst.« Mayken lachte, als sie Pieters Gesicht sah. Sie nahm seinen Arm, legte ihn über ihre Schulter und rückte näher an ihn heran. »Mir ist kalt«, erklärte sie.

Pieter rang mit einer bisher unbekannten Scheu, die ihn daran hinderte, die Berührung zu genießen. Zugleich ermahnte ihn eine innere Stimme, daß er die alte Vertrautheit zwischen ihm und Mayken, die nun kein Kind mehr war, nicht mißbrauchen durfte. »Ich kann es noch gar nicht richtig fassen, daß du hierhergekommen bist«, sagte er.

»Floris möchte etwas mit dir besprechen, etwas Geschäftliches.«

»Da bin ich aber gespannt«, sagte Pieter, der eigentlich nur wissen wollte, was Mayken nach Amsterdam getrieben hatte.

»Pieter... wann kommst du wieder nach Hause?«

»Es wird nicht mehr lange dauern.« Granvelle weiß sowieso schon längst, wo ich bin, dachte er. »Was?!« Pieter schrak auf. Mayken hatte etwas gesagt, und er glaubte, es nicht richtig verstanden zu haben. »Was hast du gesagt?«

»Ich möchte dich heiraten«, wiederholte Mayken.

Als sie ihn mit ihren dunkelgrauen Augen ansah, war ihm, als bestünde seine ganze Welt nur noch aus einem Kreis mit ihrem Gesicht in der Mitte. »Himmel, Mayken...« Er versuchte, die Welle von Gefühlen, die ihn durchströmte, zu ordnen, um etwas Sinnvolles sagen zu können.

»Oder willst du mich nicht?« Ihr Gesicht war ausdruckslos geworden, doch ihre Augen glänzten.

»Mayken, ich bin doch schon so... alt!« So fühlte er sich in dem Moment auch wirklich, stellte er mit einem Schauder fest. Sogar noch viel älter, als er tatsächlich war.

»Was für ein Unsinn!« sagte Mayken verächtlich. »Fällt dir keine bessere Ausrede ein?«

»Neben dir bin ich wirklich ein alter Kerl.«

»Das sieht doch niemand bei all den Haaren.«

»Mayken, darüber macht man keine Späße!«

»Was man nicht lachend sagen kann, ist nicht die Wahrheit.«

»Was?«

»Das hast du mir selbst mal vorgehalten. Diese Worte stammen von deinem Freund Jobbe, hast du mir damals erzählt.«

»Deine Mutter wird mir die Hölle heiß machen!«

»Mutter hofft inständig, daß ich meinen Willen bekomme.«

Pieter sah sie erstaunt an. »Hast du denn mit ihr schon darüber gesprochen?«

»Natürlich, so gehört es sich doch, oder?«

»Bist du deshalb hierhergekommen?«

»Und weil Floris dir etwas vorschlagen will, was das Geschäft angeht.«

»Und sie wäre damit einverstanden?«

»Mutter weiß besser als jeder andere, was ich brauche, und Mutter kennt dich besser als jeder andere. Jetzt mach nicht so ein verdrießliches Gesicht, du solltest dich geschmeichelt fühlen!« Sie schien sich aufzuregen.

»Du überrumpelst mich!«

»Pieter, ich bin erst sechzehn, aber ich bin nicht blind. Ich weiß, daß du mich gern hast, und zwar auf eine andere Art als früher!«

»Diese frechen Antwerpener Frauen!«

»Sei froh, selbst hättest du dich nie getraut, mich zu fragen, auch wenn du dich jede Nacht vor Sehnsucht nach mir in deinem Bett herumgewälzt hast.«

Pieter war froh über seinen Bart, der die schnell aufsteigende Röte verborgen hielt. »Es stimmt«, gab er zu. »Ich habe mich nach dir gesehnt, aber ... ich will keinen Raubbau an deiner Jugend treiben.«

»Ich will aber Raubbau an deiner Reife treiben! Doch wenn du glaubst, daß ich dich auf Knien anflehe, hast du dich geirrt! Wenn du mich nicht willst, brauchst du es nur zu sagen, und du wirst mich nie mehr wiedersehen.«

»Nein!« stieß Pieter aus, von ihren letzten Worten erschreckt. »Himmel, für was sollte ich sonst leben?«

»Gut«, sagte Mayken zufrieden. »Das hätten wir dann geregelt. Mutter wird sich freuen.« Sie sah ihn ernst an. »Jetzt darfst du mich küssen ...«

In der Nacht, als Marieke und Floris auf improvisierten Pritschen schliefen, kam Mayken heimlich in Pieters Bett. Er war nicht überrascht, obwohl sie sich nicht abgesprochen hatten. Es schien auf einmal etwas Selbstverständliches zu sein.

Ineinander verschlungen und die Wärme des anderen genießend, nicht mehr als das, verbrachten sie die Nacht, wobei sie abwechselnd wachten und schliefen.

Als Pieter in der Morgendämmerung aufwachte, war Mayken verschwunden, aus dem Bett geschlüpft, ohne daß er etwas gemerkt hatte. Doch in der nächsten Nacht und in allen folgenden Nächten der Woche, in der die drei bei ihm wohnten, war sie wieder da. Tagsüber verlor niemand ein Wort darüber, obwohl sich Pieter nur schwer vorstellen konnte, das Marieke nicht wußte, was los war. Niemandem konnte die Glut, die Mayken nun ausstrahlte, entgehen, doch selbst Floris stellte sich unwissend.

Die Tage vergingen so schnell, wie es Pieter nie zuvor für möglich gehalten hatte, bis der schwere Tag des Abschieds kam. Es sollte jedoch eine kurze Trennung werden, das hatten sie bereits beschlossen. Pieter war nach nur kurzem Zögern auf Floris' Vorschlag eingegangen, mit ihm zusammen eine Werkstatt in Brüssel zu eröffnen.

Niemand erzählte ihm, daß die Idee, dies in Brüssel statt in Antwerpen zu tun, in Wirklichkeit von Marieke kam. Es schien ihr besser, wenn Pieter und ihre Tochter weit weg von Antwerpen und den düsteren Erinnerungen wären, und auch von Lisa, die Pieter vielleicht noch einmal über den Weg laufen könnte. »Vertraue nie einer verstoßenen Frau«, hatte sie Mayken unter vier Augen ermahnt, und diese hatte ihrer Mutter sofort zugestimmt.

Als Pieter wieder allein war, wartete er nur so lange, bis Herzog Philipp de Croy einen Kurier geschickt hatte, der das Gemälde abholte. Danach rechnete er mit seinem Vermieter ab, schenkte Nestor alles, was er nicht in den Satteltaschen unterbringen konnte, und sattelte sein Pferd, um nach Hause zu reiten.

30

Pieter wollte eigentlich in aller Stille heiraten, doch da kam ihm Marieke in die Quere, die ihr einziges Kind nicht unbemerkt weggeben wollte. Am Tag der Festes war die Kapellekirche gefüllt mit Freunden, Bekannten, Bewunderern von Pieter, Marieke und den üblichen Neugierigen.

Mayken sah in ihrem blauen Seidenkleid mit weißer Brügger Spitze wunderschön aus, und auch Pieter bot einen recht imposanten Anblick mit seinem ordentlichen Haarschnitt und gestutzten Bart sowie dem neuen schwarzen Samtanzug mit Silberkette und Trinkbecher. Er empfing so viele Glückwünsche und Komplimente, daß er den Eindruck gewann, die ganze Welt freue sich über seine Hochzeit.

Ihm war merkwürdig zumute, ein angenehmes Gefühl, das er nicht sofort bestimmen konnte, erfüllte ihn. Als ihm klar wurde, was es war, zog er Mayken an sich. »Ich glaube, ich bin glücklich«, flüsterte er ihr zu. Seine Stimme klang, als könnte er es selbst kaum glauben.

Mayken lächelte. »Ich bin froh, daß ich nicht die einzige bin. Und ich glaube, ich habe etwas, womit ich dich noch glücklicher machen kann...«

Sie standen vor dem Altar, in wenigen Augenblicken würde die Zeremonie beginnen. Das Stimmengewirr der zahlreichen Anwesenden verstummte langsam und ging in gespannte Erwartung über.

»Ich bin schwanger!« flüsterte Mayken Pieter ins Ohr. Schmunzelnd wartete sie seine Reaktion ab.

»Was?!« fragte Pieter ungläubig. Schnell dämpfte er seine Stimme. »Du hältst mich doch nicht zum Narren?«

»In diesem Moment?«

»Gott, Mayken!« Pieter küßte sie leidenschaftlich, gerade in dem Moment, als sich der Pfarrer mit gefalteten Händen zu ihnen umdrehte.

»Entschuldigt, Meister Bruegel«, sagte der Pfarrer ruhig. »Aber Ihr überspringt einen wichtigen Teil.«

Unter den Gästen erhob sich verhaltenes Lachen und wohlwollendes Gemurmel. Pieter war erneut froh über den Bart, der seine glühenden Wangen verbarg. Mit Mühe wandte er den Blick von Maykens glänzenden Augen ab und richtete seine Aufmerksamkeit auf den Pfarrer.

Vom Hochzeitsritual selbst bekam er kaum etwas mit. Seine Welt schien zu einem Kokon zusammengeschrumpft, in dem es nur ihn und Mayken gab und das Wunder, das in ihr zu leben begonnen hatte.

Nur einmal drohte ein dunkler Moment. Genau in dem Augenblick, als er Mayken den Ring an den Finger stecken mußte, spürte er das bekannte Zittern in der rechten Hand, das meistens einen Krampf ankündigte. Seine Hand bebte so sehr, daß er fast den Ring fallen gelassen hätte. Doch mit äußerster Willensanstrengung gelang es ihm, sich zu fangen. Der Krampf blieb aus, so daß er das Ritual vollziehen konnte.

Als die Einsegnung beendet war und das Paar sich umdrehte, um durch den Mittelgang der Kirche nach draußen zu schreiten, stand plötzlich Generalvikar Licieux vor Pieter.

»Ich bin hier, um euch beiden im Namen des Bischofs Glück zu wünschen«, sagte Licieux. »Monseigneur wäre selbst gekommen, um euch zu segnen, aber er war leider verhindert.«

»Ich fühle mich sehr geehrt«, sagte Pieter, mehr wegen des Publikums als aus Höflichkeit gegenüber dem Vikar. »Euer Kommen verleiht diesem Tag besonderen Glanz«, fügte er überflüssigerweise hinzu. Auch der sarkastische Unterton in seiner Stimme war nicht für die anwesenden Gäste, sondern für den Vikar bestimmt.

Doch dieser ließ sich nicht anmerken, ob er ihn wahrgenommen hatte. »Ich wünsche euch eine fromme und glückliche Ehe und einen großen Kindersegen«, sagte er so laut, daß es bis hinten in der Kirche zu hören war.

»Ich danke Euch, Vikar, wir werden unser Bestes tun«, erwiderte Pieter. Er wollte den Gästen kurz zuzwinkern, doch er hielt sich rechtzeitig zurück. Nun, wo er Vater wurde, konnte er sich derartige Späße nicht mehr erlauben, dachte er plötzlich. Es war ein etwas bedrückender Gedanke, aber keiner, der ihm an diesem Tag die Stimmung trüben konnte. Als der Vikar wie ein Zeremonienmeister vor ihnen zum Ausgang der Kirche ging, mußte er beim Anblick der breiten, wackelnden Hüften sogar grinsen. Und noch besser fühlte er sich, als er sah, wie manche Leute im Publikum hinter dem Rücken des Vikars obszöne Gesten machten. Doch plötzlich fühlte er wieder das unheilvolle Zittern in der rechten Hand, das sein Vergnügen dämpfte.

Im Hinausgehen sah er sich die Gesichter genau an, als rechnete er doch noch damit den Bischof zu entdecken, inkognito in seinen schwarzen Kleidern, wie er ihn von einer dunklen Ecke aus mit finsterem Blick beobachtete. Natürlich sah er ihn nicht, aber das Gefühl, daß Granvelle irgendwo in der Nähe sei, wich nicht von ihm, bis er mit Mayken ihr neues Haus erreicht hatte. Es lag direkt neben der großen Werkstatt, die er zusammen mit Floris eingerichtet hatte und in der bereits mehrere Schüler und ein paar Gesellen arbeiteten.

Die Werkstatt war festlich geschmückt. Getränke und Leckereien standen für die zahlreichen Gäste bereit, von denen die meisten Mitglieder der Sankt-Lukas-Gilde mit ihren Frauen waren.

Irgendwann fragte Mayken: »Hättest du lieber eine Bauernhochzeit gehabt?«

»Nein!« antwortete Pieter bestimmt. »Auf solche Erinnerungen kann ich gut verzichten!«

»Nun hast du geheiratet, ohne daß auch nur einer von deiner Familie dabei war.«

»Ich habe keine Familie mehr!« entgegnete Pieter heftig. »Du und deine Mutter, ihr seid nun meine Familie.«

»Und dein Sohn«, sagte Mayken im Flüsterton.

»So, hast du bereits beschlossen, daß es ein Sohn wird? Und einen Namen hast du wahrscheinlich auch schon, oder?«

»Natürlich«, antwortete Mayken gelassen. »Unser Erstgeborener soll Pieter heißen, wie sonst?«

»Pieter Bruegel der Jüngere«, sagte Pieter nachdenklich. »Hm...«

»Was habe ich da gehört?« fragte Floris, der plötzlich neben ihnen stand. »Ein Souvenir aus Amsterdam?«

»Ich weiß nicht, wovon du sprichst«, sagte Pieter herablassend.

»Ach, ich werde es doch nicht mehr lange geheimhalten können«, meinte Mayken. »Mutter weiß es auch schon, warum sollte dein Trauzeuge dann nicht auch in das Geheimnis eingeweiht werden?«

»Meine Anteilnahme habt ihr«, sagte Floris. »Jetzt verstehe ich auch, warum du Schwarz trägst.«

»Dieser hartherzige Klotz haßt Kinder«, erklärte Pieter seiner Frau.

»Das gibt sich, wenn sie erst mal sechzehn sind«, sagte Floris. Er zwinkerte Mayken zu und verschwand zwischen den trinkenden und redenden Leuten.

Cock war auch da. Er hatte abgenommen und wirkte nervös. »Du hast ein paar große Trümphe in der Hand«, sagte er zu Pieter. »Eine schöne, junge Braut, eine vielversprechende Werkstatt ...« Er blickte flüchtig um sich, als könnte er durch die Gäste hindurch den Arbeitsraum sehen. »Ich hoffe bei Gott, daß du die Möglichkeit hast, die Früchte davon zu ernten.«

»Was meint Ihr damit?«

»Die Unruhe im Land wird immer größer, es kann jeden Tag zu einem Ausbruch kommen, und niemand kann vorhersagen, welche Form der Aufruhr annehmen wird. Die wallonischen Söldner, die wir nun statt der *tercios* haben, sind keinen Deut besser. Und dann dieser verdammte Granvelle ...« Wenn er sich aufregte, setzte nun ein Zukken ein, durch das er sein rechtes Auge ständig halb zukniff. »Offiziell ist es Margarethe von Parma, die die Niederlande regiert, aber in Wirklichkeit ist es der Bischof, der als Minister des Königs mit seinem Geheimen Rat alle Fäden in der Hand hält. Und er hat ein ganz einfaches Prinzip, nach dem er regiert: Jeder, der nicht seiner Meinung ist, wird einfach ermordet.«

»Es hat sich also noch immer nichts geändert«, stellte Pieter bitter fest.

»Es wird nur noch schlimmer, doch die Wende ist in Sicht, dessen können wir nun sicher sein.«

»Wie ist es mit der *Schola* ...«

»Psst!« zischte Cock erschrocken. »Um Himmels willen, Pieter, du weißt nicht, was du riskierst, wenn du diesen Namen laut aussprichst!«

»Ist es so schlimm?«

»Schlimmer, viel schlimmer. Weißt du, was sie zur Zeit mit Protestanten machen? Sie ziehen ihnen die Haut ab und stellen sie in der Kirche zur Schau! Gwijde Ortelius war eines der ersten Opfer.«

»Gwijde? Nein!«

Cock schüttelte den Kopf. »Ich frage mich oft, ob es je wieder möglich sein wird, in diesem ausgebluteten Land ein normales Leben zu führen. Plantin ist für immer ins Ausland gegangen, das ist wahrscheinlich noch das Klügste...«

Zum ersten Mal kam Pieter der Gedanke, daß dies eigentlich keine Welt war, in die man Kinder setzen sollte. Nun verschwand auch der letzte Rest seiner fröhlichen Stimmung. Finster sagte er: »Ich wünschte, ich hätte Euch heute nicht gesehen.«

»Entschuldige«, sagte Cock. »Ich bin ein Esel.« Das nervöse Zukken an seinem rechten Auge ließ nach. »Aber wenn ich daran denke, was uns noch alles bevorsteht, kann ich nicht schweigen, es wühlt mich zu sehr auf.«

»Kommt Zeit, kommt Rat«, sagte Pieter, der versuchte, die plötzlich aufgekommene Trübsinnigkeit von sich abzuschütteln. Er wollte wieder dieses Glücksgefühl von vorhin empfinden. Doch in den letzten Stunden war er zu oft an die Existenz Granvelles erinnert worden, so daß die euphorische Stimmung nicht zurückkehren wollte.

»Wenn sie ihn nur umbringen würden...« murmelte er vor sich hin. Warum mußte ich selbst auch versagen...

»Psst!« machte Cock erneut. »Schweigen, immer und überall schweigen, das ist mittlerweile wichtiger als alles andere!«

Pieter nickte. »Ich werde mir Euren weisen Rat sicher merken.«

Er blickte Cock nach, als dieser sich durch die Gästeschar drängte, um hinauszugehen. Er ging etwas gebeugt und hatte den Kopf eingezogen, er bewegte sich unsicher, nur noch ein Schatten des selbstbewußten Modenarren, der er vor noch gar nicht so langer Zeit gewesen war.

Was ist nur mit uns los, fragte sich Pieter. Welcher Dämon ist es, der viel zu früh alle Lebenskraft aus uns zieht, bis wir als leere Hüllen unserer selbst zusammenfallen? Und der uns für jeden Augenblick des Glücks, wie kurz er auch sei, bestraft?

»Was ist los, Pieter, warum machst du plötzlich so ein böses Gesicht?«

Mayken war wie ein blauer Engel neben ihm erschienen. Er legte einen Arm um ihre Taille. Es hatte etwas Tröstliches, ihren jungen Körper zu spüren.

»Das Glück kommt für kurze Momente zu uns«, sagte er. »Die Kunst ist, sich immer bereit zu halten, damit man diese Momente nicht verpaßt, denn dafür sind sie zu kostbar.«

»Worte von Jobbe?«

Pieter nickte. »Er hat mir vieles beigebracht. Leider kann man mit den meisten dieser Weisheiten wenig anfangen.«

Etwas später kam Niclaes Jonghelinck zu ihm, um ihn zu beglückwünschen und sich zu entschuldigen, daß er nicht rechtzeitig in die Kapellekirche hatte kommen können. »Diese Bank bringt mich noch ins Grab«, erklärte er. »Manchmal beneide ich diejenigen, die vor kurzem bankrott gegangen sind.«

»Ich bin sicher, daß Ihr das nicht so meint«, sagte Pieter.

»Natürlich nicht, aber murrt nicht jeder? Und was die Geschäfte angeht...« Er zögerte einen Moment. »Oder dürfen wir darüber heute nicht sprechen?«

»Lieber Geschäfte als Politik«, antwortete Pieter mürrisch.

Jonghelinck nickte zustimmend. »Ich hätte gerne noch ein paar Bilder. Um es mal so auszudrücken: Ich habe zur Zeit mehr Vertrauen in Kunstwerke als in Geld.«

»Wenn jeder so klug ist, wird unsere Werkstatt florieren. Hattet Ihr an etwas Spezielles gedacht?«

»Biblische Szenen, die werden wohl immer gut ankommen. Dramatische Ereignisse, die Kreuztragung oder so etwas, Ihr wißt schon.«

»Ich habe immer gerne für Euch gearbeitet« sagte Pieter. »Vorausgesetzt, Ihr könnt es wieder so regeln, daß ich mit der Gilde und der Kirche keinen Ärger bekomme.«

»Ausgezeichnet«, sagte Jonghelinck zufrieden. »Die Einzelheiten besprechen wir ein andermal. Ich freue mich schon darauf.« Er sah sich kurz um und zögerte, als hätte er noch etwas auf dem Herzen.

»Soll ich Euch etwas zu trinken holen?« fragte Pieter.

»Nein, ich muß gleich wieder weg.« Jonghelincks Blick fiel auf Mayken, die sich ein Stück weiter mit einigen Frauen unterhielt. »Euer Schönheitssinn beschränkt sich nicht nur auf Gemälde«, bemerkte er.

»Mayken ist mehr als nur eine Schönheit«, sagte Pieter.

»Das will ich gerne glauben...« Jonghelinck schien noch immer zu zögern. Aber dann nahm er sich sichtlich zusammen, als hätte er beschlossen, daß es unwichtig sei, was auch immer er sagen wollte. »Ich werde jetzt gehen«, verkündete er. Meistens war er recht förmlich, doch nun klopfte er Pieter ermunternd auf den Arm. »Alles Gute«, sagte er. Dann ging er eilig davon.

Nachdenklich sah Pieter dem Bankier nach, bis er aus seinem Blickfeld verschwunden war. Dabei massierte er unwillkürlich seine rechte Hand, die wieder zu zittern begonnen hatte.

Auf Mariekes Drängen war er zu einem Arzt gegangen. Der hatte ihm einen Extrakt aus Mohn gegeben, der aber wirkungslos geblieben war. Das Zeug hatte Pieter nur benommen gemacht. Genever war eine viel bessere Arznei, und um das zu entdecken, hatte er keinen Arzt nötig gehabt.

Der Empfang plätscherte fröhlich dahin, überall wurde geredet und gelacht. Doch nach einiger Zeit begannen die Gäste allmählich Abschied zu nehmen.

Pieter sah Floris auf sich zukommen. »Sollen wir die Glocke läuten?« fragte er. »Die jetzt noch hier sind, sind doch nur Säufer, mit denen wir nachher nichts als Ärger haben.«

Pieter nickte zustimmend. Er begann müde zu werden und sehnte sich danach, endlich mit Mayken allein zu sein.

Während sich Floris tatkräftig daranmachte, mit sanftem Druck und den nötigen Scherzen die Werkstatt zu leeren, kam Mayken zu Pieter. Sie sah ein wenig besorgt aus. »Im Salon wartet ein Herr, der darauf besteht, dich unter vier Augen zu sprechen«, sagte sie.

Der Salon war ein Raum neben der Werkstatt, den sie eingerichtet hatten, um vornehme Kunden diskret empfangen zu können.

»Hat er seinen Namen nicht genannt?« fragte Pieter mißtrauisch.

Mayken schüttelte den Kopf. »Ich habe mich auch nicht getraut, ihn zu fragen.«

»Ich muß mich erst von allen verabschieden.«

»Ich würde sofort zu ihm gehen.« Mayken blickte ein wenig ängstlich zu der geschlossenen Salontür.

Mit großem Widerwillen öffnete Pieter die Tür und betrat den Raum mit energischen Schritten.

Der unauffällig und dunkel gekleidete Mann sah sich mit den Händen auf dem Rücken ein Gemälde an der Wand an, ein Bild, das Pieter zu seinem eigenen Vergnügen als Hommage für Bosch gemalt hatte und das den Titel *Die Dulle Griet* trug.

Pieter schloß die Tür und lehnte sich dagegen.

»Andere beichten ihre sündigen Gedanken, du zeigst sie auf Bildern. Doch es macht auf jeden Fall Hoffnung, daß ich die Sünden noch nie so abstoßend dargestellt gesehen habe.« Granvelle drehte sich um und sah Pieter an. »Ich bin gekommen, um dich zu segnen und dir dazu zu gratulieren, daß du endlich die richtige Frau gewählt hast.«

Pieter gelang es, den Blick des anderen zu erwidern, ohne die Augen zu senken. »Eine besondere Ehre für mich, Monseigneur.«

»Lieber wäre ich in der Kirche dabeigewesen, doch die Regierung hat mir verboten, in der Öffentlichkeit aufzutreten.«

»Wie bitte?« fragte Pieter, der glaubte, nicht richtig gehört zu haben.

»Aufgrund der Weichheit und Schwäche, die ihr eigen sind, hat Margarethe von Parma dem Druck des Pöbels nachgegeben. Der König hat mich gebeten, zu meiner Familie nach Frankreich zu gehen und bis auf weiteres nicht zurückzukehren.« Granvelle sah Pieter mit ausdrucksloser Miene an. »Das ist nun der Lohn für meinen unverdrossenen Eifer, mit dem ich versucht habe, dem religiösen und politischen Chaos, in das die Niederlande immer tiefer zu versinken drohen, ein Ende zu bereiten.«

Er geht weg! dachte Pieter ungläubig. Dieser Dreckskerl verschwindet aus meiner Umgebung, vielleicht für immer!

»Wie ich merke, geht dir mein bevorstehender Fortgang zu Herzen«, sagte Granvelle sarkastisch.

Pieter erschrak. »Unverdrossener Eifer? Eure Opfer hatten dafür andere Worte, und darf ich Euch mit allem Respekt darauf hinweisen, daß ich eines dieser Opfer bin?«

Granvelle machte eine verächtliche Gebärde. »Dieses Unverständnis! Ich habe nach besten Kräften Gottes Willen und die Anweisungen der Krone ausgeführt. Keine Gesellschaft kann in Chaos und Zerrissenheit überleben. Es muß Ordnung herrschen, koste es, was es wolle. Und der Absolutismus ist die einzige Lösung, um zu dieser Ordnung zu gelangen. Ich hatte von dir die Weisheit erwartet, das zu verstehen.«

»Was ich vor allem nicht verstehe, ist, was mein Urteil eigentlich für eine Bedeutung hat.«

Granvelle wandte sich ab und betrachtete wieder das Gemälde an der Wand. Es dauerte einen Moment, bis er antwortete. »Unverständnis ist das eine, Undank das andere. Wie kann sich jemand wie du, mit solch einer Gabe Gottes, vom wahren Glauben abwenden und Ketzer werden? Schola Caritatis!« Es war, als spuckte er den Namen verächtlich aus. »Ein Haufen einfältiger Heiden! Als würde dieses bißchen kindischer Widerstand etwas gegen die Macht der Kirche ausrichten können!«

»Was ist so verkehrt an etwas mehr Toleranz gegenüber den verschiedenen religiösen Richtungen?«

»Du bist naiv, Pieter, wie die meisten Künstler. Toleranz zwischen verschiedenen Machtgruppen gibt es nicht. Aber ich werde dich nicht in Politik unterweisen, dafür ist es sowieso schon viel zu spät...«

»Warum habt Ihr mich nicht aufhängen lassen wie all die anderen? War mein sogenanntes Talent denn so viel wert?« fragte Pieter.

»Du bist wieder sehr vorlaut, Pieter. Denk daran, daß ich nicht meine ganze Macht verliere, auch wenn ich fortgehe. Ich werde immer einen langen Arm haben!«

»Das habe ich schon befürchtet.«

Jetzt kommt es, dachte Pieter, als Granvelle zum Fenster ging und die Hände auf dem Rücken nach draußen blickte.

»Bist du in Amsterdam deiner Mutter begegnet?« fragte Granvelle.

Obwohl Pieter zusammenzuckte, entging ihm nicht der neugierige Unterton in der Stimme des anderen. »Ja«, antwortete er, auch wenn er diesmal nicht sicher war, ob der Bischof die Wahrheit kannte. »Ich bin ihr zufällig begegnet.«

»Und?«

Pieter starrte auf Granvelles Rücken und versuchte zu ergründen, was er mit diesen Fragen bezweckte. »Sie hat mich gebeten, wegzugehen und sie zu vergessen.«

»War das alles?«

»Reicht das nicht? Hättet Ihr es denn noch schlimmer treiben können?«

»Ich hätte sie umbringen lassen können.«

»Wie Ihr es mit meinem Vater getan habt?«

»Davon habe ich nichts gewußt.«

»Ha!«

Granvelle drehte sich um, ging zu einer Bank, die auf der anderen Seite des Salons stand, und setzte sich. Er bewegte sich anders als sonst, obwohl Pieter nicht sofort erkannte, was sich verändert hatte. Auf jeden Fall lag es nicht nur daran, daß er abgespannt war. Granvelle schien, ja, er schien kleiner geworden zu sein.

»Würdest du mir bitte ein Glas Wasser bringen?« Als Pieter ihm das Gewünschte gereicht hatte, sagte Granvelle: »Jedesmal, wenn ich etwas trinke oder esse, was nicht von einem anderen vorgekostet wurde, riskiere ich mein Leben.« Er lächelte bitter und trank das Glas aus.

Pieter fragte sich, warum ihn der bevorstehende Fortgang des Bischofs nicht fröhlicher stimmte. Es liegt daran, daß ich es nicht wirklich glaube, dachte er. Auf irgendeine Weise ist er unlösbar mit mir verbunden. Solange er lebt, werde ich nie seinem Schatten entkommen.

»Verstehe ich richtig, daß dies eine Art Abschied ist?« fragte er.

»Vielleicht...«

»Darf ich Euch bitten... Könnt Ihr noch eines für mich tun?«

Der Bischof sah auf. »Was denn?«

»Ich will frei sein.«

»Du bist freier als die meisten Menschen.«

»Ich meine etwas anderes.«

Granvelle spielte mit dem leeren Glas in seiner Hand. Die Augen auf das Glas gerichtet, sagte er: »Ich habe dich gemacht, Pieter, du bist unauflöslich mit mir verbunden.«

»Wenn Ihr mir nur versprechen würdet, Euch nie mehr in mein Leben einzumischen...« sagte Pieter leise.

»Nein.«

»Aber warum denn nicht, in Gottes Namen?!«

Granvelle verzog das Gesicht. »Den Namen Gottes aus dem Munde eines Ketzers zu hören!« Er schüttelte den Kopf. »Oft gebe ich mir selbst die Schuld, daß du kein gottesfürchtiger Mann geworden bist, Pieter. Ich werfe mir sogar vor, daß ich dir immer zu viel Freiheit gelassen habe!«

»Schikanen und Drohungen. Es hat sich noch immer nichts geändert...«

»Es hätte anders sein können, ohne diesen Fluch der nicht zu vereinbarenden Standpunkte.« Der Bischof setzte das Glas ab und stand auf. »Ich sollte besser gehen...«

Es sind noch Leute da, dachte Pieter. Vielleicht können wir ihm zusammen die Kehle zudrücken. Wenn niemand weiß, daß er hier ist, würde vielleicht kein Hahn nach ihm krähen...

»Man hat schon öfter versucht, mich zu ermorden«, sagte Granvelle. »Doch wie du selbst zu deiner Schande feststellen mußtest, genieße ich den besonderen Schutz unseres Schöpfers.«

Pieter erschrak kaum, als hätte er sich inzwischen an das unheimliche Phänomen gewöhnt, daß der andere gleichsam in seinen Kopf hineinschauen konnte. Er hatte schon die Tür geöffnet, um den Bischof hinauszulassen, doch plötzlich drückte er sie wieder zu. »Noch eine Frage, bevor Ihr geht, Monseigneur, wenn Ihr erlaubt.«

Granvelle sah Pieter mit ausdruckslosem Gesicht an. »Ja?«

»Was war der wirkliche Grund dafür, daß meine Mutter mich nicht mehr sehen durfte?«

»Deine Mutter bedeutete ein Hindernis für deine Entwicklung als Künstler. Außerdem wollte ich, daß du keine Kontakte mehr zu deiner bäuerlichen Vergangenheit hast.«

Pieter nickte und öffnete die Tür, »Ich konnte nicht glauben, daß dies ausreichte, um sie zu verbannen. Ich weiß nicht, warum ich Euch noch immer menschliche Gefühle zuspreche.«

Der andere kniff die Augen zusammen. »Auch wenn ich nicht die Paramente meines Amtes trage, bin ich immer noch der Erzbischof, Pieter!«

»Entschuldigt, Monseigneur, ich dachte, daß Ihr es als Kompliment auffassen würdet.«

Granvelle warf einen finsteren Blick in die Werkstatt, wo Mayken mit den letzten Gästen zusammenstand und sich unterhielt. Plötzlich drehte sie den Kopf in die Richtung des Salons, als fühlte sie, daß man sie ansah.

»Eine schöne, junge Frau macht einen Mann verletzbar«, sagte Granvelle. »Es wäre nicht klug, mich im Zorn gehen zu lassen.«

»Wollt Ihr, daß ich auf den Knien um Vergebung bitte?« Pieter bekam einen trocknen Mund und fühlte das Blut in den Schläfen pochen.

Granvelle spitzte die Lippen. »Das wäre zumindest ein Anfang.«

»Und sie«, sagte Pieter, nun fast flüsternd. »Wer Mayken auch nur ein Haar krümmt...«

»Schweig, du respektloser Kerl!« schnauzte Granvelle.

Pieter war zu wütend, als daß er Angst gefühlt hätte. Er erwiderte den funkelnden Blick des anderen, ohne zu blinzeln. Sein Gesicht wurde weiß. »Herr über Leben und Tod!« zischte er. »Wenn Mayken etwas passiert, werde ich, wenn nötig, einen Pakt mit dem Teufel schließen und sie rächen!«

»Einen Pakt mit...?« Granvelle lachte höhnisch auf. »Du weißt ja nicht, was du da sagst, kindischer Ketzer!« Er ging an Pieter vorbei durch die Tür, blieb dann aber stehen, um dem anderen von nahem in die Augen zu blicken. In einem ganz anderen Ton, als könnte er nach Belieben die Stimmung wechseln, sagte er: »Du weißt nicht, was du sagst, und vor allem nicht, zu wem du sprichst! Fünfunddreißig Jahre, und noch immer derselbe Flegel, den ich aus den Händen der Spanier befreien mußte. Du kannst von Glück reden, daß du bei dem Rederijker-Fest entkommen bist!«

Pieters Wut ließ langsam nach, verdrängt von der alten Angst, die wieder die Oberhand gewann. Bevor er noch etwas sagen konnte, wandte sich Granvelle ohne ein Wort ab und ging weg.

Pieter lehnte sich an den Türrahmen und schloß die brennenden Augen. Er öffnete sie erst wieder, als Mayken neben ihm stand. »Pieter, was ist los? Fühlst du dich nicht gut?«

»Es geht schon wieder...« Pieter sah sie an. Ihre Anwesenheit machte ihn glücklich, doch zugleich fürchtete er die Verletzbarkeit, mit der ihm Granvelle gedroht hatte. »Du bist mir mehr wert als mein eigenes Leben«, sagte er.

Mayken lächelte und gab ihm dankbar einen Kuß. Dann blickte sie sich um, aber Granvelle war bereits verschwunden. »Wer war dieser geheimnisvolle Mann?«

Pieter sah sie abwesend an. »Glaubst du, daß der Teufel unter Gottes Schutz stehen kann?«

Mayken zog erstaunt die Augenbrauen hoch. »Das ginge nur, wenn der Himmel korrupt ist.«

»Der Himmel korrupt?« Pieter grinste bitter. »Was für eine nette Unterstellung!«

»Das habe ich nur so dahingesagt«, beeilte sich Mayken zu sagen.

»In unbedachten Worten verbirgt sich nur allzuoft Weisheit.« Pieter legte den Arm um sie und drückte sie so fest an sich, daß es ihr fast weh tat. »Ich brauche dich so sehr...«

Mayken lächelte. »Du machst mich glücklich, Pieter.«

Pieter zog sie in den Salon und schloß die Tür vor den neugierigen Blicken der anderen. »Laß uns diese wertvollen Momente des Glücks auskosten, so viel es nur geht«, sagte er.

Mayken wußte noch immer nicht, wer der geheimnisvolle Besucher gewesen war, aber sie fragte auch nicht mehr.

31

Die Niederlande litten immer mehr unter dem Joch der spanischen Besatzung und der Inquisition, die grausamer als je zuvor gegen Mennoniten, Ketzer und Kalvinisten vorging. Allein in Antwerpen wurden Hunderte von Menschen hingerichtet, und mindestens ebenso viele Opfer verschwanden spurlos.

Mehrere schlechte Getreideernten hintereinander und die strengen Winter führten dazu, daß das Volk immer größeren Hunger litt und der schon seit langem schwelende Widerstand an manchen Orten in offene Revolten umschlug.

Die Adligen, die vor allem den Verlust ihrer eigenen Privilegien fürchteten, versprachen sich nichts von einem Massenaufstand gegen die übermächtige spanische Regierung. Sie brachten zwei Anführer hervor, Jan van Marnix und den Advokaten Gillis le Clerq, Sekretär von Ludwig von Nassau, die versuchen wollten, eine Einigung zwischen Katholiken und Kalvinisten zu erreichen. Es wurde ein Text verfaßt, in dem die Unterzeichner schworen, sich für die Privilegien des Landes einzusetzen und die Inquisition zu bekämpfen. Das Dokument wurde unter größter Geheimhaltung den Adligen aller Provinzen vorgelegt. Schon nach wenigen Wochen zählte die neue Liga Hunderte von Anhängern, zumeist Angehörige des niederen Adels und Adlige aus der Armee.

Wilhelm von Oranien riet den Mitgliedern der Liga, Margarethe von Parma eine Bittschrift zu überreichen, in der sie ihr die Forderungen unterbreiten sollten. Am 5. April 1566 begab sich ein Zug von zweihundert Edelleuten zu Pferd mit Brederode an der Spitze zum Palast der Regentin.

Überall, wo der Zug vorbeikam, hatten sich Scharen von Brüsselern versammelt und jubelten ihm zu. Auch Pieter befand sich unter ihnen. Er trug seinen anderthalbjährigen Sohn auf dem Arm und blieb etwas abseits stehen, um nicht ins Gedränge zu geraten.

Doch Pieter nahm an dem Jubelgeschrei der Menschen nicht teil. Mit finsterer Miene blickte er zu den stolzen Reitern, die lächelnd und winkend vorbeiritten. Die Hufe ihrer Pferde klapperten auf den Pflastersteinen. Es lag Gewalt in der Luft, und das erfüllte Pieter mit Angst. Er sehnte sich nach einer friedlichen, sicheren Welt für seinen Sohn und für Mayken, die wieder schwanger war.

Brüssel war von den grausamen Verfolgungen weniger betroffen als Antwerpen. In den letzten zwei Jahren war es verhältnismäßig ruhig gewesen. Auch die Werkstatt lief gut, und Pieter hatte ein geregeltes und harmonisches Familienleben schätzen gelernt. Aber nun hatte er das ungute Gefühl, daß Veränderungen bevorstanden. Und das lag nicht nur an dem Zug aufständischer Edelleute, die er an sich vorbeiziehen sah. Es schien, als würde sich die Geschichte anschicken, ein neues blutiges Kapitel aufzuschlagen, und jeder, der zu dieser Geschichte gehörte, konnte das nahende Unheil spüren.

Auch Margarethe von Parma fühlte die Bedrohung, stärker noch als die meisten anderen, weil sie unmittelbar an einer der Hauptadern der Geschichte lebte. Außerdem begann die Regentin älter zu werden, und von ihrer Streitlust war nicht mehr viel übriggeblieben. Das war übrigens einer der ausschlaggebenden Gründe, weshalb sie Granvelle hatte entfernen lassen, denn inzwischen fürchtete sie die Folgen seines erbarmungslosen Auftretens. Sie war nicht frei von Mitleid mit dem hungernden Volk, auch wenn letztlich ihr Konservatismus bestimmend blieb.

An diesem Tag bereute sie es, daß sie den aufbegehrenden Adligen eine Audienz gewährt hatte. Wenn sie ihnen gegenüber Zugeständnisse machte, würde sie gewiß den Zorn Philipps II. erregen, blieb sie dagegen hart, würde sie einen Aufstand riskieren.

Sorgenvoll blickte sie durch ein Fenster ihres Arbeitszimmers im Palast dem näherkommenden Zug entgegen. Sie hatte schwere Zeiten hinter sich und war kurz davor, in Tränen auszubrechen. Und die lauter werdenden Jubelrufe unten in den Straßen stimmten sie nicht gerade fröhlicher.

Der Graf von Berlaymont, einer ihrer Berater, beobachtete sie von der Seite. »Herrin, Ihr laßt euch doch von diesen Geusen keine Angst einjagen?« fragte er mitfühlend.

Die Regentin sah den Grafen an. »Geusen? Nennen sie sich so?«

Der Graf zuckte mit den Schultern. »Ich nenne sie so, viel mehr als Bettler sind sie doch nicht.«

»Geusen...« wiederholte die Regentin, als würde sie versuchen, aus diesem Spottnamen Kraft zu schöpfen.

Als zehn Minuten später Brederode zu ihr geführt wurde, hatte sich Margarethe wieder gefaßt. Geduldig hörte sie ihm zu, der ihr seine Loyalität bezeugte, und nahm die Bittschrift an, die er ihr überreichte.

Während sie schnell den säuberlich geschriebenen Text überflog, sagte sie: »All diese Namen und Unterschriften sind sehr unpraktisch, ich werde Euren Mitgliedern einen gemeinsamen Namen geben: Von heute an nennen wir Euch *Geusen*.«

Einige Berater, die neben und hinter ihr standen, ließen Anzeichen von Heiterkeit erkennen, doch Brederode schien in keinster Weise beleidigt zu sein. Mit feierlicher Stimme sagte er: »So sei es, Herrin. Geusen sollen wir heißen.« Dann wandte er sich ab und ging zu einem offenstehenden Fenster. Er beugte sich über die Brüstung und rief den versammelten Edelleuten, die draußen warteten, zu: »Es leben die Geusen!«

Der Ruf wurde jubelnd aufgenommen. »Es leben die Geusen!« ertönte es überall in der Menge.

Margarethe erbleichte, als die vielen Stimmen wie eine Welle gegen die Fassade des Palastes schlugen. Es befiel sie das ungute Gefühl, daß sie soeben der sowieso schon großen Unruhe, die das Land unregierbar zu machen drohte, ein gefährliches Element hinzugefügt hatte.

Als Brederode wieder vor die Regentin getreten war, eilte sofort einer der Berater zum Fenster und schloß es.

»Nun, Herrin«, sagte Brederode, »darf ich Euch nach Eurem Urteil fragen?«

Margarethe holte tief Atem. Es gelang ihr, mit tiefer und sicherer Stimme zu sprechen. »Ich werde eine Gesandtschaft zum König schicken. In der Zwischenzeit werde ich sehen, was ich tun kann, um die Edikte gegen die Ketzer zu mildern.«

Brederode runzelte die Stirn. »Und außerdem?«

»Vorläufig ist das alles, was ich für Euch tun kann.«

»Die Geusen werden darin nicht mehr sehen als den Versuch, Zeit zu gewinnen.« Brederode sprach den Namen »Geusen« mit einem ironischen Unterton aus.

Die Regentin breitete die Arme aus. »Mehr kann ich wirklich nicht tun, meine Macht ist beschränkt.«

Brederode nickte. »Unsere auch... vorläufig.«

Als Brederode gegangen war, wandte sich Margarethe an Berlaymont. »Ist das der Anfang vom Ende?«

»Nochmals, Herrin, ich würde diese Wichtigtuer nicht allzu ernst nehmen.«

»Wichtigtuer? Wenn Ihr euch da mal nicht irrt!«

Die Regentin schritt zum Fenster und blickte den abziehenden Edelleuten nach. Sie gingen ungeordneter, als sie gekommen waren. Viele diskutierten heftig darüber, was sie nun unternehmen sollten. Manche warfen böse Blicke in die Richtung des Palastes und ihres Arbeitszimmers, hier und da erhob sich in der Menge eine Faust. Doch dann formierte sich der Zug. Die Reiter entfernten sich und begannen kurz darauf ihre neue Parole zu skandieren: »Es leben die Geusen!« Das Volk in den Straßen jubelte.

Vielleicht hätte ich Granvelle nicht wegschicken sollen, dachte die Regentin verzweifelt. Vielleicht hätte er gewußt, wie man dieses neue Problem anpacken muß. Ich bin alt und schwach, ich schaffe das alles nicht mehr...

»Geht es, Herrin?« fragte einer ihrer Berater besorgt.

»Nein«, erwiderte Margarethe. »Es geht nicht, und ich habe Angst davor, daß es nie mehr gehen wird...«

»Es dauert nicht mehr lange, Pieter«, sagte Mayken. Sie klopfte demonstrativ auf ihren dicken Bauch.

»Jetzt schon? Man merkt doch kaum was davon!«

Mayken lächelte. »Ich wünschte, es wäre so.«

»Das heißt also, daß wir zu Marieke müssen? Da wird sich Floris aber bedanken, bei all der Arbeit, die wir zur Zeit haben.« Pieter wußte jedoch, daß eine Diskussion zwecklos war. Mayken wollte um jeden Preis bei ihrer Mutter sein, wie schon bei der Geburt des kleinen Pieter.

»Hoffentlich geht alles gut«, sagte Pieter besorgt. »Diese verdammten Geusen schüren kräftig das Feuer, und gerade Antwerpen gerät immer mehr in Aufruhr.«

»Ach, die Geusen sind doch nur ein Haufen Narren. Weil sie sich angeblich mit dem Volk verbunden fühlen, laufen sie in grauen Kleidern herum und trinken wie die Bettler aus Näpfen statt aus ihren goldenen Bechern. Aber sie fressen und saufen genauso drauf los, wie sie es schon immer getan haben!« Mayken warf mit einer schnellen Bewegung ihr blondes Haar zurück, wie sie es immer tat, wenn sie sich aufregte. »Ich glaube, die Protestanten sind viel gefährlicher. Ihre Prediger werben massenhaft Leute aus allen Ständen an, den oberen wie den unteren, und ihre Macht wächst schnell.«

»Weißt du, was wirklich gefährlich ist, Mayken? Der Hunger! Und bei dem vielen Regen wird die Getreideernte wieder schlecht ausfallen...« Pieter schüttelte den Kopf und legte eine Hand auf Maykens Bauch. »Es wäre gut, wenn das Kind noch eine Weile dort bleiben könnte...«

»Es werden sicher wieder bessere Zeiten kommen«, meinte Mayken. »Und du und ich werden dafür sorgen, daß sie bis dahin alles hat, was ihr kleines Herz begehrt.«

Mayken hatte schon vor einiger Zeit angekündigt, daß es diesmal ein Mädchen werden würde. Beim ersten Mal hatte sie recht gehabt, und auch nun schien sie wieder so sicher zu sein, daß ihr Pieter ohne weiteres glaubte.

»Wieviel Zeit haben wir noch?« fragte er nüchtern.

»Wenig.«

»Dann laß uns packen«, sagte Pieter.

Bevor sie abreisten, nahm er Floris zur Seite. »Wenn Nachrichten für mich kommen sollten, in welcher Form auch immer, darf sie unter keinen Umständen jemand anders sehen als du«, sagte er.

Floris nickte ernst. »Viel Glück«, sagte er.

Je länger ich aus Antwerpen fort bin, um so weniger mag ich die Stadt, dachte Pieter, als sie das Stadttor passiert hatten und durch die engen Straßen zogen. Die fröhliche, offene Metropole von einst, mit ihrer eifrigen und bunten Gesellschaft von Händlern, Handwerkern, Künstlern und Reisenden jeder Art, hatte sich in eine finstere Gemeinschaft unzufriedener, mißtrauischer Städter verwandelt, von denen die meisten jeden Tag aufs neue um die Befriedigung der elementarsten Bedürfnisse kämpfen mußten. Und der spanische Baumeister des Escorial dachte nicht daran, den mörderischen Druck auf die einst so wohlhabende Hafenstadt zu vermindern. Im Gegenteil, als wollte er die Unzufriedenheit auf die Spitze treiben, hatte er das Recht der Provinzialstände, Abgaben an den Fürsten zu billigen oder abzulehnen, abgeschafft und eine zehnprozentige Steuer auf alle Transaktionen unbeweglicher Güter eingeführt. Mit der zwangsläufigen Folge, daß noch mehr Händler bankrott gingen.

Und allem Anschein nach machte das Wetter mit dem Unterdrücker gemeinsame Sache. Die Erntezeit hatte gerade begonnen, aber es war kühl und windig, und die grauen Wolken, die am Himmel hingen, ließen mehr an einen düsteren Novembermonat denken, als daß sie sommerliche Gefühle hervorriefen.

»Du siehst nicht gut aus, Pieter«, war das erste, was Marieke sagte, als sie einen Moment mit ihm allein war. Sie sah ihn forschend an. »Doch keine Probleme mit Mayken?«

»Ich passe mich dem Wetter an«, antwortete Pieter. »Nein, im Ernst, meine Glieder schmerzen, wenn es kalt und naß ist. Manchmal bin ich so steif, daß ich kaum aufrecht gehen kann.«

»Was sagt der Doktor dazu?«

»Doktor!« Pieter schnaubte.

»Was macht deine Hand?«

»Ich kann arbeiten, manchmal tut sie ein bißchen weh...«

Marieke sah ihn besorgt an. »In deinem Alter dürfte das noch nicht sein, Pieter. Man muß doch etwas dagegen machen können, Kräutertee oder so was...«

»In meinem Alter? Ich bin fast vierzig!«

»Ich bin fast sechzig, Pieter!«

»Jobbe war noch älter, manche Leute haben Glück.«

»Vielleicht nimmst du dich selbst nicht so wichtig, aber du mußt an Mayken denken. Du weißt überhaupt nicht, wie sehr sie dich liebt.«

»Was soll ich denn tun? Beten?«

»Da würde Gott wohl ziemlich erschrecken!«

Pieter verzog den Mund zu einem spöttischen Lächeln. »Ich muß eben lernen, mit meinen Schwächen zu leben.«

Sie unterhielten sich in der Werkstatt. Marieke blickte kurz zur Tür oben an der Treppe, bevor sie fragte: »Hat Granvelle noch was von sich hören lassen?«

Pieter seufzte. »Ich wünschte, du hättest diesen Namen nicht erwähnt...« Er setzte sich auf die Ecke eines Tisches und betrachtete seine rechte Hand. »Die Knöchel sind angeschwollen...«

»Nun?«

»Ich weiß es nicht...« Pieter sah Marieke an. »Das letzte Rederijker-Fest, vor fünf Jahren, erinnerst du dich noch? Als die Spanier alles auf den Kopf stellten, sind meine Spottbilder verschwunden.« Er warf ebenfalls einen flüchtigen Blick auf die Tür oben an der Treppe, dieselbe Tür, an der damals Anke so gern gelauscht hatte. »Seit Granvelle nach Burgund gegangen ist, bekomme ich etwa jeden Monat eine zurück.«

»Was soll das nun wieder bedeuten?«

»Hast du eine Ahnung?« Pieter glitt vom Tisch und ging mit verschränkten Armen zu einer Staffelei, auf der ein Wasserfarbenbild stand. Während er das Werk betrachtete, sagte er: »Sie werden mir auf verschiedene Weise zurückgegeben, manchmal durch einen Kurier, manchmal werden sie einfach unter der Tür durchgeschoben, nie weiß jemand, wo sie herkommen.«

»Das ist doch lächerlich!«

»Die Zeichnungen sind immer unbeschädigt... Von wem ist diese Arbeit?«

»Von Jozef de Praeter, einem Gehilfen.«

»Nicht schlecht...«

»Er hat eine gute Lehrerin.«

Pieter nickte, als wäre das für ihn selbstverständlich. »Irgend jemand versucht mich mit diesen Bildern einzuschüchtern...«

»Und, gelingt ihm das?«

»Manchmal setzt es mir schon zu, ja. Ich habe vor allem Angst davor, daß eine dieser Zeichnungen in die falschen Hände gerät, gerade in diesen Zeiten.«

»Das sieht aber nicht so aus, als würde der Bischof dahinterstekken.«

»Das dachte ich auch, aber woher kommen sie dann? Wer sonst kann sie in seinen Besitz bekommen haben?«

»Weiß Mayken davon?«

Pieter schüttelte unwillig den Kopf. »Ich möchte ihr, soweit es geht, die Sorgen ersparen.«

»Hm, ich weiß nicht, ob das klug ist. Wenn nun etwas passiert, ist sie überhaupt nicht vorbereitet.«

»Wenn jedoch nichts passiert, was ich hoffe, hätte sie sich die ganze Zeit umsonst Sorgen gemacht.«

»Das mußt du selber wissen, sie ist deine Frau, Pieter.«

»Richtig«, sagte Pieter. »Und darüber bin ich froh. Können wir jetzt über etwas anderes sprechen?«

Maykens Niederkunft ließ noch auf sich warten, doch Pieter war zu unruhig, um arbeiten zu können. Er lieh sich ein Pferd und ritt über die Felder im Umland, weil er sehen wollte, wie es um die Ernte stand. Auch bei den Bauern herrschte wenig Freude, denn die Ernte fiel bei den meisten zu mager aus. Wegen der Regenmengen verfaulte der größte Teil der Pflanzen auf den Feldern.

Pieter ritt zu der Bucht, an der Jobbe gelebt hatte. Von der Hütte war nur noch wenig übriggeblieben. Bauern aus der Umgebung hatten sie abgerissen und das Holz in den vergangenen strengen Wintern verfeuert. Die Überreste waren von Unkraut überwuchert. Nicht mehr lange, und man würde nicht mehr sehen können, daß hier einmal ein Mensch gewohnt und gearbeitet hatte.

Noch mehr bekümmerte Pieter, daß er die Stelle nicht wiederfinden konnte, an der er Jobbes Leichnam begraben hatte. Er wußte zwar noch ungefähr den Ort, doch nichts wies darauf hin, wo das Grab genau lag.

Geistesabwesend blickte er vom Rücken seines Pferdes aus eine Weile auf die ruhig vorbeifließende Schelde. Er wollte sich an Dinge erinnern, die er hier als Kind erlebt hatte. Aber die Erinnerungen kamen nicht, als hätte Jobbe mit seinem Tod zugleich seine ganze Vergangenheit mitgenommen.

Schweren Herzens verließ Pieter den Ort, der auf einmal furchtbar verlassen wirkte, und ritt in die Richtung des elterlichen Bauernhofes. Zwar hatte er sich irgendwann einmal vorgenommen, dort nie mehr einen Fuß auf die Erde zu setzen, aber nun trieben ihn Wehmut und Neugier doch zurück.

Der Bauernhof sah verändert aus. Er war in anderen Farben angestrichen, und neben der Scheune war ein neues Gebäude angebaut worden. Auf dem Hof liefen ein paar Schweine vergnügt grunzend herum. Noch bevor der neue Pächter erschien, wußte Pieter, daß sein Bruder nicht mehr hier wohnte, denn Dinus hätte niemals solch eine Unordnung zugelassen.

»Sie sind weg«, antwortete der Bauer auf Pieters Frage. »Nach Gent oder Brüssel. Ich glaube, sie wollten einen Laden aufmachen.«

Pieter sah zur Tür des Wohnhauses hinüber, in der drei kleine Kinder erschienen waren, die neugierig in seine Richtung schauten, bis von drinnen eine schrille Frauenstimme ertönte und sie hineinrief. »Einen Laden?« fragte er erstaunt.

Der Bauer zuckte mit den Schultern. »Ich glaube, daß sich *Madame* für das Bauernleben zu fein war. Aber nun ja, so wie es hier nun aussieht...«

»Dinus hat schon einmal eine Ernte verloren, weil die Spanier alles niedergebrannt haben.« Während er das sagte, fragte sich Pieter, warum er den Drang fühlte, seinen Bruder zu verteidigen.

»Kommt ihr vielleicht aus der Gegend, Meister?«

»Ich bin Dinus' Bruder, ich habe hier gelebt... vor langer Zeit.«

»Ihr seht ihm überhaupt nicht ähnlich, wenn ich das sagen darf.«

»Das empfinde ich nicht als Beleidigung.« Pieter grinste schwach, doch der Pächter blieb ungerührt.

»Wir kommen aus dem Süden, ich kenne hier keinen Menschen.«

»Vielleicht ist das auch besser so«, sagte Pieter.

Das ist nicht mehr mein Land, dachte er, während er stromaufwärts entlang dem Scheldedeich ritt. Und Antwerpen ist nicht mehr meine Stadt. Von meinen Wurzeln ist nichts mehr übriggeblieben. Aber vielleicht habe ich auch nie Wurzeln gehabt...

Genau in dem Moment, als Pieter ahnungslos und in Gedanken versunken durch das nördliche Tor in die Stadt ritt, zog Wilhelm von Oranien durch das südliche Tor ab. Der soeben ernannte Statthalter von Antwerpen war auf dem Weg nach Brüssel, um einer Versammlung der Ritter vom Goldenen Vlies beizuwohnen.

Als hätte man darauf gewartet, ertönte an diesem neunzehnten des Erntemonats während des Läutens der Abendglocke in den Arbeitervierteln und entlang dem Hafen der lang ersehnte und gefürchtete

Aufruf zum Widerstand. Kalvinistische Anführer und Agitatoren ritten und liefen durch die Straßen und forderten jeden auf, ihnen zu folgen. Mit Stöcken, Beilen und Messern bewaffnet, strömten die Menschen zu Hunderten aus ihren Häusern.

Die kalvinistischen Aufrührer wollten eigentlich nur die Kirchen erobern, um dort ihren Gottesdienst abhalten und predigen zu können, doch einmal losgelassen, war das leidgebeugte Volk nicht mehr zu halten. Der Aufstand artete schon nach kurzer Zeit in einen gewaltsamen Angriff auf einige verhaßte Symbole aus.

Als Pieter den Grote Markt erreicht hatte, hörte er von überall die furchterregenden Schreie der entfesselten Masse. Zugleich sah er in den angrenzenden Straßen den unheilvollen Schein von Fackeln näherkommen. Sein Pferd schreckte nervös zurück und war kurz davor, durchzugehen.

Von der anderen Seite des Marktplatzes ertönte Hufgetrappel von Soldaten, die ausrückten, um die Menschenmenge zurückzuhalten.

Als Pieter erkannte, daß er Gefahr lief, zwischen zwei Feuern eingeschlossen zu werden, fuhr ihm der Schreck in die Knochen. Merkwürdigerweise hatte er im ersten Moment keine Angst um sich selbst, sondern um Mayken, die allein zurückbleiben würde, wenn ihm etwas zustieß.

Er zwang das unruhige Pferd, eine halbe Drehung zu machen, und trieb es in die Richtung, aus der er gekommen war. Das Tier begann sofort zu galoppieren, weg von dem Tumult, von dem eine schreckliche Bedrohung ausging. Weit kam er jedoch nicht. Schon in der ersten Straße, die Pieter einschlug, stieß er auf eine Gruppe Aufständischer, die offensichtlich auf dem Weg zur Kathedrale war. Sie schrien, skandierten unverständliche Parolen und schwenkten voller Mordgier ihre Fackeln und Waffen.

Pieter versuchte verzweifelt, zu entkommen, doch sein Pferd war nun völlig verstört. Statt zu gehorchen, begann es abwechselnd zu bocken und sich aufzubäumen, um seinen Reiter abzuwerfen. Er stand nun inmitten der johlenden Menschen. Fast wären einige von dem wild ausschlagenden Pferd getroffen worden. Doch dazu kam es nicht. Ein großer, kräftiger Mann schaffte es, den Kopf des Pferdes zu packen, und drückte ihn mit so viel Kraft zur Seite, bis das Tier das

Gleichgewicht verlor, wegrutschte und seitlings auf die Straße stürzte. Pieter saß noch immer aufrecht auf dem Pferd, doch gleich darauf hielten ihn ein paar Hände brutal fest und zogen ihn herunter. Als er aufblickte, sah er um sich herum lauter haßverzerrte Gesichter, von denen manche in dem flackernden Licht geradezu teuflisch aussahen. Es fehlte nicht viel, und sie hätten ihn totgeschlagen, weil sie ihn mit seinem Pferd für einen reichen Bürger hielten. Doch da erkannte ihn jemand.

»Pieter Bruegel!« schrie eine Frau mitten in dem Tumult. Sie zog an seinen Kleidern, als wollte sie ihn aus den Händen der Angreifer befreien. »Der Maler!«

Sie stießen ihn unsanft weg, als wäre er plötzlich völlig unwichtig geworden. Gleich darauf wurde er von der Gruppe fortgerissen und rannte und stolperte mit den Aufständischen weiter.

So erreichten sie den Schoenmarkt, wo bereits eine andere Horde mit einer Abteilung Reitersoldaten aneinandergeraten war. Die Soldaten hatten eine Attacke gestartet, aber schon nach kurzer Zeit waren sie von den zahlenmäßig überlegenen Gegnern völlig eingekesselt. Die Aufständischen zerrten die Soldaten von den Pferden und warfen sie zu Boden, wo sie mit Stöcken, Beilen und ihren eigenen Waffen niedergemetzelt wurden. Ihr ohrenbetäubendes Geschrei und Gebrüll hallte von den hohen Mauern der Kathedrale wider. Durch die Flammen der Fackeln sahen die weißen Steine so aus, als würden sie selbst brennen.

Fassungslos wankte Pieter inmitten des Infernos hin und her, nicht imstande, aus diesem lebendig gewordenen Alptraum zu entkommen. Als er einen Moment lang frei stand, versuchte er, sich zu orientieren, doch da stieß ihn jemand in den Rücken. Er stolperte nach vorn und landete in einer Menge, die zum Portal der Kathedrale drängte. Verzweifelt schlug er um sich, bis er kurz vor dem Eingang aus dem Menschenstrom geriet. Er wurde mit Wucht gegen die Wand neben der Tür geschleudert, wo er keuchend und atemringend stehenblieb, während Dutzende kreischender Männer und Frauen an ihm vorbei in die Kathedrale stürmten.

Auf dem Schoenmarkt wurde wieder auf Leben und Tod gekämpft. Die Aufständischen, die immer zahlreicher wurden, standen einer neuen Abteilung Soldaten gegenüber. Diese waren mit Musketen bewaffnet und schossen einige ihrer Gegner nieder, bevor sie von der blindwütigen Menge von ihren Pferden gezerrt und getötet wurden.

Verzeifelt überblickte Pieter den Kampfschauplatz auf der Suche nach einem Fluchtweg. Da tauchte plötzlich direkt vor ihm ein älterer Mann auf. Er drückte ihm ein großes Messer an die Brust und sah ihn mißtrauisch an. »Spion?« schnauzte der Mann. Er blutete aus einer Wunde am rechten Auge und hatte einen stumpfen Blick, als wäre er betrunken oder nicht ganz bei Sinnen.

Pieter schüttelte heftig den Kopf. »Ich hab' hiermit nichts zu tun!« Er mußte schreien, damit ihn der andere mitten in dem Tumult überhaupt hören konnte.

»Du lügst!« Das Messer ging an Pieters Kehle.

Voller Panik und Wut stieß Pieter ihm mit aller Kraft das rechte Knie zwischen die Beine. Im nächsten Moment zog er den Dolch, aber der andere krümmte sich und ließ sein Messer fallen. Statt zuzustechen trat Pieter so fest er konnte in sein nach vorn gebeugtes Gesicht. Der Mann fiel nach hinten und wurde von den in die Kathedrale stürmenden Menschen überrannt.

Außer Atem hielt sich Pieter an den rohen Steinen der Wand fest. »Gott, Mayken!« schrie er, aber er hörte nicht einmal seine eigene Stimme.

Aus der Kathedrale ertönte furchtbarer Lärm. Die Meute warf Gipsstatuen auf den Boden und schlug mit Hämmern und Beilen auf alles ein, was man nicht mitnehmen konnte. Zahllose Meisterwerke, von vielen Künstlergenerationen mit Liebe und Talent gemalt, gemeißelt oder getrieben, gingen in diesem schonungslosen Wüten der entfesselten Masse für immer verloren.

Einige dieser Werke stammten aus der Hand des Meisters, der draußen mit Unglauben, Schrecken und Entsetzen auf die apokalyptischen Szenen starrte, die sich vor seinen Augen abspielten. Bis zum äußersten getriebene Menschen ließen sich in einer Orgie der Zerstörungswut und Mordlust völlig gehen. Die Pflastersteine waren voll Blut, das im Licht der Fackeln ölig und schwarz glänzte. Kämpfende fielen über erstochene Leiber, abgehackte Glieder und die wachsenden Berge zerstörter Bilder und Kunstwerke, die aus der Kathedrale nach draußen geworfen wurden.

Als die letzten Soldaten tot waren und in den umliegenden Straßen keine weiteren mehr erschienen, hörten die Kämpfe auf. Ein mit Blut verschmierter Mann, der eine Hellebarde ergattert hatte, schrie mit erstaunlich lauter Stimme: »Auf zu St. Paulus!«

Sein Ruf wurde von den anderen weitergetragen, und langsam setzte sich die Menschenmenge in Richtung der Kaasrui in Bewegung, um die nächste Kirche zu plündern. Die Zerstörer in der Kathedrale strömten johlend nach draußen und schlossen sich den anderen an. Einige trugen wertvolle Kunstwerke bei sich. Manche von ihnen schlugen allein oder in Gruppen einen anderen Weg ein, wahrscheinlich gingen sie nach Hause, um ihre Beute in Sicherheit zu bringen.

Allmählich wurde es um die Kathedrale herum ruhig. Pieter nutzte die Chance zu entkommen. Vorsichtig schlich er um das Gebäude, wobei er darauf achtete, von niemandem gesehen zu werden.

Auf dem Weg zu Mariekes Haus stieß er ein paarmal auf kleinere Gruppen von Aufständischen, aber er wurde nicht aufgehalten. Es gab noch andere, die wie er allein durch die Straßen schlichen, die meisten mit Taschen voller erbeuteter Kostbarkeiten aus verschiedenen Kirchen.

An vielen Orten herrschte ein lärmendes Chaos, das noch sehr lange andauern sollte.

Später wurde bekannt, daß auch in anderen Städten wie Gent und Ypern und in Seeland, Holland und Friesland fast gleichzeitig der seit langem erwartete Aufstand ausgebrochen war.

Pieter kam es wie eine Ewigkeit vor, bis er endlich das sichere Haus seiner Schwiegermutter erreichte. Als er dort war, lehnte er sich mit dem Rücken an die Haustür und blieb zunächst eine ganze Weile in dem dunklen Flur stehen. Er atmete tief durch, um wieder zur Ruhe zu kommen, und genoß das Gefühl, nach Hause gekommen zu sein.

»Pieter?« Marieke erschien mit einer Lampe oben an der Treppe.

»Ich bin wieder da«, antwortete Pieter. »Noch dazu unversehrt...« Das grenzte in der Tat an ein Wunder, dachte er.

»Gott sei Dank«, sagte Marieke. »Wir haben Todesängste ausgestanden!« Sie kam hinunter und sah ihn beim Licht der Lampe forschend an.

»Ich habe nur einen furchtbaren Schrecken bekommen«, sagte Pieter. »Du kannst es dir nicht vorstellen, sie sind wie die Tiere!« Plötzlich blickte er nach oben, seine Augen wurden größer. »Was höre ich da?«

Marieke nickte. »Ausgerechnet in dieser Nacht hat es deiner Tochter gefallen, auf die Welt zu kommen. Herzlichen Glückwunsch, Pieter...«

32

Der Aufstand war heftig, aber nur von kurzer Dauer. Da sich der Adel und das höhere Bürgertum entsetzt von dem Aufruhr distanziert hatten, kam es unter den Aufständischen sofort zur Spaltung. Margarethe von Parma nutzte diese Chance und ließ mit verstärkter Truppenmacht das meuternde Volk von den Straßen jagen.

In den Städten mit ihren geplünderten und zerstörten Kirchen und Kathedralen kehrten wieder Ruhe und Ordnung ein.

»Es wird Zeit, wieder nach Hause zu gehen«, sagte Pieter. Er stand mit der kleinen Maria im Arm in Mariekes Wohnzimmer und sah auf die Straße. Sie hatten einige Wochen länger als geplant in Antwerpen verbracht, da es bislang für die Heimreise zu gefährlich gewesen war.

»Ich lasse euch ungern gehen«, sagte Marieke. »Ich habe gehört, daß sich Philipp über diese Bittschrift der Geusen furchtbar aufgeregt hat. Er will dem Verfall seiner Macht ein für allemal Einhalt gebieten. Die Leute sagen, daß er Herzog Alba mit seiner Armee schicken wird.«

Pieter nickte. »Wenn die erst mal hier sind und merken, was passiert ist, sind sie imstande, jedes Haus abzureißen, bis sie alles wiedergefunden haben, was aus den Kirchen gestohlen worden ist.«

»Ich habe Angst, Pieter...«

»Wer nicht?« Pieter strich mit dem Zeigefinger über Marias Stirn. Sie war ein außergewöhnlich ruhiges Kind. »So glatt und weich...« Mit einem leichten Schuldgefühl stellte Pieter fest, daß er sie schon jetzt mehr liebte als seinen Erstgeborenen. Wahrscheinlich lag es daran, daß sie Mayken so ähnlich sah. Der kleine Pieter schien mehr nach seinem Vater zu kommen.

Pieter sah Marieke an. »Warum kommst du nicht mit nach Brüssel?«

»Ich kann meine Werkstatt nicht im Stich lassen.«

Pieter nickte verständnisvoll und blickte wieder nach draußen. »Dinus scheint auch nach Brüssel gezogen zu sein.«

»So? Und was ist mit dem Bauernhof?«

»Jemand anders wohnt dort.« Pieter seufzte. »Alles hat sich verändert, es ist so, als würde man durch ein fremdes Land gehen...«

»Für jemanden, der soeben eine prächtige Tochter bekommen hat, bist du aber ganz schön trübsinnig, Pieter!«

»Ich weiß...« Pieter überzeugte sich mit einem Blick nach hinten, daß Mayken ihn nicht hören konnte. »Mir geht es nicht gut, die Schultern, die Ellbogen, Knie, Handgelenke, alles, was sich bewegen läßt, tut weh.«

»Das liegt sicher am Wetter, die viele Feuchtigkeit... Weiß Mayken es noch immer nicht?«

»Nicht, wie schlimm es manchmal ist.«

»Frauen sind dazu da, solche Sorgen zu tragen, Pieter.«

»Nicht meine Frau«, erwiderte Pieter.

»Du bist ein guter Mann, Pieter«, sagte Marieke in ernstem Ton, »und ein guter Vater...« Sie sah auf das Kind in Pieters Armen. »Schade, daß mein seliger Mann das alles nicht mehr erleben kann.«

»Ja«, sagte Pieter abwesend. »Schade...« Er gab Marieke das Kind. »Ich werde unsere Sachen zusammensuchen.« Er ging weg, wobei er sich sichtlich bemühte, nicht zu hinken.

In Brüssel war die Atmosphäre weniger bedrückend als in Antwerpen.

»Brüssel ist in der Form eines Herzens gebaut«, hatte Pieter einmal zu Mayken gesagt. »Vielleicht sind deshalb die Brüsseler herzlicher als die Antwerpener.«

Sobald Floris die Möglichkeit hatte, Pieter unter vier Augen zu sprechen, teilte er ihm jedoch etwas Unerfreuliches mit. »Es sind wieder zwei gekommen.«

»Was? Oh nein!« Die Ereignisse der letzten Wochen hatten Pieter so sehr in Anspruch genommen, daß er kaum noch an das mysteriöse Auftauchen der Spottbilder gedacht hatte.

»Ich mache mir Sorgen, Pieter. Wenn solch ein Bild in die falschen Hände gerät, blüht uns was.«

»Kann ich denn was dafür?« fragte Pieter gereizt.

»Zunächst einmal hättest du dieses dumme Zeug überhaupt nicht zeichnen sollen.«

»Passiert ist passiert. Aber dieses dumme Zeug ist nicht signiert, niemand kann beweisen, daß sie von mir sind.«

»Signiert oder nicht, das wird ziemlich egal sein, wenn man sie hier findet.«

»Die wollen mich doch nur ärgern, sonst wären sie sofort damit zur Inquisition gegangen.«

»Es muß doch herauszufinden sein, wer von deinen Feinden so was Niederträchtiges macht.«

»Feinde?«

»Ein Freund wird es bestimmt nicht sein. Überleg doch mal!«

»Ich habe mir schon den Kopf zerbrochen ...«

»Nur nicht in den letzten Wochen.«

»In den letzten Wochen? Floris, in den letzten Wochen ist meine Frau niedergekommen, und ich war mitten in einem Volksaufstand!«

Floris seufzte. »Du hast recht, entschuldige. Aber mich beunruhigt das wirklich sehr.«

In sanfterem Ton sagte Pieter: »Ich habe eine Familie, Floris. Glaubst du etwa, daß ich mir keine Sorgen mache?«

»Ich habe keine einflußreichen Beschützer wie du!«

»Einflußreiche Beschützer?« Pieter lachte verächtlich. »Wie diesen Mörder, den sie nach Burgund verbannt haben? Wer weiß, vielleicht ist er es, der mir jetzt, wo er nichts anderes tun kann, aus der Ferne die Hölle heiß macht.«

»Ach, vergiß den Bischof. Du bist inzwischen ein vielgefragter Maler, er hat sein Werk getan.«

»Das kann ich nicht...« Jahre des Grolls und der Angst hatten Granvelles verhaßtes Bild so tief in Pieters Seele gebrannt, daß es nicht mehr verblassen konnte.

»Wirst du noch verfolgt?«

»Bisher ist mir nichts aufgefallen.« Er schien fast mit Widerwillen zu antworten.

»Aber?«

»Vielleicht machen sie es mittlerweile weniger auffällig.«

Floris machte eine Geste der Verzweiflung und ging weg.

»Wawum is Flowis böse?«

Pieter sah zärtlich auf seinen Sohn hinab, der an seiner Hose zupfte, um auf sich aufmerksam zu machen. »Du sprichst genau wie deine Mutter, als sie so klein war wie du.« Er hob das Kind hoch. »Und so hat sie auf meinem Arm gesessen, kannst du dir das vorstellen?«

»Nein!« rief der kleine Pieter. Als er das erstaunte Gesicht seines Vaters sah, gluckste er vor Vergnügen.

»Floris ist nicht böse«, sagte Pieter. »Er will es nur nicht verstehen...«

Die Zerstörung vieler Kunstwerke während des Bildersturms hatte unter anderem zur Folge, daß plötzlich die Nachfrage nach Gemälden mit religiösen Themen stieg.

Inspiriert von den Schrecken des letzten Winters, malte Pieter die *Volkszählung von Bethlehem* und sofort danach die *Anbetung der Könige im Schnee*.

Der Spätsommer war trocken und warm, so daß Pieter weniger unter Gliederschmerzen litt. Er arbeitete hart, fast wie besessen, als hätte er Angst, ihm bliebe nicht genug Zeit für all das, was er noch vorhatte.

Als er zwischendurch von den biblischen Szenen genug hatte, malte er zu seinem eigenen Vergnügen *Die Bauernhochzeit*. Er arbeitete jedoch mit demselben verbissenen Eifer weiter, und erst als das Werk fast vollendet war, erkannte er, welche alte Erinnerung er dargestellt hatte.

Die Freude, mit der er in den vergangenen Tagen gearbeitet hatte, schlug plötzlich in Traurigkeit um.

»Ich habe eine gute Frau«, murmelte er vor sich hin, »gesunde Kinder, ein wenig Ansehen... Warum bin ich dann nur so unzufrieden?«

Er winkte einem Gesellen, der ein paar Meter entfernt bei der Arbeit war. »Mach das bitte fertig«, sagte er. »Ich habe keine Lust mehr.«

Er übersah das Erstaunen des anderen und verließ die Werkstatt.

Mayken fand ihn zwei Stunden später im Schlafzimmer, wo er auf dem Boden neben einer offenen Holzkiste saß, in der er Dinge aus der Vergangenheit aufbewahrte. Viel war es nicht, denn Pieter hing nicht an Sachen, die man nicht mehr gebrauchen konnte. Es waren vor allem Skizzen und Entwürfe, die er im Laufe seines Lebens mit dem Gedanken angefertigt hatte, sie vielleicht irgendwann als Vorlage zu verwenden. Die Zeichnungen hatte er um sich herum und auf dem Bett ausgebreitet. Neben ihm stand eine halbleere Flasche Genever.

»Du hattest mir doch etwas versprochen!« sagte Mayken vorwurfsvoll.

Pieter hob den Blick von der Zeichnung, die er gerade in der Hand hielt, und sah auf die Flasche neben ihm. »Normalerweise hätte ich sie ganz geleert, aber jetzt ist sie noch halbvoll.«

»Ja, weil ich rechtzeitig nach Hause gekommen bin.«

»Mayken, hör bitte auf zu meckern...«

»Was ist denn los?« Mayken setzte sich hinter ihn auf den Bettrand und legte die Hände auf seine Schultern. Sie sah auf die Zeichnung in seiner Hand, eine befremdende Landschaft mit einem Galgen in der Mitte, auf dem eine Elster saß. Das Papier war vergilbt und hatte sich gerollt.

»Eine Wahrsagerin hat mir mal prophezeit, daß mir kein langes Leben beschert sein wird...«

»Seit wann glaubst du denn an so was?«

»Sie hat auch gesagt, daß ich drei Kinder bekommen werde...«

»Dann hast du ja noch etwas Zeit, oder?«

»Spotten ist leicht, Mayken.«

»Ja, das scheint dir auch nicht unbekannt zu sein. Heute morgen habe ich ein Spottbild unter der Haustür gefunden. Ich habe sofort gesehen, daß du es gezeichnet hast. Ich frage mich nur, wie es dorthin gekommen ist.«

Pieter sah Mayken matt an, bevor er sagte: »Das ist eines von den Bildern, die damals, als die Spanier beim Rederijker-Fest alles kurz und klein geschlagen haben, verschwunden sind. Irgend jemand gibt sie mir einzeln zurück.«

»Das geht also schon länger so? Warum hast du mir nichts davon gesagt?«

»Ich wollte dich nicht beunruhigen.«

»Ich finde es beunruhigender, wenn du mißmutig herumläufst, ohne daß ich weiß, warum!«

»Es sind nicht nur die Bilder, die mir im Magen liegen...«

»Was denn noch?«

»Ich weiß nicht... Ach, ich bin wahrscheinlich einfach nur ein undankbarer Trottel.«

»Es macht mich traurig, wenn ich dich so dasitzen sehe, Pieter.«

»Das ist das letzte, was ich will.« Pieter warf die Zeichnung mit dem Galgen in die Kiste und stand auf. Er zog Mayken hoch und küßte sie. Dann sagte er: »Das alles hat überhaupt nichts mit dir zu tun, du bist für mich die liebste Frau auf der Welt.«

»Das hört sich schon besser an«, sagte Mayken.

Pieter warf einen kurzen Blick auf das Bett hinter ihr. »Weißt du, wodurch ich mich noch besser fühlen würde?«

Lächelnd sagte Mayken: »Heraus damit, ich will alles tun, um meinem Herrn zu behagen.«

»Dafür gibt es keine Worte«, sagte Pieter, während er sie aufs Bett drückte.

Der lange, milde Herbst fand sein abruptes Ende durch einen Sturm mit Regen, Hagel und Windböen, die das Stroh von den Dächern bliesen. »Der eisige Atem des nahenden Winters«, klagten die Leute und versuchten so gut es ging, sich vor dem kalten Zug zu schützen, der durch die vielen Ritzen ihrer Häuser jagte.

Als hätte das Übel die ganze Zeit darauf gewartet auszubrechen, fingen Pieters Glieder mit dem Wetterumschwung wieder an zu schmerzen, und zwar stärker als jemals zuvor. Er malte gerade an einem fröhlichen Bild mit einem Bauern, der einen jungen Nesträuber erwischt, als die Schmerzen so stark wurden, daß er den Pinsel nicht mehr halten konnte. Er überließ die Vollendung des Werkes seinen Gehilfen und wankte aus der Werkstatt.

»Es ist nicht so schlimm«, log er Mayken an, die ihm erschrocken auf einen Stuhl half. »Das sind diese alten Gliederschmerzen, es wird schon wieder vorbeigehen.«

»Ich hole einen Doktor«, sagte Mayken. »Jetzt gleich!«

»Auf keinen Fall. Gib mir einen Krug Genever, das ist das einzige, was hilft.« Er sah Mayken mit schmerzverzerrtem Gesicht an. »Bitte!«

Mayken drehte sich ruckartig um und ging einen Krug holen. Pieter ignorierte das Glas, das sie auf den Tisch stellte, und setzte den Krug an die Lippen. Er spürte die brennende Spur, die der Alkohol in seiner Speiseröhre hinterließ, und biß bei dem stechenden Schmerz die Zähne zusammen, als der Genever die empfindliche Stelle am Mageneingang erreichte. Aus Erfahrung wußte er, daß auch dieser Schmerz vorübergehen würde, wenn er nur genug trank.

Mayken zog einen Stuhl heran und setzte sich zu ihm. Sie versuchte ihm in die Augen zu schauen, aber er mied ihren Blick.

»Wie lange hast du das schon?«

»Ach, schon sehr lange. Es geht immer wieder vorbei.«

»Ich wußte, daß du manchmal Schmerzen hast, aber so wie jetzt habe ich dich noch nie gesehen!«

»Das liegt an dem verdammten Wetter, wenn die Sonne scheint, geht es mir sofort besser.« Er setzte wieder den Krug an die Lippen. Das Brennen im Magen ließ schon nach.

»Hast du vor, besoffen rumzulaufen, bis der Winter vorbei ist?«

»Besoffen sein ist angenehmer, als Schmerzen zu haben.«

»Das sind ja schöne Aussichten!«

»Verdammt, Mayken, denkst du vielleicht, daß ich das lustig finde?!«

»Dann unternimm doch was!«

»Man kann nichts dagegen machen!«

»Aber woher weißt du das so genau, wenn ...«

»Das ist mein Körper, ich weiß es einfach!«

»Sturer Bock!«

»Mayken ...« Pieter spürte, wie der Schmerz nachließ. Er stellte den Krug auf den Tisch. »Laß diese Blutegel, Klistiere und ekelhaften Kräuter bleiben, wo sie sind, davon werde ich erst recht krank.« Er blickte auf seine rechte Hand. Sie zitterte, aber er konnte die Finger wieder bewegen. »Ich mache mich wieder an die Arbeit«, sagte er.

»Wäre es nicht besser, wenn ...«

Pieter brachte sie mit einer Handbewegung zum Schweigen und stand auf, wobei er sich am Tisch abstützte. Mit theatralischer Stimme sagte er: »Ich muß den Schülern, Gehilfen und Kindern ein Vorbild sein. Nicht verzagen heißt die Devise!« Er nahm den Krug. »Und dieser Doktor geht mit runter.«

»Pieter ...« Mayken war ebenfalls aufgestanden und legte eine Hand auf seinen Arm. »Bleib bitte noch kurz sitzen, ich muß dir etwas sagen ...«

Obwohl er den Alkohol bereits spürte, ahnte Pieter sofort, was der Klang ihrer Stimme und ihr Gesichtsausdruck zu bedeuten hatten. »Ja?« sagte er, noch mit leichtem Zweifel in der Stimme.

Mayken nickte lächelnd, als sie seinen wissenden Blick sah. »Wir bekommen noch einen Sohn, Pieter...« Sie erwartete eine freudige Reaktion, doch diese blieb aus. Ihr Lächeln verschwand. »Freust du dich nicht?«

Pieter schwieg, er rang mit seinen widersprüchlichen Gefühlen. »Das dritte Kind...« Er packte den Geneverkrug und trank einen kräftigen Schluck. »Das dritte Kind...« Er schüttelte den Kopf, als wollte er den warmen Nebel vertreiben, der sich in seinem Kopf auszubreiten begann. Doch dann sagte er plötzlich: »Natürlich freue ich mich!« Er lachte gezwungen.

Mayken runzelte die Stirn. »Du wolltest doch einen zweiten Sohn?«

»Ja, sicher, nur...« Pieter sprach den Satz nicht weiter. Er wollte ihr nicht sagen, daß er wieder an die Prophezeiung der Wahrsagerin dachte.

»Nur was?«

»Nichts.« Pieter wandte den Blick ab. »Es kam nur so unerwartet, das ist alles.«

»Bei den beiden letzten Malen war deine Begeisterung größer!« sagte Mayken enttäuscht.

»Ach, ein Mensch gewöhnt sich an alles.« Pieter ermahnte sich selbst. »Nein, das ist es nicht, mir ist nur nicht danach, einen Freudentanz aufzuführen.« Er zog Mayken an sich. »Bist du sicher, daß es ein Junge wird?«

»Natürlich.«

»Gut, dann hat der kleine Pieter jemanden, mit dem er sich balgen kann.« Er versuchte Mayken zu küssen, aber sie verzog das Gesicht und drehte den Kopf weg. »Du stinkst wie eine Schnapsbrennerei!« sagte sie angewidert.

»Ich dachte, daß die Liebe alles überwindet?«

»Ich mag es nicht, wenn du so sprichst, Pieter. Du kommst mir dann wie ein Fremder vor.«

»Wenn du nur weißt, daß dieser Fremde dich auch liebt.«

»Ach, Pieter...« Mayken klammerte sich an ihn und drückte das

Gesicht an seine Schulter. »Ich möchte, daß du bleibst, wer du bist, alles, was sich an dir verändert, kann nur eine Verschlechterung sein.«

»Oft haben wir die Veränderungen nicht selbst in der Hand«, sagte Pieter leise. Behutsam löste er sich von ihr. »Und jetzt gehe ich wieder arbeiten.« Bevor er das Zimmer verließ, fragte er noch von der Tür aus: »Wann kommt es?«

»Anfang des Sommers, das hast du ausgezeichnet hingekriegt.«

Pieter nickte. »Das ist gut, das ist sehr gut...« Er verschwand mit dem Geneverkrug unter dem Arm.

Langsam setzte sich Mayken wieder hin und starrte auf das unberührte Glas auf dem Tisch.

Ein paar Stunden später ging Mayken nachsehen, wo Pieter steckte. Es war fast dunkel draußen, und die Schüler und Gehilfen hatten schon vor einer ganzen Weile das Haus verlassen.

Sie fand ihn allein in der Ecke der Werkstatt, wo er immer arbeitete. Er saß vornübergebeugt an einem Tisch, den Kopf auf die Arme gelegt, als würde er schlafen. Neben ihm auf dem Tisch lag eine Holztafel mit einem detailliert ausgearbeiteten Entwurf für ein kleines Gemälde. Es waren fünf Figuren darauf, auf den ersten Blick Ungeheuer. Erst als Mayken die Lampe, die über dem Tisch hing, höher drehte, erkannte sie, daß die Ungeheuer Krüppel waren, Menschen ohne Beine, die sich mit dürftigen Hilfsmitteln vorwärts bewegten. Sie sahen furchtbar hilfsbedürftig aus.

Mayken hob den Geneverkrug hoch, der neben dem Bild stand. Er war leer.

Pieter schlief nicht. Als Mayken ihn anfaßte, sagte er: »Ich bin müde...«

Sie half ihm hoch und stützte ihn auf dem Weg zu ihren Wohnräumen. Anders als sonst wehrte er sich nicht.

Mit Erstaunen stellte sie fest, wie leicht er war. Wenn nötig, hätte sie ihn tragen können. Wenn nötig, trage ich ihn! nahm sie sich voller Grimm vor. Wenn er sich selbst als Krüppel sehen wollte, würde sie sich eben anpassen. Sie war jung und stark, sie war dem gewachsen.

Wenn du es nur nicht wagst, uns im Stich zu lassen...

Im fernen Spanien machte sich Herzog Alba mit seiner berüchtigten Armee von siebzehntausend kampflustigen Soldaten auf, um in den Norden zu ziehen. Vier königliche Dekrete verliehen ihm nahezu uneingeschränkte Macht und die Freiheit, alles zu tun, was er für nötig erachtete, um die Niederlande ein für allemal zum Schweigen zu bringen. Der Papst gab ihm seinen Segen und wünschte ihm Erfolg.

Als Margarethe von Parma diese Nachricht in Brüssel erreichte, wußte sie sofort, was das bedeutete. Diese erneute Repression, grausamer als je zuvor, würde zweifellos die nun noch fehlende Eintracht zwischen all denjenigen bringen, bei denen sich Widerstand regte. Die Regentin weigerte sich, in den unvermeidlichen blutigen Konflikt zwischen diesen unerbittlichen Würgeengeln und dem aufgebrachten Volk hineinzugeraten, einem Volk, das erleben würde, wie man seine letzten Rechte mit Füßen trat.

Sie zog sich in ihre Gemächer zurück, um darüber nachzudenken, was sie zu tun hatte, frei vom Einfluß ihrer Berater, die zweifellos ihr Bestes geben würden, ihr ihre eigene Sicht aufzudrängen, weil sie ängstlich waren, die eigene schöne Position zu verlieren.

Sie mußte nicht lange nachdenken, es gab keine akzeptablen Alternativen. Schweren Herzens schrieb die Regentin einen Brief an Philipp II., in dem sie ihn um die Erlaubnis bat, für immer nach Italien zurückkehren zu dürfen. Sie konnte für das Volk der Niederlande nichts mehr tun. Zudem weigerte sie sich, noch länger mit den Grausamkeiten des Regimes konfrontiert zu werden, das sie selbst repräsentierte.

»Ich bin alt und müde...«, sagte sie laut, als sie ihr Siegel auf den Brief setzte. »Ich habe genug gekämpft, ich habe das Recht, mich zurückzuziehen...« Doch dieser Gedanke, wie wahr er auch war, brachte ihr keinen Trost.

33

Ein Klopfen an der Haustür riß Pieter aus einem unruhigen Schlaf. Um Mayken nicht zu wecken, versuchte er vorsichtig aus dem Bett zu steigen, doch wegen seines steifen Rückens konnte er sich nur mühsam bewegen, und so wurde sie doch wach.

»Pieter?« Ihre tastende Hand fand seine Schulter. »Was ist los?«

»Da ist jemand an der Tür.« Pieter schlug Feuer und zündete eine Lampe an. Unten wurde erneut geklopft.

»Es muß ungefähr Mitternacht sein!«

»Beruhige dich, Gespenster klopfen nicht an.« Die aufflackernde Flamme blendete Pieter. Er hielt die Lampe von sich weg.

»Warte, ich komme mit...« Mayken stieg ebenfalls aus dem Bett.

»Du bleibst hier!« befahl Pieter ihr.

In der Ecke des Zimmers begann die kleine Maria zu weinen. Mayken lief schnell zur Wiege und nahm das Kind auf den Arm. »Sei vorsichtig!« ermahnte sie Pieter, der sich mit Mühe ein paar Kleider anzog.

Er brummte etwas Unverständliches und verließ das Zimmer.

Als er verärgert die Tür mit einem Ruck öffnete, standen vor ihm ein spanischer Offizier und dessen Soldaten, von denen manche brennende Fackeln trugen.

»Ja?« fragte Pieter unfreundlich. »Was soll dieser Lärm mitten in der Nacht?«

Auf französisch sagte der Offizier: »Ich habe den Auftrag, festzustellen, wie groß Euer Haus ist.«

»Wie groß... Was soll das nun wieder bedeuten?«

»Anordnung von Generalstatthalter Alba. Jeder Bürger muß je nach vorhandenem Raum eine bestimmte Zahl von Soldaten einquartieren.«

»Wie bitte?« fragte Pieter fassungslos. »Wißt Ihr eigentlich, wer ich bin?«

»Soweit ich sehen kann, gewiß kein Edelmann«, antwortete der Offizier ungeduldig. »Geht bitte zur Seite, damit ich meine Arbeit tun kann.« Er hob schon die Hand, als wollte er Pieter wegschieben, doch plötzlich fiel sein Blick auf den Boden. Er bückte sich, hob ein Blatt auf und hielt es in den Lichtschein einer Fackel. »Oho, haben wir es hier vielleicht mit einem Nest von Aufständischen zu tun?« Er hielt Pieter das Blatt unter die Nase. »Was habt Ihr hierzu zu sagen?«

Pieter brauchte nicht auf die Zeichnung schauen, um zu wissen, was der Hauptmann aufgehoben hatte. Er bezwang die plötzlich aufkommende Unruhe und sagte so kühl wie möglich: »Ihr könnt mir nicht zur Last legen, was andere hier unter die Tür schieben.«

Der Offizier nickte mit gespitzten Lippen. »Vielleicht nicht, vielleicht doch.« Er gab die Zeichnung einem der Soldaten, der sie sorgsam in seine Hüfttasche steckte. »Und jetzt aus dem Weg!«

»Hört, Hauptmann, ich habe zwei kleine Kinder und eine schwangere Frau!«

»Das haben sie alle. Zum letztenmal, geht zur Seite!«

Als Pieter ihn weiterhin wortlos anblickte, stieß ihn der Offizier zur Seite und ging hinein. Zwei seiner Männer folgten ihm mit Fackeln. »Ha, eine Werkstatt«, sagte er zufrieden. »Platz genug!«

»Pieter?« Mayken war in der Tür erschienen, die zu ihren Wohnräumen führte. Sie hielt Maria noch immer auf dem Arm. Das Kind hatte aufgehört zu weinen. »Was ist da los?«

Die Soldaten taxierten sie mit lüsternen Blicken. Mayken war im achten Monat schwanger, doch das schien sie nicht zu stören.

»Geh zurück ins Zimmer!« antwortete Pieter hastig.

»Ein Dutzend Soldaten«, sagte der Offizier. Er machte einen Vermerk auf einem Bündel Papiere, das er in der Hand hielt. Dann sah er Pieter an. »Und oben?«

»Dort wohnen wir.«

»Wahrscheinlich habt Ihr viel zu viel Platz.« Der Offizier ging zur Zwischentür.

»Hört mal!« Pieter streckte eine Hand aus, um den Offizier aufzuhalten, doch einer der Soldaten packte ihn am Arm und riß ihn so rabiat zurück, daß er fast hinfiel. Dann polterten die beiden Männer mit den Fackeln hinter ihrem Hauptmann die Treppe hoch.

Pieter richtete sich auf und lief ihnen wütend hinterher.

»Hier drei«, stellte der Offizier fest. Er machte wieder einen Vermerk auf seinen Papieren und ging zur Schlafzimmertür.

Als Pieter ihn zum zweiten Mal zurückhalten wollte, zog einer der Soldaten ohne ein Wort sein Rapier und hielt Pieter die Spitze drohend unters Kinn.

»In Gottes Namen!« flehte Pieter. »Wollt Ihr meine Kinder zu Tode erschrecken?« Niemand hörte auf ihn. Mit ohnmächtiger Wut mußte er zusehen, wie der Hauptmann und der andere Soldat die Tür aufstießen und das Zimmer betraten.

Mayken kam mit Maria auf dem Arm und dem kleinen Pieter an der Hand hinaus. Maria war immer noch still, während der kleine Pieter mit großen Augen den Soldaten anstarrte, der die Waffe auf seinen Vater gerichtet hielt. Der Soldat stellte sich so hin, daß er Pieter und Mayken gleichzeitig im Auge behalten konnte.

»Deshalb kommen diese geilen Feiglinge nachts«, rief Pieter auf flämisch. »Um den Leuten schamlos in die Schlafzimmer glotzen zu können!«

»Bleib bitte ruhig!« beschwor Mayken ihn.

Der kleine Pieter riß sich los, schlug die Arme um ihr Bein und drückte sich an sie.

»Macht euch darauf gefaßt, daß dies ein Nachspiel haben wird!« versprach Pieter, der noch immer so wütend und entrüstet war, daß ihm die scharfe Klinge, die auf seine Kehle gerichtet war, kaum Angst machte.

Der Hauptmann kam aus dem Schlafzimmer. »Da kann niemand mehr rein«, sagte er in fast bedauerndem Ton. »Also insgesamt fünfzehn.« Er zog schwungvoll einen Strich auf dem Papier, als würde er damit die Angelegenheit besiegeln. Dann sah er Pieter an. »Die Soldaten werden Ende der Woche einziehen. Die Armee wird Euch mit Vorräten versorgen, aber für die Essenszubereitung seid Ihr zuständig.« Er faltete die Papiere zusammen, schob sie unter seinen Waffengürtel und ging zur Tür.

»He, wartet eben!« rief Pieter, als der Soldat sein Rapier in die Scheide gleiten ließ.

Der Hauptmann drehte sich nicht um. »Keine Zeit«, sagte er. »Wir müssen siebzehntausend Mann unterbringen!«

Wenige Sekunden später schlug unten die Haustür zu. Die Spanier waren verschwunden.

»Jesus!« stieß Pieter ungläubig aus. Er stellte die Lampe auf den

Tisch und nahm einen Geneverkrug und ein Glas. »Das ist eine Unverschämtheit!«

»Ich bin schon froh, daß sie uns nichts getan haben«, sagte Mayken mit zitternder Stimme. Sie versuchte das Bild von dem Soldaten, der Pieter mit seiner Waffe bedroht hatte, zu verdrängen. »Gott, ich hoffe, daß ich so was nie mehr im Leben sehen muß!«

»Dreckskerle!« schnauzte Pieter, während er sich das zweite Glas einschenkte. Erst dann fiel ihm das Spottbild ein, das die Spanier mitgenommen hatten. Seine Hand begann zu zittern, so daß er den Genever verschüttete. »Verdammt! fluchte er.

Mayken schob den kleinen Pieter in Richtung Schlafzimmer. »Geh wieder ins Bett«, sagte sie, »sonst bist du morgen nicht ausgeschlafen.«

Als sie wieder ins Wohnzimmer kam, sah Pieter sie mit glasigen Augen an. »Spanier hier bei uns? Lieber stecke ich das ganze Haus in Brand, am liebsten samt diesen Scheißkerlen!«

Mayken schlug die Arme um ihn und drückte seinen heißen Kopf an ihren dicken Bauch. »So weit ist es noch nicht«, sagte sie beschwichtigend. »Wir haben genug Beziehungen...«

»Mayken...« Pieter zögerte, aber dann entschloß er sich doch, weiterzusprechen. »Sie haben eines von diesen Spottbildern gefunden, es war wieder eins unter der Tür...«

»Nein!«

Er schenkte sich erneut das Glas voll. »Unsere Beziehungen können zumindest für mein Seelenheil beten.«

»Ach, warten wir mal ab. Vielleicht wird sich alles wieder einrenken. Hast du nicht bei solchen Dingen immer Glück?«

»Mein einziges wirkliches Glück bist du«, sagte Pieter leise. »Jeden Tag aufs neue...« Er drückte die Wange an ihren Bauch und lauschte dem wundervollen Laut des neuen Lebens in ihr.

»Sollen wir wieder ins Bett gehen?«

Pieter nickte, auch wenn er wußte, daß er in dieser Nacht keinen Schlaf mehr finden würde.

Pieter hatte die Konfrontation mit dem Magistrat gescheut, aber zu seinem Erstaunen wurde er von Stadtrat Roofthooft äußerst zuvorkommend empfangen.

»Meister Bruegel, Ihr kommt wie gerufen«, sagte er, als Pieter von einem Schreiber zu ihm geführt wurde. »Setzt Euch.« Mit übertriebener Beflissenheit schob der Stadtrat einen Stuhl vor seinen Schreibtisch und sorgte dafür, daß Pieter bequem saß.

»Ich habe ein Problem«, begann Pieter.

Roofthooft nickte freundlich. Er gehörte zwar nicht mehr zu den Jüngsten, schien aber auf ein gepflegtes, modisches Äußeres Wert zu legen. »Zu uns kommen immer nur Bürger mit Problemen«, stellte er fest.

»Die Spanier wollen mein Haus in Beschlag nehmen.« Schon allein bei dem Gedanken begann sich Pieter wieder aufzuregen.

»Ihr meint, daß bei Euch spanische Soldaten einquartiert werden sollen?«

»Ich nenne das in Beschlag nehmen! Sie verjagen uns einfach, oder dachtet Ihr vielleicht, daß ich zusammen mit so einer Schurkenbande unter einem Dach wohnen kann?«

Der Stadtrat verzog das Gesicht und meinte: »Ich muß Euch bitten, auf Eure Worte zu achten, Meister!«

»Jaja«, sagte Pieter mürrisch. »Nun, was gedenkt Ihr zu tun?«

Roofthooft sah ihn nachdenklich an. »Ein schwieriger Fall...«

»Ich merke schon.« Pieter machte Anstalten, aufzustehen. »Bringt mich zu jemandem, der mehr zu sagen hat als Ihr.«

»Nein, wartet, nicht so ungeduldig, bleibt sitzen!«

»Ich gehe hier nicht weg, bis dieses Problem gelöst ist. Sie besetzen verdammt noch mal meine Werkstatt! Soll ich vielleicht nicht mehr arbeiten?«

»Beruhigt Euch, Meister Bruegel, so schlimm wird es schon nicht kommen. Dieser Offizier ist wahrscheinlich etwas voreilig gewesen, weil er Euch nicht kannte. Natürlich darf Eure Werkstatt nicht in Beschlag genommen werden!«

Pieter streckte das Kinn nach vorn. »Und mein Wohnzimmer?«

»Da ist die Sache etwas schwieriger... Wartet!« Pieter war aufgesprungen. »Seid doch nicht so ungeduldig! Auch das wird irgendwie zu regeln sein, es bedeutet nur, daß wir dazu etwas unternehmen müssen.«

»Und was?« fragte Pieter mißtrauisch.

»Ich sagte bereits, daß Ihr wie gerufen kommt. Der Magistrat hat nämlich vor, Euch einen großen Auftrag anzubieten.«

»Auftrag?« Pieter blieb mißtrauisch.

Der Stadtrat lehnte sich in seinem Stuhl zurück. »In Kürze wird mit dem Bau des Kanals nach Willebroek und der Docks im Westen der Stadt begonnen.«

»Und?« fragte Pieter. Die strategische Pause, die der andere zwischen seinen Worten einlegte, machte ihn ungeduldig. »Soll ich vielleicht beim Graben helfen?«

»Das sind für Brüssel sehr wichtige Unternehmungen, deshalb sähe es der Magistrat gern, wenn Ihr den Fortgang der Arbeiten darstellt.«

»Oh!« stieß Pieter etwas verwirrt aus. »Das ist... äh... eine große Ehre.«

Roofthooft nickte, als würde er es genauso sehen. »Ja, auch die Gilde war der Meinung, daß Ihr genau der Richtige für diesen Auftrag seid.«

»Eine große Ehre und viel Arbeit.«

Der Stadtrat nickte erneut. »Die Modalitäten werden wir später klären, aber ich denke, daß Ihr keinen Grund zum Klagen haben werdet. Vorausgesetzt, daß Ihr den Auftrag annehmt«, fügte er hinzu.

»Unter einer Bedingung«, sagte Pieter.

Roofthooft nickte wieder. »Wir werden dafür sorgen, daß Ihr keinen einzigen Soldaten in Euer Haus einquartieren müßt.«

»Das ist absolute Bedingung, sonst kann ich nicht arbeiten, auf keinen Fall.«

»Ich habe verstanden, Meister Bruegel«, sagte der Stadtrat mit einem Anflug von Ungeduld in der Stimme.

»Besten Dank...« Pieter zögerte, ob er das Spottbild zur Sprache bringen sollte, doch dann beschloß er, daß der Stadtrat dafür nicht die geeignete Person war. Wenn er deshalb jemals zur Rechenschaft gezogen werden würde, müßte er vielleicht zu Herzog Alba höchstpersönlich gehen. Dieser Gedanke schreckte Pieter ab, ein Granvelle in seinem Leben war mehr als genug.

»Kann ich noch etwas für Euch tun?« fragte der Stadtrat.

»Nein.« Pieter stand auf. »Nochmals besten Dank.«

Roofthooft erhob sich ebenfalls. »Wir werden zu gegebener Zeit Kontakt mit Euch aufnehmen.«

»Ausgezeichnet«, sagte Pieter. Nun fühlte er sich erleichtert.

Als er nach Hause kam, saß Mayken regungslos am Tisch. Pieter begann sofort, ihr die guten Neuigkeiten mitzuteilen, doch sie sah ihn nur mit abwesendem Blick an. Als er unterbrach und bunruhigt fragte, was los sei, sagte sie tonlos:

»Mutter ist sehr krank...«

»Was? Marieke? Krank?« Pieter nahm einen Stuhl und setzte sich langsam hin. Ungläubig sah er seine Frau an. »Was fehlt ihr?« Maykens Mutter hatte noch nie eine Krankheit gehabt; unbewußt war er immer davon ausgegangen, daß sie ewig leben würde.

»Wahrscheinlich etwas an den Lungen...«

»Wir müssen sofort zu ihr!«

»Vielleicht ist sie schon tot, der Kurier, der die Nachricht gebracht hat, ist über eine Woche von den Spaniern festgehalten worden.«

»Verdammte Spanier!« fluchte Pieter. Es war gut, jemanden zu haben, an dem man sich abreagieren konnte.

»Pieter...« Mayken sah ihn mit einem eigenartigen Blick an, den er noch nie zuvor bei ihr gesehen hatte. »Bevor wir fahren... ich will für sie beten... in der Kirche.«

»In der Kirche? fragte Pieter erstaunt, doch die Art, wie sie ihn ansah, machte jeden aufkommenden Protest zunichte.

»Ich kann auch allein gehen.«

»Auf keinen Fall, nicht in deinem Zustand!«

Sie gingen zusammen in die kleine St. Martinskirche, die in der Nähe ihres Hauses lag.

Außer ihnen beiden und einem alten Priester, der vor dem Altar kniete und betete, war zu dieser Stunde des Tages niemand in der Kirche.

Pieter blickte eine Weile auf seine Frau hinab. Sie hatte die Augen geschlossen und schien ganz in sich versunken. Wie nah er ihr auch stand, so erfüllte ihn ihr Anblick doch mit einer gewissen Verlegenheit, und er war froh, daß kein anderer in der Kirche war.

Er sah sich in dem halbdunklen, kühlen Kirchenschiff um, bis sein Blick auf eine lebensgroße Darstellung des St. Martin fiel, des einzigen Heiligen, der ein Schwert trug. Wenn der Bildersturm hier genauso gewütet hätte, wäre ihm dieses Schwert auch nicht von Nutzen gewesen, dachte Pieter. Die Figur schien ihn mit ihren unnatürlich blauen Augen durchdringend anzusehen. Pieter wandte den Blick ab, etwas verärgert über seine Reaktion.

Er sah eine Weile auf den betenden Priester vorne in der Kirche, dann wieder auf seine reglose Frau und versuchte, etwas von der Magie zu erfassen, die ihren Geist mit dieser anderen unbewiesenen, schemenhaften Welt zu verbinden schien, um derentwillen ganze Kriege geführt wurden.

»Gespenster, Teufel und Dämonen existieren«, hatte Jobbe einmal gesagt. »Aber sie leben nur in deinem eigenen Kopf, was nicht heißen soll, daß sie keine Macht hätten...«

Pieter hatte schon lange nicht mehr an den alten Fischer gedacht. Es schien, als würde die kühle, weihrauchgeschwängerte Atmosphäre der Kirche Gedanken hervorrufen, die ihm nur noch selten in den Kopf kamen.

Ungewollt wurde auch eine andere Erinnerung in ihm wach, an ein Weihnachtsfest in Rom, vor vierzehn Jahren. Dieser wundersame Moment, in dem er sich von dem erschütternden religiösen Gefühl der Tausenden von Gläubigen hatte mitreißen lassen. Und wie damals die Verzauberung jäh zerstört wurde...

Plötzlich fühlte Pieter das bekannte Zittern in seiner rechten Hand, als sollte er vor gefährlichen Erinnerungen gewarnt werden.

Mayken schlug die Augen auf und sah Pieter an. »Ich bin fertig«, sagte sie. »Sollen wir gehen?«

Als Pieter ihr beim Aufstehen helfen wollte, durchfuhr ihn ein heftiger Schmerz. Mit verzerrtem Gesicht hielt er seine Hand fest und kniff sie so kräftig, als wollte er die Finger zerdrücken.

Mayken sah ihn verzweifelt an. »Gott, Pieter!«

»Es ist nur meine Hand, diesmal...« Der Anfall ließ etwas nach, Pieter atmete tief durch. »Wir bekommen wahrscheinlich schlechtes Wetter.«

Als sie draußen standen, sagte Pieter: »Ich wußte gar nicht, daß du so fromm bist.«

»Man muß nicht fromm sein, um zu beten.«

»Aber in der Kirche!«

»Eine Kirche ist ein besserer Ort als eine Werkstatt.«

Pieter nickte langsam, er umklammerte die Finger der rechten Hand mit der linken. Dann reichte er Mayken den Arm. »Ich werde

Floris bitten, eine Kutsche zu besorgen. Eine mit Federung«, fügte er hinzu.

Doch als sie zu ihrem Haus kamen, stand dort bereits eine Kutsche.

Pieter verlangsamte seinen Schritt, bis sie fast stehenblieben. »Was bedeutet denn das?« fragte er mißtrauisch.

»Vielleicht hat Floris sie schon geholt.«

»Floris wußte nicht, daß wir schon so bald abreisen wollen...« Pieter sah sich um. Außer ein paar Fußgängern war niemand zu sehen.

»Pieter, es kommt doch öfter ein Besucher mit der Kutsche!«

Er nickte und ging weiter. Sie hat recht, dachte er. Ich muß mir abgewöhnen, immer das Schlimmste zu befürchten.

»Mutter!« rief Mayken fassungslos, als sie kurz darauf das Haus betraten. Marieke erwartete sie lächelnd. Mayken fiel ihr um den Hals. Pieter vergaß sofort die Schmerzen in seiner Hand. »Das ist wohl eines der Wunder, von denen sie immer sprechen«, stellte er fest. »Einmal kräftig beten, und die Kranken sind wieder quicklebendig.« Er umarmte Marieke, viel glücklicher über ihr unerwartetes Erscheinen, als er nach außen zeigte. »Verdammt, wir dachten schon, dein letztes Stündchen hätte geschlagen!«

»Das habe ich auch gedacht«, sagte Marieke. »Ich war wirklich sehr krank. Aber noch am selben Tag, an dem ich euch die Nachricht geschickt habe, begann es mir auf einen Schlag besserzugehen.«

»Wir haben die Nachricht erst heute erhalten und wollten sofort nach Antwerpen kommen. Aber Mayken wollte zuerst...« Pieter schwieg, als er Maykens warnenden Blick auffing. »... noch etwas erledigen«, fügte er etwas töricht hinzu. Wenn du wüßtest, daß deine Tochter für dich gebetet hat, und dann auch noch in der Kirche, wirst du vielleicht sofort wieder krank, dachte er.

»Weil ich nichts von euch gehört habe, dachte ich mir: Dann fahre ich eben nach Brüssel.«

»Und die Werkstatt?« fragte Mayken.

Ihre Mutter zuckte mit den Schultern. »Die Krankheit hat mich zum Nachdenken gebracht. Ich werde es fortan etwas ruhiger angehen lassen.«

»Kannst du bei uns bleiben, bis...« fragte Mayken.

Marieke warf einen flüchtigen Blick auf den Bauch ihrer Tochter. »Mein drittes Enkelkind, ist das nicht viel wichtiger, als immer nur zu arbeiten?«

Vielleicht muß ich es auch ruhiger angehen lassen, dachte Pieter. Etwas kürzer treten, bevor ich noch vor Schmerzen krepiere. Aber diesen Gedanken verwarf er sofort wieder, er wußte, daß er sich nicht ausruhen würde, solange er einen Pinsel festhalten konnte. Durch die Krankheit war seine Arbeitswut nur noch größer geworden.

Am Abend, als Pieter kurz weg war, fragte Marieke: »Wie geht es ihm?«

Mayken, die sich bis dahin fröhlich gegeben hatte, ließ sichtlich die Schultern hängen. »Er leidet an etwas Schrecklichem, und es wird immer schlimmer. Ich weiß nicht, was ich mit ihm machen soll. Manchmal habe ich solche Angst!«

»Wie steht es um seine Arbeit?«

»Wenn er kann, arbeitet er wie ein Besessener.«

Marieke starrte vor sich hin. »Man weiß nie, was einen Mann treibt... Spricht er noch von Bischof Granvelle?«

»Manchmal, dann sehe ich Haß in seinen Augen...«

»Es ist nicht gut, mit Groll im Herzen zu leben...«

»Sag ihm das mal!«

»Ich weiß«, sagte Marieke. »Ich weiß...«

In dem Schloß, das er von Margarethe von Parma übernommen hatte, betrachtete sich Herzog Alba mit einigen seiner Offiziere die Ausbeute an beschlagnahmtem Belastungsmaterial.

Der Herzog sah besorgt aus. Er trug zwar den berechtigten Beinamen »Würgeengel«, doch die Unerbittlichkeit der Richtlinien, nach denen König Philipp seine Handlungen ausführte, beunruhigte selbst ihn. Seit er in den Niederlanden war, hatte sein Blutrat, der die Urteile vorbereitete, die er verkünden mußte, schon fast zweitausend Prozesse und Hinrichtungen durchgeführt. Nicht nur religiöse Ketzer und Abtrünnige gehörten zu den Opfern, sondern auch all die Adligen, die verdächtigt wurden, mit der Bittschrift zu tun zu haben, die der Regentin überreicht worden war.

Die meisten Geusen waren aufs Land geflüchtet, wo sie sich in den

Wäldern versteckt hielten. Es war ein chaotischer Haufen ohne Gott und Gebot, von Freiheitsdrang ergriffene Abenteurer und regelrechte Plünderer. Ihr Essen besorgten sie sich auf Raubzügen und durch Wilderei. Diejenigen, die von den Spaniern aus den Wäldern verjagt wurden, bildeten in den Häfen von Ostfriesland und England neue Gruppen. Auf Heldentaten erpicht, bewaffneten sie sich und verlangten Schiffe, mit denen sie die Hafenstädte der Niederlande zu befreien hofften. In relativ kurzer Zeit bildete sich ein wachsendes Heer von Wassergeusen, mit Wilhelm von Oranien als unangefochtenem Anführer des Widerstands.

Herzog Alba war sich dieser Gefahr bewußt, obwohl er die Macht von Wilhelms sogenanntem »Heer« noch nicht wirklich ernst nahm. Doch er hatte das Gefühl, daß ein Unheil nahte, das in absehbarer Zeit vielleicht nicht mehr zu überblicken war. Die einzige Antwort, die Philipp darauf wußte, war der Auftrag, die Repression und die Verfolgungen noch zu verstärken. Die Kerker waren voller Gefangener, die auf ihr furchtbares Ende warteten.

Am selben Tag hatte der Herzog dem König einen Brief geschickt, in dem es hieß: *Durch die Hinrichtungen sind die Gemüter so sehr verschreckt, daß sich hier die Meinung gebildet hat, Regieren ohne Blutvergießen sei für immer unmöglich geworden. Solange Eure Untertanen in dieser Überzeugung leben, kann von Liebe zu ihrem König keine Rede sein.* Er war jedoch sicher, daß seine Worte auf taube Ohren stoßen würden, weil das Wort Toleranz im Vokabular Philipps II. nicht vorkam.

Folglich machte sich der neue Generalstatthalter Sorgen. Die bevorstehenden Ereignisse stimmten ihn eher mißmutig, als daß sie ihm Angst einflößten, denn diese Art von Krieg war er nicht zu führen gewohnt. Dies und die Tatsache, daß ihm die Krone gegen alle Absprachen ständig jede Initiative aus der Hand nahm, war seiner von Natur aus eh nicht heiteren Gemütsstimmung nicht gerade förderlich.

Während er sich fast zwanghaft seine große Nase rieb, blickte er ohne besonderes Interesse auf die sogenannten Beweisstücke, die seine Soldaten gesammelt hatten, als sie unter allerlei Vorwänden in zahlreiche Brüsseler Häuser eingedrungen waren. Dies war Material für sein Tribunal, aber um die Überzeugung aufrechtzuerhalten, daß er die Fäden fest in der Hand hielt, verlangte er, immer als erster die Funde zu sehen.

Schriften, Schmuckstücke und Gegenstände, die aus Kirchen gestohlen sein konnten, Angriffswaffen.

»Was ist das?« Der Herzog hielt mit einer Handbewegung den Offizier zurück, der gerade die Sachen vor ihm auf dem Tisch ausbreitete. »Ein Spottbild?« Er nahm die zerknitterte Zeichnung und sah sie sich stirnrunzelnd an. Ein halbes Dutzend Spanier mit Helm und Küraß, aber mit nacktem Hintern, die sich an den Händen hielten und um einen lüstern grinsenden Geistlichen herumtanzten, der auf allen vieren kniete und sein Gewand bis zum Bauch hochgezogen hatte. »Wo kommt das her?« Er drehte das Blatt um und las die Anmerkungen, die der Offizier auf der Rückseite gemacht hatte. »Pieter Bruegel? Der Maler?«

»Maler ist er bestimmt, er hat eine große Werkstatt.«

»Und noch dazu ein guter Maler, wie ich gehört habe ...« Der Herzog sah sich wieder die Zeichnung an. »Ein talentierter Zeichner ist er auf jeden Fall ...«

»Er war widerspenstig«, sagte der Offizier.

»Sind das nicht alle Ketzer?« Der Herzog rollte die Zeichnung möglichst klein zusammen und steckte sie in eine seiner Taschen. »Diesem Fall werde ich mich persönlich widmen«, sagte er.

Wie viele Adlige war der Herzog ein Kunstliebhaber. Außerdem widerstrebte es ihm, ein Talent zu zerstören. Doch seine Anweisungen ließen ihm auch hier keine Wahl. Er konnte lediglich dafür sorgen, daß in derartigen Fällen die Hinrichtung diskret vollzogen wurde. Und sei es auch nur, um die Gemüter nicht noch mehr zu erhitzen ...

34

Maykens Wehen setzten an einem strahlenden Frühlingstag Anfang Juni gegen Mittag ein. Weil sowohl die Hebamme als auch der Arzt wie jeder andere auch zu der Enthauptung der Grafen Egmond und Hoorne auf den Marktplatz gegangen waren, war es Marieke, die Pieters zweiten Sohn auf die Welt brachte.

Pieters Freude war wegen der dramatischen Ereignisse in der Stadt gedämpft. »Hoffentlich wirst du mir nie vorwerfen, daß wir dir das Leben geschenkt haben« sagte er zu dem neugeborenen Jan. Er blickte ernst auf das kleine, hilflose Kind, das an Maykens Brust lag. Der rosafarbene, runzlige Kopf war völlig kahl, bis auf ein lustiges Haarbüschel, das mitten auf dem Kopf hochragte. »Sie machen aus der Enthauptung von Menschen ein richtiges Schauspiel!« Ebensogut hätte heute sein eigener Kopf rollen können, dachte er. Das von den Spaniern gefundene Spottbild hatte noch immer kein Nachspiel gehabt, doch Pieter lebte ständig in dem Gefühl, daß er diesmal nicht ungeschoren davonkommen würde. Er hatte mit der Idee gespielt, so wie viele andere ins Ausland zu flüchten, doch mit seinem schlechten Gesundheitszustand und einem neugeborenen Kind schien das kaum möglich.

Vorwurfsvoll sagte Mayken: »Ich hoffe, daß er dich nicht versteht.« Sie legte die Hand beschützend um den Hinterkopf des Kindes.

»Ich wünschte, ich könnte dir eine fröhlichere Nachricht bringen«, seufzte Pieter.

Später sagte er zu Marieke: »Ich habe immer das Gefühl, daß mir der Tod in vielen Gestalten auflauert...«

»Himmel, Pieter, was ist das für eine Stimmung an einem Tag wie diesem! Jedesmal, wenn dir ein Kind geschenkt wird, scheinst du verbitterter zu werden!«

»Vielleicht trifft es bald auch mich.«

»Du hast Egmond und Hoorne gekannt, oder?«

Pieter nickte. »Beide haben Werke von mir gekauft... Enthauptet!« Er streckte und bog krampfhaft die Finger seiner rechten Hand. »Wer wird der nächste sein? Wer hat es gewagt, auch nur zu denken, daß König Philipp nicht größer, besser und mächtiger ist als der Allmächtige selbst? Denn mehr scheint es nicht mehr zu brauchen, um sein Leben zu riskieren. Und das alles mit der Unterstützung und dem Segen vom Papst in Rom!«

»Beruhige dich«, mahnte Marieke mit einem Blick auf den kleinen Pieter, der am Tisch saß und malte. Er machte das gar nicht schlecht, als hätte er etwas von dem Talent seines Vaters geerbt.

»Ich habe einen Soldaten gemalt«, sagte das Kind. »Mit einem Hawnaß und einem Schweet.« Das R wollte ihm noch immer nicht über die Lippen.

»Kannst du nichts anderes malen, Häuser, Tiere, spielende Kinder oder so was?« fragte Pieter.

»Ach, laß ihn doch«, sagte Marieke. »Er versteht das alles noch nicht.«

»Da denke ich anders drüber«, sagte Pieter.

Manchmal las er in den dunklen Augen seines vierjährigen Sohnes Dinge, die seinem Alter nicht entsprachen. Kinder wurden in dieser furchterregenden Welt schnell erwachsen. Die Augen des kleinen Pieters waren Spiegel, in denen er seine eigene Kindheit wiederfand. Auch er hatte viel zu früh Dinge gesehen und gehört, die Kindern erspart bleiben sollten. Dinge, die selbst Erwachsenen erspart bleiben sollten...

Am Abend, als Mayken, erschöpft von den Schmerzen und Anstrengungen, die der Tag gebracht hatte, schon schlief, öffnete Pieter seine Holzkiste und holte die alte Zeichnung mit dem Galgen und der Elster hervor. Er betrachtete sie eine Weile nachdenklich, bevor er die Kiste schloß und die Zeichnung oben auf den Schrank legte.

Sein Gefühl sagte ihm, daß es an der Zeit war, dieses nie vergessene Bild, das er als Kind gesehen hatte, aus der Erinnerung als Gemälde darzustellen. In der Nacht hatte er jedoch einen gräßlichen Traum. Auf einem aufgewühlten Meer wurden winzige Schiffe unter einem furchtbar schwarzen Himmel hin und her geworfen, als wären sie das Spielzeug wütender Götter. Der Wind raste so schnell, daß er einem den Atem nahm, und die schrecklichen Wellen, die mit Gewalt über die Decks schlugen, rissen alles und jeden unaufhaltbar in die eiskalte Tiefe hinunter. Das Leben der Seeleute war nicht mehr wert als das der kreischenden, weißen Möwen, die am pechschwarzen Himmel mit einer Schnelligkeit, die ihnen selbst panische Angst einjagte, irgendwohin getrieben wurden, wo sie nicht hinwollten.

Pieter selbst tauchte in dem Traum nicht auf, er war ein Zuschauer, der das Drama von nahem, aber doch aus sicherer Entfernung verfolgte. Es war ein schreckliches Schauspiel, das er selbst erschaffen und über das er Macht hatte. Im Traum legte er andere Akzente, fügte Farben hinzu und veränderte ständig die Komposition, um die dramatische Kraft des Ganzen auf den Höhepunkt zu treiben, die Hilfegebete ignorierend, die von den vom Untergang bedrohten Schiffen aufstiegen. Er war ein Gott, der zum eigenen Vergnügen mit Leidenschaft die Naturelemente wirken ließ und für den die Menschen mit ihren kleinen Gefühlen die gleiche Funktion hatten wie die Ratten und Kakerlaken in den Frachträumen der Schiffe. Sie waren nur da, um das Bild zu vervollständigen, um leere Stellen zu vermeiden, die die Tragweite des Schauspiels abschwächen könnten...

Als Pieter aufwachte, hatte er das Bild vom Sturm auf dem Meer in allen Details vor Augen. Er war erschöpft, als hätte das schöpferische Traumwerk seine ganzen Kräfte aufgezehrt.

Im ersten Morgengrauen stand er in seiner Ecke der Werkstatt und setzte seinen Traum mit blitzschnellen Pinselstrichen in die Wirklichkeit um. Noch nie hatte er so hastig gemalt, ohne Vorbereitung, ohne Skizze. Er arbeitete nach den Bildern, die noch auf seiner Netzhaut zu sein schienen, als hätte er sie mit eigenen Augen gesehen. Er legte nur ab und zu eine Pause ein, um seine Hand etwas auszuruhen, ohne Appetit ein wenig zu essen oder einen Schluck Genever zu trinken. Die Zeichnung von dem Galgen lag vergessen auf dem Schrank.

Als das Werk vollendet war und nur noch auf den Firnis wartete, erkannte Pieter, daß die entfesselten Elemente, die so lebensverachtend und wahnsinnig wüteten, den Sturm darstellten, der in seinem eigenen Geist tobte. In seinem Geist rasten Orkane, eine zerstörerische Welle jagte die nächste, aber seine Hände waren machtlos. Er konnte sein eigenes Wüten nur in statische Bilder umsetzen, die in Todesstille ihre Raserei hinausschrien, und das Gemälde war so gleichsam eine Replik seiner selbst geworden.

Mayken, die schnell wieder zu Kräften kam, half ihm vor allem dadurch, daß sie ihn in Ruhe ließ und dafür sorgte, daß er auch von anderen nicht gestört wurde. Sie respektierte die Anfälle kreativen Wahnsinns, die seine routinemäßige Arbeit hin und wieder unterbrachen. Nicht nur, weil er dann die schönsten Bilder machte, sondern auch und vor allem, weil sie fürchtete, daß seine Anwandlungen irgendwann in echten Wahnsinn umschlagen könnten, wenn er die innere Raserei nicht in seiner Arbeit abreagieren konnte. Deshalb hatte sie auch große Angst davor, daß seine schleichende Krankheit ihn in solch einem Gemütszustand am Arbeiten hindern könnte. Er hatte schon einmal in einem Anflug von Verzweiflung gedroht, er würde sich die Hand abhacken, wenn sie ihm weiterhin Probleme bereitete. Wenn er genug Genever getrunken hatte, wäre er vielleicht sogar dazu imstande.

Sie machte sich Sorgen darüber, wie Pieter sich selbst antrieb und seine Kräfte verzehrte, um sein Werk zu vollenden. Immer mehr hatte es den Anschein, als führte er einen Wettlauf mit der Zeit, und drohte, ihn zu verlieren. Daher war sie sehr erleichtert, als er verkündete, daß der *Seesturm* fertig sei, und ins Schlafzimmer wankte, wo er in seinen mit Farbe beschmierten Kleidern aufs Bett fiel und sofort einschlief.

»Wut und Ohnmacht«, sagte Marieke später. Als ihre Tochter sie fragend ansah, erklärte sie: »Ich habe mir angeschaut, was er diesmal gemacht hat.« Sie hatte das neue Bild verlassen auf der Staffelei in der Werkstatt vorgefunden. Wenn ein Werk vollendet war, war es Pieter meistens egal, was danach mit ihm passierte. In der Regel überließ er es Mayken, ob es verkauft wurde oder nicht.

Mayken blickte finster vor sich hin. »Ich wünschte, du könntest bei uns bleiben...«

»Wenn meine Werkstatt noch lange geschlossen bleibt, habe ich bald überhaupt keine Arbeit mehr. Es wird höchste Zeit, nach Antwerpen zurückzugehen.«

In seiner Wiege in einer Ecke des Zimmers begann der kleine Jan wimmernde Laute von sich zu geben, die Vorboten eines bevorstehenden Schreikrampfes.

»Zeit zum Füttern«, sagte Mayken ruhig.

Marieke sah zu, wie Mayken ihren Sohn stillte, und versuchte, die trübselige Stimmung zu vertreiben, die auch sie selbst zu überwältigen drohte. Doch es gelang ihr nicht, sie konnte das Unheil spüren, das ihre Tochter bedrohte, und das ließ sich nicht so einfach abschütteln. Sie reiste nur widerstrebend nach Hause, auch wenn sie wußte, daß sich durch ihr Bleiben der Lauf des Schicksals nicht ändern würde.

Am nächsten Tag sah sich Pieter zusammen mit Floris den Fortgang der Grabungsarbeiten für den neuen Kanal an. Der Magistrat hatte ihn bereits gedrängt, ein paar Skizzen anzufertigen.

Nicht ohne Respekt schauten sie lange Zeit den Heerscharen von Arbeitern zu, die im Schweiße ihres Angesichts tonnenweise Erde aushoben.

»Sie verändern das Bild der Stadt«, sagte Pieter. »Als würden sie tiefe Wunden in ihr Gesicht schneiden . . .«

»Gesicht?« Floris sah Pieter erstaunt an. »Diese dumme Stadt, die Brüssel heißt?«

»Du wirst immer ein Barbar bleiben«, meinte Pieter, doch seine Stimme klang mild. Im Laufe der Jahre hatte er sich an Floris' fast zwanghaftes Provozieren gewöhnt.

»Wenn dieser Kanal und die Docks erst mal fertig sind, werden die Wohlhabenden gehörig davon profitieren, und ist das nicht das einzige, worauf es ankommt?«

»Denjenigen, die den Kanal mit den Händen graben müssen, wird es jedenfalls nicht besser gehen.«

»Ach nein? Sollten sie nicht froh darüber sein, daß sie Arbeit haben?«

»Bei dem schönen Wetter rege ich mich nicht auf«, sagte Pieter. Er nahm seine Zeichensachen, setzte sich mit steifen Bewegungen ins Gras und machte eine schnelle Skizze von einem Arbeiter, der mit entblößtem Oberkörper verbissen in den harten Boden hackte. Dem mageren Mann floß der Schweiß über den Rücken. Er sah ganz anders aus als die wohlgenährten Bauern, die Pieter einst bei ihrer Arbeit auf Papier und Holztafel festgehalten hatte.

»Sie sehen ausgehungert aus«, sagte Pieter.

»Um so besser, dann brauchen wir weniger Farbe, um sie zu malen.«

Pieter schüttelte den Kopf. »Wenn dies eine gerechte Welt wäre, hätte sich schon oft die Erde unter dir aufgetan!«

»Eine gerechte Welt wäre genauso langweilig wie du.«
Pieter sah auf. »Bin ich wirklich so langweilig?«
»Es ist mir ein Rätsel, wie Mayken es mit dir aushält.«
»Vielleicht hast du recht, vielleicht verdiene ich sie gar nicht...«
Floris sah den anderen verwundert an. »He, hör mal!« Er klopfte Pieter mahnend auf den Rücken. »Ich hoffe doch nicht, daß du dir nach all den Jahren mein Gerede zu Herzen nimmst?«
»Manchmal sagst du auf deine plumpe Art die Wahrheit, Floris...«
»Zur Zeit bist du mir in betrunkenem Zustand lieber, dann bist du wenigstens noch auszuhalten.«
Pieter hörte auf zu zeichnen und zerknüllte das Blatt zu einer Kugel, die er in der Hand zusammendrückte. »Wenn ich nüchtern bin, tun mir die Knochen weh, Floris. Es ist schwer, fröhlich zu sein, wenn man Schmerzen hat.«
»Ist es so schlimm? Nicht daß mir das was ausmachen würde, aber ich muß an die Werkstatt denken.«
»Die wird es auch ohne mich geben.«
»Himmel, Pieter, du redest, als wären deine Tage gezählt! Wie alt bist du eigentlich? Kaum vierzig!«
»Der Tod stellt solche Überlegungen nicht an, Floris.«
»Und ich hatte mich schon auf einen schönen Spaziergang gefreut!«
Pieter lächelte müde. »Du hast recht, es tut mir leid.« Er nahm ein neues Blatt. »Sollen wir versuchen, zu arbeiten?«
Doch die Arbeit ging ihm nicht so von der Hand, wie es sein sollte. Der Auftrag für die Stadt erschien ihm völlig überflüssig. Er hatte das drängende Gefühl, es müßten wichtigere Dinge getan werden.
Pieter legte die Zeichensachen neben sich ins Gras und starrte abwesend auf das Treiben um ihn herum.
»All das Gewimmel, all die Wühlerei, warum lassen sie die Erde nicht einfach so, wie sie ist? Sie machen sie nur häßlicher...«
»Du fängst an, ein konservativer, alter Sack zu werden, Pieter!«
»Die schlechten Dinge werden bewahrt und die guten verändert. Unsere Kinder werden uns nicht dankbar sein.«
Floris legte ebenfalls seine Sachen beiseite. »Du nimmst mir die ganze Lust am Arbeiten«, sagte er. Nun klang er wirklich verärgert.

»Ach, dieser Kanal läuft uns nicht weg. Außerdem habe ich mit der Stadt kein Datum abgesprochen, wann unsere Arbeit fertig sein muß.«

Floris sah Pieter verstohlen von der Seite an. Er wird alt, dachte er finster. Als wäre er mit jedem Jahr zwei Jahre älter geworden. Und er wird immer dünner, als würde er von innen aufgezehrt...

»Er interessiert dich nicht, hm, dieser Auftrag?« fragte er.

»Doch, schon, so kommen wir wenigstens noch mal raus...«

Pieters Blick schweifte über die vielen Faulpelze, die den Arbeitern zusahen, und die Kinder, die zwischen den aufgeworfenen Erdhügeln spielten. Eine Patrouille spanischer Soldaten ritt langsam vorbei, wobei sie aufmerksam nach links und rechts schauten, als würden sie Schwierigkeiten erwarten. Die Sonne ließ ihre Kürasse aufblitzen, und ihre Pferde bliesen und schnaubten in der staubigen Luft.

Plötzlich zuckte Pieter unwillkürlich zusammen. Besorgt fragte ihn Floris: »Was ist los?« Er folgte Pieters Blick, aber er konnte nichts Auffälliges sehen.

Pieter entspannte sich und rieb seine Augen. »Ich dachte immer, ich sei mit einem guten Sehvermögen gesegnet.«

»Was glaubst du denn gesehen zu haben?«

Pieter sah wieder in dieselbe Richtung, doch die gespenstische, schwarze Figur war verschwunden. Wahrscheinlich war sie nie dagewesen. »Ich dachte einen Moment lang, ich hätte den Schatten des Teufels gesehen«, erklärte er. »Er stand da und sah mich an. Es war so, als hätte sein Blick spitze Widerhaken, die sich in meine Seele schlagen würden...«

»Früher oder später ist das das Schicksal eines jeden Ketzers«, meinte Floris. Er stand auf. »Sollen wir nach Hause gehen? Es wäre mir peinlich, wenn du hier auf Knien um Vergebung für deine Sünden beten würdest!«

Pieter rappelte sich ebenfalls auf, langsamer und vorsichtiger als Floris. Während er seine Zeichensachen einpackte, sagte er: »Du mußt mir etwas versprechen...«

»Ja?«

»Daß du in die Hölle kommst, wenn du tot bist, ich würde es dort ohne deinen anregenden Spott keine Ewigkeit aushalten.«

»Wird erledigt«, versprach Floris, und es schien, als würde er es auch so meinen.

In dieser Nacht konnte Pieter keinen Schlaf finden. Er starrte ins Dunkel und lauschte den Atemzügen von Mayken und den Kindern, wobei er sich kaum bewegte, um sie nicht aufzuwecken. Wie jedesmal kurz nach der Niederkunft hatte Mayken einen leichten Schlaf und schreckte bei dem leisesten Geräusch auf.

Kurz nach Mitternacht hielt es Pieter nicht länger aus im Bett. Als er vorsichtig die Füße auf den Boden setzte, hörte er an Maykens Atem, daß sie wach wurde, aber sie stellte keine Fragen.

Er ging im Dunkeln in die Küche und nahm den Geneverkrug. Es war jedoch nur noch ein kleiner Rest darin, und er wußte nicht, ob noch ein voller im Hause war. Mayken hatte sich angewöhnt, die Krüge zu verstecken.

Enttäuscht stellte er den Krug hin. Er wußte, daß dieser eine Schluck ihm nur Aufstoßen und Sodbrennen bescheren würde.

Sein Blick schweifte zum Fenster. Ihm war, als würde ihm das helle, graue Rechteck zuwinken. Er starrte auf das Fenster, durch das die dunklen Umrisse der gegenüberliegenden Häuser erkennbar waren, und fühlte plötzlich, wie sich ihm die Nackenhaare sträubten. Nun wußte er, was ihn wachgehalten hatte. Er erschauderte und wünschte sich plötzlich sehnlichst, ins Schlafzimmer zurückzulaufen und in Maykens Wärme Schutz zu suchen.

Sein Herz klopfte schneller, als er vorsichtig zum Fenster schlich, mit einem Widerwillen, der sich bei jedem Schritt verstärkte. Mit absoluter Sicherheit, als könnte er durch die Wand schauen, wußte er, was er sehen würde. Es war kein Wahnbild gewesen, das ihn erschreckt hatte, vorhin am Kanal.

Er erreichte das Fenster, drückte sich an die Wand und versuchte nach unten zu schauen, ohne daß man sein Gesicht von der Straße aus sehen konnte. Nichts, die Straße lag verlassen da. Die Pflastersteine glänzten grau und schwarz im Lichtschein des hellen Halbmondes.

Pieter sah hinaus, bis ihn die Kälte, die von seinen nackten Füßen in den Körper hochstieg, zur Besinnung brachte. Er wandte sich ab und ging wieder ins Bett, verwirrt wegen der beunruhigenden Späße, die sein Geist mit ihm trieb.

Mayken drehte sich um und drückte sich an Pieter. Leise, um die Kinder nicht zu wecken, fragte sie: »Geht es?«

Pieter nickte, wurde sich dann aber dessen bewußt, daß Mayken ihn nicht sehen konnte. »Ich kann nur nicht einschlafen...«

»Kann ich irgendwas tun?« Ihre Hand strich über seinen Bauch nach unten.

Er ließ sie gewähren, spürte aber keinerlei Reaktion.

»Woran denkst du?«

»An nichts«, log er. Erleichtert fühlte er, daß sie nicht weitermachte.

»Hast du Schmerzen?«

»Nein, nicht richtig.« Das war unklug, dachte er sofort. Hätte er ja gesagt, hätte sie ihm wahrscheinlich verraten, wo der Genever war. »Meine Hand zittert etwas.«

»Ich werde sie festhalten«, sagte Mayken.

So schlief er schließlich doch ein, seine Hand in ihrer.

Alpträume blieben ihm erspart, als würde Maykens tröstliche Berührung die Dämonen fernhalten.

Am nächsten Morgen wachte Pieter spät auf. Mayken war bereits unten, doch während er allein frühstückte, erschien sie plötzlich in der Küche.

»Es ist jemand für dich da, ein Besucher.«

Pieter sah Maykens besorgten Blick. Sofort überfiel ihn dieselbe kalte Angst, die er in der Nacht gespürt hatte. Es half kaum etwas, daß nun Tag war.

Er schob den Stuhl zurück und stand auf, ohne zu fragen, wer dieser Besucher sei.

Die dunkle Gestalt aus seinen Alpträumen saß mit dem Rücken zur Tür auf einer Bank in der Werkstatt. Er sprach mit dem kleinen Pieter, der vor ihm stand, und seine Hand lag dabei auf der rechten Schulter des Kindes. Beim Anblick dieser auf den ersten Blick friedlichen Szene hatte Pieter das Gefühl, als würde sich eine eisige Hand in seine Brust krallen. Er blieb einen Moment wie erstarrt stehen, bis ihn Wut übermannte. Dann ging er schnell weiter, nahm den kleinen Pieter am Arm und zog ihn von dem anderen weg. »Hoch mit dir«, schnauzte er. »Und bleib bei deiner Mutter!«

Der erschrockene Junge sah zu, daß er wegkam.

Granvelle hat sich verändert, bemerkte Pieter, als er den unerwünschten Gast wütend ansah. Er war dicker geworden, und sein Bart war bis auf einen kleinen Spitzbart abrasiert, wodurch er noch dämonischer aussah als zuvor. In seinen unförmigen, schwarzen Kleidern konnte man ihn für alles mögliche halten, nur nicht für einen Bischof. Doch der stechende Blick, mit dem er Pieter von Kopf bis Fuß musterte, war noch immer derselbe.

Verstimmt sagte er: »Nicht daß ich eine herzliche Begrüßung erwartet hätte, aber das geht doch etwas zu weit!«

Pieter schwankte zwischen dem Verlangen, wütend aufzubrausen, und der Angst vor der unerbittlichen Autorität, die der andere noch immer ausstrahlte. Der alte Reflex siegte. Er holte tief Luft und sagte: »Vergebung, Monseigneur, aber als ich Euch mit meinem Sohn sah, vergaß ich mich selbst...«

»Warum?«

»Ich habe nicht gesehen, daß Ihr es wart, und Väter verhalten sich manchmal seltsam.«

Granvelle reagierte nicht auf diese Lüge. »Du siehst schlecht aus«, stellte er fest. Es klang wie ein Vorwurf. »Wie ich vernommen habe, bist du wohl dem Genever nicht abgeneigt?«

Anstatt zu antworten, fragte Pieter: »Was ist der Grund Eures Besuches, wenn ich fragen darf, Monseigneur?«

»Ich habe Gutes über deine Arbeit und deine Kinder gehört und Schlechtes über dein Verhalten. Ich wollte mich von dem einen und anderen mit eigenen Augen überzeugen. Schließlich bist du nicht umsonst all die Jahre mein Schützling gewesen.«

»Wie ich sehe, reist Ihr inkognito?«

Granvelle erwiderte nichts darauf. Statt dessen fragte er: »Wie kommst du mit meinem Nachfolger zurecht?« Er sah Pieter scharf an.

Pieter zögerte einen Moment. »Ich bin Herzog Alba noch nicht persönlich begegnet...«

Granvelle grinste spöttisch. »Wie mir scheint, kann man es ein Wunder nennen, daß du noch einen Kopf hast!«

Als hätte sich in der ganzen Zeit, die er weg war, nichts geändert, dachte Pieter verbittert. Er hört und sieht noch immer alles. »Sie haben hier ein belastendes Spottbild gefunden. Irgend jemand versucht schon seit einer ganzen Weile, mir zu schaden...«

Granvelles Gesicht verriet nichts von seinen Gedanken. »Wer ist es?«

»Ich weiß es nicht.«

»Du wirst doch eine Vermutung haben?«

»Nein«, log Pieter. Er war erleichtert, als Granvelle den Blick abwandte.

»Ich kann nichts tun, mir wird noch nicht mal gestattet, mich in den Niederlanden aufzuhalten. Ich muß wie ein Landstreicher in einer Herberge logieren!« fügte Granvelle verächtlich hinzu.

Er nimmt große Risiken auf sich, nur um mich zu quälen, dachte Pieter. Oder hatte der Bischof noch andere, wahrscheinlich zwielichtige Angelegenheiten zu regeln? War er vielleicht noch immer ein fanatischer Lakai der Krone, der nun im Schatten operierte?

Als würde er über einen anderen sprechen, sagte Granvelle: »Alba ist nicht so erbarmungsvoll wie ich. Wenn er weiß, daß du ein Ketzer bist, hat deine letzte Stunde geschlagen.«

Pieter erschrak bei diesen Worten, obwohl ihn der andere schon einmal als Ketzer bezeichnet hatte. Als Granvelle langsam und forschend zu ihm aufsah, mußte sich Pieter dazu zwingen, den Blick nicht zu senken.

»Doch unser heldenhafter Herzog wird nicht so dumm sein, dich in der Öffentlichkeit zum Märtyrer zu machen.« Granvelle sah ihn wieder mit durchdringendem Blick an. »Deine Hinrichtung wird in einer dunklen Ecke von einem als Strauchdieb getarnten Henker vollzogen. Dir wird nicht die Ehre vergönnt sein, durchs Schwert zu sterben, die Spitze eines Dolches wird...«

»Das klingt... als wäre mein Schicksal schon besiegelt?« Pieters Mund war völlig trocken.

Granvelle sah wieder vor sich hin. »Das ist nur allzu leicht vorherzusehen, das war es schon von dem Moment an, als du nicht mehr unter meinem besonderen Schutz standest.«

Pieters Knie schmerzten vom Stehen zu. Er setzte sich steif auf einen Stuhl. »Wie lange wollt Ihr mich noch an der Kandare halten?«

Er sah, wie sich die Augen des anderen verengten, bevor er gereizt fragte: »Was meinst du damit?«

»Immer wieder haltet Ihr es für notwendig, mich zu bedrohen. Muß ich denn bis zum Ende meiner Tage in Angst leben? Welches gottlose Vergnügen habt Ihr in Himmels Namen daran?«

Granvelle brauste dermaßen auf, daß Pieter sich auf seinem Stuhl unwillkürlich anspannte. »Ich habe dich immer nur vor Dummheiten bewahren wollen. Wenn du meine Sorge als Bedrohung empfindest, dann liegt das einzig und allein daran, daß du kein reines Gewissen hast!«

»Ich habe nie jemandem etwas Böses getan«, sagte Pieter. Und mit der Kühnheit eines Menschen, der weiß, daß er nicht mehr viel zu verlieren hat, fügte er unwirsch hinzu: »Was man von Euch nicht sagen kann!«

Als er die Zornesfalte zwischen Granvelles Augenbrauen sah, wurde Pieter klar, daß er wieder zu weit gegangen war, aber er bereute seine Worte nicht, noch nicht. Zunächst fühlte er sich eher erleichtert. Dennoch spannte er sich wieder an, als Granvelle langsam von seinem Stuhl aufstand. Der Bischof reagierte jedoch anders, als Pieter erwartet hatte.

In einem eigenartigem Ton, dessen Bedeutung Pieter nicht verstand, sagte Granvelle: »Ich hatte gehofft, daß diese Begegnung anders verlaufen würde. Doch es ist so, als würden wir uns von den Ufern eines breiten Flusses aus anschreien, der voller Gift und böser Ungeheuer ist. Nun denn, es sei so. Nur noch ein gutgemeinter Rat: Vergiß nicht, dich hin und wieder umzublicken, wenn du dich noch allein auf die Straße wagst...«

Im nächsten Augenblick war Granvelle verschwunden.

Pieter starrte auf den leeren Stuhl. Er hatte die wahnsinnige Vorstellung, daß sich der andere in Luft aufgelöst hatte, statt einfach zur Tür gegangen zu sein.

Was wollte er in Gottes Namen hier?!

»Pieter? Ist er weg?«

Pieter sah zu Mayken auf, die mit Jan auf dem Arm in der Tür stand. Der kleine Pieter schaute neugierig und zugleich ängstlich hinter ihren Röcken hervor. Das Gefühl der Verletzlichkeit, das er sowieso schon hatte, wurde durch ihr Erscheinen noch tausendmal stärker.

»Er ist nicht weg«, sagte er tonlos. »Er wird nie weg sein...«

Da kam ihm plötzlich ein Gedanke, der wie ein Blitz einschlug.

Als Mayken Pieters Gesicht sah, fragte sie besorgt: »Pieter? Was ist los? Fühlst du dich nicht gut?«

Mit Mühe richtete Pieter seine Aufmerksamkeit auf sie. »Ich muß nach Antwerpen...«

»Warum? In Gottes Namen, Pieter, was hat er gesagt?«

Pieter stand auf. Er massierte seine rechte Hand, weil er plötzlich einen stechenden Schmerz in den Gelenken spürte. »Nichts, ich muß etwas erledigen, etwas, das nicht warten kann...« Er machte Anstalten, zur Tür zu gehen.

Mayken packte ihn am Arm. »Ich laß' dich nicht gehen, wenn du mir nicht sagst, was du vorhast!«

»Es ist besser, wenn du es nicht weißt...« Er schaute kurz Jan an, der zu weinen angefangen hatte. »Laß mich bitte, ich muß ein paar Leute treffen, ich komme noch heute zurück.«

»Pieter!«

Pieter schüttelte den Kopf. »Bis bald.« Er lief so schnell hinaus, als würde er die Flucht ergreifen.

Als Pieter in Antwerpen ankam, rann seinem Pferd der Schweiß über die Flanken, und die Schultern waren mit Schaumflocken bedeckt. Er war fast den ganzen Weg im Galopp geritten, das warme Wetter und den Protest seiner schmerzenden Knochen ignorierend.

Die Torwächter wollten wissen, warum er so in Eile sei, doch als Pieter seinen Namen nannte und erzählte, daß er wegen dringender Angelegenheiten zur Gilde müsse, ließen sie ihn passieren.

Eine Viertelstunde später klopfte er bei Abraham Ortelius an.

Als Ortelius die Tür öffnete, warf Pieter einen kurzen Blick auf die Straße und schlüpfte dann heimlich wie ein Dieb ins Haus.

Pieter wartete nicht, bis er verschnauft hatte, sondern kam sofort zur Sache. »Ich möchte, daß du etwas für mich tust«, sagte er, nachdem sie sich begrüßt hatten. Er sah sich in Ortelius' Wohnzimmer um. »Hast du keinen Genever im Haus?«

Ortelius holte einen Krug. »Du siehst aus, als wäre der Teufel hinter dir her!«

»Der Teufel sitzt in Brüssel«, erwiderte Pieter. Er nahm einen gierigen Zug aus dem Krug, den Ortelius ihm zugeschoben hatte.

»Granvelle ist aufgetaucht, er hält sich inkognito in einer Herberge auf, wahrscheinlich in der *Kleeweide*, das muß ich noch herausfinden.«

»Dieses Schwein!« rief Ortelius. »Hoffentlich rennt er in einen Dolch!« Er sah Pieter an, plötzlich veränderte sich sein Gesichtsausdruck. »Warte, hast du vielleicht vor...?«

»Wenn wir seine Opfer rächen wollen, dann jetzt oder nie. Wir müssen ein paar Leute von der Schola Caritatis zusammenrufen und zuschlagen, bevor er wieder ins Burgund abhaut.«

»Warte!« Ortelius hob abwehrend die Hand. »Erlaube mir, die Dienstmagd nach Hause zu schicken, bevor du weitersprichst.«

Er ging aus dem Zimmer. Pieter hörte ihn in der angrenzenden Küche sprechen, ohne daß er verstehen konnte, was dort gesagt wurde. Pieter ging rastlos hin und her, bis er die Haustür zuschlagen hörte und Ortelius zurückkam.

»Habe ich das richtig verstanden, willst du ihn wirklich...«

»Ja«, sagte Pieter. Er versuchte nicht, das Beben seiner Stimme zu unterdrücken. Gegenüber Ortelius mußte er nicht heucheln. »Ich will ihn umbringen, und ich möchte die Sekte um Hilfe bitten. Es wird kein Hahn nach ihm krähen, er hat mir selbst gesagt, daß er noch nicht mal in Brüssel sein darf.«

Ortelius setzte sich und zog den Genverkrug zu sich heran. »Das kommt überraschend, Pieter. Du weißt, daß ich Gewalt nicht gutheiße...«

»Bram, er hat deinem eigenen Bruder die Haut abziehen lassen!« Pieter sprach mit einem Fanatismus, als würden ihm die Worte von einem anderen diktiert, der von seinem Denken und Fühlen Besitz ergriffen hatte.

Ortelius nickte langsam. »Rachegefühle sind auch mir nicht fremd, glaube mir. Aber hat das alles überhaupt noch Sinn, Granvelle hat doch kaum noch Macht?«

»Ändert das etwas an der Schuld, die er trägt? Außerdem bin ich nicht so sicher, daß er keine Macht mehr hat, seine Überheblichkeit hat er jedenfalls nicht verloren!«

Ortelius schmetterte den Krug auf den Tisch und sah Pieter an. »Du hast recht, ich bin dabei, alt und träge zu werden. Doch in der Sekte gibt es einige Leute, in denen das alte Feuer noch immer brennt.

Ich werde dir helfen.« Er stand energisch auf. »Ich werde sofort die nötigen Kontakte herstellen, aber um keinen Argwohn zu erregen, darfst du nicht hierbleiben.«

Pieter stand ebenfalls auf, mit einer Energie, die er seit langem nicht mehr gefühlt hatte. »Ich reite sofort wieder nach Hause. Ich hoffe, daß du mir ein paar furchtlose Männer schicken wirst.«

»Noch heute«, versprach Ortelius. Er drückte Pieter die Hand. »Sei bitte vorsichtig!«

»Mein Leben hat erst einen Sinn gehabt, wenn ich diesen Dreckskerl krepieren sehe«, sagte Pieter.

In etwas langsamerem Tempo als auf dem Hinweg ritt er nach Hause. Dieses Mal bestimme ich den Lauf des Schicksals, dachte er, als er die Stadttore hinter sich ließ. Dieser Gedanke schenkte ihm eine bittere Genugtuung.

Der Wind blies ihm ins Gesicht und ließ seine Augen tränen. »Für Anke und Jobbe und all die anderen...« sagte er laut.

Die bedrückende Dunkelheit einer mondlosen Nacht senkte sich über die Stadt und trieb jeden von der Straße, der nicht unbedingt hinaus mußte. Das farbenreiche Blatt des Tages wurde gewendet und zeigte seine schwarze Rückseite. Fromme Bürger flüchteten vor den bösen Geistern und den finsteren Gestalten, die überall aus ihren dunklen Höhlen hervorkamen und auf der Suche nach wehrlosen Opfern von Schatten zu Schatten huschten.

Doch in dieser Nacht diente die Dunkelheit auch einem anderen Zweck. Entschlossene Männer, deren Herz und Seele vor Rache kochten, schlichen lautlos und wachsam mit der Hand am Dolch an Häusern mit blinden Fenstern entlang zur Herberge *Die Kleeweide*.

Pieter wartete in einem Hauseingang, von dem aus er die Herberge im Auge behalten konnte. Von seinem Versteck aus konnte er Granvelle sehen, der allein an einem Tisch saß und in einem Buch las.

Das Geheimnis, welche finsteren Gründe ihn nach Brüssel geführt hatten, würde er mit ins Grab nehmen, dachte Pieter grimmig.

Außer Granvelle und dem Wirt saßen nur zwei Gäste im Schankraum, der von wenigen flackernden Öllampen erleuchtet wurde. Das kam Pieter und den heranschleichenden Männern sehr gelegen. Sie würden in einer Stadt, die sie nicht kannten, nicht so schnell erkannt werden, doch jedes Risiko, wie klein auch immer, konnte ihr Leben in Gefahr bringen.

Die Besessenheit, die Pieter den ganzen Tag in einem wahnsinnigen Tempo angetrieben hatte, begann ihn zu verlassen. Er war furchtbar müde und hatte hämmernde Kopfschmerzen von der Spannung, in der er wenige Stunden zuvor mit den vier Sektenmitgliedern diesen letzten Moment vorbereitet hatte.

Pieter sauste das Blut in den Ohren, er hatte das Gefühl, daß die ganze Welt nur noch aus den vier nahenden Männern, ihm selbst und der Herberge auf der gegenüberliegenden Straßenseite mit dem Ziel seiner lebenslangen Rache bestehen würde. Und Mayken, dachte er plötzlich. Mayken, die zu Hause Todesängste ausstand und allerlei schrecklichen Vermutungen hatte, ohne zu wissen, was er genau vorhatte. Aber er tat es auch für sie, und für die Kinder. Solange er lebte, würde Granvelle eine Bedrohung für sie darstellen, so wie er auch für andere eine Bedrohung war, die Pieter geliebt hatte...

Pieter erschrak, als plötzlich wie aus dem Nichts eine dunkle Gestalt vor ihm auftauchte. Der Mann hatte sich sein Barett tief ins Gesicht gezogen und ein Tuch über das Gesicht gebunden, so daß nur das Weiße seiner Augen zu sehen war.

»Keine Spanier gesehen«, flüsterte der Mann. »Hier auch alles in Ordnung?«

Pieters erster Versuch, zu antworten, mißlang, er mußte erst einmal schlucken, um seine Stimme unter Kontrolle zu bekommen. »Keine... Gefahr...«

»Wenn sich der Tod auch an seine Abmachung hält, kann nichts schiefgehen«, sagte der Mann zufrieden. Er redete, als würde er solche Unternehmungen öfter machen. »Die Welt wird von einem Ungeheuer erlöst, das nie hätte geboren werden dürfen...«

Diese Worte hatten für Pieter etwas Tröstliches, als bräuchte er noch eine Bestätigung seiner eigenen Überzeugung.

Der Mann schlich ohne ein weiteres Wort davon. Es gab keinen Grund, noch zu warten, je schneller sie die Sache hinter sich brachten, um so besser. Die drei anderen tauchten nun auch aus der Finsternis auf und gingen in die Herberge, wobei sie die Tür fast lautlos öffneten und schlossen.

Pieter griff sich unwillkürlich ans Herz und hielt den Atem an. Er starrte so angestrengt auf die Szene in der Herberge, daß sich sein Blick verschleierte und er fast nichts mehr sah.

Er kniff die Augen fest zu. Als er sie wieder öffnete, sah er, daß Granvelle aufgestanden war. Er stand angespannt hinter seinem Tisch und sah die drei Männer an, die auf ihn zukamen. Der vierte Mann bedrohte den Wirt und die beiden anderen Gäste mit einer Pistole.

Als Pieter tief einatmete, pfiff die Luft durch seine Kehle. Fast wurde ihm schwindlig, so daß er an der Mauer Halt suchte.

Zwei Männer hatten Granvelle gepackt, der dritte stand mit gezogenem Dolch vor ihm.

Jetzt!! schrie Pieter in sich hinein.

Er hatte erwartet, daß er Freude fühlen würde, aber es war eher so, als spürte er selbst Granvelles Todesangst. Nicht mit Befriedigung, sondern mit Grausen verfolgte er das Drama, das sich dort drinnen in Todesstille abspielte. Er sah, wie der Scharfrichter ausholte und zustach. Granvelle beugte sich mit hervorquellenden Augen nach vorn, wurde aber von den beiden Männern wieder zurückgerissen, so daß der Mann mit dem Dolch erneut zustechen konnte. Das passierte noch viermal, dann ließen die Rächer ihr blutendes Opfer los.

Granvelle stützte sich kurz mit den Händen auf dem Tisch ab, fast so, als wollte er eine letzte Rede halten. Er starrte mit verzerrtem Gesicht vor sich hin. Plötzlich schien er Pieters Blick aufzufangen. Der sterbende Mann konnte draußen in der Dunkelheit unmöglich etwas erkennen, doch Pieter wich zurück, als hätte ihn ein Schlag getroffen, bis er gegen die Tür hinter sich stieß.

In der Herberge nahte das Ende des Dramas. Granvelle fiel auf den Tisch und versuchte sich krampfhaft mit den Händen festzuhalten, dann stürzte er mit dem umfallenden Tisch auf den Boden.

Der Mann mit dem Dolch zerschlug an der Kante des umgefallenen Tisches einen Krug. Sie hatten abgesprochen, daß sie das Gesicht des Bischofs zurichten würden, bis man ihn nicht mehr erkennen konnte, und daran hielten sie sich.

Doch bevor es dazu kam, war Pieter geflüchtet. Mit letzter Kraft rannte er den ganzen Weg nach Hause. Nur einmal blieb er steıen, um sich zu übergeben. Es schien, als würden ihn alle Verdammten der Hölle verfolgen, mit dem blutenden Granvelle an der Spitze.

Und er wußte, daß der Alptraum nun nie mehr aufhören würde.

35

Am nächsten Tag war Pieter krank. Er zitterte vor Kälte und war zugleich schweißgebadet. Vom Essen wurde ihm schlecht.

Mayken holte einen Doktor, doch Pieter drohte, ihm einen Geneverkrug auf den Kopf zu schlagen, wenn er es wagen würde, sich seinem Bett zu nähern.

»Wenn ich ihn nicht untersuchen darf, kann ich nicht feststellen, was ihm fehlt«, sagte der Doktor zu Mayken. »Aber ich sehe, daß seine Handgelenke angeschwollen sind. Hat er das schon lange?«

Mayken nickte besorgt. »Manchmal hat er große Schmerzen...«

»Das könnte auf eine gefährliche Knochenkrankheit hinweisen, an der man sterben kann.«

»Ich danke Euch«, sagte Mayken.

Der Doktor zuckte mit den Schultern, Pieters Haltung hatte ihn beleidigt. »Es ist immer klug, der Realität ins Auge zu sehen, gute Frau. Ruft mich nur, wenn der Meister nicht mehr so eigensinnig ist.«

Als der Doktor gegangen war, ging Mayken zu Pieter und setzte sich auf den Bettrand. Sie sah ihn lange schweigend an, bevor sie fragte: »Wann erzählst du mir, was gestern passiert ist?«

Pieter wandte benommen den Kopf ab.

»Du brauchst keine Geheimnisse vor mir zu haben, Pieter.«

»Laß mich bitte in Ruhe, morgen wird es mir schon besser gehen...« Er zog sich die Decke bis über die Ohren, so daß nur noch seine Haare zu sehen waren. Das einst schwarze Haar war inzwischen fast weiß geworden.

Mayken drängte nicht weiter. Sie stand auf und ging in die Küche, wo die Kinder spielten, die noch nichts wußten von der Schlechtigkeit der Erwachsenenwelt. Sie setzte sich mit Jan auf dem Schoß ans Fenster und blickte hinaus, ohne viel von dem wahrzunehmen, was sich auf der Straße abspielte. Sie wußte, daß ihr Pieter von einem Rivalen entrissen wurde, der noch nie einen Kampf verloren hatte und es bis in alle Ewigkeit nie tun würde.

Ich kann nur beten, dachte Mayken, die sich bemühte, ihren Kummer vor den Kindern zu verbergen. Beten in Stille, damit Pieter es nicht merkte...

Als Pieter am nächsten Morgen die Augen öffnete, nahm er eine männliche Gestalt neben seinem Bett wahr. Er dachte zuerst, es sei wieder der Doktor, und begann schon wütend zu werden, aber dann erkannte er Floris.

Pieter setzte sich mühsam auf. »Was ist los?«

»Wie ich sehe, geht es dir besser, oder?«

Fast erstaunt stellte Pieter fest, daß es stimmte. Er hatte einige Stunden schlafen können, und das Schwitzen und Zittern hatte aufgehört. »Vielleicht hätte es mir noch besser gehen können, wenn du mich nicht geweckt hättest.« Er überlegte, wie spät es sein mochte. Noch recht früh, stellte er fest.

»Heute nacht ist in der Werkstatt eingebrochen worden.«

»Himmel, auch das noch! Ist viel gestohlen worden?«

»Nichts, soweit ich das überblicke. Der Einbrecher hat sogar etwas zurückgelassen.« Floris warf ein halbes Dutzend Zeichnungen aufs Bett. »Sie waren so aufgehängt, daß sie jedem aufgefallen wären, wenn ich sie nicht zufällig als erster gefunden hätte.«

Pieter faßte die Spottbilder nicht an, er starrte nur verständnislos darauf.

»Sie sind nicht verhext«, sagte Floris spöttisch. »Gespenster müssen keine Tür aufbrechen, um hereinkommen zu können.«

Und Tote steigen nicht aus dem Grab, dachte Pieter. Oder doch? Er begann wieder zu zittern, diesmal lag es jedoch nicht am Fieber.

Grimmig sagte Floris: »Von jetzt an sorge ich jede Nacht für einen Wächter. Diesen Mistkerl werde ich erwischen, was es auch kosten mag!«

»Irgend jemand hat es auf meinen Kopf abgesehen, Floris. Habe ich denn so schlimme Feinde?«

»Das würde mich nicht erstaunen, wo du immer so den Mund aufreißt.«

»Das mußt du gerade sagen!«

Floris grinste. »Dir geht's wirklich wieder besser, was?«

Pieter bewegte die Finger seiner rechten Hand. Die Schmerzen waren erträglich. »Vielleicht kann ich heute wieder arbeiten«, sagte er. »Ich muß noch so viel tun...«

»Soll ich Mayken hochschicken?«

»Ich komme schon allein zurecht«, antwortete Pieter.

Als Floris weg war, sah Pieter in den Spiegel. Das Gesicht, das ihn mit hohlen Augen anstarrte, machte ihn fast wieder krank.

Er versuchte, seine Gefühle zu erforschen. Der unsichtbare Druck war nicht verschwunden, stellte er fest. Granvelle war tot, aber sein Schatten war noch immer da. Mit Gewalt verdrängte er die Erinnerung an die Augen des blutenden Bischofs, der bereits mit einem Bein im Grab gestanden hatte.

»Er ist tot!« schrie Pieter sein Spiegelbild an. »Ermordet! Hinüber! Krepiert! In Stücke gehackt und wie eine tote Ratte in der Erde verscharrt!« Sein Spiegelbild starrte ihn ungläubig an.

Er packte die Zeichnungen, zerriß sie, warf die Stücke in den Ofen in der Küche und zündete sie an.

»Laßt mich bitte in Ruhe«, sagte er zu den aufflackernden gelben Flammen. »Nur ein wenig Frieden...«

Er nahm die Zeichnung von dem Galgen und der Elster vom Schrank, blies den Staub hinunter und ging in die Werkstatt.

Mayken sah ihn forschend an, aber sie stellte keine Fragen. Bevor er an seinen Arbeitsplatz ging, legte er einen Moment lang eine Hand auf ihre Schulter.

Er stellte eine Holztafel auf und sah sich dann die Zeichnung an. Auf der Suche nach der damaligen Atmosphäre, verlor er sich in Erinnerungen.

Er wußte noch, daß es Frühling gewesen war. Ein strahlender Tag von einer Klarheit, die er seitdem nie mehr gesehen hatte. Dann war die Welt anders geworden, oder sein Blick hatte sich verändert. Nach diesem Tag war nichts mehr wie zuvor.

Die Elstern waren ihm auch damals aufgefallen. Vielleicht hatten sie ihr Nest in der Nähe und waren gekommen, um sich das verrückte Tun der Menschen anzusehen, über das sie sich wahrscheinlich erhaben fühlten. Menschen redeten und schwatzten genauso wie diese frechen Vögel und brachten sich damit an den Galgen.

Eine der Gehängten hatte Pieter angesehen, mit fast demselben Blick wie der sterbende Granvelle...

Hastig legte Pieter die Zeichnung hin, ballte die Fäuste und drückte sie an die Brust, bis es weh tat. Tote beißen nicht mehr ...

»Pieter?« Mayken war zu ihm gekommen und sah unglücklich auf ihn hinab. »Geht es?«

Er legte einen Arm um ihre Hüfte und drückte den Kopf an ihren Bauch, so wie er es vor langer Zeit bei seiner Mutter getan hatte. »Nein«, murmelte er mit gepreßter Stimme. »Es geht nicht ...«

»Wäre es nicht besser, wenn du wieder ins Bett gehst?«

»Ich will arbeiten, wenn ich erst einmal dran bin ...« Pieter ließ sie los. Er genierte sich ein wenig vor den anderen in der Werkstatt.

»Möchtest du, daß ich bei dir bleibe?«

Pieter schüttelte den Kopf. »Laß nur ...«

Er nahm die Zeichnung wieder in die Hände, doch als sich Mayken abwandte und wegging, sah er ihr mit einem sonderbar traurigen Blick nach. Es kam ihm vor, als hätte er sie ein Stück verloren, nun, wo er ein schreckliches Geheimnis hatte, das er nicht mit ihr teilen konnte.

»In der *Kleeweide* ist vor ein paar Tagen jemand kaltgemacht worden«, sagte Floris.

Pieter, der gerade einen Löffel Brei zum Mund führte, ließ den Löffel sinken und sah Floris an. »Wer?«

Floris machte ein gleichgültiges Gesicht und aß hungrig weiter. »Ein Unbekannter, wie es scheint. Wie der Wirt erzählte, wurde die Herberge mitten in der Nacht von mindestens einem halben Dutzend maskierter Männer überfallen. Sie haben den fremden Reisenden erstochen und dann so zugerichtet, daß ihn selbst seine eigene Mutter nicht mehr hätte erkennen können.«

Pieter begegnete Maykens Blick, die ebenfalls aufgehört hatte zu essen, und ihn forschend ansah. Ohne den Blick von Pieter abzuwenden, fragte sie: »Wie war dieser .. Reisende gekleidet?«

»Das weiß ich nicht«, antwortete Floris, der die Spannung, die plötzlich das Zimmer erfüllte, nicht wahrnahm. »Das haben sie nicht gesagt.« Er sah auf. »Warum fragst du das?«

»Ich habe gern ein vollständiges Bild von den Ereignissen«, sagte Mayken.

»Es vergeht kaum eine Nacht, in der nicht irgendwo ein Reisender ermordet wird. Und dieser Bursche schien eine gut gefüllte Börse bei sich gehabt zu haben. Dann fordert man ein Messer zwischen den Rippen geradezu heraus.«

Pieter war erleichtert, als Mayken endlich den Blick von ihm abwandte. »Treiben sich Straßenräuber nicht immer auf der Straße rum?«

»Die Armut nimmt zu, und damit auch die Brutalität. Selbst im eigenen Bett ist man nicht mehr sicher.«

Pieter legte den Löffel hin, er hatte keinen Appetit mehr. »Ich gehe wieder an die Arbeit«, verkündete er im Aufstehen. Er verschwand ohne weitere Erklärung.

Als Pieter gegangen war, fragte Floris: »Was hat er nur in den letzten Tagen? Er war schon immer merkwürdig, aber jetzt dreht er völlig durch.«

Mayken schob ihren Teller weg und starrte vor sich hin. Tonlos sagte sie: »Ich glaube, er ist viel kränker, als er zugeben will. Gott, Floris, manchmal denke ich, daß auch schon sein Kopf davon betroffen ist!« Eine Träne rollte über ihre Wange. Sie wischte sie nicht weg, bis sie auf ihre Hand fiel. Dann fuhr sie abwesend mit dem Handrükken über ihren Rock.

»Kann ich irgendwas tun?« fragte Floris.

»Niemand kann etwas tun, Floris. Das Schicksal macht keine Kompromisse...«

»Denke daran, daß ich helfen will, wo ich kann, auf welche Art auch immer.«

Mayken lächelte schwach. »Pieter weiß überhaupt nicht, wie froh er über einen Freund wie dich sein kann«, sagte sie. »Aber das hat er noch nie getan, sein Glück erkannt...«

Pieter erinnerte sich, daß neben den Galgen Menschen tanzten. Es wurde gejohlt und gelacht, auch die Landschaft johlte und lachte über die Toten... Mit schnellen Strichen zeichnete er auf die Holztafel einen Galgen, der ebenfalls zu tanzen schien. Die Freude über den Tod...

Bei diesem Gedanken grinste Pieter in sich hinein. Warum mußte der Tod unbedingt ein schmerzliches Erlebnis sein? Wenn einen der Himmel erwartete, war das doch eigentlich ein Grund zum Tanzen

Offensichtlich waren sich die meisten dieses Himmels noch nicht sicher...

Er hörte auf zu zeichnen und starrte auf die vergilbte Zeichnung mit den hochstehenden Ecken. Es waren ein Bauernhof und zwei Burgen in der Ferne darauf, aber keine Menschen. Damals hatte er sich viel mehr für Landschaften begeistert.

Menschen sind nur wichtig, weil sie der Tempel der Seele sind, hatte der Mönch gesagt. Der Mönch, der ihn der Spionage beschuldigen wollte, bis ihm sein Vater zu Hilfe gekommen war...

Sein großer, starker Vater. Sich selbst hatte er nicht retten können, als ein spanischer Hauptmann meinte, er müsse einige Bauern niedermetzeln, weil eines der Kinder eine respektlose Zeichnung gemacht hatte...

Bei diesem Gedanken sah Pieter plötzlich auf, als hätte er jemanden seinen Namen rufen hören. »Natürlich!« sagte er laut. »Dieser verdammte Dreckskerl!«

Er warf seine Sachen hin und rannte hinaus. Die Schüler und Gesellen sahen ihm nach. Während sie verstohlene Blicke zur Tür warfen, vertrauten sie sich gegenseitig flüsternd an, was sie von dem merkwürdigen Verhalten ihres Meisters hielten.

Es war nicht schwierig, über den Magistrat die Adresse in Erfahrung zu bringen. Der Laden lag in einem Stadtteil, den Pieter nicht kannte, doch er ritt fast blindlings dorthin, als hätte ihm der Zorn einen besonderen Orientierungssinn gegeben.

Während des Ritts hatte er sich nicht beruhigt, er kochte noch immer vor Wut, als er vor dem Laden vom Pferd sprang. Das Tier steckte sofort den Kopf in eine Holzkiste mit Äpfeln und begann gierig zu fressen. Pieter ließ es gewähren.

Es war ein recht finsterer Laden, in dem hauptsächlich Gemüse, Obst und getrocknete Nahrungsmittel verkauft wurden. Die Theke stand voll mit verstaubten Gegenständen, nur in der Mitte war eine kleine Fläche frei, wo der Besitzer seine Kunden bedienen konnte. Wenn überhaupt Kunden kamen, denn der Laden befand sich in einem desolaten Zustand.

An der Tür hing eine Glocke, deren schriller Klang noch eine ganze Weile im Raum hing. Pieter wartete nicht, bis der Eigentümer erschien. Er ging kurz entschlossen hinter die Theke und riß die Tür zum dahinterliegenden Wohnraum auf. Von der Schwelle blickte er in die dunkle Kammer, in der es muffig roch, als würde sie selten oder nie gelüftet.

Dinus war allein. Er hatte am Tisch gesessen und war halb aufgesprungen, als die Tür aufflog.

Pieters Blick fiel auf einen wackeligen Schrank mit Schubladen. Er rannte zu ihm hin, riß die Schubladen heraus und drehte sie um, so daß ihr Inhalt auf den Boden fiel.

»He, was soll das?!«

Bevor Dinus etwas tun konnte, drehte sich Pieter abrupt um und hielt ihm die Spitze seines Dolches unter die Nase. »Komm mir bloß nicht zu nahe, sonst bring' ich dich um!« schnauzte er. »Dreckiger Verräter!«

Dinus' Kiefer sackte nach unten, als er endlich erkannte, wer der unerwünschte Besucher war. »Pieter?«

»Überrascht?« Pieter lachte höhnisch. »Daß ich nicht früher darauf gekommen bin, daß es kein anderer sein konnte als du!« Er fuhr fort, die Schubladen aus dem Schrank zu reißen. »Mein Bruder, der fast so heilig lebt wie der Papst von Rom!« Er drehte die nächste Schublade um. »Wo sind sie, verdammt noch mal?«

»Ich weiß nicht, was du suchst...« Dinus versuchte entrüstet zu klingen, aber Pieters unerwartetes Erscheinen und dessen Zorn hatten ihn so erschreckt, daß sich seine Stimme überschlug.

»Die restlichen Zeichnungen, die du gestohlen hast, als deine spanischen Freunde beim Rederijker-Fest eingefallen sind. Wo sind sie?« Pieter hatte die letzte Schublade geleert und sah sich wütend nach anderen möglichen Verstecken um.

»Ich weiß nicht...« Dinus wich zurück, als Pieter eine drohende Bewegung mit seinem Dolch machte.

»Entweder die Zeichnungen oder dein Leben«, schrie Pieter ihn an. »Ich gehe hier nicht weg ohne eins von beidem!«

Dinus bemühte sich wieder, mit empörter Stimme zu sprechen. »Hör mal, ist dir eigentlich klar, mit wem...«

»Schweig!« schnauzte Pieter ihn zornig an. »Daß du mein Bruder bist, macht es nur noch schlimmer!«

»Wenn du es wagst, mir etwas zu...«

»Halt's Maul!« schrie Pieter und schlug mit der leeren Schublade, die er noch immer in der Hand hielt, aus Leibeskräften auf den anderen ein, bis der Boden der Lade auf Dinus' Kopf zerbrach. Dinus flog gegen den Tisch und stürzte dann auf den Boden, wo er halb aufgerichtet und benommen liegenblieb.

Pieter warf ihm mit einer verächtlichen Gebärde auch noch die Reste der Schublade an den Kopf und ging dann zu einer Holzkiste, die in einer Zimmerecke stand.

Als Dinus sah, was Pieter tat, brummte er etwas Unverständliches und versuchte aufzustehen. Doch ihm wurde schwindlig, und er fiel gleich wieder hin.

Die Kiste war verschlossen, aber sie wog nicht viel. Pieter hob sie hoch und schlug sie mit ganzer Kraft auf eine Tischecke. Die Kiste brach auseinander, ihr Inhalt flog in alle Richtungen.

Zwischen dem ganzen Krimskrams lagen überall verstreut die Spottbilder. Pieter nahm ein Blatt und betrachtete es einen Moment lang. Dann sah er Dinus an, der auf dem Boden kniete und voller Angst und Wut zu ihm aufblickte.

»Du Dreckskerl!« sagte Pieter mit fast normaler Stimme. Er keuchte, aber nun, wo sich seine Vermutung bestätigt hatte, schien sein Zorn verraucht zu sein. »Du dreckiger, mieser Mistkerl!«

Dinus zog sich mühsam am Tischrand hoch und sank auf einen Stuhl. Vorsichtig befühlte er seinen Kopf. »Meine Frau wollte die Bilder zu den Behörden bringen, ich hätte auf sie hören sollen...«

»Du wolltest mich an den Galgen bringen!«

»Ich habe nur als Werkzeug Gottes gedient, um dich für deine Sünden zu bestrafen.«

»Es muß praktisch sein, Gott benutzen zu können, um seine Schweinereien zu rechtfertigen!«

»Ich vergebe dir deine Gotteslästerungen...«

»Er vergibt mir!« Pieter sah den anderen einen Moment lang fassungslos an. »Aber ich vergebe dir nichts!« rief er.

Er sah sich um, bis sein Blick auf eine Öllampe fiel. Er nahm den Verschluß von der Lampe ab und sprenkelte den Inhalt über den Plunder auf dem Boden.

»In Himmels Namen, Pieter, was machst du da?«

Pieter warf die Lampe weg und nahm seine Zunderbüchse. »Läuterung durch das Feuer«, sagte er. »Kommt dir das nicht bekannt vor?«

»Warte!« rief Dinus. Sein Stuhl fiel um, als er aufsprang und sich auf Pieter stürzen wollte.

Pieters Hand griff zum Dolch, den er weggesteckt hatte. »Pfoten weg, oder du bist tot!«

Dinus blieb wankend stehen. »Pieter, ich bin dein Bruder!«

»Daran hättest du früher denken sollen!«

»Du darfst mich nicht umbringen!« beschwor Dinus ihn. »Der Herr wird dich verdammen!«

Pieter lachte verächtlich. »In Seiner Bibel schlagen sich die Brüder für weniger die Köpfe ein!«

»Elender Heide!«

»Geh zurück«, sagte Pieter in warnendem Ton. »Es sei denn, du brennst darauf, in deinen Himmel zu kommen!« Der Griff des Dolchs fühlte sich warm und naß an. Er wußte, er würde nicht zustechen können, trotz allem. Er war nicht Kain.

Dinus' angeborene Feigheit war stärker als seine Entrüstung. Er stolperte zurück und sah mit aufgerissenen Augen zu, wie Pieter, ohne den Dolch loszulassen, ein Stück Papier anzündete und auf den mit Öl besprenkelten Plunder auf dem Boden fallen ließ. Das Feuer breitete sich schnell aus.

»Das wirst du bereuen!« drohte Dinus. Er wich vor den Flammen zurück, die beinahe seine Kleider ergriffen hätten.

»Ich bereue es, daß ich das nicht schon viel früher getan habe...« Pieter fühlte, wie ihn die Kraft, die ihm die Wut verliehen hatte, allmählich verließ. Er ging an Dinus vorbei nach draußen. »Ich würde anfangen zu löschen, wenn du nicht willst, daß deine ganze Hütte abbrennt«, riet er ihm.

»Du verfluchter Kerl!« schimpfte Dinus. Dann löste er sich aus seiner Erstarrung und lief zum nächsten Pumpenhaus.

Pieter ging zu seinem Pferd, das sich noch immer an den Äpfeln gütlich tat. Er stieg mit Mühe auf und verließ im Trab die sonnenüberflutete Straße.

Er sah sich nicht mehr um. Der Verräter Dinus und sein schmuddeliger Laden schienen plötzlich einer anderen Welt anzugehören, seine eigene Raserei war ein böser Traum, der bereits verblaßte. Nur lie Müdigkeit blieb und wurde immer größer. Sein Kopf war völlig eer und sein Körper kraftlos, so daß er es dem Pferd überlassen nußte, den Heimweg zu finden.

»Es war mein Bruder, Dinus«, erklärte er später, als ihm Floris und in Schüler vom Pferd halfen und ihn ins Haus brachten. Er hatte vieder so furchtbare Schmerzen, daß er nicht mehr imstande war, auf len Beinen zu stehen.

»Was war mit deinem Bruder?« fragte Floris.

»Die Spottbilder. Er gibt mir die Schuld an dem ganzen Leid, das hm widerfahren ist, deshalb...« Pieter stöhnte, als sie ihn auf einen stuhl setzten. In seinen Knien schienen Messer zu stecken, als er die Beine anwinkelte.

»Was hast du getan?« fragte Floris beunruhigt.

»Nicht genug, ich hatte nicht den Mut...« Pieter seufzte, selbst las bereitete ihm Schmerzen. »Ich glaube, ich muß mich hinlegen...«

Die Spanier kamen drei Tage später. Pieter lag im Bett, er war wieder rank. Sie hatten ihn zu einem Verhör mitnehmen wollen, doch als ler Hauptmann sah, in welchem Zustand Pieter sich befand, mußte er inverrichteter Dinge wieder gehen. Das kam ihm gelegen, er hatte nderes zu tun, als sich mit Familienstreitigkeiten rumzuschlagen.

Der rachsüchtige und grollende Dinus Bruegel schrieb einen chwer belastenden Brief an den Statthalter, der das Schreiben zu Pieters Dossier legte, ein Dossier, das der Blutrat nie zu sehen bekommen sollte. Der Statthalter hatte bezüglich des Falls Pieter Bruegel chon vorher eine Lösung gewählt, die keinen Staub aufwirbeln vürde. Doch das mußte noch eine Weile warten, seine Mörder hatten vorläufig alle Hände voll zu tun.

36

»Die Farben sind leuchtender als jemals zuvor«, stellte Mayken ver
wundert fest.

Pieter schaffte es kaum, die Treppen hinunterzugehen. Dahe
hatte Mayken ihm seine Staffelei und Malsachen hochgebracht, s
daß er an den Tagen, an denen es ihm besser ging, im Wohnzimme
arbeiten konnte. Oder besser gesagt in den Stunden, denn die Ge
lenkschmerzen fesselten ihn fast ständig ans Bett oder an einen Stuhl
»Ich wachse allmählich fest«, hatte er einmal gesagt. »Ich bin dabe
ein Baum zu werden, bald könnt ihr mich draußen einpflanzen. Abe
such eine Stelle, wo keine Hunde hinkommen...«

Als wäre es ihm selbst noch gar nicht aufgefallen, fragte er
»Leuchtende Farben?« Er saß am Fenster, so daß das Sommerlich
von links auf die Staffelei fiel und er im Sitzen arbeiten konnte. May
ken hatte eine spezielle Handstütze anfertigen lassen, auf der fast sei
ganzer rechter Arm ruhen konnte. »Klare Farben sind es, das stimm
wohl...« Er lehnte sich auf dem Stuhl zurück. »Als ich jung wa
waren die Farben auch wirklich anders. Es gab mehr Licht, der Him
mel wurde nicht so oft von finsteren Wolken verdunkelt...«

Die Hand, mit der er malte, war durch die geschwollenen Gelenk
deformiert. Er klemmte den Pinsel zwischen Zeige- und Mittelfinge
weil er den steifen Daumen fast nicht mehr benutzen konnte.

Wenn Mayken ihn so arbeiten sah, hatte sie oft Mühe, ihre Ge
fühle zu beherrschen, deshalb stellte sie sich meistens hinter ihn, s
daß er ihr Gesicht nicht sehen konnte.

»Dieser Galgen scheint zu tanzen«, bemerkte sie. »Warst du den
so ein fröhlicher Junge, daß du sogar an den schrecklichsten Dinge
Freude hattest?«

»Laß dich nicht täuschen von den kräftigen Farben der Natur, ih
ist die Dummheit der Menschen gleichgültig. Diese Verrückten tan
zen, ja, und der Galgen tanzt mit. Aber es ist ein makabrer Tanz
Eintagsfliegen tanzen immer, auch wenn sie den nächsten Morge
nicht mehr erleben...«

Nachdenklich sagte Mayken: »Weißt du, daß wir beide nie zusamıen getanzt haben?«

»Tanzende Leute habe ich das letzte Mal auf dem Hochzeitsfest ıeines Bruders gesehen, kurz bevor Granvelles Horde meiner Kindeit ein Ende setzte.«

»Ein Leben voller Grimm...« sagte Mayken leise.

»Dies ist eine Welt voller Grimm, Mayken.« Pieter legte die linke Iand auf ihre Finger, die auf seiner Schulter ruhten. »Aber es gibt uch noch gute Dinge...« Seine knochigen Finger kniffen in ihre Iand. »Du bist der einzige Grund, weshalb ich den Tod nicht lächelnd egrüßen werde.« Als wollte er das Thema wechseln, wies er mit dem tiel seines Pinsels auf das kleine Bild vor ihm. »Diese Elstern, wenn vir ihre Gedanken kennen würden...«

»Ach, sie haben gar keine Gedanken?«

»Die haben die tanzenden Verrückten auch nicht, aber die Elstern önnen wenigstens aus der Höhe auf sie herabblicken.« Pieter ließ die ırme sinken. »Ich bin wieder müde...«

»Willst du dich hinlegen?«

»Laß mich nur hier sitzen, hier sehe ich wenigstens hin und wieder och etwas.« Er sah durchs Fenster auf die Straße. »Auch wenn es ıeistens nichts Besonderes ist...«

»Ist dir nicht zu warm?«

»Die Wärme tut mir gut, Mayken. Nur... ist noch Genever da?«

Mayken holte einen Krug aus dem Schrank und stellte ihn schweiend in Pieters Reichweite auf den Tisch. Ein Glas brauchte sie ihm icht bringen.

»Danke«, sagte er, ohne sie anzublicken.

Mayken verließ das Zimmer. Sie wollte nicht sehen, wie Pieter ch an den Magen griff, nachdem er den ersten Schluck getrunken atte.

Pieter hörte nicht, wie sie wegging, doch er spürte die plötzliche eere im Zimmer. Sein Blick schweifte zu dem fast vollendeten Bild eben ihm. Er war nicht so müde, daß er nicht die letzte Hand hätte nlegen können, aber es schien, als würde eine geheimnisvolle Macht ın daran hindern, seine *Elster auf dem Galgen* zu vollenden. Er ußte, daß er nicht mehr den Mut haben würde, ein neues Bild zu eginnen. Er hatte Angst vor diesen letzten Pinselstrichen.

Vielleicht wartet Granvelle auf der anderen Seite auf mich, dacht Pieter. Dann werde ich nicht mehr flüchten können, bis in alle Ewig keit nicht mehr...

Er hatte nie an die Existenz eines Jenseits geglaubt, doch manchma kamen ihm Zweifel. Dann starrte er auf die kurze Lebenslinie in sei ner Hand und fragte sich, ob Granvelle von der Hölle aus die letzte Kräfte aus ihm saugte.

Mit einer abrupten Bewegung nahm er den Krug und setzte ihn a die Lippen. Er krümmte sich vor Schemrzen. Die brennende Spur, di der Alkohol auf dem Weg zum Magen hinterließ, lenkte seine Gedan ken von Dingen ab, an die er nicht denken wollte.

Er trank weiter, bis er keinen Schmerz mehr spürte und die Wel ihre ärgste Häßlichkeit verloren hatte. Dann stellte er den Krug bei seite. Er mochte den Geschmack von Genever nicht, deshalb trank e selten mehr als nötig. Tat er es doch, lief er Gefahr, daß ihm übe wurde und er Blut erbrechen mußte, wie es schon ein paarmal passier war.

»Euer Magen ist ruiniert«, hatte der Doktor gesagt. »Wenn Ih diesen Genever nicht stehen laßt, werdet Ihr daran eher krepieren al an irgendwas anderem!«

Das war das letzte Mal gewesen, daß der Doktor in seine Näh hatte kommen dürfen. Danach hatte Pieter Mayken kategorisch ver boten, diesen »Volksbetrüger« noch einmal ins Haus zu lassen.

»Siehst du was durrrch das Fensterrrr?«

Pieter hatte seinen Ältesten nicht hineinkommen hören. De Junge stand plötzlich neben ihm und schaute mit hinaus.

»He, du kannst ja das R sprechen!« rief Pieter erstaunt.

»Natürrrlich«, erwiderte der kleine Pieter. »Das kann doch je derrr!«

Pieter lächelte und strich dem Kind über den Kopf. »Das hat abe eine ganze Weile gedauert!«

»Ich finde das nicht schön.« Das Kind zeigte auf das Bild auf de Staffelei. »Ich habe unten ein viel schönerrres gemacht.«

»Daran zweifle ich nicht«, sagte Pieter zustimmend. Inzwische war unverkennbar, daß der kleine Pieter tatsächlich das Talent seine Vaters geerbt hatte. Sie wollten so schnell wie möglich mit der Aus bildung beginnen. Es war schön und tröstlich, wenn man wußte, da ein Teil von einem selbst im Sohn weiterlebte. Das war das Jenseits, dachte Pieter manchmal. Das einzige wirkliche Weiterleben, und das Schönste daran war, daß es nichts mit Hokuspokus zu tun hatte.

»Kommst du mit rrrunter, um es anzusehen?«

»Ich fürchte, daß ich die Treppen nicht mehr runterkomme«, antwortete Pieter. »Bring mir dein Kunstwerk doch hinauf.«

»Onkel Florrris kann aber noch Trrreppen steigen!«

»Das liegt daran, daß Onkel Floris sich nicht mit dem Schicksal gestritten hat«, sagte Pieter bitter.

»Werrr ist Schixaal?«

»Ein Kind von Frau Unglück und Herrn Falschgeboren.«

»Darrrf ich mit Schixaal spielen?«

»Du solltest besser beten, ihm nie in die Arme zu laufen.«

»Mutterrr betet auch immer.«

Pieter runzelte die Augenbrauen. »So? Und warum tut sie das?«

»Damit es dirrr wieder besserrr geht, aberrr das darrrf ich nicht verrraten, hat Mutterrr gesagt.«

Pieter wandte den Blick ab und sah aus dem Fenster. Leise sagte er: »Du hast die beste Mutter der Welt, ich hoffe, daß du gut für sie sorgen wirst, wenn ich nicht mehr da bin.«

»Natürrrlich!« sagte der kleine Pieter. »Kommst du jetzt gucken?« Er zog Pieter am Ärmel.

»Ach ja, warum nicht? Ich sitze hier eingeschlossen wie in einem Kerker.« Pieter stand vorsichtig auf und streckte den Rücken. Die Schmerzen waren erträglich. »Mein Stock, wo ist mein Stock?«

»Dorrrt!« rief der kleine Pieter begeistert. Er rannte in die Ecke des Zimmers und nahm den Spazierstock, den sein Vater meistens zur Hilfe nahm, um nicht zu fallen.

Pieter nahm den Stock und stützte sich auf. »Danke schön, jetzt noch schnell einen Schluck Medizin und dann gehen wir.«

Als Pieter den Geneverkrug an die Lippen setzte, fragte das Kind: »Ist das leckerrr?«

»Medizin ist nie lecker«, antwortete Pieter. Er wischte sich mit dem Ärmel den Mund ab und wies mit dem Kopf zur Tür. »Geh nur vor.«

Der Stock half, und der Genever in seinem Blut auch. Pieter ging rückwärts die Treppe hinunter. Bei den ersten drei Stufen klappte es ganz gut. Als er jedoch den Fuß auf die vierte setzte, schoß ein stechender Schmerz von der Wirbelsäule ins Bein. Pieter knickte in den Knien ein, rang nach Atem und schwenkte den Stock durch die Luft, als wollte er einen unsichtbaren Feind abwehren. Vergeblich versuchte er sich am Geländer festzuhalten, dann fiel er. Er sah eine der Holzstufen auf sich zukommen und fühlte einen furchtbar harten Schlag. Im nächsten Moment, so schien es ihm zumindest, lag er auf dem Bett mit etwas Kühlem auf der Stirn und sah mehrere besorgte Gesichter auf sich hinabblicken.

Auch Mayken war dabei. Ihre Wangen waren naß, und sie versuchte unbemerkt einen Rosenkranz unter dem Kleid zu verstecken.

Pieters Herz klopfte schneller, als er es bemerkte. Einen Moment empfand er stärker ihr Leid als sein eigenes. Es ging ihm übrigens nicht viel schlechter als sonst. Der Nasenrücken und die Stirn fühlten sich zwar völlig taub an, aber ansonsten schien er sich keine neue Verletzung zugezogen zu haben.

»Das war ein Sturz!« sagte er in möglichst normalem Ton.

»Dummer Kerl!« Das war Floris, der eher wütend als besorgt aussah. »Das ist doch einfach unglaublich!«

»Ich wollte nur...« Pieter mußte kurz nachdenken. Was hatte er nur tun wollen?

»Gott, Pieter!« rief Mayken. Dann ließ sie den Kopf auf seine Brust fallen und begann laut zu schluchzen.

Pieter strich ihr übers Haar. »Es tut mir leid, Mayken, ich wollte wirklich nur...« Er wußte es immer noch nicht.

Er sah, wie Floris die anderen mit sanftem Druck aus dem Zimmer schob und schließlich mit einem letzten besorgten Blick auf Pieter selbst hinausging.

»Noch nie habe ich solch einen Schrecken bekommen«, sagte Mayken. Sie hob den Kopf, um Pieter anzusehen, mit heftigen Bewegungen ihre Tränen abwischend, als würde sie sich über ihre eigene Schwäche ärgern.

»Ich wußte nicht, daß ich so schlecht auf den Hinterbeinen stehe«, sagte Pieter. Er versuchte mit fester Stimme zu sprechen, um seine Machtlosigkeit und Schwäche zu verbergen. »Ich wollte...« Plötzlich fiel es ihm wieder ein. »Pieter wollte mir sein Bild zeigen...«

»Und deshalb wolltest du Kopf und Kragen riskieren?«

»Ja, verdammt noch mal!« sagte Pieter, auf einmal trotzig. »Ist es icht himmelschreiend, daß man nicht mal mit seinen eigenen Kinlern... Au!« Er spürte einen höllischen Schmerz im Rücken, als er ich aufrichten wollte. »Ich glaube, ich habe mich doch verletzt...« agte er mit verzerrtem Gesicht.

»Du kannst von Glück reden, daß du nicht runtergefallen bist.« Aayken schüttelte das Kopfkissen auf und versuchte, es ihm so bequem wie möglich zu machen. »Soll ich den Doktor...«

»Nein!« rief Pieter. Als er sah, wie sich Maykens Gesicht wieder erfinsterte, sagte er in sanfterem Ton: »Ich weiß, daß du es gut neinst, Mayken. Aber... nein...«

Sie nickte besänftigend und fühlte an dem nassen Tuch auf seiner ìtirn. »Versuche zu schlafen.«

»Wo ist Pieter?«

»Bei Floris.«

»Wie gut, daß wir Floris haben. Ich habe schon mal gedacht...« Als Mayken Pieters Blick sah, verspürte sie ein schmerzliches Gefühl m Bauch. »... Wenn ich nicht mehr da sein sollte...« Er schwieg, veil ihm die Worte nicht über die Lippen wollten.

Mayken wich zurück. »So was will ich nicht hören!«

»Floris ist ein guter Mensch, auch wenn er ein freches Mundwerk aat. Und er hat mir mal anvertraut, daß er nie heiraten würde, es sei lenn, er würde eine Frau wie dich finden.«

»Pieter!«

Mayken sprang abrupt auf, drehte sich energisch um und rannte ast aus dem Zimmer. Die Tür schlug mit solcher Wucht zu, daß ieter in seinem Bett erzitterte.

Eine Zeitlang lauschte er mit geschlossenen Augen dem Dröhnen n seinem Kopf, bis er seine eigenen Gedanken leid wurde. Dann ließ r sich vorsichtig aus dem Bett gleiten. Er suchte Halt am Schrank ınd richtete sich langsam auf. Die erwarteten Schmerzen blieben us. Pieter bewegte sich Schritt für Schritt zum leeren Wohnzimmer, vo er auf seinen Stuhl am Fenster sank.

Er starrte auf *Die Elster auf dem Galgen* mit dem grauen Fleck echts unten, wo im Hintergrund noch ein Teil des Bauernhofs fehlte.)er Bauernhof mit dem Wasserrad, den er vor seinem geistigen Auge n allen Details sehen konnte, als wäre er erst gestern dort gewesen.

Sein Blick wanderte zu den Pinseln und der mit Farbklecksen beschmierten Palette auf dem Tisch. Vielleicht sollte ich das Bild doch vollenden, jetzt, wo es noch geht, dachte er. Heute hatte er wieder einmal erfahren, wie schnell es vorbei sein konnte. Aber vielleicht hatte er sich gerade deshalb den Hals nicht gebrochen, weil das Bild noch nicht fertig war...

»Dummkopf...« sagte er laut zu sich selbst.

Verärgert wandte er den Blick von dem Bild und den Sachen auf dem Tisch ab und sah wieder nach draußen.

Die Sonne schien, aber die wenigen Passanten auf der Straße trugen dunkle Kleider und Kopfbedeckungen. Die meisten gingen schnell, fast gehetzt, als hätten sie Angst, jeden Augenblick von etwas oder jemandem angegriffen zu werden. Kleine Menschen mit kleinen Gedanken in einer kleinen Straße, deren größte Sorge das nackte Überleben war.

Wenn es einen Gott gibt, findet Er uns sicher furchtbar unwichtig, dachte Pieter. Warum regte sich dann jeder so auf?

Der Geneverkrug stand noch immer auf dem Tisch. Pieter zog ihn zu sich heran und schüttelte ihn. Es war noch ein größerer Rest darin, den er langsam austrank. Danach starrte er mit dem leeren Krug in der Hand vor sich hin, bis sein Blick wieder wie von selbst auf den leeren Fleck des Bildes gelenkt wurde.

Er betrachtete seine rechte Hand, die in seinem Schoß lag. Das Instrument seiner Schöpfungen, das immer schwächer wurde, das ihn verriet, während er doch noch in der Blüte seines Lebens stehen sollte.

Pieter erschrak, als er die dunkle Gestalt wahrnahm, die unerwartet neben ihm stand.

Es war Floris, der besorgt auf Pieter hinabblickte. »Wie geht es dir jetzt?« fragte er.

»Nur etwas Herzklopfen. Warum schleicht denn jetzt jeder so leise herum? Oder fange ich nun auch noch an, taub zu werden?«

»Du paßt nicht auf, das ist es«, meinte Floris. »Du schaust mehr nach innen als hinaus.«

»Ich schaue die ganze Zeit hinaus.«

»Du weißt genau, was ich meine, Pieter.«

Pieter nickte langsam, als würde er die Worte des anderen überlenken. »Ich betrachte meine Erinnerungen...« Er klopfte sich mit ler Faust an den Kopf. »Was anderes gibt's kaum noch zu sehen, etzt, wo ich nicht mehr aus diesen vier Wänden rauskomme.«

»Allmählich wirst du ein richtiger Griesgram«, sagte Floris. ›Nicht daß ich von dir jemals viel anderes als Jammern und Klagen ;ehört hätte.«

Pieter grinste schief. »Das ist das Vorrecht eines alten Mannes.«

»Alter Mann?« Floris schüttelte den Kopf.

»Weißt du, Floris, ich glaube, daß die Uhr des Lebens nicht für alle ;leich schnell geht...«

»Du machst mich noch verrückt!«

»Es ist verdammt schade, daß Jobbe, der Fischer nicht mehr lebt, nit ihm könnte ich ernste Gespräche über solche tiefsinnigen Thenen führen.«

»Tiefsinnige... Jetzt breche ich zusammen! Ein Strohkopf wie du, iefsinnig?«

»Du würdest staunen über die weisen Gedanken, die hin und wieler aus meiner tiefsten Seele emporsteigen. Leider bin ich weder Redıer noch Schreiber, so daß ich sie nicht angemessen in Worte fassen :ann. Übrigens würdest du es sowieso nicht verstehen, dafür bist du ıoch viel zu jung...«

»Pieter, ich bin älter als du!«

»Das häßliche Tier des Alters zeigt sich nicht in den Jahren, sonlern im Geist, Floris!«

»Weißt du, Pieter, manchmal tut mir die arme Mayken wirklich eid!«

»Mir auch, Floris, mir auch...« Pieter sah zu Floris auf, der milde ›pott in seinen Augen war verschwunden. »Wirst du auf sie achtgeen, wenn ich nicht mehr da bin?«

»Ja«, sagte Floris, plötzlich ganz ernst. »Als wäre sie mein eigen 'leisch und Blut, das verspreche ich dir.«

»Das ist gut«, sagte Pieter zufrieden. »Dieses Versprechen bedeuet mir sehr viel...«

»Ist deine Liebe zu ihr so stark, wie ich vermute?«

Pieter nickte vor sich hin. »Sie allein hält das Gute und das ›chlechte in meinem Leben im Gleichgewicht. Mayken ist einfach las Gute...«

»Sie ist das einzige, worum ich dich beneide.«

Pieter sah bei diesem Bekenntnis des anderen nicht auf. »Ich weiß...« sagte er.

»Pieter?«

Pieter hörte Maykens Stimme, aber es war so, als würde sie ihı von der anderen Seite einer tiefen Schlucht rufen, wo er sie nich erreichen konnte.

»Pieter? Bitte, Pieter!«

Ihre Hände reichten über die Schlucht zu ihm hinüber und schlos sen mit ihrer Berührung die tiefe Kluft, die sie getrennt hatte.

»Was ist los?« Er hielt ihre Handgelenke fest und sah in ihre gro ßen, angstvollen Augen, die ihn inmitten eines Wasserfalls aus blon den Haaren von nahem anblickten.

Sie richtete sich auf, holte tief Atem und ließ die Luft langsan ausströmen. »Mein Gott, Pieter, ich dachte schon...« Sie schüttelt den Kopf, als wollte sie einen verrückten Gedanken verjagen. »So wi du hier lagst, mit offenen Augen, kaum atmend...«

»Ich war müde, ich habe vor mich hin geträumt.«

»Pieter, das Bild...«

»Welches Bild? Was ist damit?«

»*Die Elster auf dem Galgen*, es ist fertig, und ich dachte... Gott!

»Fertig?« Pieter dachte kurz nach, aber er konnte sich nicht erin nern, das Werk vollendet, den letzten leeren Fleck ausgefüllt zu ha ben.

Deshalb war er also so müde, dachte er. Nicht von diesem kleineı Ausschnitt, den er gemalt hatte, sondern von einem ganzen Lebeı von Pinselstrichen, deren letzten er endlich gezogen hatte.

»Ich habe einen Boten geschickt, um Mutter zu fragen, ob sie her kommt«, sagte Mayken. »Ich möchte, daß sie sich um die Kinde kümmert, damit ich bei dir bleiben kann.«

»Vertraust du mir nicht mehr?«

»Du hast mir zweimal an einem Tag einen tödlichen Schreckeı eingejagt, jetzt reicht es.«

»Jeder ist immer nur böse auf mich!«

»Vielleicht liegt es daran, daß sie dich lieben, ist dir der Gedank schon mal gekommen?«

Pieter zog es vor, nicht darauf zu antworten. »Ich kann mich wirklich nicht daran erinnern, dieses Bild fertiggemacht zu haben« sagte er. »Kann es nicht Floris gewesen sein?«

»Das würde Floris niemals tun. Und ich kenne dein Werk, Pieter, selbst an solch einer kleinen Ecke würde ich sehen, wenn sie nicht von deiner Hand wäre.«

Sie stand auf und begann sich auszuziehen. »Ich will schlafen, ich habe morgen viel zu tun.«

Pieter drehte den Kopf, um sie anzusehen. Er begehrte sie noch genauso wie zuvor, aber sein Körper reagierte nicht mehr. »Ich wünschte, daß ich noch einmal...« Er schwieg und streckte eine Hand nach ihr aus. Sie kam näher heran, so daß er ihren Schenkel streicheln konnte. »Gott, diese samtige Haut...«

Sie sah auf ihn hinab, fühlte und teilte sein hoffnungsloses Verlangen und dazu den Schmerz des Mitleids. Beinahe brüsk wandte sie sich ab und blies die Lampe aus, damit sie sich in der Dunkelheit verbergen konnte. Sie legte sich tastend neben Pieter, ganz bewußt ein- und ausatmend.

Seine Hand fand ihre, ihre Finger schlangen sich ineinander. Er drückte sie mit einer Kraft, die sie überraschte.

In die Dunkelheit starrend, sagte er: »Weißt du... ich wünschte, ich könnte meine Mutter noch einmal sehen...«

»Aber sie darf dich doch nicht sehen?«

»Das zählt nicht mehr...«

»Wieso?«

»Manches hat sich verändert...«

Mayken schwieg einen Moment, bevor sie fragte: »Pieter... was verschweigst du mir?«

»Was hat man davon, etwas zu wissen, was einem nur schaden kann?«

»Was hat man von Zweifeln und Fragezeichen?«

»Die machen das Leben interessant.«

Mayken drängte nicht weiter, sie wußte, daß sie gegen seinen Starrsinn nicht ankam. Statt dessen sagte sie: »Vielleicht kann ich einen Kurier nach Amsterdam schicken.«

»Ja, wenn du das tun würdest... Und da ist noch etwas.« Pieter verlagerte sein Gewicht, um den schmerzenden Rücken zu entlasten.

Der Genever, durch den er zuvor in Schlaf gefallen war, begann seine Wirkung zu verlieren. »In meiner Kiste liegen noch Spottbilder, ich möchte, daß du sie verbrennst, alle. Wenn ich nicht mehr da bin, darf hier nichts zurückbleiben, was den Zorn Albas erregen könnte.«

»Wie du willst, Pieter...«

Eine Weile lauschte Pieter Maykens Atemzügen, die langsamer wurden, als würde sie einschlafen. Er wußte, daß er selbst nicht schlafen würde, trotz seiner Müdigkeit. Nicht, wenn er nüchtern war.

»Mayken?«

Er hatte sehr leise gesprochen, aber sie reagierte sofort. »Ja?«

»*Die Elster auf dem Galgen*... was ist hinzugekommen?«

Mayken schwieg, bevor sie in einem merkwürdigen Ton sagte: »Ein Bauernhof mit einem Wasserrad.«

Pieter nickte in der Dunkelheit. »Das kann nur ich getan haben«, sagte er.

Am nächsten Tag fühlte er sich etwas besser. Gegen Morgen hatte er doch ein paar Stunden schlafen können, und die Schmerzen waren erträglich. Er wollte unbedingt aufstehen. Mayken brachte ihn zu den Kindern, mit denen er spielte, bis Marieke erschien.

»Wieder eine wundersame Genesung«, scherzte er, als Marieke ihn ein wenig erstaunt begrüßte. »Vielleicht bin ich ja heiliger, als ich denke.«

Marieke sah ihn forschend an. »Spielst du Theater, damit ich nach Antwerpen zurückgehe?«

»Wie kommst du denn darauf? Du weißt doch, wie gerne ich es habe, wenn du hier bist.«

»Warum können Männer nie zugeben, daß sie Hilfe brauchen?«

»Mayken braucht Hilfe, nicht ich...«

»Meinst du wirklich?«

»Trotzdem bin ich froh, daß du wieder da bist«, sagte Pieter ernst.

Im Verlauf des Nachmittags wurde Pieter stiller, sein Blick war wieder nach innen gerichtet, wie es Mayken im vergangenen Jahr so oft gesehen hatte. Schließlich wankte er zum Schrank, um einen Krug Genever zu holen.

»Die Bilder«, sagte er, als Marieke mit den Kindern spazierengegangen war und er mit Mayken allein war. »Ich will, daß du sie jetzt ins Feuer wirfst!«

»Gott, Pieter, hat das denn so eine Eile?«

»Jetzt«, wiederholte er stur. »Ich will es sehen!« Er hatte es am Morgen selbst machen wollen. Weil er aber nur an den Schrank herankam, wenn er auf einen Stuhl kletterte, hatte er es nicht genicht wagt.

Mayken ging die Kiste holen und schüttete den Inhalt auf den Tisch. Sie nahm eines der Bilder und betrachtete es. »Sie sind sehr gut.«

Pieter ergriff ihre Hand. »Ich will auch nicht, daß du sie dir ansiehst, Mayken, ins Feuer damit!«

Mayken gehorchte, und zusammen blickten sie in die Flammen, deren flackerndes Licht das Bild, das auf der Staffelei neben dem Ofen stand, zum Leben erweckte. Einen Moment schien der Galgen wirklich zu tanzen.

»Es wäre gut, wenn man mit derselben Leichtigkeit seine Erinnerungen auslöschen könnte«, sagte Pieter.

»In den meisten meiner schönen Erinnerungen bist du anwesend, Pieter. Und die wollte ich nie auslöschen.«

»Du bist noch so jung...«

»Das klingt fast wie ein Vorwurf!«

»Ein Vorwurf?« Pieter sah sie erstaunt an. »Aber ich würde doch einem Goldstück nicht vorwerfen, daß es glänzt!«

Mayken lächelte. »Vergleichst du mich mit einem Goldstück?«

»Ach, Mayken, dein Wert ist nicht in Gold zu bezahlen.«

Sie schlug die Arme um ihn.

Er atmete ihren weiblichen Geruch ein und empfand mit einem fast perversen Genuß die drückende Qual seines Verlangens, das nicht befriedigt werden konnte.

»Menschen, die sterben, halten die Augen auf«, sagte er später. »Was sie wohl in diesen letzten Momenten sehen? Meistens sehen sie nicht sehr glücklich aus...«

Zögernd sagte Mayken: »Pieter, ich habe mich nie getraut, dich zu fragen, ich weiß, wie du über diese Dinge denkst, aber... Gott, es ist furchtbar, darüber sprechen zu müssen!«

Pieter machte eine abwinkende Handbewegung. »Keinen Doktor!« rief er. »Falls dir das wieder im Kopf herumspukt.«

»Ich dachte an… einen Priester.« Besorgt wartete sie darauf, wie er reagieren würde.

Der gefürchtete Wutausbruch kam. »Das ist das einzige, was noch schlimmer ist! Zu aller Sicherheit werde ich noch schnell so einem Scheinheiligen in den Arsch kriechen! In den Himmel komme ich sowieso nicht, weil ich keine Dukaten in die Kirche getragen habe, um mir meine Seligkeit zu erkaufen…« Pieter verzog vor Schmerzen das Gesicht. »Der heilige Name Gottes als Vorwand, um jeden über die Klinge springen zu lassen, der nicht an diese Scharade glaubt!«

»Beruhige dich doch!« ermahnte ihn Mayken. Sie hielt Pieter auf Armeslänge fest und sah erschrocken in sein graues Gesicht. »Ich habe es doch nur gut gemeint.«

»Ich weiß…« Pieter sackte zusammen, als wäre alle Kraft aus ihm gewichen.

»Entschuldige, ich werde nie mehr davon anfangen.«

Pieter setzte den Geneverkrug an die Lippen und nahm einen kräftigen Schluck. Dann schüttelte er sich, als würde er etwas Scheußliches hinunterschlucken. »Aber wenn es dir ein Trost ist, für mich zu beten, dann solltest du das tun…« sagte er mit sanfter Stimme. Er zog sich das Hemd vom Hals weg, als würde er zu wenig Luft bekommen. »Es ist, als würde ein schweres Gewicht auf mir lasten…«

»Vielleicht solltest du dich besser hinlegen.«

Er ließ sich ohne Protest zum Bett führen.

»Es ist meine Schuld, daß du dich so aufgeregt hast«, sagte Mayken.

»Aufregung?« Pieter lächelte gequält. »Wofür sonst braucht ein Mann eine Frau?« Er atmete aus und schloß die Augen. »Laß mich eine Weile ausruhen, dann geht es mir sicher wieder besser…«

Am nächsten Morgen war Pieter so geschwächt, daß er kaum aufstehen konnte.

»Ich habe mir überlegt, heute mache ich einen faulen Tag«, sagte er zu Mayken.

Sie ging ins andere Zimmer und weinte dort eine Viertelstunde. Dann riß sie sich zusammen und erzählte ihrer Mutter, was sie in Pieters Augen gesehen hatte.

Als sie ins Schlafzimmer zurückkam, bat Pieter sie, seine Staffelei ns Fußende des Bettes zu stellen. Er wolle sich die tratschende Elster nschauen können, sagte er.

Er starrte das kleine Bild eine Weile gedankenverloren an, bevor er agte: »Dieses Rad, ja, jetzt erinnere ich mich wieder, ich habe es atsächlich selbst fertiggemacht...« Er sah Mayken an. »Ich muß etrunken gewesen sein. Stell es wieder weg, ich weiß es jetzt.«

Mayken war nur ein paar Minuten weg. Als sie zurückkam, war 'ieter eingeschlafen.

»Er sieht... zufrieden aus«, sagte sie zu ihrer Mutter, die ihr geolgt war.

»So habe ich ihn noch nicht oft gesehen«, sagte Marieke. »Pieter st nie zufrieden.«

»Mutter, er stirbt!« Mayken klammerte sich an Marieke, plötzlich vieder das Kind, das Schutz vor den Ungeheuern sucht, die es aus der)unkelheit anfauchen.

Marieke schwieg, sie wußte, daß Worte nicht trösten konnten. Das inzige, was sie ihrer Tochter zu geben vermochte, war Wärme. Sie rückte Mayken an sich und hielt sie fest in den Armen, bis sie spürte, aß sich ihr zarter Körper entspannte. Dann sagte sie mit ruhiger timme: »Sollten wir uns nicht mal darum kümmern, daß die Kinder vas zu essen bekommen?«

Mayken löste sich und strich ihre Kleider glatt. »Du hast recht«, agte sie. »Um die Kranken können wir uns sorgen, aber es sind die ;esunden, die Hunger haben...«

'ieter dachte an Jobbe und daran, wie dieser einst dem Tod vorgeworen hatte, er habe ihn vergessen. Ihn selbst würde der Tod gewiß nicht ergessen, dessen war sich Pieter sicher. Er konnte bereits seine Geenwart in den Gesichtern derjenigen sehen, die ab und zu auf ihn inunterblickten. Der Tod sah mit aus ihren Augen und verzerrte ıre Züge, bis alle wie dieselbe weiße Maske aussahen.

»Wir haben den *Seesturm* einem Adligen aus Wien verkauft«, erählte Floris ihm. »Er hat ein hübsches Sümmchen dafür bezahlt.«

»Das ist gut«, sagte Pieter. Das Geld war ihm egal, aber es gefiel ım, daß Floris zufrieden war.

»Ich wünschte, wir könnten es zusammen verjubeln«, sagte Floris.

»Hast du denn noch nicht genug von meiner Quengelei?«

»Ohne dich werde ich zu fröhlich.« Floris blickte auf das Tischchen neben Pieters Bett. »Brauchst du nicht irgendwas?«

»Nichts, was man mit Gold kaufen kann...«

Floris warf einen kurzen Blick auf die Tür. »Hast du noch genug Genever?«

Pieter schloß die Augen. »Das Reden macht mich müde, alles macht mich furchtbar müde...«

Als er die Augen wieder öffnete, war Floris weg. Mayken saß auf dem Bettrand. »Hast du geschlafen?«

»Ich weiß nicht, ist der Tag schon vorbei?« Er sprach langsam und machte nach jedem zweitem Wort eine Pause.

»Fast.« Sie befühlte seine Stirn. »Wie geht es dir?«

Pieter zögerte. Eigentlich fühlte er sich gar nicht so schlecht, ein wenig schwindlig, obwohl er schon länger nichts mehr getrunken hatte. »Schon ein bißchen auf dem Weg zum Himmel«, sagte er.

Er bemerkte nicht, wie sich Maykens Gesicht verzog. Ihre Gestalt war verschleiert, als würde Nebel im Zimmer hängen und er gegen das Licht blicken. Als neben ihrem Gesicht ein zweites erschien, dauerte es sogar eine Weile, bis er Marieke erkannte.

»Es ist Besuch für dich da«, sagte sie. Sie lächelte, als würde ihn eine Überraschung erwarten. Sie ging einen Schritt zur Seite und winkte jemandem, der wartend an der Tür stand.

Mit leichtem Erstaunen sah Pieter die alte Frau an, die an sein Bett trat. Ihre Unterlippe zitterte, sie streckte die Hände aus, als wollte sie ihn berühren, aber es schien, als würde sie von einer unsichtbaren Macht zurückgehalten. Erst als sie seinen Namen aussprach, lichtete sich der Nebel wie durch Zauberhand. Es war seine Mutter.

Dann war er mit ihr allein. Marieke und Mayken waren gegangen. Seine Mutter saß auf einem Stuhl neben dem Bett und hielt seine Hand. Sie sagte kaum etwas, aber ihr Blick hatte etwas Vorwurfsvolles, als würde sie Pieter verargen, daß sie ihn unter solchen Umständen wiedersehen mußte. Vielleicht machte sie sich aber auch selbst Vorwürfe, dachte Pieter, weil sie sich so lange hatte zurückhalten lassen von...

»Er kann dir nichts mehr tun«, sagte er.

Ihre Augen wurden groß. »Ist er etwa tot?«

»Ich habe es getan...«

»Was hast du getan?«

»Ihn umgebracht...«

Sie ließ seine Hand los und griff sich an den Hals. »Was?!«

»Ich habe gesehen, wie er krepiert ist...« Pieter erstarrte, die Erinnerung hatte noch immer nichts von ihrem Grauen eingebüßt.

»Du... aber, Pieter!«

Die heftige Reaktion seiner Mutter erstaunte Pieter ein wenig. »Er hat es verdient, tausendfach...«

»Oh Gott!« Seine Mutter vergrub das Gesicht in beiden Händen. So saß sie eine Weile, bis sie plötzlich aufsprang und weglief.

Pieter starrte verständnislos auf den leeren Stuhl, bis Mayken erschien. Sie erzählte ihm nicht, daß seine Mutter im anderen Zimmer saß und weinte. Statt dessen sagte sie: »Ich finde es schade, daß ich sie nicht schon viel früher kennengelernt habe.«

»Ich auch«, erwiderte Pieter und wandte den Blick ab. Wieder überkam ihn Müdigkeit, doch er hatte keine Schmerzen.

Er versuchte an seine Mutter zu denken, aber er konnte kaum einen klaren Gedanken fassen. Sein Geist machte ständig kleine, schwache Sprünge von einem Gedanken zum nächsten.

»Sie verhält sich so merkwürdig...« murmelte er.

Mit vorwurfsvollem Unterton sagte Mayken: »Du bist ihr Sohn, Pieter...« Ihr sterbender Sohn!

»Unwissenheit ist süß, ich hätte sie nicht bitten sollen, zu kommen...«

»Versuche bloß nicht, die Seele einer Mutter zu verstehen.«

»Das vergebe ich mir nie«, sagte Pieters Mutter im Nebenzimmer. Sie stieß die Worte unter Schluchzen hervor. »Ich hätte es ihm nicht verschweigen dürfen...« Sie saß am Tisch und hatte das Gesicht wieder in den Händen vergraben, als würde sie sich schämen, anderen ihren Kummer zu zeigen. »Oh, mein Gott, oh, mein lieber Gott!«

Marieke saß neben ihr und starrte vor sich hin. Die Mitteilung, daß Granvelle Pieters Vater war, hatte sie kaum erschüttert. Es war, als hätte sie es schon immer gewußt.

»Ich glaube nicht, daß Pieter es selbst getan hat«, sagte sie. »Pieter ist nicht imstande, jemanden kaltblütig umzubringen, selbst so jemanden nicht. Er ist etwas verwirrt, seine Krankheit...« Sie sprach den Satz nicht zu Ende, weil Pieters Mutter wieder aufschluchzte. »Wir müssen versuchen, stark zu sein, Rosalie.« Für mich war er auch ein Sohn, dachte sie. Aber ich werde später weinen, wenn niemand es sieht, wenn Mayken es nicht sieht...

»Er hat seinen Vater umgebracht!«

»Beruhige dich«, sagte Marieke mit besänftigender Stimme. Sie warf einen Blick auf die Schlafzimmertür, um zu sehen, ob sie geschlossen war. »Laß es bitte ein Geheimnis bleiben zwischen dir und mir, niemandem nützt es was, wenn er es weiß.«

»Noch ein Geheimnis?« Rosalie ließ die Hände sacken und sah Marieke mit leblosen Augen an. »Geheimnisse sind furchtbar!«

»Nicht die Geheimnisse, Rosalie, sondern die Wahrheiten, die sich dahinter verbergen. Warum sollten wir das Gedenken deines Sohnes so schwer belasten?«

Rosalie wischte sich die Tränen mit einem Tuch ab, das Marieke ihr gegeben hatte. »Das Gedenken meines Sohnes...« sagte sie, als wollte sie sich den Sinn dieser Worte bewußt machen. »Sein Gedenken!« Wieder vergrub sie das Gesicht in den Händen. »Warum nur muß mich Gott für den Leichtsinn einer seiner Diener so hart bestrafen?«

»Der Diener ist auch bestraft worden«, sagte Marieke.

»Der Kardinal war ein außergewöhnlicher Mann, ich konnte ihm nicht widerstehen, keine Frau konnte ihm widerstehen...«

»Komm«, sagte Marieke, »laß uns wieder zu deinem Sohn gehen.«

»Wo sind Maria, Jan und der kleine Pieter? Ich möchte sie sehen«, sagte Pieter später.

Marieke sah ihn einen Augenblick schweigend an. »Ich werde sie holen.«

Als sie weg war, fragte Pieter seine Frau: »Den wievielten haben wir heute?«

»Den fünften September.«

Pieter nickte zufrieden. »Es ist gut, zu sterben, wenn der Winter kommt...«

»Pieter, sag so was nicht!« flehte Mayken.

»Ich habe aber keine Lust, zu singen«, sagte Pieter, der plötzlich wieder fast normal sprach, ohne lange Pausen zwischen den Worten.

Marieke kam ins Zimmer. Sie schob zwei Kinder vor sich her, das dritte trug sie auf dem Arm. Der kleine Pieter hatte ein Holztäfelchen bei sich, das er bemalt hatte. Er krabbelte auf das Bett, um Pieter voller Stolz sein Werk zu zeigen.

»So muß Hieronymus Bosch auch gemalt haben, als er vier war«, sagte Pieter. Er strich seinem Sohn über den Kopf. »Du bist schon ein richtiger Meister, kleiner Knirrrps!«

Das Kind rollte sich lachend vom Bett und lief mit dem Täfelchen in den Händen davon.

Dann sah Pieter Maria an. »Heirate nie einen Maler, wenn du einen Bankier bekommen kannst!«

Sie stand neben dem Bett, über das sie gerade hinwegblicken konnte, und schaute ihren Vater mit großen, dunklen Augen an. »Ich habe Durst«, verkündete sie.

»Komm, ich werde dir was zu trinken geben«, sagte Mayken. Sie nahm das Kind mit in die Küche.

»Und unser Jan schläft, wie immer...« Pieter strich mit einem Finger über die runde Wange des schlafenden Kindes, das Marieke ihm entgegenhielt.

»Du hast auch fast immer geschlafen, als du so klein warst«, sagte Rosalie. »Wie er so daliegt, sieht er genauso aus wie du damals.«

»Der Schlaf der Unwissenden...« sagte Pieter. Er schloß die Augen.

Als er sie wieder öffnete, stand nur noch Mayken am Bett. Er hatte Mühe, ihr Gesicht zu erkennen, weil nun das ganze Zimmer von Nebel erfüllt zu sein schien. Doch es war nicht dunkel, vielmehr kam es ihm so vor, als strahlte hinter Maykens Rücken ein Licht, das immer stärker wurde.

Mit gepreßter Stimme sagte er: »Ich wollte... daß... ich... dich... so... malen... könnte...«

»Pieter?« Mayken warf einen hilfesuchenden Blick hinter sich, aber sie traute sich nicht, Pieter zu verlassen. Das Herz schlug ihr bis zum Hals, als sie sah, daß der Blick, mit dem er sie anstarrte, immer eindringlicher wurde.

»Es gibt einen Himmel!« sagte Pieter plötzlich mit so klarer Stimme, daß Mayken erschrak.

Er streckte die Hand nach ihr aus. Mayken ergriff die Hand und drückte sie voller Verzweiflung.

Pieter lächelte sanft. »Die Kraft der Schönheit...«

Während sich Maykens schmerzvolles Bild in seinen Augen spiegelte, richtete sich Pieters Blick auf die Unendlichkeit, um für immer zu erstarren.

Die Dunkelheit brach über die Stadt herein und lockte wie immer die bösen Gestalten der Nacht aus ihren Verstecken. Das Funkeln eines begierigen Blickes, das Aufblitzen eines Messers, und wieder hörte man das Röcheln eines leichtsinnigen späten Spaziergängers, der einem Straßenräuber, einem rachelustigen, verschmähten Liebhaber oder einem bezahlten Meuchelmörder, der für seinen Auftraggeber eine Rechnung beglich, zum Opfer gefallen war.

Der ganz in Schwarz gekleidete Mann, der vorsichtig entlang den Fassaden bis zu Pieter Bruegels Haus schlich, konnte sich in dieser Nacht sein Blutgeld nicht verdienen. Schon von der gegenüberliegenden Straßenseite aus erkannte er im kalten Licht der leuchtenden Sterne die weiße Urkunde an der Haustür.

Er sah schnell nach links und rechts und überquerte mit einem Dolch in der Hand wie der Schatten eines Wesens aus einer anderen Welt die Straße. Nachdem er nochmals in beide Richtungen geschaut hatte, wandte er den Blick auf die an die Tür geheftete Urkunde. Er kannte den Brauch, daß Bewohner der besseren Häuser bekanntgaben, wenn jemand gestorben war, aber er mußte den Namen wissen.

Die Buchstaben waren groß und mit einiger Mühe auch lesbar für jemanden, dessen Augen an die Dunkelheit gewöhnt waren.

»Pieter Bruegel«, murmelte er mit rollendem, spanischem R.

Er sprang wie eine Katze zurück und sah zur Fassade des Hauses hoch. »Der Tod ist mir zuvorgekommen...« sagte er. Seine Stimme verriet Enttäuschung.

Dann bekreuzigte er sich und eilte davon. Der Schatten verschwand genauso geräuschlos in der Dunkelheit, wie er gekommen war.

especially at the beginning; in China, this even led to a sort of schism when some Catholics chose bishops for themselves, without Rome's approval.

The issue today is whether Christians of the world can respond to the present situation in a more enlightened manner, without giving up either the essentials of the faith or the struggle for the protection of human rights.

Help from the Universal Church

This is all the more important since the way in which the Vietnamese Christians will act, and the way in which their country's leaders will react towards them, will no doubt be greatly influenced by the attitudes and reactions of Christians of other countries, especially those of the West. The Indochinese Christians and governments will be greatly helped in their attempts to understand one another if the Christians of other countries do not consider the coming to power of the new regimes as a tragedy, but instead see in this a sign of possible liberation.

From the moment the Pope proclaimed 1975 a Year of Reconciliation there existed for him and for all Christians a serious challenge. This challenge makes imperative a radical rethinking of the meaning and mission of the Church in a revolutionary world. In our time the phenomenon of revolution is not unusual: radical changes are taking place at the present moment, for example, in Mozambique, Angola, Guinea Bissau, and Portugal; and in the coming 10 years, the development of socialization will no doubt be one of the main characteristics of the world. It is therefore necessary that we re-think our theology. The teaching of John XXIII and his attitude towards the leaders and regimes of Eastern Europe could be of help to us, whether we be Pope, bishop, or simply one of the faithful.

Questions Addressed to Us

The recent events in Indochina should cause us to question ourselves concerning the missionary activities of the past. For example, did the preaching of God's Word have anything to do with the exploitation of the people by the local elite and foreign powers? Furthermore, how vigorously did Christians fight against immorality, even though they were theoretically opposed to it. What sort of education did their "elitist" schools give, keeping in mind the conditions of injustice and inequality of the country? How did the numerous—and indispensable—works of Christian charity help to bring about a social situation opposing the forces of liberation?

We must also examine a theology which makes the majority of clergy and laity incapable of interpreting the signs of the times and unable to understand the anguish of the masses. We must also determine what role can be played by foreign missionaries in such a revolutionary situation. Is it not true that some of these missionaries, convinced that they were sent to save the country from communism, were among those who were most adamantly opposed to the young Catholic pacifists in Vietnam?

Questions such as these convince us that it is urgently necessary to prepare Christian communities to understand the situations in which they are placed.

In Vietnam, a new segment of the universal Church will no doubt find itself cut off from direct contact with the Vatican; it will have to take care of its own matters, in every sense of the word, renouncing the financial aid and personnel which it received from the old Christendom. Will the central Roman authority consider this providential? Will she see this as an additional opportunity for the Faith to find roots in these countries? One must hope that this will be so.

But one must also hope that the churches of Indochina will have enough spiritual resources and theological vigor to be able to participate in the building of a more just society, without giving in to the temptation of letting themselves be domesticated by the regime. One must hope that Rome will not encourage them to oppose all change, and that the new regimes will not force them to a schism based on nationalistic ideology.

It is clear that one of the most difficult problems facing the peoples of these countries will be to foster concerns of liberty and human authenticity, in spite of the temptation to totalitarianism and conformism, characteristic of socialism. This prob-

Bitte beachten Sie auch
die folgenden Seiten

Nicholas Salaman

Der Garten der Lüste

Ein Roman aus der Zeit der Wiedertäufer
Aus dem Englischen von Irene Rumler

Kurz vor seinem Tod betraut der Maler Hieronymus Bosch seinen Schüler Julius mit der Vollendung eines Triptychons, das die Liebe in ihren himmlischen und höllischen Formen darstellt – es handelt sich um den großartigen, weltberühmten ›Garten der Lüste‹. Julius aber ist diesem Auftrag nicht gewachsen, solange er selbst noch keine Lebens- und Liebeserfahrungen gesammelt hat. Er zieht nach Rensburg, einem Städtchen, in dem die Wiedertäufer ihre Schreckensherrschaft errichtet haben. Sie predigen die Liebe, doch ihre Machtansprüche setzen sie mit Terror und Gewalt durch. Unter diesen Umständen lernt Julius Elisabeth kennen und macht mit ihr Himmel und Hölle auf Erden durch. Nur auf diese Weise lernt er jedoch Boschs großes Werk verstehen, um es schließlich zu vollenden.

»Salamans grandioser Roman läßt die Gewalt, die Schrecken und die Leidenschaft dieses stürmischen Kapitels der deutschen Geschichte in ihrer ganzen Wucht wiederauferstehen. Es gelingt ihm auf beeindruckende Weise, die geistige Atmosphäre jener Zeit zum Leben zu erwecken und in moderner, lebhafter Umgangssprache zu schildern.« *The Times, London*

»Dieser Roman ist, wie Boschs Bilder, in höchstem Maße erotisch. Besonders eindrucksvoll daran ist, daß sinnlicher Genuß als listiges Mittel entlarvt wird, mit dem die Mächtigen ihre Opfer knebeln.«
Times Literary Supplement, London

Andrzej Szczypiorski
Eine Messe für die Stadt Arras

Roman. Aus dem Polnischen
von Karin Wolff

»Was für ein aberwitzig phantastischer Erzähler: Der polnische Schriftsteller Andrzej Szczypiorski, bereits mit seinem Roman *Die schöne Frau Seidenman* hervorgetreten, glänzt in seinem neuen Buch *Eine Messe für die Stadt Arras* durch genaue Schilderung, sprachliche Kurzweil und philosophisch-hintergründige Anschauungen über Gott und die Welt. Arras, die Geburtsstadt Robespierres, steht im Mittelpunkt des Romans. Historisch-authentischer Aufhänger für Szczypiorskis Geschichte ist die Zeit (um 1458), in der die brabantische Stadt Arras von Hungersnot und Pest heimgesucht wird. Drei Jahre später kommt es zur berüchtigten ›Vauderie d'Arras‹, in der ›Hexen‹, ›Juden‹ und ›Andere‹ auf dem Scheiterhaufen verbrannt werden. Solange, bis David, Bischof von Utrecht, die Stadt in einer fünfstündigen Messe segnet und ihre Vergangenheit für nichtig erklärt.« *Claudia Theurer/Abendzeitung München*

»Wir sollten vorsichtiger sein, wenn wir uns über ›die besten Bücher‹ und ›die wichtigsten Autoren‹ äußern, denn es ist allzeit wahrscheinlich, daß wir die gar nicht kennen. Zum Beispiel den Roman *Eine Messe für die Stadt Arras* von Andrzej Szczypiorski.«
Ulrich Greiner/Die Zeit, Hamburg

»*Eine Messe für die Stadt Arras* ist Andrzej Szczypiorskis Hauptwerk.« *Marcel Reich-Ranicki/FAZ*

lem has not yet been solved in the socialist societies. Christians, while helping to build socialism, can contribute to the advancement of liberty by witnessing to values of truth, justice, love and sharing. This involves a difficult struggle which is of concern to all humanity, since all regimes—be they socialist or capitalist—make use of methods of spiritual control, or even of physical torture. Thus, Indochina, with its deep religious traditions, faces this primordial task—to humanize communism.

A Matter Which Concerns the Whole Church

The experiences in Indochina should also be a lesson for the whole Church, and especially the Church in Asia, Africa, and Latin America. These experiences teach us, in effect, that the world expects Christians to put emphasis more on social justice than on religious ritual; that priests and bishops take part, like everyone else, in the task of development, and stop being financially dependent on the faithful. This makes it imperative to give greater autonomy to the laity, and to develop new forms of worship and catechetics.

In view of a world-wide crisis which threatens to hasten the process of change, notably in Asia, the recent happenings in Indochina should also lead Christians of Western societies to reconsider their attitudes towards a capitalist pattern of development, based on maximum profit, which generally leads to a widening of the inequalities between the "haves" and the "have-nots." These events should show them how much they are in need of being reborn to the spirit of the Gospel of Christ beyond the theologies, the life styles, and the forms of authority which have been developed in feudal or liberal societies.

Why should the marxists be alone—or almost alone—in taking justice seriously enough to radically fight injustice? It is now time to rediscover the profound radicality of the Gospel, and to try to live it, before we are forced to do so by a revolution of an Asia half-starved.

Selected Bibliography of Books in English

Alves, Rubem A. *A Theology of Human Hope*. Washington, D.C.: Corpus Books, 1969. Reprinted at St. Meinrad, Indiana: Abbey Press, 1975.

———. *Tomorrow's Child*. New York: Harper & Row, 1972.

Anderson, Gerald H., ed. *Asian Voices in Christian Theology*. Maryknoll, N.Y.: Orbis Books, 1976.

Asia Theological Association. *Voice of the Church in Asia*. Singapore: Asia Theological Association, 1975.

Assmann, Hugo. *Theology for a Nomad Church*. Maryknoll, N.Y.: Orbis Books, 1976.

Becken, Hans-Jurgen, ed. *Relevant Theology for Africa*. Durban, Natal: Lutheran Publishing House, 1973.

Best, K. Y., ed. *African Challenge*. Nairobi: Transafrica Publishers, 1975.

Boyd, Robin H.S. *India and the Latin Captivity of the Church. The Cultural Context of the Gospel*. London: Cambridge University Press, 1974.

———. *An Introduction to Indian Christian Theology*. Madras: Christian Literature Society, 1969.

Braybrooke, Marcus. *The Undiscovered Christ. A Review of Recent Developments in the Christian Approach to the Hindu*. Madras: CLS—CISRS, 1973.

Broderick, Walter J. *Camilo Torres: A Biography of the Priest-Guerrilla*. Garden City, N.Y.: Doubleday, 1975.

Bürkle, Horst and Wolfgang M.W. Roth, eds. *Indian Voices in Today's Theological Debate*. Lucknow: Lucknow Publishing House with ISPCK and CLS, 1972.

Camara, Dom Helder. *The Desert is Fertile*. Maryknoll, N.Y.: Orbis Books, 1974.

———. *Revolution Through Peace*. New York: Harper & Row, 1972.

Cardenal, Ernesto. *The Gospel in Solentiname*. Maryknoll, N.Y.: Orbis Books, 1976.

Chethimattam, John B. *Consciousness and Reality. An Indian Approach to Metaphysics*. Maryknoll, N.Y.: Orbis Books, 1971.

———, ed. *Unique and Universal. An Introduction to Indian Theology*. Bangalore: Dharmaram College Publications, 1972.

Costas, Orlando E. *The Church and Its Mission: A Shattering Critique from the Third World*. Wheaton, Illinois: Tyndale House Publishers, 1974.

———. *Theology of the Crossroads in Contemporary Latin America. Missiology in Mainline Protestantism: 1969-1974*. Amsterdam: Rodopi, 1976.

De Silva, Lynn A. *The Problem of the Self in Buddhism and Christianity*. Colombo, Sri Lanka: Study Centre for Religion and Society, 1975.

Dickson, Kwesi A. and Paul Ellingworth, eds. *Biblical Revelation and African Beliefs*. Maryknoll, N.Y.: Orbis Books, 1973.

Doi, Masatoshi. *Search for Meaning Through Interfaith Dialogue*. Tokyo: Kyo Bun Kwan, 1976.

Duraisingh, Christopher and Cecil Hargreaves, eds. *India's Search for Reality and the Relevance of the Gospel of John*. Delhi: ISPCK, 1975.

Dussel, Enrique. *History and the Theology of Liberation: A Latin American Perspective*. Maryknoll, N.Y.: Orbis Books, 1976.

Eagleson, John, ed. *Christians and Socialism. Documentation of the Christians For Socialism Movement in Latin America*. Maryknoll, N.Y.: Orbis Books, 1975.

Ellacuria, Ignacio. *Freedom Made Flesh. The Mission of Christ and His Church*. Maryknoll, N.Y.: Orbis Books, 1976.

Elwood, Douglas J., ed. *What Asian Christians are Thinking. Readings from Asian Theologians*. Manila: New Day Publishers, 1976.

Emergency Christian Conference on Korean Problems, ed. *Documentation on the Struggle for Democracy in Korea*. Tokyo: Shinkyo Shuppansha, 1975.

Freire, Paulo. *Pedagogy of the Oppressed*. New York: Herder and Herder, 1970; and London: Penguin Books, 1972.

Gerassi, John ed. *The Revolutionary Priest: The Complete Writings and Messages of Camilo Torres*. New York: Random House, Vintage Books, 1971.

Germany, Charles H. *Protestant Theologies in Modern Japan: A History of Dominant Theological Currents from 1920-1960*. Tokyo: IISR, 1965.

Glasswell, Mark E. and Edward W. Fashole-Luke, eds. *New Testament Christianity for Africa and the World. Essays in Honour of Harry Sawyerr*. London: SPCK, 1974.

Gorospe, Vitaliano R. *The Filipino Search for Meaning. Moral Philosophy in a Philippine Setting*. Manila: Jesuit Educational Association, 1974.

Gutiérrez, Gustavo. *A Theology of Liberation*. Maryknoll, N.Y.: Orbis Books, 1973.

Hamid, Idris, ed. *Troubling the Waters*. Trinidad, West Indies (P.O. Box 92, San Fernando): n.p., 1973.

Hargreaves, Cecil. *Asian Christian Thinking. Studies in a Metaphor and its Message*. Delhi: ISPCK with CLS and Lucknow Publishing House, 1972.

Hillman, Eugene. *Polygamy Reconsidered: African Plural Marriage and the Christian Churches*. Maryknoll, N.Y.: Orbis Books, 1975.

Idowu, E. Bolaji. *African Traditional Religion: A Definition*. Maryknoll, N.Y.: Orbis Books, 1973.

Ilogu, E. *Christianity and Ibo Culture*. Leiden: E. J. Brill, 1974.

Jules-Rosette, Bennetta. *African Apostles. Ritual and Conversion in the Church of John Maranke*. Ithaca, N.Y.: Cornell University Press, 1975.

Kappen, Sebastian. *Jesus and Freedom*. Maryknoll, N.Y.: Orbis Books, 1977.

Kato, Byang H. *Theological Pitfalls in Africa*. Kisumu, Kenya: Evangel Publishing House, 1975.

Kitamori, Kazoh. *Theology of the Pain of God*. Richmond, Va.: John Knox Press, 1965.

Koyama, Kosuke. *No Handle on the Cross. Asian Meditation on the Crucified Mind*. Maryknoll, N.Y.: Orbis Books, 1977.

———. *Pilgrim or Tourist: 50 Short Meditations*. Singapore: Christian Conference of Asia, 1974.

———. *Waterbuffalo Theology*. Maryknoll, N.Y.: Orbis Books, 1975.

Lara-Braud, Jorge, ed. *Our Claim on the Future: A Controversial Collection from Latin America*. New York: Friendship Press, 1970.

Lee, Jung Young. *The I: A Christian Concept of Man*. New York: Philosophical Library, 1971.

Martin, Marie-Louise. *Kimbangu: An African Prophet*. Grand Rapids, Michigan: Wm. B. Eerdmans Publishing Co., 1976.

Mathew, E. V. *The Secular Witness of E. V. Mathew*. Introduction by J. R. Chandran. Madras: CLS—CISRS, 1972.

Mbiti, John S. *Concepts of God in Africa*. London: SPCK, 1970.

———. *The Crisis of Mission in Africa*. Kampala: Church of Uganda Press, 1971.

———. *New Testament Eschatology in an African Background*. London: Oxford University Press, 1971.

———. *The Prayers of African Religion*. Maryknoll, N.Y.: Orbis Books, 1976.

Medellin Conference. *The Church in the Present-Day Transformation of Latin America in the Light of the Council*. The Conclusions from the Second General Conference of Latin American Bishops in Medellin, Columbia, 1968. Second edition. Washington, D.C.: Latin America Documentation, U.S. Catholic Conference, 1973.

Mercado, Leonardo N. *Elements of Filipino Philosophy*. Tacloban City, Philippines: Divine Word University Publications, 1974.

———. *Elements of Filipino Theology*. Tacloban City, Philippines: Divine Word University Publications, 1975.

Míguez-Bonino, José. *Christians and Marxists. The Mutual Challenge to Revolution*. Grand Rapids, Michigan: Wm. B. Eerdmans Publishing Co., 1976.

———. *Doing Theology in a Revolutionary Situation.* Philadelphia: Fortress Press, 1975.

Miranda, José P. *Marx and the Bible. A Critique of the Philosophy of Oppression.* Maryknoll, N.Y.: Orbis Books, 1974.

Moore, Basil, ed. *The Challenge of Black Theology in South Africa.* Atlanta: John Knox Press, 1974.

Nacpil, Emerito P. *Mission and Change.* Manila: EACC, 1970.

Nyamiti, Charles. *African Theology: Its Nature, Problems and Methods.* Kampala, Uganda: Gaba Publications, Pastoral Institute of Eastern Africa, 1970.

———. *The Scope of African Theology.* Kampala, Uganda: Gaba Publications, Pastoral Institute of Eastern Africa, 1973.

Okullu, H. J. *Church and Politics in East Africa.* Nairobi: Uzima Press, 1974.

Oosthuizen, G. C. *Theological Battleground in Asia and Africa.* London: Hurst, 1972.

———. *The Theology of a South African Messiah.* Leiden: E. J. Brill, 1967.

Padilla, C. René, ed. *The New Face of Evangelicalism.* London: Hodder and Stoughton, and Downers Grove, Illinois: Inter-Varsity Press, 1976.

Panikkar, Raimundo. *The Trinity and the Religious Experience of Man.* Maryknoll, N.Y.: Orbis Books, 1973.

———. *The Unknown Christ of Hinduism.* London: Darton, Longman and Todd, 1964.

———. *Worship and Secular Man.* Maryknoll, N.Y.: Orbis Books, 1973.

Pathrapankal, Joseph, ed. *Service and Salvation.* Bangalore: St. Peter's Seminary, 1973.

Paz, Néstor. *My Life for My Friends. The Guerrilla Journal of Néstor Paz, Christian.* Translated and edited by Ed Garcia and John Eagleson. Maryknoll, N.Y.: Orbis Books, 1975.

Peruvian Bishops' Commission for Social Action. *Between Honesty and Hope. Documents From and About the Church in Latin America.* Maryknoll, N.Y.: Orbis Books, 1970.

Petulla, Joseph M. *Christian Political Theory: A Marxian Guide.* Maryknoll, N.Y.: Orbis Books, 1972.

Samartha, Stanley J. *The Courage for Dialogue.* Maryknoll, N.Y.: Orbis Books, 1977.

———. *The Hindu Response to the Unbound Christ: Towards a Christology in India.* Madras: CLS—CISRS, 1974.

———, ed. *Living Faiths and Ultimate Goals. Salvation and World Religions.* Maryknoll, N.Y.: Orbis Books, 1974.

Sawyerr, Harry. *Creative Evangelism. Towards a New Christian Encounter with Africa.* London: Lutterworth, 1968.

———. *God: Ancestor or Creator?* London: Longman, 1970.

Segundo, Juan Luis. *The Liberation of Theology.* Maryknoll, N.Y.: Orbis Books, 1976.

———. *A Theology for Artisans of a New Humanity.* 5 vols. Maryknoll, N.Y.: Orbis Books, 1973-74.

Shorter, Aylward. *African Christian Theology: Adaptation or Incarnation?* Maryknoll, N.Y.: Orbis Books, 1977.

———. *African Culture and the Christian Church.* Maryknoll, N.Y.: Orbis Books, 1974.

Song, Choan-Seng. *Christian Mission in Reconstruction: An Asian Attempt.* Maryknoll, N.Y.: Orbis Books, 1977.

Takenaka, Masao, ed. *Christian Art in Asia.* Tokyo: Kyo Bun Kwan with the Christian Conference of Asia, 1975.

Taylor, Richard W. *Jesus in Indian Paintings.* Madras: CLS-CISRS, 1976.

———, ed. *Society and Religion. Essays in Honor of M. M. Thomas.* Madras: CLS—CISRS, 1976.

Thomas, M. M. *The Acknowledged Christ of the Indian Renaissance.* London: SCM Press, 1969.

———. *Man and the Universe of Faiths.* Madras: CLS—CISRS, 1975.

———. *Salvation and Humanisation. Some Crucial Issues of the Theology of Mission in Contemporary India.* Madras: CLS—CISRS, 1971.

Torres, Sergio and John Eagleson, eds. *Theology in the Americas.* Maryknoll, N.Y.: Orbis Books, 1976.

Vadakkan, Joseph. *A Priest's Encounter with Revolution. An Autobiography.* Madras: CLS—CISRS, 1975.

Verghese, Paul. *Freedom and Authority.* Madras: CLS, 1974.

Vicedom, Georg F., ed. *Christ and the Younger Churches.* London: SPCK, 1972.

World Student Christian Federation. *A New Look at Christianity in Africa.* Geneva: WSCF Books, 1972.

MISSION TRENDS NO. 1

Contents

I: RETHINKING "MISSION"

II: THE MESSAGE AND GOALS OF MISSION

III: THE MISSIONARY

IV: CHURCHES IN MISSION

V: HUMANIZATION, DIALOGUE AND LIBERATION

MISSION TRENDS NO. 2

Contents